DE OBSESSIE

Van dezelfde auteur:

De verwisseling

Sandra Brown

DE OBSESSIE

the house of books

Oorspronkelijke titel
The Crush
Uitgave
Warner Books, Inc., New York
Copyright © 2002 by Sandra Brown Management, Ltd.
Copyright voor het Nederlandse taalgebied © 2004 by The House of Books,
Vianen/Antwerpen

Vertaling
Yvonne Kloosterman
Omslagontwerp
Marry van Baar
Omslagdia
Richard Dunkley/Getty Images
Foto auteur
Ron Rinaldi NY
Opmaak binnenwerk
ZetSpiegel, Best

ISBN 90 443 1089 5
NUR 302

Proloog

's Nachts om zeven over twee rinkelde de telefoon in het huis van dokter Lee Howell.

Zijn vrouw Myrna, die naast hem lag te slapen, mompelde in haar kussen. 'Wie is dat nou? Je hebt vannacht geen dienst.'

De Howells lagen nauwelijks een uur in bed. Hun feestje rond het zwembad had tot middernacht geduurd. Toen ze alle rommel en lege cocktailglazen hadden verzameld, de aan bederf onderhevige etensresten in de koelkast hadden opgeborgen en even bij hun slapende zoon naar binnen waren gegaan om hem een nachtkus te geven, was het bijna een uur geweest.

Terwijl ze zich uitkleedden hadden ze zichzelf gefeliciteerd met hun feestje. De geroosterde steaks waren alleen maar een beetje taai geweest, en de nieuwe, elektrische muggenverdelger had de hele avond gesist en het aantal insecten tot een minimum beperkt. Al met al was het een geslaagde party geweest.

De Howells hadden zich ontspannen gevoeld, maar ze waren het erover eens geweest dat ze te uitgeput waren om ook maar aan seks te denken. Daarom hadden ze zich, na elkaar een nachtzoen te hebben gegeven, omgedraaid en waren ze elk op hun eigen helft gaan slapen.

Dokter Howells slaap was slechts van korte duur geweest, maar diep en droomloos, mede dankzij diverse cocktails. Toen de telefoon ging, was hij meteen wakker, alert en geconcentreerd, geconditioneerd door jarenlange training. Hij reikte naar de telefoon. 'Sorry, schat. Misschien is er onverwachts een verslechtering in de toestand van een patiënt gekomen.'

Ze knikte dat ze het begreep, met haar hoofd in het kussen. De reputatie van haar man als uitstekend chirurg was niet alleen gebaseerd op zijn vaardigheden in de operatiekamer. Hij was toegewijd aan zijn patiënten en hij had vóór, tijdens en na hun operatie belangstelling voor hun welzijn.

Het was niet gebruikelijk dat hij midden in de nacht werd opgebeld als hij geen dienst had, maar het kwam wel eens voor. Dit ongemak was een van de prijsjes die Mrs. Howell bereid was te betalen voor het voorrecht getrouwd te zijn met de man van wie ze hield; een man die tevens een veelgevraagd en zeer gerespecteerd arts was in zijn vakgebied.

'Hallo?'

Hij luisterde even. Toen schopte hij de dekens van zich af en zwaaide zijn benen over de rand van het bed. 'Hoeveel?' Toen: 'Allemachtig. Goed, ik kom eraan.' Hij hing op en stapte uit bed.

'Wat?'

'Ik moet weg.' Hij deed het licht niet aan terwijl hij naar de stoel liep waar hij de instappers had achtergelaten die hij eerder die avond had gedragen. 'Al het personeel is opgeroepen.'

Mrs. Howell steunde op een elleboog. 'Wat is er gebeurd?'

Tarrant General Hospital bediende een druk stadsdeel, en stond constant paraat om grote rampen het hoofd te bieden. Het personeel was getraind om onmiddellijk eerstehulp te bieden aan slachtoffers van vliegtuigongelukken, tornado's en terroristische aanvallen. Daarbij vergeleken was het noodgeval van deze avond iets heel gewoons.

'Grote kettingbotsing. Er zijn diverse voertuigen bij betrokken.' Howell schoof zijn blote voeten in zijn instappers, die door hem geliefd en door zijn vrouw verfoeid werden. Hij had de schoenen al zolang ze hem kende en weigerde er afstand van te doen. Hij zei dat het leer zich nu pas naar zijn voet zette en aangenaam werd om te dragen.

'Een echte puinhoop. Een tankauto is gekanteld en in brand gevlogen,' zei hij en trok zijn goudkleurig hemd over zijn hoofd. 'Tientallen slachtoffers, en de meesten daarvan worden naar onze eerstehulpafdeling gebracht.'

Hij deed zijn polshorloge om en maakte zijn pieper aan zijn broeksband vast. Daarna boog hij zich voorover om zijn vrouw te kussen. Hij miste haar mond. Zijn kus belandde tussen haar neus en haar wang. 'Als ik met het ontbijt nog steeds in het ziekenhuis ben, bel ik je om je van het laatste nieuws op de hoogte te brengen. Ga maar weer slapen.'

Terwijl ze haar hoofd in het kussen vlijde, mompelde ze: 'Wees voorzichtig.'

'Dat ben ik altijd.'

Voor hij de trap af was, sliep ze al als een roos.

Malcomb Lutey las de laatste regels van het derde hoofdstuk van zijn nieuwe sciencefictionthriller. Het verhaal ging over een virus dat zich

6

door de lucht verspreidde en een paar uur na het inhaleren de inwendige organen van een mens in een zwarte, olieachtige drab veranderde.

Terwijl hij over de nietsvermoedende maar ten dode opgeschreven, blonde, Parijse hoer las, pulkte hij aan de pukkel op zijn wang, waar hij van zijn moeder niet aan mocht komen.

'Dat maakt het alleen maar erger, Malcomb. Tot je eraan begint te peuteren, zie je hem niet.'

Nou, óf je de pukkel zag! Hij vormde de huidige piek van de zich steeds ontwikkelende, bobbelige, rode bergketen die zijn gezicht in feite was. De zware, littekens veroorzakende acne was in Malcombs puberteit begonnen. De afgelopen vijftien jaar hadden de pukkels elke behandeling getrotseerd, lokaal of oraal, voorgeschreven of zonder recept gekocht.

Zijn moeder weet de chronische kwaal aan een slecht voedingspatroon, slechte hygiëne, en slechte slaapgewoonten. En meer dan eens had ze erop gezinspeeld dat masturbatie de oorzaak zou kunnen zijn. Wat haar veronderstellingen ook waren, ze suggereerden steevast dat Malcomb er op de een of andere manier zelf verantwoordelijk voor was.

De gefrustreerde dermatoloog die hem moedig maar zonder succes had behandeld, had andere maar evenzovele theorieën aangeboden over de reden waarom Malcomb met de gezichtstopografie van een Halloweenmasker was behept. Saldo: niemand wist het.

Alsof acne niet genoeg was om een lage dunk van zichzelf te hebben, was ook Malcombs lichaamsbouw een ramp. Hij was broodmager. Supermodellen die betaald werden om er ondervoed uit te zien zouden jaloers zijn op zijn stofwisseling, die een diepe afkeer van calorieën leek te hebben.

Als laatste, maar niet minder genetisch afschrikwekkend, was er zijn rode krulhaar. De vurige haardos had de dichtheid en de structuur van staalwol en was de nagel aan zijn doodskist geweest lang voor hij last van acute acne had gekregen.

Malcombs zonderlinge uiterlijk en de verlegenheid die eruit was voortgekomen maakten dat hij zich een buitenbeentje voelde.

Behalve op zijn werk. Hij werkte 's nachts. En in zijn eentje. Duisternis en eenzaamheid waren de twee dingen waar hij het meest van hield. Duisternis maakte dat zijn haar minder rood leek en hielp zijn acne verdoezelen. Eenzaamheid was een essentieel onderdeel van zijn vak als bewaker.

Zijn moeder was het niet met zijn beroepskeuze eens. Ze zat constant aan zijn hoofd te zeuren of hij niet wilde overwegen van baan te veranderen. 'Je zit daar nacht in nacht uit in je dooie eentje,' zei ze vaak terwijl ze haar hoofd schudde en afkeurende geluiden maakte. 'Hoe kun je nou iemand ontmoeten als je altijd alleen werkt?'

Daar gaat het nou juist om, ma. Dit was Malcombs standaardweerwoord, hoewel hij niet de moed had het hardop uit te spreken.

Werken in de nachtploeg betekende dat hij minder vaak een gesprek moest voeren met iemand die zijn best deed niet naar zijn gezicht te staren. En als hij 's nachts werkte, kon hij het grootste deel van de dag slapen, als het gehate daglicht zijn haar als een knaloranje markeerstift deed opvlammen. Hij zag erg op tegen de twee vrije avonden die hij elke week had. Dan moest hij zijn moeders gezanik verduren, die maar bleef doorzeuren dat hij zijn eigen aartsvijand was. Het steeds terugkerende thema van haar preken was dat hij, als hij zich meer voor mensen openstelde, meer vrienden zou hebben.

'Je hebt een hoop te bieden, Malcomb. Waarom ga je niet uit, zoals andere mensen van je leeftijd? Als je vriendelijker was, zou je zelfs een aardige jongedame kunnen ontmoeten.'

Vast wel!

Zijn moeder bespotte hem omdat hij sciencefiction las, maar zíj was degene die in een droomwereld leefde.

Zijn plek bij het Tarrant General Hospital was bij het parkeerterrein van de artsen. Voor de andere bewakers was dat de minst begeerlijke post, maar Malcomb zat daar het liefst. 's Nachts was er weinig bedrijvigheid. Het werk begon pas 's morgens vroeg, als de artsen binnen kwamen druppelen. De meesten waren nog niet gearriveerd als hij om zeven uur 's morgens uitklokte.

Het was nu vrijdagnacht. Er stonden meer auto's op het parkeerterrein dan in een doordeweekse nacht. In het weekend was het altijd drukker op de eerstehulpafdeling, dus was het een voortdurend komen en gaan van artsen. Nog maar een paar minuten geleden was dokter Howell bij de slagboom komen aanrijden. Hij had hem geopend met behulp van de zender die aan de zonneklep van zijn auto was vastgeklemd.

Dokter Howell was een aardige man. Hij keek nooit langs Malcomb heen alsof hij er niet was, en soms zwaaide hij zelfs naar hem terwijl hij het wachthokje passeerde. Howell werd nooit woest als de slagboom niet omhoogging en Malcomb dat vanuit zijn wachthokje handmatig moest doen.

Dokter Howell leek een toffe vent, absoluut niet verwaand. Niet zoals sommigen van die rijke klootzakken die zich ontzettend arrogant gedroegen wanneer ze met hun vingers op hun beklede stuur trommelden terwijl ze ongeduldig wachtten tot de slagboom omhoogging, zodat ze door konden racen alsof ze ergens iets heel belangrijks moesten doen.

Malcomb las de eerste pagina van hoofdstuk 4. Zoals verwacht bezweek de Parijse, blonde hoer halverwege de geslachtsdaad. Ze stierf, in zware doodsnood en hevig brakend, maar Malcomb leefde meer met haar ongelukkige klant mee. Over een gigantische afknapper gesproken!

Hij legde het opengeslagen boek omgekeerd op de tafel, ging rechtop zitten, rechtte zijn rug, en probeerde wat comfortabeler op zijn kruk te gaan zitten. Terwijl hij dat deed ving hij in het vensterglas een glimp van zichzelf op. De pukkel groeide per seconde. Hij was al een monument van pus. Vol afkeer van zijn spiegelbeeld richtte hij zijn blik op het parkeerterrein erachter.

Hier en daar waren op strategische plekken kwiklampen geplaatst, zodat het grootste deel van het parkeerterrein goed werd verlicht. Er waren alleen diepe schaduwen onder de bomen en struiken die het terrein omringden. Er was niets veranderd sinds de laatste keer dat Malcomb naar buiten had gekeken, behalve dat de zilveren Beemer van dokter Howell erbij was gekomen – derde rij, tweede auto. Hij kon het glanzende dak van de wagen zien. Dokter Howell zorgde dat zijn Beemer er altijd perfect uitzag. Malcomb zou dat ook doen als hij zich zo'n kar kon veroorloven.

Hij keerde terug naar zijn roman, maar hij had nog maar een paar alinea's gelezen toen hij zich ineens iets raars realiseerde. Hij keek opnieuw naar de Beemer van dokter Howell en fronste verward zijn bleke wenkbrauwen. Hoe had hij dokter Howell kunnen missen toen die langs zijn wachthokje liep?

Om het pad te bereiken dat naar de dichtstbijzijnde personeelsingang voerde moest je het wachthokje tot op een paar meter naderen. Het was Malcombs tweede natuur geworden om er nota van te nemen als iemand passeerde, hetzij op weg naar het gebouw of terugkerend naar zijn auto. Er was een onderling verband. Iemand verliet het gebouw en reed kort daarna weg in zijn auto. Of iemand reed het parkeerterrein op en passeerde kort daarna het wachthokje, op weg naar de ingang van het gebouw. Malcomb hield dat onbewust bij.

Nieuwsgierig vouwde hij het hoekje van zijn bladzijde om en legde het boek onder de tafel, naast de zak waar zijn moeder zijn boterhammen in had gestopt. Hij trok de klep van zijn dienstpet een beetje naar beneden. Als hij gedwongen was met iemand te praten, al was het met een persoon die net zo gemakkelijk in de omgang was als dokter Howell, wilde hij hem niet meer dan noodzakelijk aan zijn afstotelijke uiterlijk blootstellen. De klep van zijn pet verschafte extra schaduw om zich te verbergen.

Toen hij het van airconditioning voorziene wachthok verliet, merkte hij dat de buitentemperatuur sinds zijn laatste ronde niet was gedaald. Augustus in Texas. In de vroege uurtjes was het bijna even warm als midden op de dag. De hitte van het asfalt kwam door zijn rubberen schoenzolen heen, die vrijwel geen geluid maakten toen hij de eerste rij auto's passeerde, en daarna de tweede. Aan het eind van de derde rij bleef hij staan.

Voor het eerst sinds hij deze baan vijf jaar geleden had aangenomen, voelde hij een vleugje angst. Tijdens zijn dienst was er nooit iets onbetamelijks gebeurd. Een paar maanden geleden had een bewaker in het hoofdgebouw een man moeten overmeesteren die een verpleegster met een slagersmes bedreigde. En vorig jaar, op oudejaarsavond, was een bewaker opgeroepen om een einde te maken aan een vechtpartij tussen vaders die ruzieden over de vraag wie van hun pasgeborenen de eerste baby van het nieuwe jaar was geweest en daardoor winnaar van diverse prijzen.

Godzijdank was Malcomb bij geen van beide incidenten betrokken geweest. Naar men zei hadden ze veel publiek getrokken. Hij zou totaal ontredderd zijn geweest door de aandacht. De enige crisis die hij ooit tijdens zijn werk had meegemaakt, was een uitbrander van een neurochirurg die, toen hij bij zijn Jag terugkeerde, ontdekte dat de wagen een lekke band had. Om redenen die Malcomb nog steeds niet kende had de chirurg hem verantwoordelijk gehouden.

Tot nu toe waren zijn diensten gelukkig rustig geweest. Hij kon geen verklaring geven voor het onbehaaglijke gevoel dat hij nu had. Plotseling leek zijn goede vriend Duisternis niet meer zo welwillend. Hij keek argwanend om zich heen en achterom, naar de weg die hij net had afgelegd.

Het parkeerterrein was zo stil als het graf – niet bepaald een geruststellende vergelijking op dit moment. Niets bewoog. Zelfs de bladeren van de omringende bomen niet. Zo te zien was niets anders dan anders.

Desalniettemin trilde Malcombs stem een beetje toen hij riep: 'Dokter Howell?'

Hij wilde niet naar de man toe sluipen. In een goed verlichte ruimte vol mensen was zijn gezicht al schokkend, om niet te zeggen ronduit griezelig. Als hij iemand onverwacht in het donker zou overvallen, zou de arme ziel zich dood kunnen schrikken.

'Dokter Howell? Bent u daar?'

Toen Malcomb geen antwoord kreeg, leek het hem veilig om langs de eerste auto in de rij te lopen en de Beemer van dokter Howell te controleren, gewoon om zichzelf gerust te stellen. Hij had hem over het hoofd gezien. Zo simpel was dat. Toen de dokter hem passeerde had hij, Malcomb, zich waarschijnlijk te veel geconcentreerd op wat de blonde hoer met haar klant deed voordat ze pijnaanvallen kreeg en zwarte smurrie over de man begon uit te braken. Misschien was hij afgeleid geweest door de nieuwste vulkanische formatie op zijn wang. Misschien had dokter Howell niet het verharde pad genomen en was hij in plaats daarvan door het struikgewas geslopen. Hij was een lange, tengere man. Slank genoeg om zich door de heg te kunnen wurmen zonder enige beroering te veroorzaken.

Hoe dan ook, dokter Howell was in het donker langs hem heen geglipt.

Voordat hij om de eerste auto in de rij liep deed Malcomb, voor alle zekerheid, zijn zaklamp aan.

Later werd de zaklamp onder de eerste auto in de rij teruggevonden, waar hij was blijven liggen na een eindje te zijn doorgerold. Het glas was verbrijzeld, het omhulsel gedeukt. Maar de batterijen zouden het vervelende, roze konijntje tot eer hebben gestrekt. De lamp brandde nog steeds.

Wat Malcomb gezien had in de lichtbundel van zijn zaklamp had hem meer angst aangejaagd dan wat hij ooit in een sciencefictionthriller had gelezen. Het was niet zo grotesk, bloederig of bizar. Maar het was écht.

1

'Mooi huis!'

'Ja, ik woon hier erg naar mijn zin.' Wick negeerde de hatelijke, banale opmerking en leegde de pan met gekookte garnalen in een vergiet dat nooit de binnenkant van een winkel van Williams-Sonoma had gezien. Het was van wit plastic en zat vol bruine vlekken. Hij wist niet hoe hij eraan was gekomen. Waarschijnlijk was het achtergelaten door een vorige bewoner van het huurhuis waar zijn vriend kennelijk geen hoge dunk van had.

Nadat de garnalen waren uitgelekt, zette hij het vergiet in het midden van de tafel, pakte een rol keukenpapier en bood zijn gast nog een biertje aan. Hij maakte twee flessen Red Stripe open. Toen ging hij kruiselings op de stoel tegenover Oren Wesley zitten en zei: 'Tast toe.'

Oren scheurde netjes een stuk keukenpapier af en legde het op zijn schoot. Wick was al aan zijn derde garnaal bezig voordat Oren er eentje kon gaan uitkiezen. Ze pelden en aten in stilte en dipten hun garnalen in een schaaltje met cocktailsaus. Oren waakte er angstvallig voor dat zijn witte, dubbele manchetten niet in aanraking kwamen met het rode spul waar een beetje mierikswortel aan was toegevoegd. Wick maakte luide smakgeluiden en likte zijn vingers af, zich er heel goed van bewust dat zijn pietluttige vriend zich aan zijn slechte tafelmanieren ergerde.

Ze lieten de garnalenschalen op een krant vallen die Wick over de tafel had uitgespreid. Niet om het hopeloos beschadigde tafelblad te beschermen, maar om zo weinig mogelijk te hoeven schoonmaken. De plafondventilator deed de hoeken van zijn geïmproviseerde tafelkleed wapperen en vermengde het geurige aroma van het garnalenvocht met de zwoele zeelucht.

Na een tijdje zei Oren: 'Lekker.'

Wick haalde zijn schouders op. 'Een makkie.'

'Garnalen van híer?'

'Supervers. Ik koop ze zodra de boot afmeert. De schipper geeft me korting.'

'Jofel van hem.'

'Helemaal niet. We hebben een deal gesloten.'

'En wat is jouw deel daaraan?'

'Dat ik zijn zus met rust laat.'

Wick stopte opnieuw een dikke garnaal achter zijn kiezen en gooide de schaal op de steeds groter wordende hoop. Hij wierp Oren een grijns toe, in de wetenschap dat zijn vriend probeerde te beslissen of hij al dan niet de waarheid sprak. Wick was een vermaarde kletsmajoor en zelfs zijn beste vriend wist niet precies wat feit en wat fictie was.

Hij veegde zijn handen en zijn mond aan een stuk keukenpapier af. 'Kun je nergens anders over praten, Oren? De prijs van garnalen? Ben je daarom helemaal hiernaartoe gekomen?'

Oren ontweek zijn blik terwijl hij achter zijn hand stilletjes een boer liet. 'Ik zal je helpen opruimen.'

'Laat maar. Neem je bier mee.'

Een smerige tafel zou niet veel uitmaken voor de toestand van Wicks huis – je kon het nauwelijks een huis noemen. Het was een bouwval die uit drie kamers bestond en eruitzag of hij bij een matig Golfwindje al zou instorten. Het huis bood beschutting tegen de elementen – en zelfs dát niet echt. Het dak lekte als het regende. De raamventilator was zo ontoereikend, dat Wick zelden de moeite nam hem aan te zetten. Hij huurde de woning per week, vooruit betaald. Tot nu toe had hij een-enzestig cheques voor de huisjesmelker uitgeschreven.

De hordeur piepte in zijn verroeste scharnieren toen ze erdoor liepen en het terras aan de achterkant van het huis betraden. Net zo krakke-mikkig als de rest van het huis. De vloer bestond uit ruwe planken en was net breed genoeg voor twee metalen tuinstoelen in de stijl van de jaren vijftig. De zoute lucht had talrijke lagen verf weggevreten; de laatste had de groene kleur van erwten. Wick ging in de schommelstoel zitten. Oren keek twijfelachtig naar de roestige zitting van de stoel, die niet verstelbaar was.

'Hij bijt heus niet,' zei Wick. 'Misschien krijg je vlekken in je broek, maar ik verzeker je dat het uitzicht een stomerijrekening waard is.'

Oren ging voorzichtig zitten, en binnen een paar minuten werd Wicks belofte vervuld. De westelijke horizon was doorstreept met levendige kleuren, variërend van bloedrood tot knaloranje. Paarse donderkoppen aan de horizon leken net glooiende heuvels met een gouden rand.

'Geweldig, hè?' zei Wick. 'En zeg me nu eens wie er gek is.'

'Ik heb nooit gedacht dat jij gek was, Wick.'

'Alleen een beetje getikt omdat ik de boel in de steek heb gelaten en hierheen ben gegaan.'

'Zelfs niet een beetje getikt. Onverantwoordelijk, misschien.'

Wicks glimlach bevroor.

Toen Oren dat zag zei hij: 'Ga je gang. Word maar boos. Het kan me niet schelen. Je móet het horen.'

'Nou, bedankt. Ik heb het gehoord. Hoe is het met Grace en de meisjes?'

'Steph is cheerleader geworden, en Laura is gaan menstrueren.'

'Felicitaties of condoléances?'

'Voor wie?'

'Voor alletwee.'

Oren glimlachte. 'Wat je maar wilt. Grace zei dat ik je een kus van haar moest geven.' Met een blik op Wicks stoppelbaard voegde hij eraan toe: 'Ik pas, als je het niet erg vindt.'

'Ja, dat prefereer ik ook. Maar geef haar een kus van mij.'

'Met alle soorten van genoegen.'

Gedurende een paar minuten nipten ze van hun bier en keken hoe de kleuren van de zonsondergang dieper werden. Geen van beiden verbrak de stilte, maar alletwee dachten ze eraan, aan alles wat niet werd uitgesproken.

Uiteindelijk deed Oren zijn mond open. 'Wick...'

'Geen interesse.'

'Hoe weet je dat terwijl je nog niet eens hebt gehoord wat ik te zeggen heb?'

'Waarom zou je een prachtige, volmaakte zonsondergang willen verpesten? Om maar niet te spreken van een lekker Jamaicaans biertje.'

Wick sprong op, waardoor zijn stoel hevig en met veel lawaai heen en weer schommelde alvorens weer tot stilstand te komen. Wick ging aan het eind van het verweerde terras staan, met zijn gebruinde tenen over de rand. Hij bracht zijn bierflesje naar zijn lippen en dronk het in één teug leeg. Toen gooide hij het in de enorme olieton die als vuilnisvat diende. Het gekletter deed een paar zeemeeuwen opschrikken die het zand bij de vloedlijn afschuimden, op zoek naar voedsel. Wick was jaloers op hun vermogen om weg te vliegen.

Hij en Oren hadden een geschiedenis die van vele jaren terug dateerde, nog voordat Wick bij het Fort Worth Police Department was gaan werken. Oren was een paar jaar ouder, en Wick gaf toe dat hij absoluut de verstandigste was. Hij had een rustige aard waarmee hij Wicks opvliegendheid vaak had bezworen. Orens benadering was methodisch. Die van Wick impulsief. Oren was zijn vrouw en kinderen toegewijd. Wick was een vrijgezel die, volgens Oren, de seksuele drang van een zwerfkat had.

Ondanks en misschien juist dóór deze verschillen waren Wick Threadgill en Oren Wesley uitstekende partners bij de FWPD geweest. Een van de weinige teams waarvan de een zwart en de ander blank was. Ze hadden gevaarlijke situaties met elkaar gedeeld, talloze lachbuien, een paar triomfen, diverse teleurstellingen – en een diep verdriet waar geen van beiden ooit volledig van zou herstellen.

Oren had gisteravond gebeld, na elkaar maanden niet te hebben gesproken. Wick was blij geweest hem te horen. Hij had gehoopt dat Oren over vroeger kwam praten, de goeie ouwe tijd. Die hoop was vervlogen op het moment dat Oren arriveerde en uit zijn auto stapte. Het waren glanzend gepoetste puntschoenen, geen sandalen of gymschoenen die diepe afdrukken in het zand van Galveston hadden gemaakt. Oren was niet gekleed om te vissen of over het strand te slenteren, zelfs niet om hier op het terras een potje te ouwehoeren met een Astros-wedstrijd op de radio en koud bier in de koelkast.

Hij was gekleed om zaken te doen. In vol ornaat, de bureaucratie in eigen persoon. Toen ze elkaar een hand gaven had Wick het pokergezicht van zijn vriend herkend, en hij had met zekerheid en teleurstelling geweten dat dit geen gezelligheidsbezoekje was.

Hij was er ook zeker van dat hij het, wat Oren ook kwam zeggen, niet wilde horen.

'Je bent niet ontslagen, Wick.'

'Nee, ik ben "voor onbepaalde tijd met verlof".'

'Dat was jóuw keus.'

'Niet uit vrije wil.'

'Je had tijd nodig om tot rust te komen en alles op een rijtje te zetten.'

'Waarom hebben mijn superieuren me niet gewoon ontslagen en het zo voor iedereen makkelijker gemaakt?'

'Ze zijn slimmer dan jíj.'

Wick trok een beetje bij. 'Is dat zo?'

'Zij weten, en iedereen die jou kent weet, dat je voor dit soort werk bent geboren.'

'Dit soort werk?' Hij snoof verachtelijk. 'Stront scheppen, bedoel je? Als ik stallen moest schoonmaken om de kost te verdienen, zou ik niet zoveel stront hoeven op te ruimen als ik bij de FWPD heb gedaan.'

'Het grootste deel van die stront heb je zelf veroorzaakt.'

Wick trok aan het elastiekje dat hij om zijn pols droeg. Hij had er een hekel aan om te worden herinnerd aan die tijd en aan de zaak die ertoe had geleid dat hij zijn superieuren hevig had bekritiseerd over de ondoelmatigheid van het rechtssysteem in het algemeen en de FWPD in het bijzonder. 'Ze lieten die schoft schuld bekennen om strafvermindering te krijgen.'

'Omdat ze hem niet voor moord konden pakken, Wick. Dat wisten ze en de officier van justitie wist het ook. Hij moet zes jaar zitten.'

'Over nog geen twee jaar is hij alweer op vrije voeten. En dan zal hij het opnieuw doen. Iemand anders zal sterven. Daar kun je donder op zeggen. En dat allemaal omdat ons bureau en het OM bang waren om inbreuk te plegen op de rechten van die klootzak.'

'Omdat jij brute kracht gebruikte toen je hem arresteerde.' Oren liet zijn stem dalen en voegde eraan toe: 'Maar jouw probleem met het bureau had niets met die zaak te maken, en dat weet je.'

'Oren,' zei Wick op dreigende toon.

'De fout dat...'

'Krijg de klere!' bromde Wick. Hij stak met twee grote passen het terras over. De hordeur sloeg met een harde klap achter hem dicht.

Oren volgde hem naar de keuken. 'Ik ben niet gekomen om dat allemaal op te rakelen.'

'Dat zou je anders niet zeggen.'

'Hou op met rondstampen en luister naar wat ik te zeggen heb. Je zult dit willen zien.'

'Je vergist je. Wat ik wil is nóg een biertje.' Hij haalde een bierflesje uit de koelkast, pakte een flesopener en wipte de dop eraf. Hij liet de dop liggen op de plek waar hij op de golvende linoleumvloer was gevallen.

Oren haalde een mapje te voorschijn dat hij had meegebracht. Hij gaf het aan Wick, die het negeerde. Maar zijn aftocht door de achterdeur eindigde toen zijn blote rechtervoet op de scherpe rand van de dop trapte. Vloekend gaf hij een schop tegen de dader en zeeg neer op een keukenstoel met chromen poten. De garnalenschalen waren gaan stinken.

Hij legde zijn voet op zijn linkerknie en nam de schade op. In de bal van zijn voet zat een diepe afdruk van de dop, maar de huid was niet kapot.

Zonder enig medeleven te tonen ging Oren tegenover hem zitten. 'Officieel ben ik hier niet. Begrepen? Dit is een ingewikkelde situatie die subtiel moet worden aangepakt.'

'Mankeert er iets aan je oren?' vroeg Wick.

'Ik weet dat je net zo geboeid zult zijn als ik.'

'Vergeet niet je jasje mee te nemen als je weggaat.'

Oren haalde een paar zwartwitfoto's van acht bij tien uit het mapje. Hij hield er eentje omhoog, zodat Wick er wel naar móest kijken. Daarna liet hij hem een andere foto zien.

Wick staarde naar de foto. Toen keek hij Oren aan. 'Hebben ze ook foto's van haar gemaakt met haar kleren aan?'

'Je kent Thigpen. Hij heeft deze voor de lol gemaakt.'

Wick snoof van verontwaardiging over de genoemde rechercheur.

'Tot Thigpens verdediging moet ik zeggen dat het huis waar we posten een goed uitzicht op haar slaapkamer biedt.'

'Maar toch is dat geen excuus voor deze foto's. Tenzij ze een exhibitioniste is en wist dat er naar haar werd gekeken.'

'Dat is ze niet, en ze weet het niet.'

'Wat is haar verhaal?'

Oren grijnsde. 'Je bent stiknieuwsgierig, hè?'

Toen Wick iets meer dan een jaar terug zijn politiepenning inleverde, had hij niet alleen zijn loopbaan bij de politie de rug toe gekeerd, maar ook het hele rechtssysteem. Hij vond het net een log voertuig dat in de modder was blijven steken. De grote wielen draaiden en maakten veel agressieve herrie – vrijheid, gerechtigheid en de Amerikaanse normen en waarden – maar het leidde nergens toe.

Ordehandhavers waren van hun motivatie beroofd door bureaucraten en politici die beefden bij de gedachte aan publieke afkeuring. Daardoor was het hele idee van gerechtigheid in de modder blijven steken en nutteloos geworden.

En als je de arme, domme zakkenwasser was die erin geloofde, die erachter ging staan, je schouder eronder zette en met al je kracht duwde om het ding in beweging te krijgen, om de slechteriken te vangen en te zorgen dat ze voor hun misdrijf werden gestraft, kreeg je in ruil daarvoor alleen maar modder in je gezicht.

Maar, of hij wilde of niet, Wicks aangeboren nieuwsgierigheid stak de kop op. Oren had hem de foto's niet laten zien voor voyeuristische doeleinden. Oren was geen Neanderthaler zoals Thigpen, en hij kon zijn tijd wel beter gebruiken dan om naar foto's van halfnaakte vrouwen te kijken. Bovendien, Grace zou hem wurgen als hij dat deed.

Nee, Oren had een reden om helemaal van Fort Worth naar Galveston te rijden. Onwillekeurig wilde Wick weten wat het was. Hij was geboeid, zoals die vervloekte Oren al had vermoed.

Hij reikte naar de rest van de foto's, bekeek ze vluchtig en daarna aandachtig. De vrouw was gefotografeerd achter het stuur van een Jeep, het nieuwste model; lopend over wat een groot parkeerterrein leek; in haar keuken en haar slaapkamer, zich er gelukkig niet van bewust dat er inbreuk op haar privacy werd gemaakt door middel van een verrekijker en telelenzen in de handen van een smeerlap als Thigpen.

De meeste slaapkamerfoto's waren korrelig en vrij onduidelijk, maar scherp genoeg. 'Van welk misdrijf wordt ze beschuldigd? Het transporteren van gestolen ondergoed?'

'Nee, eh...' zei Oren hoofdschuddend. 'Dat is alles wat je krijgt tot je instemt met me mee terug te gaan.'

Wick gooide de foto's in Orens richting. 'Dan heb je de rit vergeefs gemaakt.' Hij trok aan het elastiekje om zijn pols en liet het pijnlijk tegen zijn huid knallen.

'Je zult hieraan mee willen doen, Wick.'

'Nooit van mijn leven!'

'Ik vraag niet om langdurige medewerking of om terugkeer naar het korps. Alleen deze ene zaak.'

'Het antwoord blijft nee.'

'Ik heb je hulp nodig.'

'Het spijt me.'

'Is dat je definitieve antwoord?'

Wick pakte zijn verse biertje, nam een grote slok en liet een harde boer.

Ondanks de stinkende garnalenschalen boog Oren zich naar voren en leunde over de tafel. 'Het is een moordzaak. Heeft het journaal gehaald.'

'Ik kijk niet naar het journaal en ik lees ook geen kranten.'

'Dat is duidelijk, want anders zou je meteen naar Fort Worth zijn gevlogen en had je me deze reis bespaard.'

Wick kon zich niet weerhouden te vragen: 'Hoezo?'

'Populaire dokter neergeschoten op het parkeerterrein van Tarrant General.'

'Interessant, Oren. Citeer je de krantenkop?'

'Nee. Ik geef je alles wat we over deze moord weten. Het misdrijf is vijf dagen oud, en dit is alles wat we hebben.'

'Niet míjn probleem.'

'De dader heeft de moord op een paar meter afstand van een mogelijke getuige gepleegd, maar hij is niet gezien. Ook niet gehoord. Doodstil. Onzichtbaar. En hij heeft geen sporen achtergelaten, Wick.' Oren begon te fluisteren. 'Geen enkel spoor, verdomme!'

Wick keek zijn ex-partner met zijn donkere ogen doordringend aan. Zijn nekharen stonden overeind. 'Lozada?'

Oren leunde achterover in zijn stoel, een zelfgenoegzame glimlach om de lippen.

2

Dokter Rennie Newton stapte uit de lift en liep naar de centrale verpleegsterspost. De verpleegster achter de balie, een echte babbelkous, was opvallend stil. 'Goedenavond, dokter Newton.'

'Hallo.'

De verpleegster keek naar de zwarte jurk onder Rennies laboratoriumjas. 'De begrafenis was vandaag?'

Rennie knikte. 'Ik heb niet de tijd genomen om me na afloop om te kleden.'

'Was het een mooie dienst?'

'Voor een begrafenis wel, ja. Er waren veel mensen bij aanwezig.'

'Dokter Howell was zo geliefd. En hij had net die promotie gekregen. Het is afschuwelijk!'

'Inderdaad. Afschuwelijk.'

De ogen van de verpleegster vulden zich met tranen. 'We – iedereen op deze verdieping – we zagen hem bijna dagelijks. We kunnen het niet geloven.'

Rennie evenmin. Vijf dagen geleden was haar collega Lee Howell gestorven. Een plotselinge dood door een hartstilstand of een ongeluk zou, gezien zijn leeftijd, moeilijk te accepteren zijn geweest. Maar Lee was in koelen bloede vermoord. Iedereen die hem kende was nog steeds van slag door de schok van zijn dood en de gewelddadige manier waarop hij om het leven was gekomen. Ze verwachtte bijna dat hij plotseling van achter een deur te voorschijn kwam en riep: 'Grapje!'

Maar zijn moord was niet een van die stomme practical jokes waar Lee Howell om bekendstond. Vanmorgen had ze zijn verzegelde, met bloemen bedekte doodskist bij het kerkaltaar zien staan. Ze had de emotionele grafredes van familieleden en vrienden gehoord. Ze had Myrna en zijn zoon hartverscheurend in de voorste bank zien huilen, wat zijn dood en de onherroepelijkheid ervan angstwekkend echt maakte en nóg moeilijker te aanvaarden.

'We zullen allemaal tijd nodig hebben om de schok te verwerken,' zei Rennie op kalme, overtuigende toon.

Maar de verpleegster was niet bereid het onderwerp te laten varen. 'Ik heb gehoord dat de politie iedereen heeft ondervraagd die 's avonds op dokter Howells party aanwezig was.'

Rennie bestudeerde de patiëntenkaarten die haar tijdens het gesprek waren aangereikt en reageerde niet op de onuitgesproken vraag die achter de opmerking van de zuster schuilging.

'Dokter Howell zat altijd vol grappen, hè?' De zuster giechelde alsof ze zich iets leuks herinnerde. 'En u en hij vochten als kat en hond.'

'We vochten niet,' verbeterde Rennie, 'we lagen af en toe met elkaar in de clinch. Dat is niet hetzelfde.'

'Ik herinner me dat een paar van die ruzies behoorlijk heftig waren.'

'We waren goede sparringpartners,' zei Rennie met een droeve glimlach.

's Morgens, vóór de begrafenis, had ze twee operaties verricht. Gezien de omstandigheden had ze kunnen rechtvaardigen dat ze de operaties van die dag verzette en 's middags haar kantoor sloot. Maar ze was al in tijdnood omdat ze onlangs tien dagen vrij had moeten nemen, wat heel slecht bleek te zijn uitgekomen, zowel voor haar als voor haar patiënten.

Zo snel na haar terugkeer weer een dag vrij nemen zou niet eerlijk zijn ten opzichte van de patiënten van wie de operatie al eens was opgeschort. Ze zou nog verder achterop zijn geraakt en nog meer oponthoud hebben veroorzaakt in haar zorgvuldig opgestelde tijdschema. Daarom had ze ervoor gekozen de operaties uit te voeren en de afspraken in haar kantoor gewoon te laten doorgaan. Lee zou dat hebben begrepen.

Het bezoeken van de pas geopereerde patiënten was haar laatste officiële taak van deze lange, emotioneel slopende, uitputtende dag. Ze was klaar om er een punt achter te zetten. Ze sloot het onderwerp van de dood en begrafenis van haar collega af en informeerde naar Mr. Tolar, wiens slokdarmbreuk ze vanmorgen had hersteld.

'Nog een beetje suf, maar het gaat erg goed met hem.'

Ze nam de patiëntenkaarten mee en ging de recoverkamer binnen. Mrs. Tolar maakte gebruik van de vijf minuten bezoektijd per uur die een familielid was toegestaan. Rennie ging naast haar aan het bed staan. 'Hallo, Mrs. Tolar. Ik heb gehoord dat hij nog slaperig is.'

'Tijdens mijn laatste bezoek is hij lang genoeg wakker geweest om te vragen hoe laat het was.'

'Een vaak voorkomende vraag. Het licht verandert hier nooit. Dat is desoriënterend.'

De vrouw raakte de wang van haar man aan. 'Hij slaapt door dit bezoek heen.'

'Dat is het beste wat hij kan doen. Geen verrassingen zo te zien,' zei Rennie terwijl ze de informatie vluchtig doorlas. 'De bloeddruk is goed.' Ze sloot de metalen omslag. 'Over een paar weken voelt hij zich als herboren en kan hij weer normaal slapen.'

Ze zag hoe bezorgd de vrouw naar haar man keek en voegde eraan toe: 'Het gaat uitstekend met hem, Mrs. Tolar. Iedereen ziet er een beetje uitgeput uit kort na een operatie. Morgen zal hij er duizend procent beter uitzien. Maar hij zal zo knorrig en overgevoelig zijn, dat u zult wensen dat hij weer onder narcose was.'

'Knorrigheid kan ik verdragen, zolang hij geen pijn meer lijdt.' Mrs. Tolar liet haar stem dalen tot een vertrouwelijk gefluister. 'Het lijkt me dat ik het u nu wel kan vertellen.'

Rennie keek haar onderzoekend aan.

'Hij was sceptisch toen zijn internist hem naar u verwees. Hij wist niet wat hij van een vrouwelijke chirurg moest denken.'

Rennie lachte zachtjes. 'Ik hoop dat ik zijn vertrouwen heb gewonnen.'

'Zeker. Bij het allereerste bezoek aan uw spreekkamer overtuigde u hem er al van dat u kennis van zaken hebt.'

'Blij dat te horen.'

'Hoewel hij zei dat u te knap was om uw gezicht achter een operatiemasker te verstoppen.'

'Als hij wakker wordt, moet ik niet vergeten hem te bedanken.'

De twee vrouwen glimlachten tegen elkaar. Toen betrok het gezicht van Mrs. Tolar. 'Ik heb gehoord wat er met dokter Howell is gebeurd. Kende u hem goed?'

'Heel goed. We zijn enkele jaren collega's geweest. Ik beschouwde hem als een vriend.'

'Ik vind het heel naar voor u.'

'Dank u. We zullen hem missen.' Ze had geen zin om nogmaals over de begrafenis te praten en begon weer over de patiënt. 'Hij is zo suf, dat hij echt niet weet of u vanavond hier bent of niet, Mrs. Tolar. Probeer een poosje te slapen, nu het nog kan. Spaar uw energie voor als u hem mee naar huis neemt.'

'Nog één bezoekje, dan vertrek ik.'

'Goed, dan zien we elkaar morgen weer.'

Rennie liep naar haar volgende patiënt. Niemand waakte bij haar bed. De oudere vrouw was compleet afhankelijk van liefdadigheid. Ze woonde in een verzorgingshuis dat door de staat werd gefinancierd. Volgens haar dossier had ze geen familie, behalve een broer die in Alaska woonde. Het ging goed met de zeventigjarige vrouw, maar na haar gegevens te hebben bekeken bleef Rennie bij haar.

Ze vond dat liefdadigheid verderging dan het afzien van haar honorarium. In feite was dat wel het minste wat ze kon doen. Ze hield de hand van de vrouw vast en streelde haar voorhoofd, in de hoop dat haar oudere patiënt in haar onderbewustzijn werd getroost door haar aanwezigheid, haar aanraking. Ten slotte, ervan overtuigd dat het beetje tijd dat ze de vrouw had gegeven iets zou bijdragen, liet ze haar aan de zorgen van de zuster over.

'Ik heb vanavond geen dienst,' zei ze tegen de verpleegster aan de balie toen ze met de kaarten terugkeerde. 'Maar piep me op als er een verslechtering bij een van deze patiënten optreedt.'

'Dat zal ik doen, dokter Newton. Hebt u al gegeten?'

'Hoezo?'

'Sorry dat ik het zeg, maar u ziet er doodmoe uit.'

Ze glimlachte flauwtjes. 'Het is een lange dag geweest. En een zeer trieste.'

'Ik raad u een hamburger met kaas, een dubbele portie patat, een glas wijn en een schuimbad aan.'

'Als ik mijn ogen zo lang open kan houden.'

Ze nam afscheid en liep naar de lift. Terwijl ze stond te wachten, drukte ze beide handen in haar lendenen en rekte zich uit. Haar afwezigheid, om een reden die ze niet zelf had bedacht, had haar meer gekost dan tijd en ongemak. Ze had nog steeds niet het ritme van het ziekenhuis te pakken. Dat ritme was niet altijd regelmatig, maar in elk geval vertrouwd.

En net toen ze weer een beetje op dreef kwam, was Lee Howell vermoord – op het parkeerterrein dat ze altijd overstak op weg naar de ingang van het ziekenhuis.

Terwijl ze nog door die klap verdoofd was, had er nóg iets onaangenaams plaatsgevonden. Samen met iedereen die op de avond van het feest in het huis van de Howells was geweest, was ze door de politie ondervraagd. Het was een routineverhoor geweest, volgens het boekje. Desalniettemin had het haar van streek gebracht.

23

Vandaag had ze Lee Howells begrafenis bijgewoond. Ze zou nooit meer met hem bekvechten over zoiets belangrijks als het OK-rooster of zoiets onbeduidends als volle melk tegenover halfvolle melk. Ze zou nooit meer lachen om een van zijn stomme grapjes.

Als je alles wat er gebeurd was in aanmerking nam, hadden de afgelopen drie weken op zijn zachtst gezegd tot een grote aardverschuiving in haar dagelijkse routine geleid.

Dit was bijzonder ingrijpend. Dokter Rennie Newton hield zich met fanatieke zelfdiscipline aan ritmes en gewoonten.

Haar huis was tien minuten rijden van het ziekenhuis. De meeste jonge artsen woonden in nieuwere, meer populaire wijken van Fort Worth. Rennie kon zich permitteren om overal te wonen, maar ze gaf de voorkeur aan deze oudere, reeds lang bestaande buurt.

De ligging ten opzichte van het ziekenhuis was gunstig. En bovendien hield ze van de smalle, door bomen omzoomde straten die decennia geleden waren aangelegd en karakteristiek waren voor de wijk. Volgroeide bomen stonden er duidelijk al een flink aantal jaren. De meeste huizen waren vóór de Tweede Wereldoorlog gebouwd, waardoor ze een duurzame, solide uitstraling hadden. Daar hield ze van. Haar huis was indertijd omschreven als bungalow. Aangezien het slechts vijf kamers telde, was het perfect voor een vrijgezel, wat ze was en wat ze zou blijven.

Het huis was twee keer gerenoveerd. Ze had het voor de derde maal laten moderniseren alvorens er haar intrek in te nemen. De gepleisterde buitenkant was duifgrijs met een witte rand. De voordeur was donkerrood met een glanzende, koperen deurklopper. In de bloembedden bloeiden witte en rode tuinbalsemien onder heesters met donker, wasachtig gebladerte. De schaduw van breed uitwaaierende, hoge bomen beschermde het gazon zelfs tegen het felste zonlicht. Ze betaalde een hoveniersbedrijf veel geld om de tuin optimaal te onderhouden.

Ze reed de inrit op en gebruikte haar automatische garagedeur-opener, een van haar vernieuwingen. Ze sloot de garagedeur achter zich en ging het huis binnen door de deur die toegang gaf tot de keuken. De schemering was nog niet gevallen, dus baadde het kleine vertrek in het gouden licht van een ondergaande zon die door de grote platanen in haar achtertuin schemerde.

Ze had afgezien van de voorgestelde hamburger met patat, maar omdat ze vanavond geen dienst had, schonk ze een glas chardonnay in en nam het mee naar de zitkamer — waar ze het bijna liet vallen.

Op de salontafel in haar zitkamer stond een kristallen vaas met rode rozen.

Een stuk of vijftig volmaakte knoppen die op het punt stonden open te gaan. Ze zagen er fluweelzacht uit. Geurig. Duur. De vaas van geslepen kristal was ook buitengewoon mooi. De talloze facetten fonkelden – een kenmerk van duur kristal – en deden miniregenbogen op de muren ontstaan.

Toen Rennie over de eerste schok heen was, zette ze haar wijnglas op de salontafel en zocht tussen de rozen en het groen naar een kaartje met een afzender. Ze vond er geen.

'Wat is dit in godsnaam?'

Ze was niet jarig, en al was dat wel zo, dan wist niemand dat. Ze vierde nooit verjaardagen, wat voor verjaardag ook. Waren de rozen als teken van medeleven bedoeld? Jarenlang had ze dagelijks met Lee Howell gewerkt, maar bloemen ontvangen op de dag van zijn begrafenis was niet echt gerechtvaardigd of zelfs passend, gezien hun zuiver collegiale relatie.

Een dankbare patiënt? Mogelijk, maar niet waarschijnlijk. Wie van hen zou haar huisadres kennen? Haar kantooradres was het enige dat in de telefoongids stond. Als een patiënt zo dankbaar was geweest, zouden de rozen dáárheen zijn gegaan óf naar het ziekenhuis.

Alleen een handvol vrienden wist waar ze woonde. Ze ontving nooit gasten in haar huis. Sociale verplichtingen kwam ze na door mensen op een diner of een zondagse brunch in een restaurant te onthalen. Ze had veel collega's en kennissen, maar geen vriendschappen die hecht genoeg waren om een extravagant boeket rozen te rechtvaardigen. Geen familie. Geen vriendje. Niemand die een vriendje was geweest of dat wilde worden.

Wie zou haar bloemen sturen? Een nóg verwarrender vraag was hóe het boeket in haar huis was gekomen.

Voordat ze de naaste buurman belde, nam ze eerst een fikse slok wijn.

Spoedig nadat Rennie zich in haar huis had geïnstalleerd, had de spraakzame weduwnaar geprobeerd een intieme vertrouweling te worden, maar ze had zijn onaangekondigde bezoekjes zo tactvol mogelijk ontmoedigd tot hij de boodschap eindelijk had begrepen. Maar ze bleven op vriendschappelijke voet met elkaar omgaan, en de oudere heer was altijd blij als Rennie even tijd nam om over de heg een praatje met hem te maken.

Hij hield zijn vinger aan de pols van de wijk, waarschijnlijk uit eenzaamheid en verveling, en hij bemoeide zich met alles en iedereen. Als je iets over iemand wilde weten, moest je bij Mr. Williams zijn.

'Goedenavond, u spreekt met Rennie.'

'Hallo, Rennie, fijn om je te horen. Hoe was de begrafenis?'

Een paar dagen geleden had hij haar opgewacht toen ze naar buiten ging om haar krant te halen. Hij had haar met vragen over de moord bestookt en toen ze de bloederige details niet onthulde, had hij teleurgesteld geleken. 'Het was een zeer aangrijpende dienst.' In de hoop nog meer vragen te voorkomen ging ze onmiddellijk door met de volgende zin. 'Mr. Williams, de reden van mijn telefoontje is...'

'Is de politie al dichter bij de oplossing van de moord?'

'Geen idee.'

'Ben je niet ondervraagd?'

'Ze hebben iedereen die op de bewuste avond in het huis van dokter Howell was naar mogelijke aanwijzingen gevraagd. Naar mijn weten had niemand ook maar enig idee.' In plaats van haar te ontspannen, bezorgde de wijn haar hoofdpijn. 'Mr. Williams, is er vandaag iets bij mij bezorgd?'

'Niet dat ik weet. Verwachtte je dan iets?'

Hij was de enige buur die een sleutel van haar huis had. Ze had die schoorvoetend aan hem gegeven, en niet omdat ze hem wantrouwde. Het idee dat tijdens haar afwezigheid iemand in haar huis kwam was weerzinwekkend. Net als bij ritmes en gewoonten hechtte ze op een overdreven manier aan privacy.

Maar ze vond dat iemand een reservesleutel moest hebben in geval van nood of om reparateurs binnen te laten mocht dat noodzakelijk zijn. Mr. Williams was de logische keus geweest omdat hij vlak naast haar woonde. Voor zover Rennie wist had hij nooit misbruik van het voorrecht gemaakt.

'Ik verwacht een pakje,' loog ze, 'en dacht dat het misschien bij u was afgeleverd omdat ik niet thuis was.'

'Zat er een berichtje op je deur? Een gele sticker?'

'Nee, maar ik dacht dat de chauffeur dat misschien vergeten was. Hebt u vandaag geen bestelwagen voor mijn huis zien staan?'

'Nee, niets.'

'Hmm, nou, dergelijke dingen arriveren nooit als je ze verwacht, hè?' zei ze opgewekt. 'In elk geval bedankt, Mr. Williams. Het spijt me dat ik u lastig heb gevallen.'

'Weet je al dat de Brady's een nieuw nest puppy's hebben?'

Verdorie! Ze had niet snel genoeg opgehangen. 'Nee. Zoals u weet ben ik een paar weken weg geweest en...'

'Beagles. Zes stuks. Schattige beestjes. Ze geven ze weg. Je moet vragen of je er ook eentje mag hebben.'

'Ik heb geen tijd voor huisdieren.'

'Máák er tijd voor, Rennie,' adviseerde hij op de vermanende toon van een ouder.

'Mijn paarden...'

'Dat is niet hetzelfde. Die wonen niet bij je. Je hebt een huisdier nodig. Dat kan veel uitmaken voor iemands levensverwachting. Mensen met huisdieren leven langer, wist je dat? Ik zou niet zonder Oscar kunnen,' zei hij, doelend op zijn poedel. 'Een hond of een kat is het beste, maar zelfs een goudvis of een parkiet kan de eenzaamheid verdrijven.'

'Ik ben niet eenzaam, Mr. Williams. Alleen erg druk. Leuk u gesproken te hebben. Tot ziens.'

Ze hing onmiddellijk op, en niet alleen om een preek over de voordelen van het hebben van een huisdier te bekorten. Ze was verontrust. De rozen waren écht, geen product van haar verbeelding, en ze waren niet uit zichzelf op haar salontafel terechtgekomen. Iemand was hier geweest en had ze achtergelaten.

Snel controleerde ze de voordeur. Die was op slot, net als toen ze vanmorgen naar het ziekenhuis vertrok. Ze rende door de gang naar haar slaapkamer en keek onder het bed en in de kast. Alle ramen waren dicht en afgesloten. Het raam boven haar badkuip was zo klein, dat er zelfs geen kind door kon kruipen. Vervolgens controleerde ze de tweede slaapkamer, die ze als studeerkamer gebruikte. Hetzelfde laken een pak: niets. En in de keuken stond alles op zijn plaats, dat wist ze.

In feite zou ze opgelucht zijn geweest als ze een kapot raam of een geforceerd slot had gevonden. Dan zou dát deel van het mysterie tenminste zijn opgelost. Ze keerde terug naar de zitkamer en ging op de sofa zitten. Ze had absoluut geen zin meer in de wijn, maar toch nam ze een slok, in de hoop dat haar nervositeit erdoor zou verminderen. Dat was niet zo. Toen de telefoon op het bijzettafeltje rinkelde, sprong ze op.

Zij, Rennie Newton, die op haar veertiende de smalle ladder naar de top van de watertoren in haar geboorteplaats had beklommen, die haar leven op het spel had gezet door vrijwel elke gevaarlijke plek op aarde te bezoeken, die van een uitdaging hield en nergens voor terugdeinsde, die voor de duivel en zijn ouwe moer niet bang was, zoals haar moeder altijd zei, en die dagelijks operaties verrichtte die stalen zenuwen en een vaste hand vergden – díe Rennie Newton schrok zich bijna dood toen haar telefoon rinkelde.

Terwijl ze gemorste wijn van haar hand schudde, reikte ze naar de draadloze telefoon. Meestal werd ze gebeld in verband met haar werk, en daarom beantwoordde ze de telefoon op haar normale, bruuske, efficiënte manier.

'Met dokter Newton.'

'Rechercheur Wesley, dokter Newton. Ik heb u onlangs gesproken.'

Het geheugensteuntje was niet nodig. Ze herinnerde zich hem als een energieke, imposante, zwarte man. Een kalend hoofd. Hard gezicht. Zeer zakelijk. 'Ja?'

'Ik heb uw nummer van het ziekenhuis gekregen. Ik hoop dat u het niet bezwaarlijk vindt dat ik u thuis opbel.'

Ze vond het wél bezwaarlijk. Heel erg. 'Wat kan ik voor u doen, rechercheur?'

'Ik wil u morgen graag ontmoeten. Zullen we zeggen om tien uur?'

'Mij ontmoeten?'

'Om over de moord op dokter Howell te praten.'

'Ik weet niets over zijn moord. Dat heb ik u verteld... was het eergisteren?'

'U hebt me niet verteld dat u en dokter Howell naar dezelfde positie in het ziekenhuis dongen. Dát hebt u weggelaten.'

Het hart klopte haar in de keel. 'Dat was niet relevant.'

'Tien uur, dokter Newton. Moordzaken is op de derde verdieping. Iedereen kan u vertellen waar ik zit. U vindt me wel.'

'Het spijt me, maar morgenochtend heb ik drie operaties op mijn programma staan. Een wijziging in het rooster van de operatiekamer is heel lastig voor andere chirurgen en het ziekenhuispersoneel, om maar te zwijgen over mijn patiënten en hun familie.'

'Wat zou dan een geschikte tijd voor u zijn?' Hij vroeg het op een toon die aangaf dat hij niet écht zin had zich aan haar aan te passen.

'Morgenmiddag om een uur of twee, drie.'

'Twee uur. Tot dan.'

Hij hing op voor Rennie dat kon doen. Ze legde de telefoon weer op het bijzettafeltje. Toen sloot ze haar ogen, ademde diep door haar neus in en door haar mond uit.

De benoeming van Lee Howell tot hoofd van de afdeling chirurgie was een grote klap geweest. Sinds de pensionering van het vorige hoofd waren zij en Lee de voornaamste rivalen voor de functie geweest. Na maanden van uitvoerige sollicitatiegesprekken had de raad van bestuur van het ziekenhuis vorige week eindelijk haar besluit bekendgemaakt – op een voor hen gunstig tijdstip: terwijl zij weg was! Ze had dat buitengewoon laf gevonden.

Maar op het moment dat het bericht van Lee Howells benoeming haar bereikte, was ze blij geweest dat ze weg was. De tamtam van het ziekenhuis zou het nieuws razendsnel verspreiden. Toen ze weer aan het werk ging, was de storm gaan liggen en was ze niet blootgesteld geweest aan goedbedoelde maar onwelkome uitingen van medelijden.

Maar ze was er niet helemáál aan ontkomen. In de *Star-Telegram* had een uitgebreid artikel over zijn benoeming gestaan. In het verhaal werd de loftrompet gestoken over de chirurgische vaardigheden van dokter Lee Howell, zijn toewijding aan de geneeskunde, zijn eminente staat van dienst en zijn inbreng in het ziekenhuis en de gemeenschap in het algemeen. Als gevolg van het enthousiaste artikel had Rennie veel meewarige blikken moeten verduren, die ze had betreurd en – tot vervelens toe – had genegeerd.

De functie van hoofd van een afdeling hield voornamelijk massa's extra papierwerk in, constant problemen met personeel en gekibbel met leden van het bestuur over een groter aandeel in het budget. Desalniettemin was het een begeerde positie, en zij had hem begeerd.

En toen, drie dagen na het krantenartikel, was Lee opnieuw voorpaginanieuws geweest nadat hij op het parkeerterrein van het ziekenhuis was vermoord. Vanuit het gezichtspunt van rechercheur Wesley was de timing wel heel mysterieus en waard om nader te onderzoeken. Het was zijn taak om alle mogelijkheden te bekijken. Natuurlijk, de rivale van Lee zou een van de eersten zijn die hij verdacht. Het gesprek dat morgen zou plaatsvinden was niets meer dan een diepgaand vervolg van een nauwgezette rechercheur.

Ze zou zich er geen zorgen om maken. Dat zou ze gewoon niet doen. Ze had niets bij te dragen aan Wesley's onderzoek. Ze zou zijn vragen naar waarheid en naar beste weten beantwoorden. Punt uit. Er was geen reden om zich zorgen te maken.

De rozen daarentegen waren wél zorgwekkend.

Ze staarde naar de bloemen, alsof intimidatie ervoor zou kunnen zorgen dat ze de identiteit van de afzender zouden prijsgeven. Ze staarde zo lang naar de rozen, dat ze ze dubbel zag, en daarna vierdubbel. Toen werd haar blik plotseling weer scherp en viel op de witte envelop.

Hij was diep weggestopt tussen de bladeren. Tot nu toe was hij haar ontgaan. Voorzichtig, om zich niet aan de doornen te bezeren, pakte ze de envelop, die met een satijnen lintje aan een stengel was vastgemaakt, en haalde er het kaartje uit.

De hand waarmee ze een reputatie als buitengewoon getalenteerde chirurg had gevestigd beefde een beetje toen ze het kaartje begon te lezen. Er stond één getypte regel op:

Ik ben smoorverliefd op je.

3

'Oom Wick!'
'Oom Wick!'
De twee meisjes vlogen op hem af. Officieel waren ze pubers, maar ze hadden nog steeds de uitbundigheid van kinderen wat het tonen van genegenheid betrof, vooral voor hun aanbeden oom Wick.
'Het is eeuwen geleden, oom Wick. We hebben u gemist.'
'Ik heb jullie allemaal ook gemist. Niet te geloven! Houden jullie alsjeblieft op met groeien? Straks zijn jullie net zo lang als ik.'
'Niemand is zo lang als u, oom Wick.'
'Michael Jordan.'
'Op basketbalspelers na, bedoel ik.'
'Mam vond het eindelijk goed dat ik gaatjes in mijn oren liet prikken,' zei Laura, de jongste, en liet ze trots aan hem zien.
'Geen neusringetje, hoop ik.'
'Pap zou een beroerte krijgen.'
'En ik een dubbele.'
'Vindt u een beugel lelijk staan bij een meisje, oom Wick? Misschien moet ik er een gaan dragen.'
'Kom nou! Een beugel is juist heel opwindend!'
'Echt waar?'
'Echt waar.'
'Uw haar is blonder, oom Wick.'
'Ik ben veel op het strand geweest. De zon bleekt je haar. En als ik geen zonnebrandolie ga gebruiken word ik net zo donker als jullie.'
Dat vonden ze dolkomisch.
'Ik ben cheerleader geworden.'
'Dat heb ik gehoord.' Hij gaf Stephanie een high-five.
'Reserveer een plaatsje voor me bij een van de wedstrijden in de komende herfst.'
'Onze kostuums zijn best tuttig.'

'Dat klopt,' stemde haar jongste zusje plechtig in. 'Heel tuttig!'

'Maar mam zegt dat we ze niet korter mogen laten maken.'

'Dat is zo.' Grace Wesley kwam ook naar de voordeur en voegde zich bij hen. Ze duwde haar dochters opzij en gaf Wick een stevige knuffel.

Toen hij haar losliet jammerde hij: 'Grace, waarom ga je er niet met me vandoor?'

'Omdat ik een één-vrouw-man soort vrouw ben.'

'Ik zal veranderen. Voor jou zal ik veranderen. Ik zweer het.'

'Sorry, maar toch kan het niet.'

'Waarom niet?'

'Omdat Oren je zou achtervolgen en doodschieten.'

'O, ja,' bromde hij. 'Híj.'

De meisjes gilden van de lach. Ondanks hun protesten joeg Grace hen naar boven, waar huiswerk wachtte, en ze leidde Wick de zitkamer binnen. 'Hoe is het in Galveston?'

'Heet. Drukkend. Zanderig.'

'Heb je het naar je zin?'

'Ik vind het heerlijk om op het strand rond te hangen. Waar is je mannetje?'

'Aan de telefoon, maar lang zal het niet duren. Heb je al gegeten?'

'Ja, ik ben bij Angelo's gestopt, en pas toen ik mijn eerste hap nam, besefte ik dat ik het geroosterde vlees erg had gemist.'

'In de koelkast is chocoladepudding.'

'Ik neem genoegen met een glas van je ijsthee.'

'Gezoet?'

'Is er dan een ander soort?'

'De ijsthee komt eraan. Maak het je gemakkelijk.' Voor ze de kamer verliet, draaide ze zich om en zei: 'Het is fijn dat je terug bent.'

'Bedankt.'

Hij verbeterde haar niet. Hij was nog niet terug en hij wist niet of hij wel terugkwám. Hij had zich alleen bereid verklaard erover na te denken. Oren was met een interessante zaak bezig. Hij had om Wicks deskundige mening gevraagd. Hij, Wick, was hier om zijn vriend te helpen. Dat was alles.

Hij was nog niet in het hoofdbureau van de politie geweest, en dat was hij ook niet van plan. Hij was er niet eens langs gereden of had ook maar enig nostalgisch verlangen gehad om dat te doen. Hij was hier om Oren een dienst te bewijzen. Punt uit.

'Ha die Wick,' Oren kwam haastig binnen. Hij droeg vrijetijdskleren: een knielange broek, gymschoenen en een University of Texas T-shirt, maar hij was nog steeds een echte politieman. Hij droeg een map onder zijn arm. Zijn pieper was aan zijn broeksband vastgehaakt. 'Hoe was je rit van Galveston naar hier?'

'Lang.'

'Ik weet er alles van.' De dag ervoor had Oren dezelfde reis gemaakt. 'Heb je je al ingeschreven in het motel?'

'Is die armzalige tent het beste dat de politie van Fort Worth zich kan permitteren?'

'Nee, jíj woont zo luxe daar in Galveston!'

Wick begon te lachen.

'Bekommert Grace zich al om je?'

'Ik ben ermee bezig.' Grace kwam binnen met twee grote glazen thee en zette ze op onderzettertjes op de salontafel. 'De meisjes zeiden dat Wick het niet moest wagen weg te gaan zonder gedag te zeggen.'

'Ik beloof dat ik dat niet zal doen. Ik zal ze zelfs een verhaaltje voor het slapen gaan vertellen.'

'Een net verhaaltje, hoop ik,' zei Grace.

Wick wierp haar zijn ondeugendste glimlach toe. 'Ik kan het gaandeweg aanpassen.'

'Bedankt voor de thee,' zei Oren. 'Doe de deur achter je dicht, alsjeblieft.'

Dit was een vertrouwd tafereel. Voordat Wick naar de kust verhuisde, had hij veel avonden in huize Wesley doorgebracht. Het was een gezellig huis, omdat het doortrokken was van het geluk dat Grace en Oren deelden.

Ze hadden elkaar op de universiteit ontmoet en waren na hun afstuderen getrouwd. Grace was decaan en onderdirecteur van een particuliere school voor lager middelbaar onderwijs. Haar verantwoordelijkheden namen elk jaar toe en werden steeds gecompliceerder, maar ze zorgde dat er altijd een warme avondmaaltijd voor haar gezin op tafel stond en eiste dat ze gezamenlijk aten.

Er was veel lawaai en drukte in hun huis met de meisjes en hun vriendinnen die de trap op en af renden en de keuken in en uit liepen. Buren kwamen langs, al of niet uitgenodigd. Ze wisten dat ze welkom waren. Het huis was brandschoon, als een marineschip, maar rommelig en vol spullen van een bedrijvig gezin. Als Grace thuis was, hoorde je meestal het geronk van de wasmachine.

Aan de koelkast hingen memootjes en kiekjes, met magneetjes vast-gemaakt. Er waren altijd koekjes in de koektrommel.

Wick was zo vaak te gast geweest, dat hij als lid van het gezin werd be-schouwd en meehielp wanneer er afgewassen moest worden of de vuilnis moest worden buitengezet. Om Grace te plagen zei hij dat ze haar best deed hem aan het huiselijk leven te laten wennen. Hij zat er niet ver naast.

Na het diner en de afwas hadden hij en Oren de gewoonte gehad zich in de zitkamer af te zonderen om over lastige zaken te praten. Vanavond was dat ook het geval.

'Ik wil je een video laten zien.' Oren stopte een band in de videore-corder. Daarna nam hij de afstandsbediening mee naar de sofa en ging naast Wick zitten. 'Vanmiddag opgenomen.'

'Van?'

'Dokter Rennie Newton.'

Het eerste videobeeld verscheen op het scherm. Het was een shot van een verhoorkamer. Wick had een groot aantal van dergelijke video-op-names gezien. Hij wist dat de camera op een statief was geplaatst dat achter Oren stond. De lens was gericht op de stoel van de persoon die werd ondervraagd. In dit geval was het de vrouw van de foto's die Oren hem gisteren had laten zien.

Wick was verbaasd. 'Is ze arts?'

'Chirurg.'

'Serieus?'

'Ik heb haar gebeld nadat ik je huis had verlaten. Ze is vandaag bij me geweest voor een verhoor.'

'In verband met de moord op Howell?' Toen Wick eenmaal had toe-gestemd naar Fort Worth te komen had Oren hem de belangrijkste fei-ten van de zaak verteld, al waren dat er niet veel.

'Ze had er geen bezwaar tegen om op video te worden opgenomen, maar ze bracht ook haar advocaat mee.'

'Ze is niet op haar achterhoofd gevallen.'

'Nee. In feite was ze... nou, je zult het wel zien.'

De advocaat van dokter Newton was standaard. Lengte, gemiddeld. Gewicht, gemiddeld. Haar, wit. Pak, grijze krijtstreep. Ogen, waakzaam en sluw. Wick had maar één blik nodig om hem in te schatten.

Toen richtte hij zijn aandacht op dokter Rennie Newton, die alles-behalve standaard was. Als iemand hem had opgedragen te vertellen wat zíjn beeld van een chirurg was, zou de vrouw op de band daar be-slist niet aan hebben beantwoord. In de verste verte niet.

Ook was ze niet karakteristiek voor iemand die over een ernstig misdrijf werd ondervraagd. Ze zweette niet, ze schuifelde niet nerveus met haar voeten, ze schoof niet heen en weer in haar stoel, ze trommelde niet met haar vingers, ze beet niet op haar nagels. In plaats daarvan zat ze doodstil, met haar benen elegant over elkaar geslagen en haar handen in haar schoot gevouwen. Ze keek strak voor zich uit, met een rustige blik in de ogen. Het toonbeeld van kalmte.

Ze was gekleed in een crèmekleurig broekpak, hoge hakken van donkerbruin slangenleer en een bijpassende handtas. Ze droeg geen sieraden, behalve een paar diamanten oorbellen en een groot, simpel horloge. Geen ringen. Haar lange haren had ze in een keurige paardenstaart samengebonden. Door de foto's die hij van haar had gezien wist hij dat haar haar tot halverwege haar rug hing als het los was. Lichtblond, dat er echt uitzag, evenals de diamanten in haar oren.

Oren stopte de band. 'Wat vind je er tot nu toe van? Als kenner van het schone geslacht, je eerste indruk.'

Wick haalde zijn schouders op en nam een slok thee. 'Kleedt zich goed. Goede huid. Geen spoor van nervositeit.'

'Koel.'

'Koud als ijs. Maar ze is chirurg. Ze wordt geacht koel te zijn als ze onder druk staat, nietwaar?'

'Dat zal wel.'

Oren startte de band weer. Ze hoorden zijn stem die de naam noemde van alle aanwezigen, inclusief rechercheur Plum, de tweede politieman in burger. Hij noemde de datum en het nummer van de moordzaak. Toen vroeg hij, omwille van de band, aan dokter Newton of ze akkoord was gegaan met het vraaggesprek.

'Ja.'

Oren ging meteen van start. 'Ik wil u graag een paar vragen stellen over de moord op uw collega, dokter Lee Howell.'

'Ik heb u alles wat ik weet al verteld, rechercheur Wesley.'

'Nou, het kan nooit kwaad het nogmaals te doen, nietwaar?'

'Ik neem aan van niet. Als je niets beters te doen hebt.'

Oren stopte de band. 'Zie je? Dat bedoel ik nou. Beleefd, maar met een resolute houding.'

'Dat lijkt me ook, ja. Maar dat ligt ook in haar aard. Ze is arts. Chirurg. Het God-complex en zo. Ze spreekt en de mensen schrikken op. Ze is niet gewend dat er aan haar woorden wordt getwijfeld of dat ze achteraf wordt bekritiseerd.'

'Dan moet ze er maar aan wennen,' bromde Oren. 'Ik denk dat er iets aan de hand is met deze dame.'

Hij spoelde de band terug om opnieuw naar haar te luisteren. 'Als je niets beters te doen hebt.'

Op de band wierp Oren Plum een veelbetekenende blik toe. Plum trok zijn wenkbrauwen op. Oren ging verder. 'Op de avond waarop dokter Howell vermoord werd was u bij hem thuis, is dat juist?'

'Samen met een stuk of twintig andere mensen,' merkte de advocaat op. 'Hebt u die ook zo uitvoerig ondervraagd?'

Oren negeerde hem en vroeg: 'Kende u iedereen die dat feest bijwoonde, dokter Newton?'

'Ja. Ik ken Lee's vrouw bijna net zolang als ik hém ken. De andere gasten waren artsen die ik ook kende. Ik had hun echtgenotes al eens eerder op een feestje ontmoet.'

'Bent u alléén naar de party gegaan?'

'Ja.'

'U was daar de enige vrijgezel.'

De advocaat boog zich voorover. 'Is dat relevant, rechercheur?'

'Misschien.'

'Ik zou niet weten waarom. Dokter Newton ging in haar eentje naar de party. Kunnen we doorgaan? Ze heeft een druk programma.'

'Vast wel.' Met een duidelijk gebrek aan haast rommelde Oren in zijn papieren en nam alle tijd alvorens de volgende vraag te stellen. 'Ik heb begrepen dat het een barbecue was.'

'Op het terras van de Howells.'

'En dokter Howell bediende de barbecue.'

'Wilt u ook het menu weten?' vroeg de advocaat op sarcastische toon.

Oren bleef Rennie Newton scherp aankijken. Ze zei: 'Lee vond dat hij een fijnproever was en een kei in het roosteren van vlees. In feite was hij een abominabel slechte kok, maar niemand had de moed dat tegen hem te zeggen.' Ze sloeg haar ogen neer, een trieste glimlach op haar gezicht. 'Het was een vaste grap onder zijn vrienden.'

'Wat was de reden van de party?'

'Reden?'

'Was het een gewone vrijdagavondbarbecue of ter ere van een speciale gelegenheid?'

Ze schoof een beetje heen en weer in haar stoel en schuifelde met haar voeten. 'We vierden Lee's promotie tot hoofd van de chirurgische afdeling.'

'Juist ja, zijn promotie tot hoofd van de chirurgische afdeling. Wat vond u daarvan?'

'Ik was blij voor hem, natuurlijk.'

Oren tikte vijftien volle seconden met een potlood op het tafelblad. Ze bleef hem aankijken, zonder met de ogen te knipperen.

'U maakte ook kans op die positie, is het niet, dokter Newton?'

'Ja. En ik verdiende hem te krijgen.'

Haar advocaat stak een waarschuwende hand op.

'Meer dan dokter Howell?' vroeg Oren.

'Volgens mij wel,' antwoordde ze kalm.

'Dokter Newton, ik...'

Ze was haar advocaat vóór. 'Ik vertel slechts de waarheid. Bovendien heeft rechercheur Wesley al geraden hoe ik het vond dat Lee de positie kreeg. Ik weet zeker dat hij dat als een motief voor moord beschouwt.' Ze wendde zich weer tot Oren en vervolgde: 'Maar ik heb hem niet gedood.'

'Rechercheurs, kan ik mijn cliënt even onder vier ogen spreken?' vroeg de advocaat stijfjes.

Zonder acht te slaan op het verzoek zei Oren: 'Ik geloof niet dat u iemand hebt vermoord, dokter Newton.'

'Waarom zit ik hier dan mijn tijd en de uwe te verdoen? Waarom heeft u om dit' – ze wierp een minachtende blik op de muren van het kamertje – 'dit gesprek gevraagd?'

Oren stopte de band en raadpleegde Wick. 'En?'

'Wat?'

'Ze ontkende het voordat ik haar ervan beschuldigde.'

'Kom nou, Oren. Ze heeft veel meer scholing gehad dan jij, ik en Plum samen. Maar ze had geen medische opleiding nodig om te raden waar het jou om te doen was. Een kudde langhoorns door die kamer drijven zou subtieler zijn geweest. Ze snapte wat je bedoelde. Dat zou elk uilskuiken hebben begrepen. En deze dame lijkt me geen uilskuiken.'

'Zij en dokter Howell hebben het vaak met elkaar aan de stok gehad.'

'Wij ook,' zei Wick lachend.

Oren schudde koppig zijn hoofd. 'Niet zoals zij. Iedereen die ik in het ziekenhuis heb gesproken, zegt dat zij en Howell elkaar als chirurg respecteerden, maar dat ze niet met elkaar konden opschieten.'

'Een slecht afgelopen liefdesverhouding?'

'Aanvankelijk vroeg ik dat aan iedereen die ik sprak, maar ten slotte stelde ik die vraag niet meer.'

'Hoezo?'

'Ik was het zat om te worden uitgelachen.'

Wick trok vragend een wenkbrauw op.

'Niet dat ik weet,' antwoordde Oren op de onuitgesproken vraag. 'Dat is de reactie die ik altijd kreeg als ik het vroeg. Blijkbaar hebben ze nooit warme, romantische gevoelens voor elkaar gekoesterd.'

'Alleen een vriendschappelijke rivaliteit.'

'Ik weet niet of het allemaal wel zo vriendschappelijk was. Aan de oppervlakte misschien, maar er kan een latente vijandschap zijn geweest die heel diep zat. Om de een of andere reden vlogen ze elkaar altijd in de haren. Soms over een kleinigheid, soms over iets belangrijks. Soms voor de grap, en soms niet. Maar hun ruzies waren altijd heftig, vaak vol venijn, en algemeen bekend bij het ziekenhuispersoneel.'

Terwijl hij over deze informatie nadacht, trok Wick afwezig aan het elastiekje om zijn pols.

Oren zag dat en zei: 'Dat droeg je gisteren ook. Waar is het voor?'

'Wat?' Wick keek naar het elastiekje alsof hij het voor het eerst zag. 'O, het is... niets. Eh, wat ik zeggen wou, was Howells benoeming een kwestie van sekse?'

'Dat denk ik niet. Twee andere afdelingshoofden van Tarrant General zijn vrouwen. Howell kreeg de promotie die Newton, naar haar idee, verdiende. Waarschijnlijk dacht ze dat ze daar recht op had op grond van haar dienstjaren. Ze was twee jaar eerder dan Howell bij het ziekenhuis in dienst getreden.'

'Ze zal aardig de pest in hebben gehad toen hij ook in het ziekenhuis kwam werken.'

'Dat lijkt me niet meer dan logisch.'

'Maar voldoende om hem een kopje kleiner te maken?' Wick staarde naar het stilstaande beeld op het televisiescherm. Hij fronste zijn voorhoofd, in een mengeling van twijfelzucht en concentratie. Hij gaf Oren een teken dat hij de band weer moest starten.

'Bent u na de party rechtstreeks naar huis gegaan, dokter Newton?' vroeg Oren op de videoband.

'Ja,' zei ze zonder aarzelen.

'Kan iemand dat bevestigen?'

'Nee.'

'Bent u die avond niet meer naar buiten gegaan?'

'Nee. En ook dát kan nicmand bevestigen,' voegde ze eraan toe toen ze zag dat hij die vraag ging stellen. 'Maar het is de waarheid. Ik ben naar huis gegaan en daarna ben ik gaan slapen.'

'Wanneer hoorde u dat dokter Howell vermoord was?'

Bij die vraag boog ze haar hoofd en begon zacht te praten. 'De volgende morgen. Op het televisiejournaal. Niemand had me ervan in kennis gesteld. Ik was verbijsterd, kon het niet geloven.' Ze vlocht haar vingers ineen. 'Het was afschuwelijk om het op die manier te weten te komen, zonder enige waarschuwing dat ik verschrikkelijk nieuws te horen zou krijgen.'

Wick reikte naar de afstandsbediening en zette de band stil. 'Het lijkt me dat ze werkelijk geschokt was door het nieuws.'

'Ja, nou...' Oren bromde iets onverstaanbaars.

'Heb je de weduwe naar hun relatie gevraagd?'

'Ze zei wat iedereen zegt: wederzijds respect, maar ze hadden hun meningsverschillen. Ze zei dat Howell er een kick van kreeg om dokter Newton te pesten. Hij was een grappenmaker. Zij is uiterst zakelijk. Ze was zijn tegenpool.'

'Daar heb je het al.'

'Misschien vond dokter Newton het feit dat Lee Howell die positie kreeg één grap te veel.'

Wick stond op en begon heen en weer te lopen. 'Vat de feiten kort voor me samen.'

'Over de moord? Volgens Mrs. Howell eindigde het feest rond middernacht. Ze lagen om één uur in bed. De telefoon ging om zeven over twee. Dat weet ze heel zeker, omdat ze zich herinnert dat ze op de klok keek.

Dokter Howell nam op, sprak een paar seconden, hing op en zei tegen haar dat hij nodig was in het ziekenhuis, dat er een ernstig ongeluk op de snelweg was gebeurd, met meerdere gewonden.

Hij kleedde zich aan en vertrok. Zijn lichaam werd om achtentwintig over twee naast zijn auto gevonden, op het parkeerterrein van de artsen. Dat is het moment waarop de 911 binnenkwam. Net lang genoeg om van zijn huis naar het ziekenhuis te rijden. De bewaker had Howell een paar minuten eerder het terrein op zien komen, dus Howell werd neergestoken op het moment dat hij uit zijn auto stapte. Zijn portemonnee was niet aangeraakt. Niets uit zijn auto gestolen.

Doodsoorzaak was een zware bloeding door een steekwond onder zijn linkerarm. Het moordwapen werd in de wond achtergelaten. Een gewoon fileermes. De fabrikant zegt dat ze in geen twaalf jaar houten heften hebben geproduceerd, dus dit mes kan overal vandaan zijn gekomen. Grootmoeders keuken, vlooienmarkt, noem maar op. Geen vingerafdrukken, natuurlijk.

Het lemmet is in één keer dwars door Howells ribben gegaan en heeft zijn hart als een ballon laten knappen. Hoogstwaarschijnlijk werd hij van achteren aangevallen. In een reflex bracht hij een arm omhoog, de aanvaller stak hem met zijn linkerhand. Het gebeurde in een oogwenk. Wie de dader ook is, hij wist wat hij deed.'

'Zoals een andere arts?'

Oren haalde zijn schouders op.

'Gisteren had je het over een mogelijke ooggetuige.'

'De bewaker van het parkeerterrein. Een zekere...' Oren opende de map en liet zijn blik over een getypt formulier dwalen tot hij de naam vond. 'Malcomb R. Lutey. Zevenentwintig jaar.'

'Heb je hem nagetrokken?'

'Ja, en als verdachte uitgesloten. Hij was degene die 911 belde. Deed het in zijn broek van angst, en dat veinsde hij niet. Gaf vier keer over terwijl de politiemannen die als eerste op de plek des onheils waren informatie uit hem probeerden te krijgen.

Heeft geen dag overgeslagen op zijn werk sinds hij daar in dienst is. Werkt op feestdagen. Heeft nooit voor problemen gezorgd. Heeft zelfs geen bekeuring op zijn strafblad. Zegt tegen iedereen ja, meneer en nee, meneer. Een beetje een sul. Nee, dat is niet waar. Hij is een échte sul.'

'Heeft hij niets gezien of gehoord?'

'Zoals ik je al zei, Wick, níets. Toen het kind eenmaal was opgehouden met kanen, werkte hij volledig mee. Bloednerveus, maar daar was zijn moeder verantwoordelijk voor. Griezelige, ouwe heks. Ze maakte ook míj zenuwachtig. Geloof me, hij is onze man níet.'

'En het ongeluk op de snelweg?'

'Een dergelijk ongeluk heeft niet plaatsgevonden. Ieder personeelslid van het ziekenhuis ontkent Howell te hebben gebeld. We hebben het gecontroleerd en het bleek dat het telefoontje met een zaktelefoon is gepleegd.'

'Laat me raden. Niet op te sporen.'

'Klopt.'

'Man of vrouw?'

'De beller? Dat weten we niet. Dokter Howell was de enige die met hem of haar heeft gesproken.'

'Wat krijgt de echtgenote als nalatenschap?'

'Niet weinig. Howell was zeer goed verzekerd, maar moeder de vrouw bracht zelf geld mee in het huwelijk en ze zal nog meer erven als haar vader doodgaat.'

'Een goed huwelijk?'

'Absoluut. Ze probeerden nóg een kind te krijgen. Er is een zevenjarige jongen. Het ideale Amerikaanse gezin. Kerkgangers, chauvinisten. Geen drugsmisbruik of alcoholisme. Hij ging kleine weddenschappen over zijn golfwedstrijden aan. Voor de rest gokte hij nooit. Geen spoor van overspel, en vooral niet met zijn collega Rennie Newton.'

Oren schudde het ijs in zijn glas heen en weer, stopte een klontje in zijn mond en kauwde er hoorbaar op. 'De dokter is nooit aangeklaagd wegens nalatigheid. Geen uitstaande schulden. Geen vijanden voor zover bekend. Met uitzondering van Rennie Newton. Ik heb geen goed gevoel over haar, Wick.'

Wick hield op met ijsberen en keek Oren aan, hem uitnodigend dat toe te lichten.

'Vind je niet dat het wel verdomde goed uitkomt dat haar rivaal werd vermoord een paar dagen nadat hij een door haar begeerde positie heeft gekregen?'

'Puur toeval?' waagde Wick.

'Ik zou het daar mee eens kunnen zijn als het telefoontje er niet was geweest waardoor Howell zich midden in de nacht op dat parkeerterrein bevond. Bovendien geloof ik niet in dat soort toevalligheden.'

'Ik ook niet. Ik speelde de advocaat van de duivel.' Wick ging weer op de sofa zitten en legde zijn handen achter zijn hoofd. Hij keek naar het stilstaande videobeeld van het kalme gezicht van de chirurg. 'Doodsteken? Ja, ze zou precies weten waar ze moest steken om het fataal te doen zijn, maar ik weet het niet.' Hij fronste zijn wenkbrauwen. 'Het lijkt me niet iets dat deze dame zou doen.'

'Ik denk niet dat ze het zélf heeft gedaan. Iemand heeft het voor haar gedaan.'

Wick keek zijn ex-partner scherp aan. 'Lozada gebruikt messen.'

'Af en toe.'

'Maar hij heeft één keer een machinegeweer gebruikt.'

Oren trok een grimas. 'God, wat was dat een rotzooi!'

Ze hadden ronddrijvende lichaamsdelen van dat slachtoffer gevonden, her en der verspreid over het Eagle Mountain Lake.

Lozada had ook eens een halter gebruikt om een schedel in te slaan. Dat was geen huurmoord geweest, zoals de meeste van zijn moorden. Die arme stakker had hem boos gemaakt. Ze konden natuurlijk nooit bewijzen dat hij een van die misdrijven had gepleegd. Ze wísten het gewoon.

Wick kwam opnieuw overeind en liep naar de open haard. Hij keek naar de foto's van Stephanie en Laura op de schoorsteenmantel. Daarna liep hij naar het raam en gluurde door de jaloezieën. Vervolgens ging hij weer naar de schoorsteenmantel alvorens naar de sofa terug te keren. 'Denk je dat dokter Newton Lozada inhuurde om haar rivaal uit de weg te ruimen? Of vermoordde Lozada hem uit kwaadaardigheid? Zit het zó?'

'Het is zíjn soort moord. Stil. Snel. Met achterlating van het wapen.'

'Dat betwist ik niet, Oren. Het is haar betrokkenheid waar ik een probleem mee heb.' Wick wees naar de televisie. 'Ze is een chirurg met een goede reputatie en ongetwijfeld een inkomen van zes cijfers. Ze benadert een stuk uitschot – we weten allemaal dat Lozada dat is, hoe fraai hij zich ook opdoft – en huurt hem in om haar collega te vermoorden? Geen sprake van. Sorry, maar daar geloof ik niets van!'

'Wat? Is ze te ontwikkeld? Te goed gekleed? Te netjes?'

'Nee, ze is te... emotieloos. Ik weet het niet,' zei Wick ongeduldig. 'Is er enig bewijs van een connectie tussen haar en Lozada?'

'Daar zijn we naar op zoek.'

'Dat betekent nee.'

'Dat betekent dat we ernaar op zoek zijn,' zei Oren met nadruk.

'Juist, ja. Lozada zou ontmoetingen met de paus kunnen hebben en wij zouden de laatsten zijn die dat wisten. Hij is zo glad als een aal.'

'De dokter zou net zo glad kunnen zijn, net zo bedrieglijk. Ze brengt het grootste deel van haar tijd in het ziekenhuis door, maar niemand – en ik bedoel níemand – schijnt veel van haar privé-leven te weten. Ze zeggen dat ze erg op zichzelf is, dat ze haar privé-leven privé houdt. Daarom lachte iedereen om mijn vraag of zij en Howell met elkaar scharrelden. Als ze al een vaste vriend heeft, dan weet niemand dat. Ze is een eenling. Een uitstekende chirurg. Daar is iedereen het over eens. In het algemeen is ze zeer geliefd. Ze is erg vriendelijk. Attent. Maar ze is gereserveerd. Gereserveerd. Dat woord heb ik vaak gehoord.'

'Je hebt méér nodig,' zei Wick.

'Dat ben ik met je eens.'

Oren stak een hand in het borstzakje van zijn overhemd, haalde er een stukje papier uit en legde het op het kussen dat tussen hem en Wick in lag.

'Wat is dat?'

'Haar adres.'

Wick wist wat dat inhield, wat Oren van hem vroeg. Hij schudde zijn hoofd. 'Het spijt me, Oren, maar je hebt me niet overtuigd. Wat je over haar hebt is magertjes. Veel te magertjes. Hooguit speculatie, en niets wezenlijks. En beslist niets concreets. Er is geen juiste reden om...'

'Je hebt toch wel gehoord van Lozada's meest recente proces? Of heb je je hoofd te diep in het zand van Galveston begraven?'

'Natuurlijk heb ik daarvan gehoord. Halsmisdaad. Opnieuw vrijspraak,' zei Wick bitter. 'Zelfde lied, tiende vers. Wat is ermee?'

Oren leunde naar voren en fluisterde: 'De jury die hem heeft vrijgesproken...'

'Ja?'

'Raad eens wie de voorzitster was.'

4

Wick droeg een sportbroekje, een T-shirt en gymnastiekschoenen. Als hij een nieuwsgierige buurman tegen het lijf liep, kon hij altijd net doen of hij een jogger was, op zoek naar een plek om te plassen. Misschien zou dat niet goed aanslaan, maar het was beter dan de waarheid: dat hij zijn vriendje bij de politie een dienst bewees door het huis van een verdachte binnen te dringen, met als doel het verkrijgen van informatie.

Om de vermomming geloofwaardig te maken, rende hij een paar rondjes door het stadspark, een paar straten van Rennie Newtons huis vandaan. Toen hij over het hek sprong dat haar achtertuin van de steeg scheidde, was hij nat van het zweet, wat zijn rol aannemelijker maakte.

Uit enkele tuinen kwam het gebrom van een grasmaaier. Voor de rest was het stil in de wijk. Ze hadden dit tijdstip uitgekozen voor zijn inbraak. Voor de meeste mensen was het te vroeg om van hun werk naar huis terug te keren, en voor thuisblijvers was het te warm om buiten klusjes of andere activiteiten te doen.

Hij klom de trap achter haar huis op. Toen maakte hij het heuptasje open dat hij aan een riem om zijn middel droeg. Hij haalde er een paar latex handschoenen uit en trok ze aan, wat in het ik-moet-plassenscenario moeilijk aan een bemoeizieke buurman uit te leggen zou zijn geweest. Maar beter een buurman dan een rechter met vingerafdrukken die onmiskenbaar van hem, Wick Threadgill, waren. Hij haalde zijn Mastercard te voorschijn. In nog geen drie seconden was de achterdeur open.

Orens laatste waarschuwing – 'Als je betrapt wordt heb ik nooit van je gehoord' – echode door zijn hoofd terwijl hij naar binnen glipte.

Het kwam zelden voor dat Wick met stomheid was geslagen en geen gevat antwoord had. Maar gisteravond, toen Oren hem had verteld dat Rennie Newton onlangs voorzitster van een jury was geweest, had het een paar momenten geduurd voor hij zijn spraak had hervonden. Alles wat hij had kunnen uitbrengen was: 'Wát?'

Oren had hem aas voorgehouden en wist dat hij beet had.

Nu, in het huis van het ex-jurylid, bleef hij staan om te luisteren. Ze hadden geen beveiligingssysteem verwacht. Oren had gecontroleerd of de vereiste registratie in het gemeenteregister stond. Dat was niet het geval. En nu was er geen elektronisch signaal dat Wick waarschuwde dat de alarminstallatie in werking was getreden.

Er was alleen de absolute stilte van een leeg huis. Sinds bijna een week hield de politie dokter Newton in de gaten. Ze wisten dat ze alleen woonde, en Oren had gezegd dat je de klok gelijk kon zetten op haar dagschema. Ze keerde pas naar huis terug als ze haar avondronde in het ziekenhuis had gedaan. Volgens Oren was er zelden meer dan twintig minuten verschil in haar aankomsttijd.

De achterdeur had Wick toegang gegeven tot de keuken, die compact was en brandschoon. Er stonden slechts twee dingen in de gootsteen: een koffiekopje en de glazen koffiepot. In beide zat een laagje sop.

In de la die het dichtst bij het fornuis was lag keukengerei, als chirurgische instrumenten op een steriel blad. Een van haar messen was een fileermes. Het heft van synthetisch materiaal paste bij dat van de andere messen.

In de broodtrommel lag een half volkorenbrood in een plastic zak, die stevig was dichtgebonden. Bij elk geopend pak cornflakes in de provisiekast zat het lipje netjes in het gleufje. De blikken met groenten stonden niet op alfabet, maar de rijen waren zo netjes, dat het bijna leek of ze alfabetisch waren gerangschikt.

De inhoud van de koelkast gaf aan dat ze een consciëntieuze eter was, maar geen fanatieke lijner. Er lagen twee grote pakken ijs in de vriezer. Die konden natuurlijk voor een gast zijn bestemd.

Wick controleerde de la in het kleine, ingebouwde bureau en vond een lijst met telefoonnummers voor noodsituaties, een gelinieerd schrijfblok zonder krabbels of aantekeningen, en diverse balpennen, allemaal zwart. Niets persoonlijks of belangrijks.

Door een verbindingsdeur kwam hij in de zitkamer. Die kon zó in een catalogus hebben gestaan. Kussens waren opgeschud en met gelijke tussenruimten tegen de rugleuning van de sofa gelegd. Tijdschriften waren keurig opgestapeld. De afstandsbediening van de tv lag op de hoek van het bijzettafeltje.

'Allemachtig,' fluisterde Wick terwijl hij dacht aan de toestand waarin hij zijn krot in Galveston had achtergelaten. Toen hij vanmorgen zijn motelkamer verliet, had het geleken of het vertrek stormschade had opgelopen.

Halverwege de korte gang was een kleine kamer die ze blijkbaar als studeerkamer gebruikte. Hij hoopte dat het een rijke bron van informatie zou blijken en dat het inzicht in de vrouw zou verschaffen. Maar dat was niet zo. De titels van de medische boeken op de planken waren zo droog als gort. Er was een aantal atlassen en reisgidsen, een paar romans, voornamelijk literaire, niets pikants, beslist niets wat bij zijn onontwikkelde leessmaak paste.

Op het keurige bureau lag haar post, in twee afzonderlijke, metalen bakjes. Het ene voor geopende en het andere voor ongeopende post. Hij doorzocht de saaie inhoud van beide. In de diepere la van het bureau ontdekte hij een harmonicamap met betaalde rekeningen – een geëtiketteerd vak voor elke maand. Hij keek ze door, maar hij vond geen bewijs dat ze een huurmoordenaar had betaald.

In haar slaapkamer werd hij voor het eerst verrast. Hij stond op de drempel en liet zijn blik ronddwalen. In vergelijking met de andere vertrekken was het hier een puinhoop. Deze kamer werd niet bewoond door een chirurg, maar door een persoon. Een vrouw.

Hij had verwacht een bed aan te treffen dat aan militaire maatstaven zou voldoen, perfect opgemaakt. Maar gek genoeg was het bed niet opgemaakt. Hij liep naar het raam, waar Oren en Thigpen hem ongetwijfeld konden zien vanaf de bovenverdieping van een huis dat schuin achter de woning van Rennie Newton stond. Hij stak zijn middelvinger naar hen op.

Toen hij zich weer omdraaide, begon hij haar ladekast te doorzoeken. Ondergoed was opgevouwen en opgestapeld, slipjes in de ene en beha's in de andere la. De meer luxe waren gescheiden van de minder luxe.

Hij vroeg zich af wat haar keuze bepaalde wanneer ze die laden opendeed. Dag, avond? Werk, vrije tijd? Dicteerde haar stemming van welk stapeltje ze iets uitkoos, of andersom?

Hij keek tussen en onder de kledingstukken, op zoek naar souvenirs, brieven, foto's die hem een aanwijzing over de persoonlijkheid van Rennie Newton zouden geven. Was ze een vrouw die een beruchte crimineel in de arm zou nemen, zoals Oren vermoedde?

Zijn zoektocht in de ladekast leverde diverse reukzakjes op, maar geen aanwijzingen. Dat gold ook voor haar klerenkast, waarin de kleren netjes naar categorie waren geordend, zoals haar lingerie in de ladekast. In schoenendozen vond hij niets dan schoenen.

Hij liep naar haar nachtkastje. Een tijdschrift was opengeslagen bij een artikel over oefeningen die je de hele dag door kon doen om de spanning in je nek te verlichten. De dop van een fles bodylotion was niet goed vastgedraaid. Hij pakte de fles op en rook eraan. Hij kon de ene bloem niet van de andere onderscheiden, maar op de fles stond Hydrangea. Hij nam aan dat dat erin zat. Hoe dan ook, het rook lekker.

Hij nam de draadloze telefoon uit het basisstation en luisterde naar de kiestoon. Het was niet de gebroken toon die aangaf dat er boodschappen op haar voicemail stonden. Nu hij er toch was wenste hij dat hij een afluisterapparaatje had om ergens te verstoppen, maar Oren had het voorstel geweigerd.

'Dan hebben we een gerechtelijk bevel nodig, en geen enkele rechter zal ons dat geven tot we een gerede verdenking kunnen aantonen.'

'We zouden veel te weten kunnen komen door haar telefoon af te luisteren.'

'Het is bij de wet verboden.'

Wick had gelachen. 'Dat is inbreken ook. We kunnen nooit iets gebruiken van wat ik daar vind.'

'Ja, maar dat is anders.'

Hij zag het verschil niet, maar Oren was onvermurwbaar geweest en híj was de baas. Wick zette de telefoon weer in het basisstation en opende de la van het nachtkastje. Hij vond een doos postpapier, nog in cellofaan verpakt, ongebruikt. Er was ook een uitgescheurde krantenpagina, die hij uit de la haalde en openvouwde.

Het was een pagina met overlijdensberichten. Een ervan was die van Eleanor Loy Newton. De naam van dochter Rennie stond vermeld als enige nabestaande. Hij zag de naam van de stad in een ingekaderde kop boven aan de pagina staan. Dalton, Texas. Voorzichtig vouwde hij het blad op en legde het terug in de la.

En toen zag hij een klein, wit driehoekje, nauwelijks zichtbaar onder de doos ongebruikt postpapier. Hij tilde de doos op. Eronder lag een klein kaartje waarop slechts één regel was getypt: 'Ik ben smoorverliefd op je'.

Verder stond er niets op, geen handtekening, geen adres, geen datum. Daardoor was het niet duidelijk of Rennie Newton het kaartje had ontvangen of dat ze had overwogen het weg te sturen en zich toen had bedacht. Het leek een kaartje dat bij een cadeau was ingesloten. Bij een cadeau dat ze onlangs had gekregen? Of was het een aandenken aan een vriendje van haar middelbare school, een ex-geliefde of een *one-night stand* van afgelopen zaterdag? Kennelijk hechtte ze er belang aan, anders zou ze het niet in de la van haar nachtkastje bewaren, samen met het overlijdensbericht van haar moeder.

Merkwaardig, maar niet crimineel.

Hij legde het kaartje terug, exact op de plek waar hij het had gevonden, en ging naar de aangrenzende badkamer. In de wasmand lagen vochtige handdoeken, een boxershort en een geribbeld T-shirt. Had ze daar de afgelopen nacht in geslapen? Waarschijnlijk. Zijn laatste vriendin had liever comfortabele dan sexy nachtkleding gedragen. In feite had hij de comfortabele verdomde sexy gevonden.

Op een plank naast de wasbak stonden flessen badzout en gel, keurig op een rij. Ze stonden er niet voor de show. Ze waren vaak gebruikt. De badkamer rook vrouwelijk, en er hing een bloemengeur. Over het bad heen was een metalen rek aangebracht, met een geurkaars, een spons, een scheerapparaat en een leesbril. Ze hield ervan om lui in bad te liggen. Maar in haar eentje. Het bad was niet groot genoeg voor twee.

In het van een spiegel voorziene medicijnkastje vond hij haar tandenborstel en een glas, een tube tandpasta die van onderaf was opgerold – hij kende niemand die dat deed – en tandzijde met muntsmaak. Er was een verzameling schoonheidsmiddelen, nachtcrèmes, een potje aspirines en een doordrukstrip met maagzuur neutraliserende tabletten. Geen geneesmiddelen op recept. Onder de wasbak lagen rollen toiletpapier en een doos tampons.

Hij liep de slaapkamer in en stond lang naar het onopgemaakte bed te kijken. De lichtgele lakens waren verkreukeld en het dekbed lag half op het bed en half op de grond. Tenzij hij zich heel erg vergiste lag Rennie Newton niet alleen in haar eentje in het bad, maar ook in haar bed. Tenminste, dat was de afgelopen nacht het geval geweest.

'Je bent lang weggebleven,' zei Oren toen Wick zich bij hem voegde in het huis waarvan ze de bovenkamer als observatiepost gebruikten.

'Ja, wat was je daar al die tijd aan het doen, haar slipjes passen?' Dat zei Thigpen, die door iedereen Pigpen werd genoemd omdat hij er als een varkensstal uitzag. Hij was onbehouwen en slonzig, en, volgens Wick, onvergeeflijk dom.

'Nee, Pigpen, ik ben op de terugweg gestopt om me te laten pijpen. Je vrouw zegt dat je brood moet meenemen als je naar huis gaat.'

'Klootzak. We hebben foto's van je terwijl je de middelvinger naar ons opsteekt. Heel professioneel, Threadgill.'

'Ik verlaag me tot het niveau van de mensen met wie ik omga.'

'Ik zal die foto aan mijn galerieverzameling toevoegen.' Hij wees naar de muur waarop hij de meer onthullende foto's van Rennie Newton had geplakt.

Wick wierp een blik op de foto's waar Thigpen zo trots op was. Toen pakte hij nijdig een fles water en draaide de dop eraf. Hij dronk de hele fles in één teug leeg.

'En?' vroeg Oren.

Wick ging zitten en deed zijn gymschoenen uit. 'In één woord?'

'Om te beginnen.'

'Keurig, om door een ringetje te halen. Bijna ziekelijk schoon.'

Hij beschreef de keuken, de zitkamer en de studeerkamer. Van de slaapkamer zei hij: 'Die was níet zo netjes aan kant. Het bed was niet opgemaakt, maar alles stond op zijn plaats. Misschien had ze haast toen ze vanmorgen naar het ziekenhuis vertrok.' Hij vertelde wat hij in de la van haar nachtkastje had gevonden.

'Zat het kaartje in een envelop?' vroeg Thigpen.

'Nee, dat heb ik al gezegd. Het was een simpel, wit kaartje. Klein. Eén getypte regel.'

'Ze komt uit Dalton,' bevestigde Oren toen Wick hem over het overlijdensbericht in de krant vertelde. 'Ze is hier opgegroeid. Haar vader was een vooraanstaand veehouder en zakenman. Een belangrijke man in de gemeenschap. Een ijzer in elk vuur. Zij was enig kind.'

'Zonder nog levende bloedverwanten, blijkbaar. Ze stond vermeld als haar moeders enige nabestaande.' Dat zou verklaren waarom ze het postpapier niet heeft gebruikt, dacht Wick. Wie zou ze moeten schrijven?

'Heb je iets gevonden wat wijst op...'

'Een connectie met Lozada?' vroeg Wick, Orens vraag afmakend. 'Nada. Ik denk dat ze met niemand een relatie heeft, in welke vorm dan ook. Geen enkele foto in huis, geen privé-telefoonnummers in een boekje. Onze dokter lijkt een zeer eenzaam leven te leiden.'

Toen hij zweeg, gebaarde Oren dat hij door moest gaan. 'Absoluut niets wat duidt op de aanwezigheid van een man, crimineel of niet. Geen mannenkleren in haar kast of laden. Het enige scheerapparaat in de badkamer was roze. Eén tandenborstel. Geen voorbehoedsmiddelen: pillen, condooms of pessarium. Ze is een non.'

'Misschien is ze een pot.'

'Misschien ben jíj een stomkop,' vuurde Wick terug naar Thigpen.

Oren keek hem bevreemd aan. Toen wendde hij zich tot de andere rechercheur. 'Waarom ga je vandaag niet vroeg naar huis?'

'Dat hoef je me geen twee keer te vragen.' Thigpen stond op en hees zijn afzakkende broek op, die onder zijn buik hing. Terwijl hij Wick nijdig aankeek bromde hij: 'Wat is je probleem eigenlijk?'

'Vergeet het brood niet.'

'Val dood!'

'Thigpen!' Oren keek hem afkeurend aan. 'Meld je morgenochtend om zeven uur.'

Thigpen wierp Wick nóg een woeste blik toe. Daarna stommelde hij de trap af. Noch Wick noch Oren zei iets tot ze de voordeur van het lege huis hoorden dichtslaan. Toen zei Oren: 'Wat ís je probleem?'

'Ik heb behoefte aan een douche.'

Het was geen antwoord op de vraag, maar Oren liet het voorlopig zo. 'Je weet waar die is.'

Zoals vaker bij badkamers, was ook deze helaas verre van volmaakt. De handdoeken die ze hadden meegebracht, hadden ze net zo goed thuis kunnen laten. Ze waren goedkoop en klein en ze namen geen water op. Wick had een stuk zeep bijgedragen dat hij uit zijn motelkamer had gepikt. Er was geen warm water. Maar zijn badkamer in Galveston stelde ook niet veel voor. Hij was gewend aan een onbetrouwbare geiser. Hij merkte het gebrek aan comfort in zijn woning nauwelijks op.

Het leegstaande huis was een perfecte locatie voor het bespieden van Rennie Newton, aangezien het uitzicht bood op haar achtertuin en ook op het pad naast haar huis. Het huis werd gerenoveerd toen er ruzie was ontstaan tussen de aannemer en de huiseigenaar, die het pand nog niet bewoonde. De ruzie had uiteindelijk tot een rechtszaak geleid.

FWPD had beide partijen gevraagd of het huis gebruikt mocht worden, en alletwee waren ze akkoord gegaan, tegen een kleine vergoeding. Het feit dat er gebouwd werd maakte het hun makkelijk om te komen en te gaan, min of meer gekleed als ambachtslieden, en om mondvoorraad en apparatuur naar binnen te brengen zonder de ongewenste aandacht van buren te trekken, die trouwens gewend waren dat er in hun omgeving huizen werden gerenoveerd.

Wick kwam uit de badkamer en rommelde in de plunjezak die hij had meegenomen om zich te kunnen omkleden. Hij trok zijn spijkerbroek aan en een T-shirt, een aandenken aan een Eagles-concert dat hij jaren terug in Austin had bijgewoond. Hij streek zijn natte haren naar achteren.

Oren had Thigpens plaats bij het raam ingenomen. Hij keek achterom en wierp Wick een kritische blik toe. 'Vreemd uniform voor een politieman.'

'Ik bén geen politieman.'

Oren gromde slechts.

'Ik neem aan dat bier tegen de huisregels is.'

'Thigpen zou ons verraden. Er staat cola in de koelkast.'

Wick pakte een blikje cola, maakte het open en nam een grote slok. 'Wil je er ook een?'

'Nee, bedankt.'

Hij schopte zijn gymschoenen in de richting van de plunjezak, plofte neer in een stoel en nam nóg een grote slok cola. Oren keek hem aandachtig aan, geen enkele beweging ontging hem. Ten slotte zei Wick: 'Wát is er?'

'Wat heb je in het huis gevonden?'

'Dat heb ik je verteld.'

'Alles?'

Wick spreidde zijn armen en haalde zijn schouders op. 'Waarom zou ik iets voor je verzwijgen?'

'Vanwege je pik.'

'Pardon?'

'Voor een blanke vrouw is de dokter behoorlijk knap.'

Wick lachte. Toen zei hij: 'Oké. En?'

Oren wierp hem een blik toe die boekdelen sprak.

'Denk je echt... ach.' Hij wuifde Orens veronderstelling weg. Daarna schudde hij zijn hoofd en wendde zijn blik af. Toen hij Orens vastberaden blik weer ontmoette zei hij: 'Luister, als ze met Lozada onder één hoedje speelt, maakt het me niet uit; al is ze verdomme Helena van Troje. Krols. Ik wil die smeerlap pakken, Oren. Dat weet je. Daar zal ik alles voor doen en ik zal iedereen gebruiken die ik daarvoor nodig heb!'

Oren was verre van gerustgesteld en zei zachtjes: 'Wat de tweede reden is waarom je informatie voor me zou kunnen achterhouden.'

'Ik snap niet wat je bedoelt.'

'Maak dit niet tot een persoonlijke vendetta, Wick.'

'Wíe kwam op wíens deur kloppen?' riep Wick.

Oren begon ook zijn stem te verheffen. 'Ik heb je erbij gehaald omdat ik een goede man nodig had. Iemand met jouw instincten. En omdat ik dacht dat je het, na wat er tussen jou en Lozada was gebeurd, verdiende om hieraan mee te doen.'

'Ontgaat me de clou ergens van?'

Oren liet zich niet door Wicks wreveligheid van de wijs brengen. 'Pas op dat ik geen spijt krijg dat ik je erbij betrokken heb.' Hij wierp Wick een blik toe die even streng was als zijn waarschuwing. Wick wendde als eerste zijn hoofd af.

Oren hield zich altijd aan de regels. Wick vond regels beperkend en lapte ze meestal aan zijn laars. Dat verschil was gewoonlijk de oorzaak dat ze botsten. Het was ook wat ze het meest in elkaar bewonderden. Oren ging vaak tegen Wick tekeer vanwege diens roekeloosheid en achteloze benadering van voorschriften, maar hij bewonderde Wicks dapperheid. Wick verzette zich tegen regels, maar hij respecteerde Oren omdat hij ze naleefde.

Oren ging weer naar Rennie Newtons huis staan kijken. Na een korte stilte zei Wick: 'Eén ding vond ik merkwaardig. In haar kast. Een heleboel spijkerbroeken. Geen dure merken. Afgedragen, zoals die van mij.' Hij wreef over de spijkerstof die door de tijd en duizend wasbeurten bleker en zachter was geworden. 'Ook drie paar cowboylaarzen. Dat had ik niet verwacht.'

'Ze rijdt.'

'Paard?'

'Het stond in haar levensbeschrijving. De *Star-Telegram* had een dik dossier van haar. Ik heb ze om een kopie van alles gevraagd. Dokter Newton heeft talrijke keren in de krant gestaan. Liefdadigheidsbijeenkomsten. Sociale betrokkenheid. Artsen zonder Grenzen.'

'Wat is dat?'

Er lag een manilla map op de tafel. Oren pakte hem en liet hem in Wicks schoot vallen. 'Doe je eigen onderzoek. Grace houdt eten voor me warm.'

Hij stond op, rekte zich uit, pakte een rol bouwtekeningen die hij als rekwisiet gebruikte en liep naar de trap. 'We hebben gisteravond de video niet afgekeken. Hij ligt dáár als je hem wilt zien, maar laat hij je niet afleiden van je taak om het huis in de gaten te houden.'

'Ik wil graag de rest van de band zien. Misschien word ik er iets wijzer van.'

Oren knikte. 'Ik heb altijd mijn pieper bij me. Bel me als er iets ongewoons gebeurt.'

'Zoals Lozada die komt opdagen?'

'Ja, zoiets. Ik kan hier binnen tien minuten zijn. Tot morgenochtend.'

'Is er iets te eten?'

'Sandwiches in de koelkast.'

De traptreden kraakten onder Orens gewicht. Na zijn vertrek werd het stil in het huis, op het incidentele gekreun van oud hout na. De lege kamers roken naar het zaagsel dat van de onvoltooide renovatie was achtergebleven. De meeste mensen zouden het niet prettig vinden om een nacht in dit huis door te brengen, maar Wick vond het geen probleem. In feite had hij zich vrijwillig voor de nachtdienst aangeboden. Oren moest bij zijn gezin zijn. Thigpen ook. Hoewel Wick vermoedde dat Mrs. Thigpen liever had dat haar man zo vaak mogelijk weg was.

Hij pakte de verrekijker en checkte Rennie Newtons huis. Ze was nog niet thuis. Hij maakte van de gelegenheid gebruik om te kijken wat er in de kleine koelkast lag. Hij vond twee verpakte sandwiches. Eentje met tonijnsalade, en een kalkoensandwich. Hij koos de kalkoen en nam hem mee naar de tafel bij het raam. Hij stopte de band in de videorecorder en daarna ging hij gemakkelijk in een stoel zitten om de video te bekijken terwijl hij zijn sandwich opat.

De band begon waar Oren hem de avond ervoor had stilgezet. Op de video zei Oren: 'Dokter Newton, hebt u onlangs zitting gehad in de jury die een van moord beschuldigde man, Mr. Lozada, vrijsprak?'

Haar advocaat boog naar voren. 'Waar is de relevantie, rechercheur?'

'Dat zal ik u vertellen.'

'Doe dat, alstublieft. Dokter Newton heeft operatiepatiënten die op haar wachten.'

'Het zou noodzakelijk kunnen worden dat een andere arts haar taken overneemt.'

'Is dat een dreigement dat ik misschien in hechtenis word genomen?' vroeg Rennie Newton.

Oren ontweek de directe vraag door te zeggen: 'Hoe eerder u antwoord op mijn vragen geeft, hoe eerder u kunt gaan, dokter Newton.'

Ze slaakte een zucht, alsof ze het verhoor buitengewoon saai vond. 'Ja, ik was lid van de jury die Mr. Lozada vrijsprak. Dat zult u wel weten, anders had u het niet ter sprake gebracht.'

'Dat klopt. In feite heb ik alle elf andere juryleden ondervraagd.'

'Waarom?'

'Uit nieuwsgierigheid.'

'Waarnaar?'

'Het viel me op dat de moord op dokter Howell op een huurmoord leek. Zijn moordenaar beroofde hem niet. We kunnen geen enkel ander motief bedenken. Feit is dat u zijn enige vijand bent, voor zover wij weten.'

Overdonderd door die opmerking riep ze uit: 'Lee en ik waren geen vijanden. We waren collega's. Bevriende collega's!'

'Die constant met elkaar overhoop lagen.'

'We hadden meningsverschillen, ja. Dat is nauwelijks...'

'U was een bevriende collega die onlangs een huurmoordenaar vrijsprak.'

'Mr. Lozada was de verméénde moordenaar,' zei de advocaat op zijn typische advocatenmanier. 'Maar het staat absoluut los van deze zaak. Dokter Newton, ik sta erop dat u niets meer zegt.'

Wick spoelde de daarop volgende woordenwisseling tussen de advocaat en Oren door. Oren had de advocaat er blijkbaar van overtuigd dat zijn cliënt de vragen maar beter kon beantwoorden. Als je medewerking aan een onderzoek verleende, kwam je heel ver bij de FWPD, en zo voort. Wick kende het liedje. Hij had het duizend keer gezongen.

Hij startte de band opnieuw, op tijd om Oren te horen zeggen: 'Alle andere juryleden hebben me verteld dat u vanaf het begin vóór Lozada's vrijspraak was.'

'Dat is niet juist,' zei ze opmerkelijk kalm. 'Ik was niet vóór vrijspraak. Absoluut niet. Ik dacht dat Mr. Lozada waarschijnlijk schuldig was. Maar de openbare aanklager overtuigde me er niet van dat Mr. Lozada zonder redelijke twijfel schuldig was. Daarom, en vanwege de instructie die de rechter ons gaf, kon ik hem niet met een gerust geweten laten veroordelen.'

'Dus uw geweten bracht u ertoe de andere elf over te halen vóór vrijspraak te stemmen.'

Ze ademde diep in en liet haar adem langzaam weer ontsnappen. 'Als voorzitter was het mijn plicht te zorgen dat elke kant van de zaak nauwkeurig werd bekeken. Het was een gruwelijk misdrijf, ja, maar ik moedigde de andere juryleden aan om hun belofte om de wet te handhaven, al was die misschien onvolmaakt, niet door hun emoties te laten overheersen. Na twee dagen van beraadslaging stemde elk jurylid in overeenstemming met zijn eigen geweten.'

'Ik denk dat uw vragen voldoende beantwoord zijn.' Opnieuw stond de advocaat op. 'Tenzij u over nóg een onderwerp wilt babbelen dat volstrekt geen verband met de zaak houdt, rechercheur Wesley.'

Oren zei dat hij op dat moment niets meer te vragen had en zette de bandrecorder uit.

Terwijl de band terugspoelde dacht Wick terug aan de avond ervoor, toen hij en Oren voor het laatst over de zaak hadden gesproken.

'Het leek of Lozada tijdens de rechtszitting een... contact met haar maakte,' had Oren tegen hem gezegd.

'Contact?'

'Er waren veel mensen die het zagen. Ik vroeg aan de gerechtsdienaar of er een jurylid was op wie Lozada zich in het bijzonder richtte. "Bedoel je de voorzitster?" zei hij. Dat was het eerste wat over zijn lippen kwam, en ik had de naam van dokter Newton niet genoemd. De gerechtsdienaar zei dat onze man haar gedurende het hele proces zat aan te staren. Voldoende om door iedereen te worden opgemerkt.'

'Dat betekent niet dat ze terugkeek.'

Zoals hij wel vaker deed haalde Oren nietszeggend zijn schouders op, wat, paradoxaal genoeg, veel zei.

'Het verbaast me niet dat Lozada een aantrekkelijke vrouw uitkiest en haar aanstaart,' had Wick gezegd. 'Hij is een griezel.'

'Een griezel die eruitziet als een filmster.'

'Van *The Godfather*, misschien.'

'Sommige vrouwen raken opgewonden van dat soort gevaarlijke types.'

'Spreek je uit ervaring, Oren? Ik beloof het niet tegen Grace te zullen zeggen. Details. Ik wil details. De echte sappige.' Hij had zijn vriend nog meer geërgerd door hem een wellustige knipoog te geven.

'Schei uit!'

Op dat moment had Grace zich bij hen gevoegd. Ze had gevraagd waar Wick om lachte. Toen hij het haar niet wilde vertellen, had ze hem eraan herinnerd dat de meisje pas wilden gaan slapen als ze hun verhaal hadden gekregen. Hij had een verhaal verzonnen over een vrijpostige rockster en haar knappe, drieste bodyguard wiens uiterlijk sterk op hem leek. Hij en Oren hadden hun gesprek niet voortgezet voor zijn vertrek.

Na de videoband uit de videorecorder te hebben gehaald, besloot hij ook de tonijnsandwich op te peuzelen. Die smaakte naar vis en was oud, maar hij at hem helemaal op, in de wetenschap dat hij niets meer zou krijgen tot de volgende morgen. Op het moment dat hij wat kruimels van zijn handen veegde, zag hij een Jeep de inrit van Rennie Newton oprijden.

Razendsnel bracht hij de verrekijker naar zijn ogen, maar hij ving amper een glimp van haar op voor de auto haar garage binnenreed. Minder dan dertig seconden later ging het licht in haar keuken aan. Het eerste dat ze deed was de riem van haar enorme handtas van haar schouder laten glijden en de tas op de tafel zetten. Toen deed ze het jasje van haar broekpak uit en trok haar blouse uit de tailleband van haar broek.

Ze liep naar de koelkast, pakte een fles water, maakte hem open en nam een slok. Toen draaide ze de dop er weer op en ging met gebogen hoofd bij de gootsteen staan. Wick stelde de verrekijker nog scherper in. Door het raam boven de gootsteen leek ze heel dichtbij, alsof hij haar zou kunnen aanraken. Een losgeraakte haarlok hing langs haar wang naar beneden tot op haar borst.

Ze rolde de koude waterfles heen en weer over haar voorhoofd. Haar gelaatsuitdrukking, haar lichaamstaal en haar houding gaven aan dat ze uitgeput was. Dat kan ook niet anders, dacht hij, na zo'n lange dag. Dat wist hij. Hij was erbij geweest toen haar dag begon.

5

Rennie leunde tegen het aanrecht en streek met de koude fles water over haar voorhoofd. Het was jaren geleden dat ze ademhalingsoefeningen moest doen om haar kalmte te herwinnen. Jaren, maar ze was niet vergeten hoe afschuwelijk het voelde om geen totale controle te hebben.

De afgelopen drie weken was haar leven een warboel geweest. De ineenstorting van haar zorgvuldig geordende leventje was begonnen met de dagvaarding als jurylid. De dag nadat ze die per post had ontvangen, had ze met een groep collega's, onder wie Lee Howell, in de conversatiezaal van de artsen gezeten. Toen ze hun van de dagvaarding vertelde, hadden ze in koor gekreund en gezegd dat ze verdomde pech had.

Iemand had voorgesteld dat ze moest beweren dat ze jonge kinderen thuis had.

'Maar dat is niet zo.'

'Je draagt als enige zorg voor een bejaarde ouder.'

'Maar dat is niet zo.'

'Je bent fulltime studente.'

Op dat voorstel had ze niet eens gereageerd.

'Smijt het vervloekte ding weg en negeer het,' adviseerde een ander haar. 'Dat heb ík gedaan. Ik vond het de geldboete waard, hoe hoog ook, als ik maar niet hoefde te verschijnen.'

'En wat gebeurde er toen?'

'Niets. Ze sturen nooit een tweede brief bij dat soort dingen, Rennie. Elke week schrijven ze honderden mensen aan. Denk je dat ze de tijd en de moeite nemen om iemand die niet komt opdagen op te sporen?'

'Ik zou de uitzondering zijn. Ze zouden me achter de tralies zetten. Me gebruiken als voorbeeld voor mensen die proberen onder hun burgerlijke verantwoordelijkheden uit te komen.' Ze draaide peinzend het rietje in haar frisdrank rond. 'Bovendien, dat is wat het is. Een burgerplicht.'

'Alsjeblieft,' kreunde Lee met een mond vol chips uit de automaat.

'Het is een burgerplicht voor mensen die niets beters te doen hebben. Gebruik je werk om eraf te komen.'

'Werk is geen reden tot vrijstelling. Dat staat met vet gedrukte letters in de dagvaarding. Ik ben bang dat ik eraan vastzit.'

'Maak je maar geen zorgen,' zei hij. 'Ze zullen jou heus niet uitkiezen.'

'Het zal me niet verbazen als ze dat wél doen,' zei een andere collega. 'Mijn broer is strafpleiter. Hij zegt dat hij altijd probeert minstens één knappe vrouw in een jury te plaatsen.'

Rennie beantwoordde zijn knipoog met een vernietigende blik. 'En wat als de advocaten vrouwen zijn?'

Zijn glimlach verdween. 'Daar heb ik niet aan gedacht.'

'Nee, natuurlijk niet.'

Lee veegde wat zout van zijn handen. 'Ze zullen je niet uitkiezen.'

'Waarom niet, Lee? Je brandt van verlangen om me te vertellen waarom ik een ongeschikt jurylid zou zijn, is het niet?'

Hij telde de redenen af op zijn vaardige chirurgenvingers. 'Je bent te analytisch. Te eigenzinnig. Te open. En te bazig. Geen van beide partijen wil een jurylid dat de anderen sterk zou kunnen beïnvloeden.'

Rennie had Lee die ene woordenstrijd graag laten winnen. Ze was het tweede jurylid dat uit de achtenveertig kandidaten was gekozen, en toen was er bij stemming beslist dat ze voorzitster werd. De daaropvolgende tien werkdagen had haar tijd aan de staat Texas toebehoord, terwijl de stapel papieren op haar bureau steeds hoger en de achterstand op haar operatieschema steeds groter werd.

Toen er een einde aan was gekomen, was haar opluchting van korte duur geweest. Het OM had de juryuitspraak via de media bekritiseerd. En ook de gemiddelde burger, onder wie dokter Lee Howell, had de uitspraak afgekeurd.

Op de barbecueparty van die vrijdagavond had hij zijn mening verkondigd. 'Ik kan niet geloven dat je die rotvent hebt laten lopen, Rennie. Hij is een beroepsmisdadiger.'

'Ze hebben hem niet één keer veroordeeld,' had ze tegengeworpen. 'Bovendien heeft hij nooit voor eerdere vermeende misdrijven terechtgestaan.'

'Hij stond terecht voor het ombrengen van een bankier, een van de meest vooraanstaande burgers van onze mooie stad. De openbare aanklager vroeg om de doodstraf.'

'Dat weet ik, Lee. Ik was erbij.'

'Daar gaan ze weer,' had een van de andere gasten gezegd die zich om hen heen hadden verzameld om iets op te vangen van wat ongetwijfeld een verhit debat was. 'De verstokte conservatief en de weekhartige liberaal zijn weer bezig.'

'Wij juryleden wisten vanaf het begin dat de officier van justitie om de doodstraf zou vragen. Dat was niet de reden waarom we vóór vrijspraak stemden.'

'Waarom besloten jullie met z'n twaalven om die griezel te laten lopen in plaats van hem ter dood te veroordelen? Hoe konden jullie in godsnaam geloven dat hij onschuldig was?'

'Niemand van ons geloofde dat hij onschuldig was. We stemden voor "niet schuldig". Er is een onderscheid.'

Howell had zijn magere schouders opgehaald. 'Het verschil ontgaat me.'

'Het verschil is: redelijke twijfel.'

'Als er geen onomstotelijk bewijs is, moet je vrijspreken. Dat gelul?'

'Dat gelul is het fundament van ons rechtssysteem.'

'Daar gaat ze weer...' had iemand op de achtergrond gezegd.

'Het zogenaamde bewijs tegen Lozada was volstrekt indirect,' had ze gezegd. 'Er was geen bewijs dat hij op de plaats van de misdaad was. En hij had een alibi.'

'Waarschijnlijk een vent die betaald is om voor hem te liegen.'

'Er waren geen ooggetuigen. Er waren...'

'Zeg eens, Rennie, hebben alle juryleden zo diep over hun beslissing nagedacht?'

'Wat bedoel je?'

'Ik bedoel dat je een Pietje Precies bent. Je hebt vast alle feiten netjes op een rijtje gezet, en God verhoede dat je rekening houdt met het menselijke aspect.'

'Natuurlijk heb ik dat gedaan.'

'Ja? Toen jullie voor het eerst stemden, vóór jullie begonnen te beraadslagen, hoeveel stemden er toen schuldig en hoeveel niet-schuldig?'

'Ik ga niet met je bespreken wat er in die jurykamer is gebeurd.'

Hij had naar de kring gezichten om hem heen gekeken, alsof hij 'ik wist het' had willen zeggen. 'Laat me eens raden, Rennie. Je...'

'Ik heb al eens over de zaak gedelibereerd, Lee. Dat wil ik geen tweede keer doen.'

'Jij was zeker de gewetensbezwaarde van de groep, hè? Jij was de hoofdverantwoordelijke voor de vrijspraak.' Hij had zijn handen op zijn hart gelegd. 'Onze eigen dokter Rennie Newton, kruisvaarder voor de vrijheid van beroepscriminelen.'

Het twistgesprek was daarmee geëindigd, onder luid gelach van hun toehoorders. Het was hun laatste woordenwisseling geweest. Zoals altijd waren ze als vrienden uit elkaar gegaan. Toen ze afscheid van Lee en Myrna nam, had hij haar een knuffel gegeven. 'Je weet toch wel dat ik je alleen maar plaagde, hè? Juist jij, meer dan welk jurylid ook, zou je inspannen om het recht te laten zegevieren.'

Ja, ze had geprobeerd het recht te laten zegevieren. Ze had werkelijk niet beseft wat voor impact die vervloekte dagvaarding, het proces en de uitkomst ervan op haar persoonlijk zou hebben. Ze had erop gerekend dat het een ongemak was. Ze had er niet op gerekend dat het catastrofaal was.

Beschouwde rechercheur Wesley haar werkelijk als een verdachte?

Haar advocaat had haar bezorgdheid weggewuifd. Hij had gezegd dat de politie absoluut geen aanwijzingen had en dat ze daarom in alle hoeken en gaten zochten en iedereen ondervroegen met wie Lee Howell iets te maken had gehad, van verpleeghulpen tot en met zijn golfmaatjes. In dit stadium was iedereen verdacht. Insinuatie en intimidatie waren standaard politiemethoden, had haar advocaat haar verzekerd. Ze moest niet denken dat ze eruit was gepikt.

Rennie had geprobeerd geruststellend tegen zichzelf te zeggen dat hij gelijk had en dat zij overdreven reageerde. Maar wat haar advocaat niet wist was dat ze, wat politieverhoren betrof, het recht had een beetje zenuwachtig te zijn.

Ze had vanmiddag steeds aan Wesleys ondervraging moeten denken toen de raad van bestuur van het ziekenhuis haar uitnodigde hun wekelijkse vergadering bij te wonen en haar de baan aanbood die door de dood van dokter Lee Howell op tragische wijze vacant was geworden.

'Ik stel uw aanbod op prijs, maar mijn antwoord is nee, dank u. U hebt maanden de tijd gehad om een keus te maken en u koos iemand anders. Als ik nu ja zeg, zou ik altijd het gevoel hebben dat ik uw tweede keus was.'

Ze hadden haar ervan verzekerd dat dokter Howell slechts één stem meer had gehad dan zij, en dat geen van hen haar een slechtere kandidaat vond.

'Dat is niet de enige reden van mijn afwijzing,' had ze gezegd. 'Uit professioneel oogpunt bewonderde ik dokter Howell, maar ik beschouwde hem en Myrna ook als vrienden. Van zijn dood profiteren zou... onfatsoenlijk zijn. Bedankt voor het aanbod, maar mijn antwoord is nee.'

Tot haar verbazing hadden ze geweigerd dat te accepteren en ze hadden er bij haar op aangedrongen er nog een paar dagen over te denken.

Hoewel ze gevleid en gestreeld was door hun vasthoudendheid, stond ze nu voor een moeilijke beslissing. Ze had de positie willen hebben en wist dat ze ervoor geschikt was, maar het zou onjuist zijn van Lee's dood te profiteren door promotie te maken.

Wesley was een andere factor om rekening mee te houden. Als ze de functie accepteerde die hij als een motief voor de moord beschouwde, zou dat zijn verdenking dat ze erbij betrokken was kunnen versterken. Ze was niet bang dat hij iets zou vinden wat bezwarend voor haar was. Er was niets, absoluut níets, wat haar met de moord op Lee in verband bracht. Maar voordat Wesley dat vaststelde, zou ze aan een streng politieverhoor worden onderworpen. Dáár was ze bang voor en dát wilde ze vermijden.

Van al dat nadenken had ze een zwaar hoofd gekregen. Ze trok het elastiekje uit haar haren en schudde ze los. Toen begon ze haar schedel stevig te masseren.

Vóór de lunch had ze vier grote operaties verricht. De wachtkamer buiten de operatiekamer was vol ongeruste vrienden en familieleden geweest, niet alleen van háár patiënten, maar ook van die van anderen.

Na elke operatie was ze onmiddellijk naar buiten gekomen om kort met de dierbaren van de patiënt te spreken, om verslag uit te brengen over de toestand van de patiënt en om uit te leggen wat ze precies had gedaan. Soms kon ze zelfs kleurenfoto's van de operatie laten zien. Gelukkig was de prognose van elke patiënt goed geweest, alle rapporten waren positief. Vandaag had ze niemand slecht nieuws hoeven brengen.

Vanmiddag was alles gladjes verlopen in haar praktijkruimte, dank zij haar bekwame personeel. De rondes in het ziekenhuis hadden wat meer tijd in beslag genomen dan anders. Ze had een bezoek moeten brengen aan de vier pas geopereerde patiënten, en ook aan de drie die morgenochtend zouden worden geopereerd. Een van hen had ze moeten overhalen zich een klysma te laten toedienen als voorbereiding op de operatie. De uitgeputte verpleegsters hadden het opgegeven. Nadat Rennie met de man had gepraat, had hij zich kalm overgegeven.

Toen, vlak voor haar vertrek, had ze het telefoontje gekregen.

Bij de herinnering eraan begon ze te trillen. Snel dronk ze de fles water leeg en gooide hem in de afvalbak. Ze spoelde de koffiepot om. Daarna maakte ze het koffiezetapparaat gereed voor de volgende morgen en schakelde de tijdklok in. Ze wist dat ze eigenlijk iets moest eten, maar de gedachte aan voedsel maakte haar misselijk. Ze was te zeer van streek om te eten.

Ze liet haar handtas op de tafel staan – ze had het idee dat ze geen kracht meer had om hem op te tillen – en deed het keukenlicht uit. Op weg naar de zitkamer bleef ze staan en deed het licht weer aan. Ze had haar hele volwassen leven alleen gewoond, en ze wilde voor het eerst dat het licht de hele nacht brandde.

In haar slaapkamer deed ze de lamp aan en ging op de rand van haar onopgemaakte bed zitten. Normaal gesproken zou het haar hebben gestoord dat ze 's morgens voor haar vertrek geen tijd had gehad om het bed op te maken. Nu leek dat een onbelangrijke, zelfs dwaze zorg. Een onopgemaakt bed was het echt niet waard om je druk over te maken.

Met een gevoel van angst opende ze de la van haar nachtkastje. Het kaartje lag onder de doos postpapier die haar receptioniste haar afgelopen kerst had gegeven. Het cellofaan zat er zelfs nog om. Ze schoof de doos opzij en keek naar het witte kaartje.

Toen ze aantekeningen maakte op de kaarten van haar pas geopereerde patiënten, was de dienstdoende verpleegster naar haar toe gekomen om te zeggen dat er een telefoontje voor haar was. 'Op drie.'

'Bedankt.' Ze had de hoorn tussen haar wang en schouder geklemd, zodat ze haar handen vrij had om de laatste taak van een zeer lange dag af te maken. 'Dokter Newton.'

'Hallo, Rennie.'

Haar pen stopte midden in een handtekening. Onmiddellijk gealarmeerd door de fluisterende stem zei ze: 'Met wie spreek ik?'

'Met Lozada.'

Ze haalde diep adem. Ze probeerde het zo te doen, dat het niet hoorbaar was. 'Lozada?'

Hij lachte zachtjes, alsof hij wist dat ze veinsde dat ze traag van begrip was. 'Kom nou, Rennie, we zijn toch geen vreemden voor elkaar? Zo snel kun je me niet zijn vergeten. We hebben bijna twee weken in dezelfde ruimte doorgebracht.'

Nee, ze was hem niet vergeten. Ze betwijfelde of iemand die met deze man in contact kwam hem ooit zou vergeten. Tijdens de rechtszitting hadden zijn donkere ogen vanaf de overkant van de rechtszaal vaak de hare gezocht.

Toen haar dat eenmaal was opgevallen, had ze vermeden hem aan te kijken. Maar telkens wanneer haar blik toevallig op hem bleef rusten, had hij haar zitten aanstaren op een manier die haar een onbehaaglijk en verlegen gevoel gaf. Ze was zich ervan bewust geweest dat andere juryleden en mensen in de rechtszaal ook zijn onwelkome belangstelling voor haar hadden opgemerkt.

'Dit telefoontje is hoogst ongepast, Mr. Lozada.'

'Waarom? De rechtszitting is voorbij. Na een vrijspraak komt het soms voor dat verdachten en juryleden een feestje bouwen om het samen te vieren.'

'Zo'n feest is smakeloos en ongevoelig. Het is een klap in het gezicht van de familie van het slachtoffer. Voor die mensen is de zaak nog steeds niet afgerond. Hoe dan ook, u en ik hebben niets te vieren en ook niets te bepraten. Goedendag.'

'Vond je de rozen mooi?'

Haar hart sloeg een paar keer over. Toen begon het weer te kloppen, twee keer zo snel.

Na elke denkbare mogelijkheid ter zijde te hebben geschoven was het idee bij haar opgekomen dat híj misschien haar geheime bewonderaar was geweest, maar dat had ze zelfs niet aan zichzélf willen toegeven. Nu het bevestigd werd, wilde ze net doen of ze niet wist waar hij het over had.

Maar hij wist natuurlijk wel beter. Hij had de rozen in haar huis neergezet om zich ervan te verzekeren dat zij ze zou ontvangen, en dat er geen ruimte voor een mogelijke vergissing was. Ze wilde hem vragen hoe hij in godsnaam haar huis was binnengekomen, maar, zoals Lee Howell haar had voorgehouden, Lozada was een beroepscrimineel. Inbreken en een woning binnengaan was kinderspel voor een man met zijn strafblad.

Hij was ongelooflijk intelligent en vindingrijk, anders zou het hem niet zijn gelukt aan gerechtelijke vervolging voor al zijn misdaden te ontsnappen. Inclusief de meest recente moord, waarvoor hij terecht had gestaan en die hij, naar haar vaste overtuiging, had gepleegd. Het was alleen niet bewezen.

'Gezien de kleur van je voordeur dacht ik dat rood waarschijnlijk je lievelingskleur zou zijn,' zei hij.

De rozen hadden niet de kleur van haar voordeur gehad. Ze hadden de kleur gehad van het bloed op de foto's van de plek van de moord. De foto's die als bewijs waren ingebracht en aan de jury getoond. Het slachtoffer dat door Lozada, als huurmoordenaar, zou zijn omgebracht, was gewurgd met iets wat zo dun en toch zo sterk was, dat het de huid van zijn hals tot bloedens toe kapot had gemaakt.

'Val me niet meer lastig, Mr. Lozada.'

'Rennie, hang niet op.' Hij zei het met net voldoende dreiging om te voorkomen dat ze de hoorn op de haak gooide. 'Alsjeblieft,' zei hij op zachtere toon. 'Ik wil je bedanken.'

'Me bedanken?'

'Ik heb Mrs. Grissom gesproken. Grijs kroeshaar. Dikke enkels.'

Rennie kon zich de vrouw goed herinneren. Jurylid nummer vijf. Ze was getrouwd met een loodgieter en had vier kinderen. Ze greep elke kans aan om de andere elf juryleden te vervelen met haar geklaag over haar luie echtgenoot en haar ondankbare kinderen. Zodra ze hoorde dat Rennie arts was, had ze een lijst met kwalen opgesomd die ze met haar wilde bespreken.

'Mrs. Grissom heeft me verteld wat je voor me hebt gedaan,' zei Lozada.

'Ik heb níets voor u gedaan.'

'Dat is niet waar, Rennie. Zonder jou zou ik nu in de dodencel zitten.'

'We zijn met z'n twaalven tot de uitspraak gekomen. Niemand was in zijn eentje verantwoordelijk voor de beslissing u vrij te spreken.'

'Maar jíj leidde de campagne voor mijn vrijspraak, is het niet?'

'We hebben de zaak van alle kanten bekeken. We hebben de wet nauwkeurig bestudeerd tot we het unaniem eens waren over de interpretatie en de toepassing ervan.'

'Misschien, Rennie,' grinnikte hij zachtjes. 'Maar Mrs. Grissom zei dat jij vóór me pleitte en dat je betoog bezield was en... gepassioneerd.'

Hij zei het alsof hij haar streelde terwijl hij sprak. De gedachte aan zijn aanraking bezorgde haar kippenvel. 'Neem geen contact meer met me op.' Ze knalde de hoorn op de haak, maar bleef hem vasthouden tot haar knokkels wit werden.

'Dokter Newton? Is er iets? Dokter Newton, is alles goed met u?'

Zweetdruppels parelden op haar gezicht, alsof ze de meest gecompliceerde en levensbedreigende operatie uitvoerde. Ze dacht dat ze moest overgeven. Ze haalde diep adem, liet de hoorn van de telefoon los en wendde zich tot de bezorgde verpleegster.

'Het gaat wel. Maar ik neem geen telefoontjes meer aan. Ik probeer het hier af te ronden, dus als iemand me nodig heeft moet je me maar oppiepen.'

'Dat zal ik doen, dokter Newton.'

Ze had snel haar aantekeningen op de kaart voltooid en was naar huis vertrokken. Toen ze over het vertrouwde parkeerterrein van de artsen liep, had ze een paar keer over haar schouder gekeken en was gerustgesteld door de aanwezigheid van de dienstdoende bewaker. Ze had gehoord dat de jongeman die Lee's lichaam had ontdekt, een tijdje verlof had.

Op weg naar huis had ze haar blik zowel op de weg als op het achteruitkijkspiegeltje gericht gehouden, min of meer in de verwachting dat Lozada haar zou volgen. Hij kon doodvallen omdat hij haar paranoïde en bang maakte! Hij kon doodvallen omdat hij haar leven ingewikkeld maakte terwijl ze eindelijk precies had wat ze wilde.

Nu, terwijl ze naar het weerzinwekkende kaartje in de la van haar nachtkastje keek, nam haar wrevel toe. Het maakte haar woedend dat hij het waagde op zo'n toon, alsof er intimiteit tussen hen bestond, tegen haar te spreken. Maar het joeg haar ook angst aan, en daar had ze het meest de pest over in – dat ze bang voor hem was.

Boos sloot ze de lade. Ze stond op en trok haar bloes en haar broek uit. Ze had behoefte aan een warme douche. Onmiddellijk! Ze voelde zich aangerand, alsof Lozada haar had aangeraakt met zijn sissende stem. Ze kon de gedachte niet verdragen dat hij hier in haar huis was geweest en inbreuk op haar privacy had gemaakt.

Erger nog, ze had het gevoel dat hij hier nog steeds was, hoewel ze zichzelf voorhield dat dat slechts haar verbeelding was, dat haar fantasie op hol was geslagen. Ze merkte dat ze naar elk voorwerp in de kamer keek. Was alles precies zoals ze het vanmorgen had achtergelaten? De dop van haar bodylotion zat los, maar ze herinnerde zich dat ze 's morgens haast had gehad en hem niet goed had vastgedraaid. Had ze het opengeslagen tijdschrift zó op het nachtkastje achtergelaten?

Ze zei tegen zichzelf dat ze een malloot was. Desalniettemin voelde ze zich bedreigd, kwetsbaar, bekeken.

Plotseling wierp ze een blik op de ramen. De latten van de jaloezieen waren slechts gedeeltelijk gesloten. Snel deed ze de lamp uit. Daarna liep ze naar de ramen en trok de jaloezieën stevig dicht.

'Hij kan doodvallen,' fluisterde ze in het donker.

In de badkamer nam ze een douche en maakte zich klaar voor de nacht. Toen ze het licht uitdeed, overwoog ze het aan te laten, maar besloot dat toch niet te doen. Ze zou niet toegeven aan haar angst, al was ze nog zo bang.

Ze was nooit een lafaard geweest. Integendeel. Haar moed toen ze een kind was had haar moeder doen handenwringen van bezorgdheid. Als tiener was haar onverschrokkenheid toegenomen en veranderd in opzettelijke roekeloosheid. In de afgelopen jaren had ze verre reizen gemaakt naar gebieden waar oorlog werd gevoerd en hongersnood heerste. Ze had despoten getrotseerd, razende stormen, gewapende rovers en besmettelijke ziekten om medische zorg te verlenen aan mensen die dat dringend nodig hadden. Bij dat alles had ze zich weinig of niet om haar eigen veiligheid bekommerd.

Nu, in haar eigen slaapkamer, liggend in haar eigen bed, was ze bang. En niet alleen voor haar veiligheid. Lozada vormde meer dan een fysieke bedreiging. Rechercheur Wesley had het over zijn proces gehad, had geïnsinueerd...

'O, mijn God.'

Naar adem snakkend ging Rennie rechtop zitten. Ze legde een hand voor haar mond en hoorde dat ze – ongewild – fluisterde. De rillingen liepen haar over de rug.

Lozada had geprobeerd haar te beïnvloeden met een enorme bos rozen in een kristallen vaas. Persoonlijk bezorgd. Wat had hij nog meer gedaan in een poging bij haar in de gunst te komen?

Het antwoord daarop was te afschuwelijk om over na te denken.

Maar kennelijk had de rechercheur van de afdeling moordzaken dat wél gedaan.

Wick maakte nog een blikje cola open, in de hoop daarmee de nare nasmaak van de tonijnsandwich weg te spoelen. Rennie was gaan slapen. Tweeëndertig minuten na thuiskomst had ze het licht in haar slaapkamer al uitgedaan. Geen avondmaaltijd. Geen ontspannende activiteiten. Zelfs niet een half uurtje televisie om zich na een zware dag te laten afleiden.

Ze had een aantal van die tweeëndertig minuten bij de gootsteen doorgebracht, schijnbaar in gedachten verzonken. Wick had toegekeken toen ze haar haren losschudde en haar schedel masseerde. Ze had eruitgezien als iemand die gebukt ging onder een zware last of barstende hoofdpijn had – of beide.

Wat hem niet had verbaasd. Ze had gewerkt als een paard. Hij was 's morgens om zeven uur in de wachtkamer voor familieleden aangekomen, in het besef dat de dag vroeg begon in de operatiekamer. Niemand had gevraagd wat hij daar deed, omdat men ervan uitging dat hij tot een van de families behoorde die tijdelijk hun tenten in de wachtkamer hadden opgeslagen, met tijdschriften en koffie uit de automaat. Hij ging op een stoel in de hoek zitten, trok zijn strooien cowboyhoed over zijn voorhoofd en verstopte zich gedeeltelijk achter een exemplaar van *USA Today*.

Om dertien minuten voor acht liet dokter Newton zich voor het eerst even zien.

'Mrs. Franklin?'

Mrs. Franklin en haar steuntroepen schaarden zich om de chirurg. Rennie was gekleed in groene operatiekleren. Het mondkapje hing op haar borst, als een slabbetje. Ze droeg een muts en papieren omhulsels om haar schoenen.

Hij kon niet horen wat ze zei, omdat ze op zachte, vertrouwelijke toon sprak om de privacy van de familie te waarborgen, maar wat ze zei maakte dat Mrs. Franklin glimlachte, Rennies hand vastpakte en hem dankbaar schudde. Na de korte vergadering excuseerde Rennie zich en verdween door de klapdeuren.

Gedurende de lange morgen bracht ze nog drie bezoeken aan de wachtkamer. Elke keer gaf ze de bezorgde familie haar volle aandacht en beantwoordde hun vragen met bewonderenswaardig geduld. Haar glimlachjes waren geruststellend. In haar blik school begrip en medeleven. Ze leek nooit haast te hebben, hoewel dat heus wel zo zou zijn. Ze was nooit bits of afstandelijk.

Wick had met moeite kunnen geloven dat dit dezelfde vrouw was als de gereserveerde, hooghartige vrouw op Orens videoband.

Hij was in de wachtkamer gebleven tot zijn maag zo hard begon te knorren dat de mensen achterdochtig naar hem begonnen te kijken. De menigte was ook uitgedund, dus de lange cowboy die helemaal in zijn eentje in de hoek zat met een krant die hij drie keer had gelezen, begon aandacht te trekken. Hij was vertrokken, op zoek naar iets te eten.

Oren dacht dat hij de hele dag in zijn saaie motelkamer had liggen slapen. Wick had hem niet verteld dat hij naar het ziekenhuis was gegaan. Ook niet dat hij, na een hamburger bij Kincaid's te hebben bemachtigd, bij de praktijk van Rennie Newton had staan posten. De praktijk lag in de buurt van het ziekenhuis, aan een weg die vroeger een deftige woonstraat was geweest, maar waar nu voornamelijk artsen praktijk hielden.

Het kalkstenen gebouw zag er nieuw en modern uit, maar niet opzichtig. Het was druk geweest in de praktijk, patiënten die kwamen en gingen met tussenpozen van ongeveer een kwartier. Het parkeerterrein was nog halfvol toen Wick vertrok om in haar huis te gaan inbreken.

Ja, Rennie had een drukke dag achter de rug. Als beloning had ze een fles water gedronken. Dat was alles. Toen ze de keuken verliet had ze het licht uitgedaan. Vrijwel meteen daarna had ze het weer aangedaan, wat hem bevreemd had.

Ze had het licht aangelaten toen ze naar de slaapkamer ging, waar ze ineengedoken op de rand van het bed was gaan zitten, met haar loshangende haren over haar borst. Haar hele houding had neerslachtigheid uitgedrukt. Of grote bezorgdheid.

Toen had ze nog iets vreemds gedaan. Ze had de la van haar nachtkastje geopend en daarna had ze er een paar minuten naar gekeken. Alleen maar gekeken. Ze had er niets uitgehaald en er niets ingestopt – ze had er slechts naar gekeken.

Waar had ze naar zitten kijken? vroeg hij zich af. Hij besloot dat het het kaartje moest zijn. Hoe zou een ongeopende doos postpapier haar kunnen boeien? Het overlijdensbericht van haar moeder zou iets kunnen zijn dat ze af en toe las, misschien ter herinnering. Maar hij wedde op het kaartje. En dat maakte hem verdomde nieuwsgierig naar de oorsprong en de betekenis ervan.

Ten slotte had ze de la gesloten, was opgestaan en had haar bloes uitgetrokken. Ze had een eenvoudige beha gedragen. Misschien bewaarde ze de luxe voor de dagen waarop ze niet vier operaties uitvoerde. Of voor de man die haar het kaartje had gestuurd.

Vervolgens had ze haar broek uitgetrokken.

Op dat moment had Wick zich gerealiseerd dat hij zijn adem inhield. Hij had zichzelf vermaand om weer normaal te gaan ademen – zo dat mogelijk was. Kon een heteroseksuele man normaal ademen als hij naar een vrouw keek die zich uitkleedde? Hij dacht van niet. Hij kende er niet één. De vraag zou een wetenschappelijk onderzoek rechtvaardigen.

Hij had zijn eigen onderzoek verricht. Hij had diep ingeademd en een gelijke hoeveelheid kooldioxide uitgeademd.

En op dat moment, bijna alsof ze zijn adem op haar blote huid voelde, had ze ontsteld naar de ramen gekeken. Onmiddellijk was de lamp naast haar bed uitgegaan. Haar vage silhouet had zich even bij de ramen afgetekend. Toen waren de jaloezieën stevig gesloten en had hij haar niet meer kunnen zien.

Het licht in haar badkamer was aangegaan. Het had tien minuten gebrand, lang genoeg om een bad te nemen met een van die geurige gels. Misschien had ze ook het roze scheerapparaat gebruikt. Waarschijnlijk had ze haar tanden gepoetst en de tube tandpasta van onderaf opgerold alvorens hem in het kastje boven de smetteloze wasbak te leggen.

Toen was het donker geworden in het huis, op het licht in de keuken na. Wick vermoedde dat ze rechtstreeks van haar bad naar haar bed was gegaan.

En nu, na tweeëndertig minuten, lag ze waarschijnlijk tussen de lichtgele lakens te slapen, haar hoofd diep in het donzen kussen gedrukt.

Hij herinnerde zich dat kussen. Hij had er lang naar gekeken voordat hij de latex handschoenen had uitgetrokken en het kussen had opgepakt. Hij had het dicht bij zijn gezicht gehouden. Slechts heel even. Alleen zo lang als elke goede rechercheur zou doen.

Ook dát had hij niet aan Oren verteld.

6

Het was het beste Mexicaanse restaurant in Fort Worth en daarmee, volgens Lozada, het beste restaurant in Fort Worth.

Hij kwam hier alleen maar voor het eten en de respectvolle manier waarop hij werd bediend. Hij had het zonder het trio kunnen stellen dat langzaam tussen de tafeltjes door liep. Ze tokkelden op hun gitaar en zongen Mexicaanse volksliedjes met luide, maar middelmatige stemmen. Het leek of de zaak was ingericht door iemand die uit zijn bol was gegaan in een curiositeitenwinkel in een grensstad en hun hele, bonte verzameling sombrero's en piñata's had gekocht.

Maar het eten was uitstekend.

Hij zat aan zijn gebruikelijke hoektafeltje, met zijn rug naar de muur, een tequila als digestief te drinken. Hij zou iedereen hebben doodgeschoten die hem zo'n ijskoud, groen brouwsel aanbood dat uit een Slurpeemachine kwam en de brutaliteit had zichzelf een margarita te noemen.

Het gefermenteerde sap van de agaveplant verdiende puur gedronken te worden. Hij gaf de voorkeur aan een heldere *añejo*. Hij wist dat wat een tequila 'goud' maakte niets anders was dan karamelkleurstof.

Hij had de El Ray-schotel gegeten, die bestond uit enchiladas con carne, knapperige rundvleestaco's, gebakken bonen, Spaanse rijst en maïstortilla's, druipend van de boter. De maaltijd zat vol koolhydraten en vet, maar hij maakte zich niet druk om zijn gewicht. Hij was erfelijk gezegend met het pezige, sterke lijf dat veel mensen zich wensten, waarvoor ze lid van een fitnessclub werden en zich in het zweet werkten. Hij transpireerde nooit. Nooit. En de enige keer in zijn leven dat hij een halter had opgetild, was toen hij iemand de hersens insloeg.

Hij dronk zijn glas leeg en liet veertig dollar op het tafeltje achter. Dat was bijna twee keer het bedrag van zijn rekening, maar het garandeerde hem dat zijn tafeltje altijd beschikbaar was, wanneer hij ook binnenkwam. Hij knikte ten afscheid tegen de eigenaar en knipoogde naar een knappe serveerster terwijl hij naar de uitgang liep.

Het restaurant lag in het hart van het historische Stockyards-gebied. Vanavond waren er drommen toeristen bij de kruising van Main Street en Exchange Street. Ze kochten prullerige Texas-souvenirs, zoals chocolaatjes in de vorm van koeienvlaaien. Of ratelslangen, geconserveerd in heldere acryl. De rijkere waren bereid veel geld neer te leggen voor de handgemaakte laarzen van de legendarische Leddy's.

De verleidelijke geur van op mesquitehout geroosterd vlees lokte hen naar restaurantjes. Uit open bardeuren kwamen vlagen koele lucht, de stank van bier en het gejengel van countryliedjes.

In de door verkeersopstoppingen geplaagde straten reden allerlei voertuigen, van onder de modder zittende pick-ups en gezinswagens, tot fraai gestroomlijnde, uit Europa geïmporteerde auto's. Clubjes jonge vrouwen en groepjes jonge mannen maakten de houten trottoirs onveilig, op zoek naar elkaar. Ouders lieten foto's van hun kinderen maken terwijl die op een verveeld en waarschijnlijk vernederd langhoornstierkalf zaten.

Af en toe zag je een authentieke cowboy. Ze onderscheidden zich door de mest aan hun laarzen. En ze werden verraden door de versleten, ronde plek in de achterzak van hun Wrangler, het gevolg van het altijd aanwezige blikje pruimtabak. Ook bekeken ze hun na-apers met een onverholen en gerechtvaardigde minachtende blik.

De sfeer was onbekommerd, weldadig en argeloos.

Lozada was geen van drieën.

Hij haalde zijn zilverkleurige Mercedes cabriolet op bij een jongen die hij twintig dollar had gegeven om op de auto te passen. Toen reed hij Main Street af, de brug over en de binnenstad in. In minder dan tien minuten liet hij zijn auto achter bij de parkeerbediende. Daarna stak hij de granieten hal van Trinity Tower over en nam de lift naar de bovenste verdieping.

Hij had het penthouse gekocht zodra het gerenoveerde gebouw bewoond kon worden. Zoals de meeste bouwwerken aan Sundance Square had men de buitenkant gelaten zoals die was om de historische ambiance van het plein te bewaren. De binnenkant was afgebroken tot aan de fundering, versterkt om aan de huidige bouwverordeningen te voldoen — en, hopelijk, om tornadoachtige stormen te kunnen doorstaan — en aangepast voor het wonen in hoogbouwflats.

Na de dure woning te hebben gekocht, had het Lozada nóg eens twee miljoen dollar gekost om het appartement dat hij in *Architectural Digest* had bewonderd te kopiëren. Deze financiële aderlating had hij met niet meer dan drie klussen terugverdiend.

Hij deed zijn voordeur open en werd na de feestdrukte in de stad verwelkomd door de kalme, koele rust van de flat. De glanzende, hardhouten vloeren, slechts hier en daar verzacht door schapenvachten, werden indirect verlicht. Elk oppervlak glom en was glanzend gepoetst – gelakt hout, leisteen en metaal. Een groot deel van het mahoniehouten meubilair was ingebouwd. De losstaande meubelstukken waren met leer of dierenhuid bekleed.

Het pronkstuk van zijn zitkamer was een grote, glazen bak die op een kniehoge sokkel van glanzend marmer stond. De bak was tweeënhalve meter in het vierkant en één meter hoog. Deze ongewone vitrine was een noodzakelijke toevoeging. Verder week het appartement in niets af van het plaatje dat hij in een tijdschrift had gezien. In de bak had hij een ideale leefomgeving voor zijn schatjes gecreëerd.

De temperatuur en de vochtigheidsgraad werden zorgvuldig geregeld en gecontroleerd. Om te voorkomen dat ze elkaar doodden, zag hij erop toe dat ze voldoende prooi hadden om zich mee te voeden. Op dit moment bevatte de bak er vijf, maar hij had er maximaal acht en minimaal drie gehad.

Ze hadden geen namen. Dat zou belachelijk zijn geweest, en niemand zou Lozada er ooit van kunnen beschuldigen dat hij belachelijk was. Hij kende elk van hen persoonlijk en intiem. Af en toe nam hij ze uit de bak en speelde met hen.

De twee *Centruroides* had hij zélf uit Mexico gesmokkeld. Hij had ze nog geen jaar. Degene die het langst bij hem woonde was een vrouwtje van het gewone Arizona-soort. Het was niet moeilijk geweest om haar in handen te krijgen, ze was ook niet kostbaar, maar hij was gek op haar. Vorig jaar had ze eenendertig jongen gebaard. Lozada had ze allemaal gedood zodra ze van haar rug waren geklommen, bij wijze van verklaring dat ze onafhankelijk van haar waren. De andere twee in de bak waren zeldzamer en dodelijker. Het was niet makkelijk om ze niet voor te trekken, omdat ze het moeilijkst te krijgen waren en ook het duurst waren geweest.

Het waren de beste schorpioenen ter wereld.

Hij bleef staan om iets tegen hen te zeggen, maar vanavond vermaakte hij zich niet met hen. Als altijd een zakenman, luisterde hij of er boodschappen op zijn voicemail stonden. Niets. Bij het barmeubel in de zitkamer schonk hij een *añejo* in een Baccarat-tumbler. Toen nam hij het tuimelglas mee naar de glazen wand die een spectaculair uitzicht bood op de rivier, waarnaar het gebouw was genoemd, en de naburige wolkenkrabbers.

Hij bracht quasi een toast uit op het Tarrant County Justice Center. Toen draaide hij zich om en hief zijn glas, in een oprechte groet aan het pakhuis aan de andere kant van de spoorlijn.

Tegenwoordig huisvestte het gebouw een bedrijf dat campers en bestelbusjes op bestelling maakte. Maar vijfentwintig jaar geleden had het uit golfplaten opgetrokken bouwsel leeggestaan toen Lozada er zijn eerste moord pleegde.

Tommy Sullivan was zijn maatje geweest. Hij had niets tegen de jongen gehad. Ze hadden nooit ruzie met elkaar gemaakt. Het lot had echter bepaald dat Tommy op de verkeerde tijd op de verkeerde plek was. Het was tijdens de hete zomer. Ze waren het lege pakhuis aan het verkennen, omdat ze niets beters te doen hadden. Verveling had hen daar gebracht en verveling had Tommy's dood veroorzaakt.

Tommy had een eindje voor Lozada uit gelopen toen Lozada ineens besefte hoe makkelijk het zou zijn om Tommy van achteren vast te grijpen en zijn zakmes in de hals van zijn vriend te steken.

Hij had het alleen maar gedaan om te kijken of hij het kon. Tommy had bewezen dát hij het kon.

Het was slim van hem geweest om Tommy van achteren aan te vallen, omdat Tommy maar blééf bloeden, alsof er nooit een einde aan zou komen. Maar in het algemeen was het ontzettend makkelijk geweest om Tommy te doden. Het was even makkelijk geweest om ongestraft te blijven. Hij was gewoon naar Tommy's huis gelopen en had aan Tommy's moeder gevraagd of haar zoon thuis was. Ze had gezegd dat Tommy er niet was, maar dat hij gerust binnen mocht komen om op hem te wachten. Tommy zou vroeg of laat wel weer komen opdagen.

En toen had Lozada, na Tommy te hebben vermoord, zich in Tommy's kamer met diens stereo-installatie vermaakt, in zalige afwachting van de hel die in Tommy's huis zou losbreken.

Lozada's dierbare herinneringen werden onderbroken door een klop op de deur. Uit gewoonte liep hij behoedzaam naar de deur, een stiletto plat tegen zijn pols gedrukt. Hij keek door het kijkgaatje. Bij het zien van een hem bekende vrouw in uniform, maakte hij de deur open.

'Zal ik uw bed klaarmaken voor de nacht, Mr. Lozada?'

Het wonen in het gebouw bood extra voordelen, waaronder de parkeerbediende, de conciërge en twee keer per dag een kamermeisje. Hij gebaarde dat ze binnen mocht komen. Ze liep zijn slaapkamer in en begon met haar werkzaamheden. Lozada schonk zijn glas nog eens vol. Daarna keerde hij terug naar zijn stoel bij het raam, waar hij zijn stiletto op het tafeltje legde, binnen handbereik. Hij keek naar de neonreclame van de bioscoop aan de overkant van de straat, maar geen van de titels van de speelfilms drong écht tot hem door.

Zijn gedachten waren bij het telefoongesprek dat hij 's morgens met Rennie Newton had gevoerd. Hij glimlachte om haar armzalige poging om zich ongenaakbaar op te stellen. Ze was werkelijk aanbiddelijk.

Het kamermeisje kwam naar hem toe. 'Wilt u dat ik de gordijnen dichttrek, Mr. Lozada?'

'Nee, bedankt. Heb je chocolaatjes op het kussen gelegd?'

'Twee. Het soort waar u van houdt.'

'Dank je, Sally.'

Ze glimlachte tegen hem, en toen begon ze de bovenste knoopjes van haar uniform los te maken. Hij had haar nooit gevraagd iets over zichzelf te vertellen. In feite zou hij zelfs niet weten hoe ze heette als ze niet uit eigen beweging haar naam had genoemd. Ze had staan popelen om hem te vertellen dat dit huishoudelijke baantje slechts tijdelijk was. Ze wilde dolgraag exotische danseres in een mannenclub worden. Dat was haar ambitie.

Ze had er de tieten voor, misschien. Maar niet de kont. Ze had het achterste van een olifant.

Toen ze plagerig aan de knoopjes van haar uniform begon te friemelen, zei hij: 'Laat dat maar zitten.' Hij trok haar tussen zijn dijen en duwde haar op haar knieën.

'Ik zou eerst voor u kunnen buikdansen. Ik heb voor de spiegel geoefend. Ik ben goed, al zeg ik het zelf.'

Bij wijze van antwoord maakte hij zijn broekriem los en trok de ritssluiting van zijn broek naar beneden. Ze leek teleurgesteld dat hij haar voorstelling niet wilde zien, maar ze deed haar best om hem te behagen. Ze maakte de knoopjes van zijn overhemd los en betastte de tatoeage op zijn borst. Een helderblauwe dolk met een tweezijdig lemmet leek zijn tepel te doorboren. Getatoeëerde bloeddruppels besmeurden zijn ribben. 'Dat windt me zó op!' Haar tong, vlug en behendig als een slang, bewoog de punt van de dolk snel heen en weer.

Hij had de tatoeage op zijn zestiende gekregen. De tatoeëerder had voorgesteld tegelijkertijd een piercing in zijn tepel aan te brengen. 'Een ringetje door je tepel zou geweldig staan bij deze dolk, kerel.'

Lozada herinnerde zich de angst in de ogen van de man toen hij hem bij zijn keel had gegrepen en hem van zijn kruk had opgetild. 'Denk je soms dat ik een flikker ben?'

De ogen van de man hadden uitgepuild. 'Nee, nee, man,' had hij halfstikkend gezegd, 'ik bedoelde er niets mee.'

Lozada had hem langzaam losgelaten. 'Zorg maar dat je verdomde goed werk levert met die bloeddruppels, anders zal het je laatste tatoeage zijn.'

Sally's gretige mond had zich een weg naar zijn kruis gebaand. 'Condoom,' zei hij.

'Mij kan het niet schelen.'

'Maar mij wél.'

Hij liet nooit DNA-sporen achter. Afgeknipte stukjes nagel werden door de wc gespoeld. Elke dag schoor hij zijn hele lichaam. Hij was zo onbehaard als een baby, op zijn wenkbrauwen na. IJdelheid verbood hem ze te scheren. En zonder de wenkbrauw zou het litteken niet zo opvallen, en hij wilde het litteken juist laten zien, als een banier.

Gelukkig had hij een volmaakt gevormde schedel. Glad en rond als een biljartbal. Voeg daaraan zijn olijfkleurige huidskleur toe en hij zag er met een kaal hoofd erg knap uit. Tweemaal per dag stofzuigde hij zijn bed en zijn toilettafel met een kruimeldief, voor het geval dat er droge huidschilfers op waren achtergebleven. Jaren geleden had hij zijn vingerafdrukken laten wegbranden.

Zijn ervaring met Tommy had hem geleerd dat het bloed van een slachtoffer last kon veroorzaken. Hij was bang geweest dat iemand zou vragen of hij zijn zakmes mocht zien, en hij was er niet zeker van dat hij al het bloed had kunnen verwijderen. Niemand had hem ooit als een verdachte beschouwd. Uiteindelijk had hij zich van het mes kunnen ontdoen, maar sindsdien probeerde hij het wapen op de plek van de moord achter te laten. Hij gebruikte doodgewone dingen – niets exotisch, niets wat pas was gekocht of wat naar hem terug te voeren was. Soms had hij alleen maar zijn handen als wapen nodig.

Hij had een sofi-nummer. Als goede burger betaalde hij belasting over het geld dat zijn televisiereparatiebedrijf opbracht. Een oude zuiplap die al vanaf de uitvinding van de televisie dronken was, runde de zaak voor hem. Het bedrijf was gevestigd in een arme wijk waar weinigen de moeite namen een kapotte tv te laten repareren. Ze gingen gewoon naar een dure wijk en stalen een nieuwere. Desalniettemin was het een legitiem, zij het geen winstgevend bedrijf.

Zijn echte bron van inkomsten liet geen spoor achter dat een belastinginspecteur of een gerechtsdienaar kon volgen.

Sally scheurde het zilverpapieren pakje met haar grote tanden open.

'U moet ontzettend rijk zijn, want u hebt deze woning en ook nog die snoezige Mercedes.'

Hij hield van zijn bezittingen. Nu nog meer dan vóór de acht maanden waarin hij in de gevangenis van Tarrant County had zitten wegkwijnen, in afwachting van het proces. Dan leerde je de goede dingen des levens te waarderen.

Natuurlijk had hij ook geen inkomsten gehad gedurende die maanden. Maar hij maakte zich geen zorgen. Hij was goed betaald voor de moord op de bankier.

Zijn geld was weggestopt op rentedragende rekeningen bij banken over de hele wereld, op plaatsen waar hij nooit was geweest en ook niet heen zou gaan. Hij kon stil gaan leven wanneer hij wilde en tot aan zijn dood een luxe bestaan leiden.

Maar daar dacht hij nooit aan. Wat hij deed, deed hij niet voor het geld. Hij kon op tal van manieren geld verdienen. Hij deed wat hij deed omdat hij er goed in was en het leuk vond om te doen. Hij híeld ervan.

'Ik krijg kippenvel van die schorpioenen, maar ik ben dol op uw appartement. U hebt fantastische spullen. Uw sprei is van echt nertsbont, is het niet?'

Lozada wilde dat ze haar mond hield en hem alleen maar pijpte.

'Bent u zo gevaarlijk als de mensen zeggen?'

Hij pakte een handvol zwartgeverfd haar beet en trok haar hoofd met een ruk omhoog. 'Welke mensen?'

'Au! Dat doet pijn!'

Hij wikkelde haar haar strak om zijn vuist. 'Welke mensen?'

'Alleen de andere meisjes die hier in het hotel werken. We waren aan het praten en toen viel uw naam.'

Hij keek in haar ogen, maar kon geen tekenen van verraad zien. Ze was te dom om een betaalde informante te zijn. 'Ik ben slechts gevaarlijk voor mensen die over me praten terwijl ze dat niet zouden moeten doen.' Hij ontspande zijn hand.

'Jeetje, u moet niet zo overgevoelig zijn. Het was niet meer dan meidengeklets. Ik wilde opscheppen, want dat kon ik met recht doen.' Ze glimlachte tegen hem.

Als ze eens wist hoe weerzinwekkend hij die glimlach vond. Hij verachtte haar omdat ze zo dom en zo ordinair was. Hij zou haar graag pijn hebben gedaan. In plaats daarvan duwde hij haar gezicht weer in zijn schoot. 'Schiet op en zorg dat ik klaarkom.'

Ze was hier alleen omdat ze dicht bij de hand was. Hij kon altijd een vrouw krijgen. Het was niet moeilijk om aan een vrouw te komen. Zelfs aantrekkelijke vrouwen deden alles voor een klein beetje van zijn aandacht en een fooi van vijftig dollar.

Maar de 'makkelijke' waren niet het soort vrouw dat hij wilde. Hij wilde het soort dat hij nog nooit had gehad.

Op school was hij een echte rotzak geweest die met een bende gewelddadige jongens optrok. Hij lag altijd overhoop met de schoolleiding of met de politie, of met beide. Zijn ouders hadden te weinig belangstelling voor hem om zich er druk over te maken. O, ze klaagden wel over zijn wangedrag, maar deden nooit iets om het te verbeteren.

Zijn broertje was met een ernstige handicap geboren. Vanaf de dag dat zijn ouders de baby thuisbrachten uit het ziekenhuis, had Lozada net zo goed kunnen ophouden te bestaan, want voor zijn ouders bestond hij niet meer. Ze wijdden zich uitsluitend aan zijn broertje en zijn speciale behoeften. Ze gingen ervan uit dat hun knappe, gezonde, vroegrijpe zoon geen behoeften had.

Rond zijn vierde levensjaar was hij boos geworden om hun verwaarlozing, en hij was altijd boos op hen gebleven omdat ze zijn broertje voortrokken. Hij ontdekte dat hij door ongehoorzaam te zijn een beetje aandacht van mama en papa kreeg, dus deed hij alle stoute, slechte dingen die hij met zijn jonge verstand maar kon bedenken. Als jongen was hij een deugniet geweest, en toen hij een tiener werd was hij al een moordenaar.

Op de middelbare school maakten populaire meisjes geen afspraakjes met jongens als hij. Hij gebruikte geen drugs, maar hij stal ze van de dealers en verkocht ze zelf. Vrijdagsavonds ging hij liever naar illegale hanengevechten dan naar football. Hij was een geboren atleet, maar hij beoefende geen teamsport omdat hij dan niet vals kon spelen, en wat was er zo opwindend aan het spelen volgens de regels? Bovendien, hij zou nooit hebben geflikflooid bij een hufter met een fluitje die zichzelf 'Coach' noemde.

De populaire meisjes gingen uit met jongens die trots hun merkkleren droegen, die later naar UT of Southern Methodist zouden gaan om economie, rechten of medicijnen te studeren, zoals hun pa. De begeerde meisjes hadden vaste verkering met de jongens die in hun BMW naar de golfclub reden voor hun golfles.

De meisjes die zich goed kleedden en aan alle buitenschoolse activiteiten deelnamen, de chique meisjes die een speciale functie hadden op school en lid waren van academische clubs, meden hem. Waarschijnlijk waren ze bang dat ze in opspraak zouden komen als ze ook maar twee keer naar hem keken.

O, hij had heus wel hun hoofd op hol gebracht. Hij had er altijd knap uitgezien. En hij straalde dat beetje gevaar uit waar vrouwen geen weerstand aan konden bieden. Maar zijn ruwe seksualiteit joeg hen angst aan. Als hij te lang, te scherp, te veelbetekenend naar een meisje keek, maakte ze als de donder dat ze wegkwam. Hij kon nooit in de buurt van de knappe meisjes komen.

Knappe meisjes als Rennie Newton.

Dat was pas een chique vrouw. Ze belichaamde precies wat hij zocht in een vrouw. Elke dag van zijn proces had hij vol verlangen uitgekeken naar het moment dat ze de rechtszaal binnenkwam, om te zien wat ze aanhad en hoe ze haar haren droeg. Diverse keren had hij een lichte bloemengeur geroken. Hij had geweten dat het van haar moest zijn, maar hij was nooit zo dicht bij haar gekomen, dat hij er zeker van was geweest.

Hij had het pas zeker geweten toen hij haar huis was binnengedrongen. Daar had die geur in alle kamers gehangen. De gedachte daaraan maakte dat hij huiverde.

Het kamermeisje dacht dat het door háár kwam en begon nog harder te zuigen. Hij sloot zijn ogen en stelde zich Rennie Newton voor. Hij fantaseerde dat zíj hem naar een hoogtepunt voerde.

Zodra het voorbij was, zei hij tegen het meisje dat ze weg moest gaan.

'Wilt u niet...'

'Nee.' De aanblik van haar zware borsten wekte zijn afkeer op. Ze was een varken. Een hoer.

Ze bevestigde zijn gedachte toen ze haar handen over de voorkant van haar lichaam naar beneden liet dwalen en op stille muziek wiegde. 'U bent de knapste man voor wie ik ooit heb gewerkt. Zelfs dít is leuk.' Ze stak een hand uit en raakte het roze litteken aan dat zijn linkerwenkbrauw in tweeën splitste. 'Hoe komt u daaraan?'

'Het was een geschenk.'

Ze keek hem dom aan. Toen haalde ze haar schouders op. 'Goed, dan vertelt u het me niet. Het is en blijft sexy.'

Ze boog zich naar voren. Zodra hij besefte dat ze op het punt stond zijn litteken te kussen, duwde hij haar weg. 'Verdwijn!'

'Nou, sorry dat ik ademhaal.'

Voor ze overeind kon komen, klemde hij zijn vingers als een schroef om haar kaak en hield die zo stevig vast, dat haar lippen verkreukelden en naar voren staken. 'Als je nóg eens met iemand, wie dan ook, over me praat, zal ik je weten te vinden en snij ik je tong eruit. Begrepen?'

Haar ogen waren groot van angst. Ze knikte. Hij liet haar los. Het verbaasde hem dat een lang meisje zich zo snel kon bewegen. Misschien had ze toch wel een toekomst als exotische danseres.

Na haar vertrek dwaalden zijn gedachten naar zijn telefoongesprek met Rennie. Hij riep de klank en de intonatie van haar stem op tot hij haar bijna kon horen.

Op het moment dat hij haar naam noemde, had ze geweten wie ze aan de lijn had. Wat onnozel van haar om net te doen of ze dat niet wist. Ze had tegen hem gezegd dat hij haar niet meer mocht bellen, maar ook dat was aanstellerij. Het was slechts het aangeboren wantrouwen van welopgevoede meisjes ten opzichte van jongens met een slechte reputatie. Hij vond het niet erg. In feite had hij genoten toen hij het zweempje angst hoorde.

Zijn ervaring met vrouwen was enorm, maar ook beperkt, in die zin dat het allemaal stompzinnige ontmoetingen waren geweest met seks als enig doel. Dat was hij zat. Vrouwen oppikken en ze mee naar huis nemen kon vervelend zijn, vooral als ze wilden blijven plakken. En hij had een gloeiende hekel aan gejammer.

Betaalde hoeren waren ook problematisch. Hen in hotelkamers, hoe duur ook, ontmoeten was een smakeloos voorstel. Het was in wezen een zakelijke transactie, en het was onvermijdelijk dat de hoer dacht dat ze de baas was. Hij had er eens eentje moeten doden omdat ze bleef volhouden dat zij de leiding had. Gewoonlijk onderwierpen ze zich vóór het zover kwam aan zijn superioriteit.

Bovendien waren hoeren gevaarlijk en kon je ze niet vertrouwen. Er was altijd een kans dat de politie er eentje gebruikte om hem in de val te lokken.

Het werd tijd dat hij een vrouw van zijn eigen kaliber had. Dat was het enige dat hem ontbrak in zijn leven. Van alle andere dingen had hij het beste van het beste. Een man van zijn standing verdiende een vrouw met wie hij zou kunnen opscheppen, eentje om wie andere mannen hem zouden benijden.

Die vrouw had hij in Rennie Newton gevonden.

En het móest wel zo zijn dat ze zich tot hem aangetrokken voelde. Waarom zou ze anders vol vuur voor zijn vrijspraak hebben gepleit? Als hij zijn zinnen erop had gezet, had hij hun fysieke verlangen naar elkaar al kunnen hebben bevredigd. Hij had haar op elk moment kunnen onderscheppen en haar, als ze zo dwaas was om vrouwelijk verzet te plegen, uiteindelijk kunnen temmen. Nadat hij haar een paar keer had geneukt, zou ze, net als hij, tot het besef zijn gekomen dat ze bestemd waren om een paar te vormen.

Maar hij had een subtielere benadering gewild. Ze was anders dan alle anderen. Ze moest ook anders worden aangepakt. Hij wilde haar het hof maken op de manier die een vrouw als zij zou verwachten. Voordat het proces voorbij was, had hij zich al voorgenomen uit te vissen wie dat prachtige schepsel was en of ze vijanden had. Via zijn slimme advocaat was het niet moeilijk geweest om aan die informatie te komen.

Het doden van die andere arts was bijna te makkelijk geweest. Het was geen voldoende bewijs van zijn genegenheid. Voordat hij Rennie belde, had hij de behoefte gevoeld de moord door iets te laten volgen dat de diepte van zijn gevoelens voor haar duidelijker maakte. Vandaar de rozen. Ze hadden de perfecte romantische toon gezet.

Hij dronk zijn glas tequila leeg. Zacht grinnikend dacht hij aan Rennies afwijzing. In feite was hij blij dat ze niet voor zijn inleidende avances was bezweken. Als ze te vlug en te makkelijk had toegegeven, zou hij in haar teleurgesteld zijn geweest. Haar geestkracht en haar onafhankelijke houding maakten deel uit van haar aantrekkingskracht. Tot op zekere hoogte, natuurlijk.

Uiteindelijk zou haar moeten worden geleerd dat Lozada kreeg wat Lozada wilde.

7

Wick liep naar het tafeltje waaraan Lozada zat te ontbijten. 'Hé, kloot-zak, de glans van je glimmende hoofd verblindt me zowat.'

Lozada's vork bleef halverwege zijn bord en zijn mond steken. Hij keek traag op, zijn woede onder controle. Als hij al verbaasd was Wick te zien, dan liet hij dat niet merken. In plaats daarvan trakteerde hij hem op een kalme, vluchtige blik. 'Wel, wel. Kijk nou eens wie er terug is.'

'Al een week, zo ongeveer,' zei Wick opgewekt.

'Zitten ze bij de politie van Fort Worth zo omhoog, dat ze jou weer teruggenomen hebben om hun ellendige gelederen te versterken?'

'Nee hoor. Ik heb vakantie.'

Wick trok een stoel onder het hoektafeltje vandaan, draaide hem om en ging er schrijlings op zitten. Andere gasten in de eetzaal van het hotel zouden hem lomp vinden, maar dat kon hem niets schelen. Hij wilde Lozada op de kast jagen. Als de kloppende ader in Lozada's hals een aanwijzing was, had hij succes.

'Hé, die pannenkoekjes zien er lekker uit.' Hij doopte zijn vinger in de plas ahornstroop op Lozada's bord en likte hem af. 'Hmm. Verrukkelijk.'

'Hoe wist je dat ik hier was?'

'Ik stak gewoon mijn hoofd uit het raam en volgde de stank.'

In feite was het bij de politie bekend dat deze eetzaal een van de favoriete ontbijtplekken van de moordenaar was. De rotzak had zich nooit gedeisd gehouden. In feite lachte hij zijn onmachtige achtervolgers uit vanachter het stuur van zijn chique auto en vanachter de panoramische ramen van zijn penthouse. Materiële weelde die de mannen van de politie des temeer reden gaf om hem te verachten.

'Kan ik iets voor u doen, meneer?'

Wick wendde zich tot de jonge serveerster die het tafeltje was genaderd. 'Plezier, liefje,' zei hij terwijl hij zijn cowboyhoed met een zwaai afnam en op zijn hart legde. 'Ik wil alleen maar een beetje plezier maken met mijn oude vriend Ricky Roy.'

Lozada verfoeide zijn eerste twee namen en haatte het om ermee te worden aangesproken, dus gebruikte Wick ze telkens wanneer hij er de kans toe kreeg. 'Hebben jullie je al aan elkaar voorgesteld?' Hij las de naam van de serveerster op het plastic plaatje dat aan haar bloes was vastgemaakt. 'Shelley – mooie naam, trouwens – dit is Ricky Roy. Ricky Roy, dit is Shelley.'

Ze bloosde tot in haar haarwortels. 'Hij komt hier vaak. Ik weet hoe hij heet.'

Fluisterend vroeg Wick: 'Geeft hij grote fooien?'

'Ja, meneer. Hele grote.'

'Dat is fijn om te horen. En een beetje verbazingwekkend. Weet je, in feite heeft Ricky Roy heel weinig positieve karaktertrekken.' Hij hief peinzend zijn hoofd. 'Nu ik erover nadenk, goede fooien geven is misschien zijn enige positieve eigenschap.'

De serveerster wierp hen beurtelings een behoedzame blik toe, die uiteindelijk op Wick bleef rusten. 'Wilt u koffie?'

'Nee, dank je, Shelley, maar lief dat je het vraagt. Als ik iets nodig heb, laat ik het je wel weten.' Hij gaf haar een vriendelijk knipoogje. Ze kreeg opnieuw een kleur en maakte zich uit de voeten. Wick wendde zich weer tot Lozada en zei: 'Waar waren we gebleven? O ja, lang niet gezien. Het spijt me dat ik je proces heb gemist. Ik hoorde dat jij en je advocaat er een hele show van hebben gemaakt.'

'Het was verspilling van ieders tijd.'

'O, dat ben ik met je eens. Werkelijk waar. Ik weet niet waarom ze zich de moeite van een proces geven voor een schoft als jij. Als ík het voor het zeggen had, zouden ze de onzin overslaan en zou je rechtstreeks naar de dodencel gaan.'

'Dan bof ik dat mijn lot niet in jouw handen ligt.'

'Je weet maar nooit, Ricky Roy. Misschien is het gauw zover.' Wick wierp hem een brede grijns toe. De twee vijanden taxeerden elkaar. Ten slotte zei Wick: 'Mooi pak.'

'Dank je.' Lozada keek naar Wicks versleten spijkerbroek, de cowboylaarzen en de hoed die hij op het tafeltje had gelegd. 'Ik zou je de naam van mijn kleermaker kunnen geven.'

Wick lachte. 'Ik zou me hem niet kunnen veroorloven. Je kleren zien er duur uit. De zaken zullen wel goed gaan.' Hij leunde naar voren en liet zijn stem dalen. 'Heb je nog een interessant iemand vermoord sinds die bankier? Ik brand van verlangen om te weten wie jou daarvoor heeft ingehuurd. Zijn schoonvader misschien? Ik hoorde dat ze niet met elkaar konden opschieten. Trouwens, wat heb je bij hem gebruikt? Pianosnaar? Gitaarsnaar? Vislijn? Waarom niet de oude vertrouwde verrassingsaanval met je trouwe lemmet?'

'Mijn ontbijt wordt koud.'

'O, sorry. Het was niet mijn bedoeling lang te blijven. Nee, ik kwam alleen maar langs om gedag te zeggen en je te laten weten dat ik weer in de stad ben.' Wick stond op, reikte naar zijn hoed, draaide de stoel om en zette hem weer op zijn plaats. Toen boog hij zich zo ver mogelijk over de tafel en zei zo zacht, dat alleen Lozada het kon horen: 'En om je te laten weten dat ik de naam van mijn broer in je kont ga kerven, al is het het laatste dat ik doe.'

'Ik vraag me af of dat wel een slimme zet was, Wick.'

'Het deed mijn hart goed.'

'Eigenlijk ben ik er zeker van dat het een domme zet was.'

Wick had het verkeerd ingeschat. Oren had het verslag van zijn ontmoeting met Lozada niet grappig gevonden. Verre van dat. 'Waarom?'

'Omdat hij nu weet dat we hem in de gaten houden.'

'O, dát is schokkend,' zei Wick sarcastisch. 'Hij weet dat we hem altíjd in de gaten houden.' Wick was al geïrriteerd. Orens afkeuring maakte zijn stemming er niet beter op. Hij stond op en begon te ijsberen terwijl hij aan het elastiekje om zijn pols trok.

'Het kan die ellendeling met zijn kale knikker niets schelen, al zouden we hem dag en nacht met een hele divisie in de gaten houden. Elke dag van zijn loopbaan heeft hij getoond schijt te hebben aan de politie en het OM. Ik wilde hem laten weten dat ik niet ben vergeten wat hij heeft gedaan, dat ik nog steeds achter hem aan zit.'

'Ik begrijp hoe je je voelt, Wick.'

'Dat betwijfel ik.'

Oren ontstak in woede, maar hij slikte een weerwoord in en bleef kalm. 'Je had je persoonlijke gevoelens niet boven het onderzoek moeten laten prevaleren, Wick. Ik wil ook niet dat Lozada of Rennie Newton er lucht van krijgen dat we hun gangen nagaan. Als zij bij de moord op Howell zijn betrokken...'

'Hij misschien wel. Zij niet.'

'O. En waarom ben je daar zo zeker van?'

Wick hield op met ijsberen en strekte zijn arm om naar haar huis, twee tuinen verderop, te wijzen. 'We houden haar al een hele week in de gaten. Ze werkt en slaapt alleen maar. Ze gaat niet uit. Niemand komt op bezoek. Ze ziet alleen maar de mensen met wie ze werkt en haar patiënten. Ze is een robot. Wind haar op en ze doet haar werk. Als ze geen fut meer heeft, gaat ze naar huis, kruipt het bed in en laadt zich weer op.'

Het was onaangenaam heet in de bovenkamer van het leegstaande huis. Ze hadden de elektriciteit aangedaan, zodat ze het centrale airco-systeem in werking konden zetten, maar dat was verouderd en niet toereikend voor de ontzettende middaghitte.

Wick had het gevoel dat de kamer om hem heen steeds kleiner werd, en het dienstrooster was al even beklemmend als de kamer. Zijn claustrofobie, gekoppeld aan Orens strikte navolging van de regels, was voldoende om hem krankzinnig te maken. Het onderzoek zat op dood spoor. Het was saai en vervelend bovendien.

'Het feit dat we ze niet samen hebben gezien betekent niet dat ze geen contact met elkaar hebben,' zei Oren. 'Ze zijn alletwee te slim om iets in het openbaar te doen. En al zouden ze sinds de moord op Howell elkaar niet meer hebben gesproken, dat wil niet zeggen dat ze niet hebben samengezworen.'

Wick plofte weer neer in de stoel, eventjes gekalmeerd. Verdomme, Oren had gelijk. Dokter Newton kon Lozada hebben ingehuurd om haar rivaal uit te schakelen voordat de politie wantrouwig werd en haar in de gaten begon te houden. Er zou slechts één telefoontje voor nodig zijn geweest. 'Hebben ze al nagetrokken wie ze heeft gebeld?'

'Het waren allemaal nummers die ze regelmatig opbelt. Maar je verwacht toch niet dat ze haar privé-telefoon gebruikt om een moord te arrangeren?' Oren ging tegenover Wick zitten. 'Oké, genoeg geluld. Vertel op. Wat zit je dwars?'

Wick haalde zijn handen door zijn haar en liet ze weer zakken. 'Ik weet het niet. Niets.' Oren wierp hem een vaderlijke ik-weet-wel-beter-blik toe. 'Ik voel me net een voyeur die door het raam gluurt, verdomme!'

'Dit soort werk heeft je nooit eerder gestoord. Wat maakt deze keer anders?'

'Ik heb het verleerd.'

'Zou kunnen. Wat nog meer? Mis je het strand? De zilte lucht?'

'Ik denk het.'

'Aha. Het is meer dan heimwee naar dat prachtige huis dat je daar in Galveston hebt. Je maakt een bloednerveuze indruk. Je bent rusteloos en gespannen. Wat is er aan de hand? Is het omdat Lozada bij dit onderzoek betrokken is?'

'Is dat niet voldoende?'

'Vooruit, vertel op.'

Wick zoog zijn wang een paar seconden naar binnen. Toen zei hij: 'Het is Thigpen. Hij is een stomkop.'

Oren lachte. 'En hij geeft zo hoog over jou op.'

'Dat zal wel.'

'Je hebt gelijk. Hij vindt jou een eikel.'

'Nou, in elk geval stink ik niet. Dit hele huis stinkt naar de afgrijselijke uiensandwiches die hij van huis meeneemt. Je ruikt ze zodra je de voordeur opendoet. En hij transpireert tussen zijn billen!'

Oren schaterlachte. 'Wát?'

'Ja. Heb je die zweetvlekken op zijn broek niet gezien? Het is walgelijk. En deze ook.' Wick vloog opnieuw overeind, als een circusartiest die uit een kanon werd weggeschoten. In drie passen was hij aan de overkant van de kamer en rukte de foto's van Thigpens 'galerie'-wand.

Hij maakte er een prop van en smeet die op de vloer. 'Hoe onvolwassen kun je zijn? Hij heeft de mentaliteit van een perverse puber. Hij is onbehouwen en dom en...' Oren fronste zijn voorhoofd en staarde hem peinzend aan. 'Verdomme,' mompelde Wick en keerde terug naar zijn stoel.

Wick verzonk in nukkig stilzwijgen en keek door het raam naar Rennies huis. Eerder was ze vertrokken om een eindje te gaan hardlopen in haar wijk. Oren was snel naar beneden gegaan. Hij had haar vanaf een discrete afstand in zijn auto gevolgd.

Na zevenenhalve kilometer te hebben gerend was ze teruggekeerd, zwaar hijgend en haar T-shirt nat van het zweet. Volgens Oren had ze alleen maar gehold tijdens haar uitje. 'De dame heeft een goede conditie,' had hij gezegd.

Ze was niet meer naar buiten gegaan. Door het zonlicht dat op de ruiten scheen was het moeilijk geweest om iets in haar huis te zien, behalve af en toe een beweging. Na het vallen van de avond had ze haar jaloezieën gesloten.

Wick zuchtte. 'Oké, misschien had ik Lozada niet moeten benaderen, maar het was niet echt rood alarm. Hij wist dat ik vroeg of laat achter hem aan zou zitten. Dat had ik gezworen.'

Oren dacht enkele momenten na. Toen zei hij: 'Ik denk dat hij Howell heeft vermoord.'

'Dat denk ik ook, ja.'

Wick had het voltooide rapport gelezen zodra het beschikbaar was.

De mannen van het onderzoeksteam hadden hun werk grondig gedaan, maar de plek des onheils was even steriel geweest als de operatiekamer van het slachtoffer. Ze hadden geen reden om Lozada's flat of zijn auto te doorzoeken. En al zouden ze dat doen, ze zouden niets vinden wat hem met het misdrijf in verband bracht. Dat wisten ze uit ervaring.

'Hij is verdomme een spook,' zei Wick. 'Laat nooit een aanwijzing achter. Niets. Brengt niet eens de lucht in beweging als hij erdoor loopt.'

'We krijgen hem wel, Wick.'

Hij knikte even.

'Maar volgens het boekje.'

Wick keek Oren aan. 'Ga je gang, zeg het maar!'

'Wat?'

'Dat weet je wel. Wat je dénkt.'

'Hoe weet jíj nou wat ik denk?'

'Je denkt dat, als ik het volgens de regels had gespeeld, we hem drie jaar geleden al hadden gepakt. Voor Joe.'

Het was een onmiskenbaar feit, maar Oren was een te goede vriend om dat te zeggen. In plaats daarvan glimlachte hij bedroefd. 'Ik mis hem nog steeds.'

'Ja.' Wick ging voorover zitten en plantte zijn ellebogen op zijn knieen. Hij streek met beide handen over zijn gezicht. 'Ik ook.'

'Je was net afgestudeerd aan de academie. Nat achter je beide oren. Joe en ik waren aan het posten bij die illegale goktent aan de snelweg naar Jacksboro. De koudste nacht van het jaar. We vroren bijna dood. Jij dacht dat je een goede nieuweling was en verraste ons met een pizza.'

Daar nam Wick het verhaal over. 'Ik verscheen in een patrouilleauto, en verried jullie schuilplaats. Joe wist niet of hij me zou afranselen omdat ik jullie dekmantel had verknald, of dat hij de pizza zou opeten voor hij koud werd.' Hij schudde droevig zijn hoofd. 'Jullie bleven me daarmee achtervolgen.'

Joe en Oren hadden samen op de politieacademie gezeten, en kort na hun afstuderen waren ze partners van elkaar geworden. Joe was bij Oren geweest toen zijn dochters werden geboren. Hij had bange uren met Oren doorgebracht toen Grace een cyste in haar borst had en er een stukje weefsel voor onderzoek was weggenomen. Joe was met Oren naar Florida gereisd om Orens moeder te begraven. Oren had met Joe meegehuild toen de vrouw van wie Joe hield hun verloving en zijn hart brak.

Ze hadden elkaar onvoorwaardelijk vertrouwd. Ze hadden elkaar hun leven toevertrouwd. Hun vriendschapsband was bijna even sterk geweest als de band die Wick en Joe als broers hadden gehad.

Toen Joe was gestorven, had Oren de rol van Wicks grote broer aangenomen, en later die van partner, hoewel ze beiden erkenden dat niemand ooit de leegte zou kunnen opvullen die Joe in hun leven had achtergelaten.

Er verstreek bijna een volle minuut van diepe stilte voordat Oren een klap op zijn dijen gaf en opstond. 'Als je het goed vindt ga ik ervandoor.'

'Prima. Bedank Grace voor de ham en de aardappelsalade. Het zal er vanavond ingaan als koek na al die flutsandwiches. Geef de meisjes een zoen van me.'

'Het spijt me dat je je zaterdagavond hier moet doorbrengen.'

'Geen probleem. Ik...' Wick zweeg even, herinnerde zich iets en keek op zijn horloge. 'De hoeveelste is het vandaag?'

'Eh, de elfde. Hoezo?'

'Niets. Ik wist het alleen niet meer. Schiet nou maar op, anders krijg je het met Grace aan de stok.'

'Tot morgen.'

'Ja, tot morgen.' Wick ging achterover zitten in zijn stoel en vouwde zijn handen achter zijn hoofd, in een poging er achteloos en verveeld uit te zien.

Hij wachtte tot hij Orens auto hoorde wegrijden. Toen pakte hij zijn sleutelbos. Daarna volgde hij Oren naar buiten. Hij klom in zijn pickup en reed langs Rennies huis. Geen teken van leven. Geen aanwijzing voor haar plannen van die avond. Stel dat zijn intuïtie het bij het verkeerde eind had? Als dat zo was, en als Lozada haar vanavond thuis opbelde, zou Oren hem, Wick Threadgill, bij het aanbreken van de dag laten onthoofden en zijn hoofd op een paal tentoonstellen.

Maar hij gokte erop dat hij het bij het rechte eind had.

Toen hij bij de kerk arriveerde, had hij nog drie minuten over. Hij rende van het parkeerterrein naar het godshuis en zat amper in de kerkbank op de laatste rij toen de torenklok zeven uur sloeg.

Na zijn post te hebben verlaten, was hij als een gek naar het dichtstbijzijnde winkelcentrum gereden. Hij was het warenhuis binnengerend en had zich overgeleverd aan een verkoper van de afdeling herenmode, die eigenlijk na een lange zaterdag naar huis wilde.

'Pas een half uur geleden besefte ik dat ik het was vergeten, verdomme,' hijgde Wick.

'Ik zit naar een wedstrijd van de Rangers te kijken, met een koud biertje en een hotdog, en ineens denk ik eraan.' Hij sloeg zijn handpalm tegen zijn voorhoofd. 'Ik ben meteen weggegaan, en raad eens wat? De Rangers stonden voor de verandering vóór!'

Tot nu toe had de uitvoerige leugen de verkoper tot niets anders aangezet dan tot verveeld snuiven. Hij, Wick, moest het nog een beetje mooier maken. 'Als ik niet ga, zal mijn moeder het me nooit vergeven. Afgelopen donderdag is ze door haar rug gegaan. Nu ligt ze op bed en slikt spierverslappers en piekert omdat ze dit moet missen. Dus deed ik mijn grote mond open en zei: "Maak je maar geen zorgen, ma. Als jij niet kunt, ga ík." En ik vind het vreselijk om een belofte niet na te komen.'

'Hoeveel tijd hebt u?'

Aha! Iedereen had een moeder! 'Een uur.'

'Hmm, ik weet het niet. U bent ontzettend groot. We hebben niet zoveel grote maten in voorraad.'

Wick haalde zijn creditcard te voorschijn en een briefje van 50 dollar. 'Ik denk dat u hiermee wel iets kunt vinden.'

'Het zal moeilijk zijn,' zei de verkoper terwijl hij het geld in zijn zak stopte, 'maar niet onmogelijk.'

Met hulp van een kleermaker, die onverstaanbaar mompelde terwijl hij keek wat er veranderd moest worden, werd Wick voor de gelegenheid aangekleed, inclusief een lichtblauw overhemd en bijpassende das. 'De effen look is in.' Blijkbaar had de verkoper besloten, zoals Lozada had gedaan, dat hij een beetje leiding nodig had wat de mode betrof.

Terwijl de broek werd gezoomd en het jasje bij de taille werd ingenomen, liep Wick het winkelcentrum in en liet zijn laarzen poetsen. Gelukkig droeg hij vandaag zijn zwarte van struisleer. Daarna ging hij op zoek naar een herentoilet om zijn haar nat te maken. Hij kamde het met zijn vingers naar achteren. Hij had geen tijd meer om zich te laten scheren.

Nu hij net in de kerkbank had plaatsgenomen, dacht hij niet dat iemand zou vermoeden dat hij zich binnen een uur voor de ceremonie had klaargemaakt.

De plechtigheid begon met het installeren van de moeders. Vervolgens kwamen de bruidsmeisjes, uitgedost in abrikooskleurige jurken. Iedereen ging staan voor de grote binnenkomst van de bruid.

Wick profiteerde van zijn lengte om zoveel mogelijk gezichten af te speuren. Hij dacht net dat hij zich voor niets had uitgesloofd en vergeefs veel geld had uitgegeven, toen hij haar zag staan, vrij vooraan. Ze had geen begeleider, zo te zien.

Gedurende de kerkdienst staarde hij onafgebroken naar haar achterhoofd. Na afloop verloor hij haar niet uit het oog, terwijl de gasten de kerk uit stroomden en naar hun auto terugkeerden voor de rit naar de sociëteit. Tot zijn vreugde zag hij dat haar Jeep zich aansloot bij de stoet die koers zette naar de receptie.

Toen hij haar huis doorzocht, had de uitnodiging voor het huwelijk tussen haar geopende post gezeten. Hij had de kaart gelezen en de dag, de tijd en de plaats in zijn geheugen geprent, met de gedachte dat die informatie misschien nog van pas zou komen. Toen Oren zei dat het zaterdagavond was, was er een belletje bij hem gaan rinkelen. Hij had erop gegokt dat Rennie de huwelijksplechtigheid zou bijwonen, en hij had meteen besloten haar van dichtbij te bekijken en niet vanuit de verte door een verrekijker.

Toen hij bij de sociëteit arriveerde, besloot hij zijn pick-up zelf te parkeren en zijn sleutels mee te nemen. Dat deed hij liever dan zijn auto aan een bediende over te dragen. Het was sneller, en hij wilde vóór Rennie in de sociëteit zijn. De man die hem een pak had verkocht, had de bruidsafdeling van het warenhuis gebeld en een fraai ingepakt cadeautje voor hem geregeld. Hij had het pakje nu bij zich en liet het achter op de tafel die met een wit tafelkleed was bedekt.

Een knappe, jonge vrouw had de zorg voor het gastenboek. 'Vergeet u niet te tekenen.'

'Dat heeft mijn vrouw al gedaan.'

'Oké. Veel plezier. De bar is al open en er is ook een lopend buffet.'

'Fantastisch.' Dat meende hij. Hij was bang geweest dat het een zittend diner zou zijn. En in dat geval zou er geen tafelkaartje zijn met zijn naam erop, en zou hij moeten vertrekken.

Hij ging noch naar de bar noch naar het buffet. In plaats daarvan leunde hij tegen de muur en probeerde zo onopvallend mogelijk te doen. Hij zag Rennie zodra ze de zaal binnenkwam. Het volgende uur verloor hij haar geen moment uit het oog.

Ze praatte met iedereen die een gesprek met haar aanknoopte, maar ze stond grotendeels alleen, meer een toeschouwer dan dat ze aan de festiviteiten deelnam. Ze danste niet, at heel weinig en bedankte voor de bruidstaart en de champagne. In plaats daarvan nam ze een glas heldere vloeistof met ijsblokjes en een schijfje citroen.

Wick baande zich langzaam een weg naar haar toe. Hij bleef aan de rand van de menigte en vermeed de hoofdpersonen van het bruiloftsfeest, voor het geval dat iemand zich aan hem voorstelde en vroeg bij wie hij hoorde.

Rennie beëindigde een gesprek met een paartje en verliet hen met de belofte gauw een eetafspraak met hen te zullen maken, toen Wick zijn kans schoon zag.

Hij versperde haar de weg. Ze botste tegen hem op.

Ze herstelde zich snel en zei: 'O, het spijt me zeer. Neem me alstublieft niet kwalijk.'

8

'Het geeft niet.' Wick glimlachte en wees naar haar hand. 'U bent degene die nat is geworden. Staat u mij toe?'

Hij nam het glas van haar over en wenkte een ober, die niet alleen het glas meenam maar ook servetten bracht, zodat ze haar handen kon afdrogen. 'Dank u,' zei ze tegen Wick toen de ober vertrok.

'Geen dank. Ik zal een ander drankje voor u halen.'

'Dat is echt niet nodig.'

'Mijn ma zou me onterven als ik het niet deed.' Ma weer! 'Bovendien stond ik op het punt er eentje voor mezelf te halen. Alstublieft.' Hij gebaarde naar de bar.

Ze aarzelde. Toen knikte ze behoedzaam. 'Goed dan. Dank u.'

Hij leidde haar naar de bar, en toen ze die bereikten, zei hij tegen de barkeeper: 'Twee van wat de dame drinkt.'

'IJswater met citroen, alstublieft,' zei ze tegen de jongeman.

Daarna keek ze Wick aan, die aan zijn oorlelletje trok, met een teleurgestelde glimlach om zijn lippen.

'En ik dacht nog wel dat het zo hoffelijk van me was dat ik u voor me liet bestellen.'

'U kunt de bestelling altijd afzeggen.'

'Nee, nee, ijswater is precies wat ik wil. Groot, koud en verfrissend. Een bruiloft in augustus is een dorstige aangelegenheid.' De barkeeper schoof de twee glazen naar hem toe. Wick gaf er een aan haar, en toen klonken ze. 'Drink het niet te snel op, anders stijgt het naar je hoofd.'

'Ik beloof u dat ik dat niet zal doen. Maar bedankt.'

Ze begon weg te lopen om voor andere gasten plaats te maken. Wick deed net of hij niet doorhad dat ze hem wilde afschepen, en ging naast haar lopen. 'Waarom zijn januari en februari niet de belangrijkste trouwmaanden?'

Ze keek hem bevreemd aan. Hij wist niet of ze verbaasd was omdat hij de hint niet had begrepen en haar niet met rust liet, of dat ze in verwarring was gebracht door de vraag die zomaar uit de lucht kwam vallen.

'Wat ik bedoel is,' haastte hij zich te zeggen, 'waarom trouwen zoveel stellen in de zomermaanden als het zo vervloekte heet is?'

'Dat weet ik niet. Traditie?'

'Misschien.'

'Omdat het beter uitkomt? Het zijn vakantiemaanden. Dan kunnen gasten die buiten de stad wonen de trouwerij makkelijker bijwonen.'

'U?'

'Van buiten de stad?' Haar aarzeling duurde niet lang, maar lang genoeg om te worden opgemerkt. 'Nee, ik woon hier.'

Hoewel ze niet erg geïnteresseerd leek, zei hij tegen haar dat hij in Galveston woonde. 'Tenminste, gedurende het afgelopen jaar. Bent u hier ten behoeve van de bruid of de bruidegom?'

'De vader van de bruidegom en ik zijn collega's.'

'Mijn moeder is een achternicht van de moeder van de bruid,' loog hij. 'Iets dergelijks. Ma kon niet komen, maar ze vond dat iemand van onze tak van de familie... U weet hoe die dingen gaan.'

Ze begon weer van hem weg te lopen. 'Amuseert u zich. Nogmaals dank voor het ijswater.'

'Mijn naam is Wick Threadgill.'

Ze keek naar zijn uitgestoken rechterhand. Even dacht hij dat ze hem niet zou aannemen, maar toen gaf ze hem een stevige handdruk en liet zijn hand vrijwel meteen weer los. Hij had alleen maar tijd om te voelen dat haar hand kouder was dan de zijne, waarschijnlijk omdat ze haar glas water had vastgehouden sinds hij het haar bij de bar had aangereikt.

'Wick zei u?'

'Ja. En ik heb geen spraakgebrek.'

'Een ongewone naam. Is het een afkorting van iets?'

'Nee. Gewoon Wick. En u?'

'Rennie Newton.'

'Is dát een afkorting van iets?'

'Dr. Rennie Newton.'

Hij lachte. 'Aangenaam, dr. Rennie Newton.'

Ze keek naar de uitgang, alsof ze wilde zien waarlangs ze het snelste kon ontsnappen, mocht dat nodig zijn. Hij had het gevoel dat ze elk moment op de vlucht kon slaan, en hij wilde het gesprek zo lang mogelijk gaande houden.

Hij zou ook nieuwsgierig zijn als er géén onderzoek naar haar werd gedaan door afdeling moordzaken. Als ze elkaar toevallig hadden ontmoet, zou hij ook willen weten waarom een vrouw die zo mondain leek zich zo nerveus maakte over het voortzetten van een gesprek met een vreemde in de onschuldige omgeving van een trouwreceptie, met honderden mensen om haar heen.

'Wat voor doctor?' vroeg hij.

'Een medicus.'

'Gespecialiseerd?'

'Ik ben chirurg.'

'Wauw. Ik ben onder de indruk. Doet u traumachirurgie? Schiet- en steekpartijen, het soort geweldsmisdrijven dat je op de televisie ziet?' Het soort geweldsmisdrijven dat je rivaal in het lijkenhuis heeft doen belanden? Hij keek of hij iets van een schuldgevoel in de ongelooflijk groene ogen zag, maar als ze medeplichtig was aan die misdaad, haar ogen verrieden haar niet.

'Het zijn voornamelijk geplande, routineoperaties. Soms heb ik een traumageval wanneer ik oproepbaar ben.' Ze klopte op haar met kralen versierde tas. 'Zoals vanavond. Ik heb mijn pieper bij me.'

'Wat verklaart dat u geen alcohol drinkt.'

'Als ik kan worden opgepiept, drink ik zelfs niet eens een slokje champagne om te toasten.'

'Nou, ik hoop dat u vanavond niet weg moet voor een noodgeval.' De toon waarop hij sprak en de manier waarop hij naar haar keek, maakten zijn bedoeling overduidelijk. En zijn overduidelijke bedoeling gaf haar overduidelijk een ongemakkelijk gevoel.

Haar glimlach verflauwde. Overal om haar heen rezen hindernissen op, als laserstralen rond een kostbaar museumstuk. Als hij zich te dichtbij waagde, zou hij erover struikelen en allerlei alarmbellen in werking zetten.

Tromgeroffel vestigde hun aandacht op de voorkant van de zaal, waar de bruid op het punt stond haar bruidsboeket naar een groep begerige, jonge vrouwen te gooien die elkaar verdrongen om het beste plekje te krijgen. Wick stond een eindje achter Rennie. Hij had de reacties van voldoende vrouwen bestudeerd om te weten dat zijn nabijheid haar in verwarring bracht. Waarom? vroeg hij zich af.

De meeste vrouwen zouden A: zijn flirt hebben beantwoord en hem hebben laten weten dat ze voor de rest van de avond beschikbaar was; B: hem hebben verteld dat ze een vaste vriend hadden die de bruiloft helaas niet kon bijwonen; of C: tegen hem hebben gezegd dat hij moest opdonderen.

Rennie had een eigen methode. Ze zond gemengde signalen uit. Ze was nog steeds aanwezig, maar ze had dekking gezocht achter een raak-me-niet-aan-en-vergeet-het-maar-houding die net zo afschrikte als een kloostermuur.

Wick wilde dolgraag weten hoeveel druk hij kon uitoefenen voor ze brak. Daarom ging hij nog een beetje dichter bij haar staan. Zo dicht, dat het onmogelijk was zijn aanwezigheid te negeren. Maar hij raakte haar niet aan.

Na het weggooien van het bruidsboeket ging de bruidegom op één knie zitten en verwijderde een fraaie kousenband van het uitgestrekte been van zijn bruid. Intussen schuifelden enkele jongemannen schoor-voetend naar voren om een hechte groep te vormen, handen in de zakken, schouders opgetrokken.

'Dit simpele huwelijksgebruik laat duidelijk het verschil tussen de seksen zien.' Hij boog zich een beetje voorover om Rennie iets in het oor te fluisteren. 'Vergelijk het niveau van gespannen verwachting bij de mannen eens met dat bij de vrouwen.'

'De mannen kijken of ze naar het schavot gaan.'

De bruidegom gooide de kousenband weg. Een jongeman was gedwongen het ding te vangen toen het zijn voorhoofd raakte. Een van de bruidsmeisjes gilde en rende naar hem toe om hem te omhelzen. Ze bedolf zijn blozende gezicht onder de kussen.

'Ik heb een la vol van die dingen,' zei Wick.

Rennie draaide zich om. 'Zoveel?'

'Ik had altijd het voordeel van mijn lengte.'

'Heb je daar het bewijs van?'

'Een la vol kousenbanden.'

'Al die kousenbanden verspild? Misschien was je lengte een nadeel.'

'Op die manier heb ik het nooit bekeken.'

De band begon een nummer te spelen dat de menigte beviel. Andere gasten gingen op weg naar de dansvloer. Ze liepen om Rennie en Wick heen, omdat die zich niet bewogen.

'Dókter Newton, hè?'

'Dat klopt.'

'Vervloekte pech.'

'Hoezo?'

'Ik ben gezond.'

Ze liet haar blik op de windsorknoop van zijn effen das rusten.

'Bent u hier met iemand, dokter Newton?'

'Nee.'

'Ik ook niet.'

'Dansen?'

'Nee, dank u.'

'Nog een ijswater?'

'Nee, dank u.'

'Is het tegen de etiquette om de receptie eerder dan de bruid en de bruidegom te verlaten?'

Ze tilde snel haar hoofd op en keek hem aan. 'Dat geloof ik wel.'

'Verdorie!'

'Maar ik denk dat ik genoeg feest heb gevierd, meer kan ik niet verdragen.'

Opgewekt grijnzend gebaarde Wick naar de dichtstbijzijnde uitgang. Terwijl ze zich een weg door de menigte baanden, lag zijn hand op haar onderrug. Ze deed geen poging zich ervan te bevrijden.

De parkeerbedienden leunden tegen de pilaren van de overdekte ingang. Een van hen sprong naar voren zodra Wick en Rennie naar buiten kwamen. 'Ik heb uw auto dáár geparkeerd, dokter Newton. Makkelijk bereikbaar, zoals u vroeg.'

'Dank je.'

Ze opende haar tas voor een fooi, maar Wick was sneller. Hij drukte een vijfdollarbiljet in de hand van de jongeman. 'Ik zal dokter Newton naar haar auto brengen. Je hoeft hem niet voor te rijden.'

'Eh, goed, dank u wel, meneer. De sleutels zitten erin.'

Haar glimlach voor de beleefde bediende verdween als sneeuw voor de zon. Ze liet zich door Wick over het brede, stenen pad naar het door bomen beschaduwde VIP-parkeerterrein leiden, maar haar hele houding drukte verzet uit. Haar lippen bewogen amper toen ze siste: 'Dat had u niet moeten doen.'

Ja, ze was pisnijdig. 'Wát had ik niet moeten doen?'

'Ik betaal voor mezelf.'

'Betaal voor... Wát? De fooi die ik aan die jongen gaf? U naar uw auto brengen was beslist de vijf dollar waard.'

Ze hadden inmiddels haar Jeep bereikt. Ze deed het portier aan de bestuurderszijde open, gooide haar tasje in de wagen en draaide zich naar hem om. 'Me naar de auto brengen is ook het enige dat u voor dat vijfdollarbiljet krijgt.'

'Dan zal het wel uitgesloten zijn dat we ergens koffie gaan drinken.'

'Absoluut.'

'U hoeft me niet meteen antwoord te geven. Denk er maar eens rustig over na.'

'Hou op met dat geflirt!'

'Ik vroeg alleen of u koffie met me wilde drinken, niet...'

'U flirt al met me sinds ik me verontschuldigde omdat ik tegen u opbotste. Als u verwachtte succes te zullen hebben, is het zonde van uw tijd geweest.'

Hij stak zijn handen in overgave op. 'Het enige dat ik voor u heb gedaan is een bediende een fooi geven, zoals een echte heer betaamt.'

'Bedankt dat u zich als een echte heer hebt gedragen. Goedenavond.' Ze stapte in de auto en sloot het portier.

Wick trok het onmiddellijk weer open en leunde voorover, zijn gezicht vlak bij het hare. 'Voor alle duidelijkheid, dokter Newton, als ik met u had geflirt zou u nu weten dat ik uw ogen sensationeel vind en dat uw mond me waarschijnlijk een natte droom zal bezorgen. Goedenavond.'

Hij sloeg het portier dicht. Daarna draaide hij zich om en liep weg.

Vanuit zijn waarnemingspost in zijn auto die een eind verderop stond geparkeerd, aan de overkant van de straat waar de sociëteit aan lag, zag Lozada Rennie voor de ingang van de sociëteit staan. Ze droeg een jurk van een zomerse, lichte stof die haar figuur goed deed uitkomen en hem in vuur en vlam zette.

Toen ze naar buiten liep, viel het licht van de ondergaande zon op haar blonde haar. Het glansde. Ze zag er fantastisch uit. Hij zag met hoeveel gratie ze liep. Ze zou...

'... verdomme is dit?'

Door zijn gefantaseer had hij niet gelet op de man die Rennie vergezelde. Op het moment dat hij zich plotseling het slanke lichaam herinnerde en besefte wie haar metgezel was, kon hij zich er amper van weerhouden uit zijn auto te springen, de straat over te steken en Wick Threadgill ter plekke te vermoorden.

Vroeg of laat zou dat ongetwijfeld gebeuren. Hij zou die pedante klootzak moeten ombrengen, dus waarom niet vroeger dan later? Waarom niet nú, op dít moment?

Omdat het Lozada's stijl niet was. Dáárom. Moorden uit jaloezie waren voor amateurs zonder zelfbeheersing. Hij zou het leuk hebben gevonden om de kwestie van Wick Threadgill eindelijk en genoegzaam te hebben opgelost, maar hij had betere dingen te doen dan de rest van zijn dagen in de dodencel door te brengen, zo lang mogelijk in beroep te gaan en uiteindelijk een naald in zijn ader te krijgen omdat hij een politieman had gedood.

Als Wick geen blunder had gemaakt, zou Lozada nu waarschijnlijk in afwachting van een executie zijn geweest wegens het doden van Joe, Wicks broer. Lozada wist dat die miskleun nog steeds aan Wick knaagde. Hij moest gek worden bij het idee dat de moordenaar van zijn broer in een luxe penthouse woonde, maatpakken droeg, in dure auto's reed, at, dronk, hoereerde – vrij rondliep dank zij hem.

Lozada streek over het litteken boven zijn oog en grinnikte. Hij was te slim om impulsief te reageren, zoals Wick had gedaan. Anderen maakten dat soort fouten, maar Lozada niet. Lozada was een prof. Een prof zonder weerga. Een prof verloor het hoofd niet en handelde niet ondoordacht.

Bovendien, als hij er eindelijk aan toekwam Wick Threadgill om te brengen, zou de gespannen verwachting vóór die tijd al de halve pret zijn. Hij wilde hem niet nu, even snel, uitschakelen, en zichzelf het genot van de planning ontzeggen.

Terwijl hij keek hoe de politieman vlak naast de vrouw liep die hij, Lozada, spoedig zou bezitten, omklemde hij het stuur van zijn auto, alsof hij het probeerde los te wrikken.

Wat deed zijn Rennie in godsnaam met Wick Threadgill?

De aanvankelijke schok om hen samen te zien maakte plaats voor ongerustheid. Dit was een zorgwekkende wending der gebeurtenissen. Threadgill had hem vanmorgen tijdens het ontbijt gestoord en vanavond was hij met Rennie op een trouwreceptie. Toeval? Geen sprake van!

Waarom had Wick belangstelling voor dokter Rennie Newton? De rol die ze onlangs bij Lozada's proces had gespeeld? Of had het iets te maken met de Howell-moord die onopgelost bleef? Lozada zou niet op de hoogte zijn geweest van haar plannen van vanavond, als hij niet de uitnodiging voor het huwelijk had gezien op de dag dat hij de rozen in haar huis neerzette en er rondsnuffelde. Hoe had Wick geweten waar ze vanavond zou zijn? Had hij ook in haar huis lopen snuffelen?

Dat waren verwarrende vragen.

Maar de enige mogelijkheid die hem écht dwarszat, die hem uit zijn vel deed springen, die maakte dat er hitte van zijn kale hoofd opsteeg, was dat Rennie onder één hoedje speelde met de politie. Hadden ze op de een of andere manier ontdekt dat hij zich tot haar aangetrokken voelde? Hadden Threadgill en consorten haar hulp ingeroepen om hem in de val te laten lopen? O nee, dat zou hij vreselijk vinden. Werkelijk waar. Het zou zonde zijn een goede vrouw te moeten vermoorden omdat ze hem had verraden.

Hij keek met toenemende achterdocht toe terwijl Threadgill zich naar voren boog, zijn hoofd in de auto stak, weer rechtop ging staan en het portier sloot. Ze reed achteruit weg van haar parkeerplaats. Toen verliet ze het parkeerterrein van de sociëteit en passeerde Lozada zonder hem te zien. Ze keek strak voor zich uit. Ze glimlachte niet. In feite zag ze er boos uit. Threadgills afscheidswoorden hadden haar waarschijnlijk nijdig gemaakt. Hij vond zichzelf heel wat, en dacht zeker dat vrouwen dat ook vonden.

Lozada startte zijn auto en maakte een scherpe bocht van 180 graden. Hij volgde Rennie naar haar huis. Ze ging alleen naar binnen. Lozada parkeerde een eindje verderop in de straat, en keek urenlang naar haar huis. Ze ging niet meer weg. Noch Threadgill noch iemand anders liet zijn gezicht zien.

Pas na middernacht begon Lozada makkelijker te ademen. Zijn argwaan ten opzichte van Rennie verdween langzaam. Er was een logische verklaring voor het feit dat ze bij Threadgill was. Misschien was hij bezig met een onderzoek naar haar in verband met de Howell-moord. Het was algemeen bekend, zelfs in de hoogste kringen van Fort Worth, dat zij en Howell vaak mot met elkaar hadden gehad. Ze zou wellicht boos zijn geworden omdat een politieman haar op een receptie had ondervraagd, wat verklaarde waarom ze er zo woedend had uitgezien toen ze wegreed van de sociëteit.

Voldaan dat hij tot de juiste conclusie was gekomen, pakte hij zijn zaktelefoon en draaide haar nummer.

9

Wick sjokte in het donker de trap op. In zijn ene hand droeg hij zijn nieuwe colbert en de plastic tas van het warenhuis, en met zijn andere hand rukte hij zijn das los. Toen hij de bedompte kamer op de bovenverdieping bereikte, hing zijn overhemd open en was zijn riem los.

Hij was Rennie vanaf de sociëteit tot in haar wijk gevolgd. Hij was haar straat niet ingereden, maar had een andere route naar zijn waarnemingspost genomen, waar hij was gearriveerd op het moment dat zij haar auto in de garage reed.

Hij liep rechtstreeks naar het raam en keek door de verrekijker. Met zijn tenen deed hij zijn laarzen en zijn sokken uit.

Rennie liep door haar keuken en verdween door de deur naar de zitkamer.

Wick schudde met een schouderbeweging zijn overhemd af.

Het licht in Rennies slaapkamer ging aan. Schijnbaar vond ze, net als hij, dat haar kleren in de weg zaten. Ze stapte uit haar schoenen — sandalen met hoge hakken, herinnerde hij zich — en reikte daarna achter haar nek naar de ritssluiting van haar jurk.

Wick schopte zijn broek uit.

Rennie schoof haar jurk over haar schouders, trok hem over haar heupen en stapte eruit.

Wick stond doodstil.

Sexy ondergoed vanavond. Lichtpaars. Ze zag er naakter uit dan wanneer ze écht naakt was geweest. Doorschijnende, ragfijne stof. Volstrekt onpraktisch, maar verdomde effectief.

Ze zette haar schoenen op een plank in de kast, hing haar jurk aan een knaapje, ging de badkamer binnen en deed de deur dicht.

Wick sloot zijn ogen. Hij drukte zijn voorhoofd tegen het glas om af te koelen. Had hij werkelijk gekreund? Hij kwijlde. Allemachtig, hij was Thigpen aan het worden!

Na de verrekijker op de tafel te hebben gelegd, nam hij een fles water uit de kleine koelkast. Hij haalde pas weer adem toen de hele fles leeg was. Terwijl hij haar huis in de gaten bleef houden, tastte hij in de plastic tas tot hij de spijkerbroek vond die hij had gedragen toen hij het warenhuis binnenging. Hij trok hem aan, maar zijn overhemd liet hij in de tas zitten. Het was hier veel te warm om helemaal aangekleed te zijn.

'Wat is er aan de hand met die vervloekte airco?' klaagde hij tegen de lege duisternis.

Zodra hij Rennie uit de badkamer zag komen, pakte hij de verrekijker. Ze had de lingerie omgeruild voor een T-shirt en een boxershort die met het luxe ondergoed konden wedijveren, maar Wick van het idee afhielpen dat ze op de komst van een minnaar wachtte.

Tijdens de huwelijksplechtigheid had ze haar haren in een knotje gedragen, en nu hingen ze lang en los. Het was kruis of munt welke haardracht hij het leukste vond. Beide dienden hun doel. Bij de ene zag ze eruit als een bekwame vakvrouw. Bij de andere zag ze er simpelweg uit als een vrouw.

Ze wreef over haar armen. Koud? Nerveus? Toen ze naar het raam keek en besefte dat de jaloezieën open waren, deed ze snel het licht uit. Nerveus, zonder enige twijfel!

Wick ruilde de verrekijker om voor een nachtkijker. Nu kon hij Rennie bij het raam zien staan. Ze tuurde door de open latten van de jaloezieën. Haar hoofd ging langzaam van links naar rechts, alsof ze alle hoeken van haar donkere achtertuin controleerde. Ze checkte het slot van het raam en daarna sloot ze de jaloezieën. Een paar seconden later deed zij ze weer open.

Was dat een signaal voor iemand? vroeg Wick zich af.

Ze stond daar nog een paar minuten. Wick hield de kijker op haar gericht, maar af en toe speurde hij de tuin af, op zoek naar beweging. Niemand klom over het hek van de achtertuin. Rennie klom niet uit het raam. Er gebeurde niets.

Ten slotte trok ze zich terug. Wick kon zien dat ze haar beddenlaken omsloeg. Ze ging liggen en trok het laken op tot aan haar middel. Ze schudde haar kussen op, haalde haar handen door haar haren, zodat ze uitwaaierden, en rolde op haar zij, met haar gezicht naar het raam. Met haar gezicht naar hém.

'Welterusten, Rennie,' fluisterde hij.

Ze werd gewekt door de telefoon. Ze deed de lamp op haar nachtkast-je aan en keek automatisch hoe laat het was. Bijna één uur. Ze had iets meer dan drie uur geslapen.

Als ze oproepbaar was, probeerde ze te slapen als het kon. Ze wist nooit wanneer een nacht werd onderbroken.

Maar op zaterdagavond kon ze er bijna op rekenen. Dan bleef het druk op de eerstehulpafdeling, waar men de schade die mensen elkaar hadden toegebracht trachtte te herstellen.

Als er meer patiënten waren dan chirurgen in opleiding, of als een geval een chirurg met meer ervaring vereiste, werd de chirurg die op-roepbaar was gevraagd naar het ziekenhuis te komen.

Ze nam op en zei: 'Met dokter Newton.'

'Hallo, Rennie.'

Instinctief drukte ze het laken tegen haar borsten. 'Ik heb u gezegd dat u me niet meer moet lastig vallen.'

'Slaap je?' Hoe kwam Lozada aan haar privé-nummer? Ze had het al-leen aan een paar kennissen gegeven en aan de receptie van het zieken-huis. Maar hij was een beroepsmisdadiger. Hij zou wel weten hoe hij aan een geheim nummer moest komen. 'Als u me blijft bellen...'

'Lig je tussen je lichtgele lakens?'

'Ik had u kunnen laten arresteren wegens het binnendringen van mijn huis.'

'Heb je je vermaakt op de bruiloft?'

Die vraag bracht haar tot zwijgen. Hij liet haar weten dat hij dicht-bij was. Ze stelde zich hem voor, glimlachend, de zelfingenomen glim-lach die gedurende zijn hele proces om zijn lippen had gespeeld. Hij had er ontspannen door uitgezien, onbekommerd over de uitkomst, zelfs een beetje verveeld.

Op het eerste gezicht had zijn glimlach minzaam geleken, maar voor haar zat er onder die minzaamheid iets duivels verborgen. Ze kon zich voorstellen dat hij die kwaadaardige grijns op zijn gezicht had wanneer zijn slachtoffers hun laatste adem uitbliezen. Hij zou nu ook zo grijn-zen, in de wetenschap dat hij haar in verlegenheid had gebracht.

'De jurk die je droeg stond je heel goed,' zei hij. 'Hij beviel me. Ge-zien de manier waarop die zijden stof tegen je lichaam ruiste, betwijfel ik of iemand nog naar de bruid keek!'

Het zou niet moeilijk voor hem zijn om haar te volgen. Hij had een geavanceerd veiligheidssysteem uitgeschakeld en de bankier in zijn huis gewurgd terwijl zijn vrouw en kinderen boven sliepen.

'Waarom kijkt u naar me? Waarom volgt u me?'

Hij lachte zachtjes. 'Omdat ik het fijn vind om naar je te kijken. Elke dag van dat saaie proces keek ik ernaar uit om je te zien, en 's avonds, als ik je niet meer kon zien, miste ik je. Je viel op in de rechtszaal, Rennie. Ik kon mijn ogen niet van je afhouden. En doe nou maar niet alsof je je niet bewust was van mijn aandacht. Ik weet dat je mijn blik op je gericht voelde.'

Ja, ze had gevoeld dat hij naar haar keek, en niet alleen tijdens de rechtszitting. Ze had het ook in de afgelopen dagen gevoeld. Misschien maakte het feit dat hij in haar huis was geweest dat ze zich dingen verbeeldde, maar soms was het gevoel van nieuwsgierige ogen zo sterk geweest, dat ze zich niet kon hebben vergist. Sinds ze de rozen had gekregen, had ze het gevoel gehad dat ze niet alleen was in haar eigen huis. Het was alsof er altijd iemand anders aanwezig was.

Zoals nu.

Ze deed het licht uit en liep snel van het bed naar het raam. Eerder had ze besloten de jaloezieën open te laten, want als Lozada buiten naar haar stond te kijken, wilde ze dat weten. Ze wilde hem ook zíen.

Stond hij nu naar binnen te gluren? Ze voelde zich bedreigd en kreeg kippenvel op haar armen. Maar ze dwong zichzelf bij het raam te blijven staan terwijl ze haar blik liet dwalen langs de donkere, aangrenzende huizen en de diepe schaduwen van haar tuin, die de laatste tijd sinister had geleken.

'Ik was niet gevleid door uw voortdurende gestaar tijdens het proces.'

'O, ik denk van wel, Rennie. Je wilt het alleen niet toegeven. Nog niet.'

'Luister, Mr. Lozada, en luister goed,' zei ze boos. 'Ik had de pest aan uw gestaar. Ik heb nog meer de pest aan deze telefoontjes. Ik wil nooit meer iets van u horen. En als ik merk dat u me volgt, zwaait er wat!'

'Rennie, Rennie, je klinkt helemaal niet dankbaar.'

Ze hapte naar adem. 'Dankbaar? Waarvoor?'

Na een veelbetekenende stilte zei hij: 'Voor de rozen natuurlijk.'

'Daar heb ik niet om gevraagd.'

'Dacht je dat ik niets terugdoe als iemand me een dienst bewijst? Vooral als jíj dat doet?'

'Ik héb u geen dienst bewezen.'

'Ik weet wel beter, Rennie, ik weet meer dan je denkt. Ik weet veel van je.'

Dat bracht haar tot nadenken. Hoeveel wist hij? Hoewel ze besefte dat ze hem in de kaart speelde, kon ze zich niet weerhouden te vragen: 'Wat bijvoorbeeld?'

'Ik weet dat het parfum dat je draagt naar bloemen ruikt. En dat er altijd een papieren zakdoekje in je tas zit. Je geeft er de voorkeur aan je rechterbeen over je linker, te slaan. Ik weet dat je tepels heel gevoelig zijn voor airconditioning.'

Ze verbrak de telefoonverbinding en smeet haar mobieltje door de kamer. Het belandde op haar bed. Met beide handen voor haar gezicht geslagen ijsbeerde ze door haar slaapkamer. Ze haalde diep adem, in een poging de misselijkheid die ze voelde opkomen te onderdrukken.

Ze kon niet toestaan dat deze maniak haar bleef terroriseren. Blijkbaar had hij een ziekelijke liefde voor haar opgevat en was hij zo verwaand dat hij geloofde dat ze zijn gevoelens zou beantwoorden. Hij was niet alleen moordzuchtig, hij had ook last van waandenkbeelden.

In haar studententijd had ze voldoende psychologische kennis vergaard om te weten dat hij het gevaarlijkste soort crimineel was. Hij vond zichzelf onoverwinnelijk en deinsde nergens voor terug.

Ze hield er niet van om de politie erbij te betrekken, maar dit kon zo niet doorgaan. Ze móest het melden.

Ze pakte haar telefoon weer op, maar voordat ze 911 kon bellen, werd ze zelf gebeld. Ze verstijfde. Toen herinnerde ze zich dat ze eerst naar de nummerweergave moest kijken. De vorige keer was ze dat vergeten. Toen ze het nummer herkende, haalde ze diep adem en nam op.

'Hallo, dokter Newton, dit is dokter Dearborn van de eerstehulp. Er is een ernstig ongeluk gebeurd. We hebben hier een zwaargewonde man. Begin dertig. We maken nu een CT-scan om de omvang van zijn hoofdletsel te bepalen, maar in zijn buik is een plas bloed.'

'Ik kom eraan.' Vlak voor ze ophing, schoot haar nog iets te binnen. 'Dokter Dearborn?'

'Ja?'

'Mijn codenummer, alstublieft?'

'Hè?'

Deze veiligheidsmaatregel was ingevoerd nadat Lee Howell voor een nepnoodgeval was opgeroepen. 'Mijn code...'

'O, ja. Eh, zeventien.'

'Tien minuten.'

Op het moment dat Wicks blote, natte voet contact maakte met de tegelvloer, werd er op de deur van zijn motelkamer geklopt. Hij stapte uit de douchebak, reikte naar een handdoek en wikkelde die om zijn heupen. Hij hoopte bij de deur te zijn en de ketting vast te maken voordat het kamermeisje zichzelf met een loper binnenliet.

Alsof ze wist dat hij elke nacht dienst had, kwam ze 's morgens, een paar minuten na zijn terugkeer, zijn kamer schoonmaken, net als hij klaar was met zich te douchen en dan zijn bed in wilde duiken. Misschien stond ze wel op de uitkijk. Een dezer dagen zou hij ervoor zorgen dat ze hem in zijn blote kont zag staan. Misschien zou dat een goede remedie zijn voor haar slechte timing.

'Kom later maar terug,' riep hij terwijl hij door de kamer liep.

'Dit kan niet wachten.'

Wick opende de deur. Oren stond op de gang, een witte, papieren zak in zijn hand, een manilla envelop onder zijn arm. Hij keek zo nors als een buldog.

'Weer eens last van aambeien?'

Oren gooide de zak naar hem toe terwijl hij de kamer binnenging. 'Donut?'

'Krispy Kreme?'

Er werd geklopt. Oren draaide zich om. Het punctuele kamermeisje stond met haar kar voor de deur. 'Verdwijn,' brulde Oren en smeet de deur dicht.

'Hé, ík woon hier, weet je nog?' zei Wick.

'Je zei dat ze een lastpost was.'

'Maar nu komt ze misschien de hele dag niet meer terug.'

'Alsof jíj zo schoon bent!'

'Allemachtig, wat heb jij een rothumeur! Ga zitten.' Wick gebaarde naar de enige stoel die de kamer rijk was. 'Sorry dat ik je vannacht wakker heb gemaakt. Je had gezegd dat ik moest bellen als er iets gebeurde, dus belde ik toen dat het geval was. Op het moment dat ik zag dat Rennie Newton haar garage uitreed, wist ik niet dat ze voor een noodgeval naar het ziekenhuis moest. Heeft mijn belletje jullie soms gestoord? Waren jij en Grace de horizontale tango aan het dansen? Stopte ze net nieuwe batterijen in de vibrator? Wat was het? Of misschien was Grace niet in de stemming. Ben je daarom zo knorrig vanmorgen?'

'Kop dicht, Wick!' Met een boze blik nam Oren de zak terug. Toen haalde hij er een donut uit.

Wick lachte om zijn chagrijnige vriend. Hij liet zijn handdoek vallen en trok een boxershort aan. Daarna reikte hij naar de zak. Hij pakte een geglaceerde donut, nam een enorme hap en zei met volle mond: 'Heb je geen koffie meegebracht?'

'Vertel me over vannacht.'

'Dat heb ik al gedaan. Kort na enen kreeg de dokter een telefoontje. Nog geen twee minuten later verliet ze haar huis. Ik brak bijna mijn nek, verdomme, toen ik die donkere trap afvloog terwijl ik mijn laarzen probeerde aan te trekken. Bij Camp Bowie haalde ik haar in, drie straten van haar huis. Ik volgde haar naar het ziekenhuis. Daar was ze tot tien over vijf. Ik volgde haar weer naar haar huis, waar ze nog steeds was toen Thigpen me afloste. Trouwens, hij was vanmorgen een kwartier te laat.'

Oren gooide de manilla envelop naar hem toe. Wick ving hem op. Toen at hij de rest van de donut op en likte de suiker van zijn vingers alvorens de envelop te openen en er de acht-bij-tien foto's uit te halen.

Het waren er vier. Hij bekeek ze stuk voor stuk. Daarna hield hij er een omhoog. 'Dit is een vrij goeie van me, hoewel het niet mijn beste kant is.'

Oren griste de zwartwitfoto's uit zijn hand en smeet ze op het tafeltje naast zijn stoel. 'Is dat alles wat je te zeggen hebt?'

'Oké, je hebt me betrapt. Ik ben erbij. Wat wil je dat ik zeg? Gefeliciteerd, rechercheur? Voortreffelijk politiewerk? Of wil je dat ik kniel en je om vergeving smeek? Je ring kus? Je kont kus? Wát?'

'Waar was je in godsnaam mee bezig, Wick?'

'Undercoveronderzoek van een verdachte.'

'Gelul.' Oren pakte de meest compromitterende foto. Het was een kiekje van Wick en Rennie buiten de sociëteit. Ze liepen naar haar auto. Hij keek haar aan. Zijn hand lag op haar rug. 'Beledig me niet.'

Wick kreeg het warm onder Orens beschuldigende blik. Ten slotte zei hij: 'We kwamen geen stap verder door haar huis in de gaten te houden, is het niet? Ik heb daar een week lang rondgehangen zonder ook maar íets uit te voeren. Ik heb drie keer mijn vingernagels geknipt omdat ik niets anders te doen had. Ik heb zo lang op mijn gat gezeten, dat die nu net zo dik is als die van Thigpen. Dus dacht ik dat het misschien goed was als ik een beetje actie ondernam.'

'Aanpappen met een verdachte?'

'Zo was het niet.'

'Nee? Hoe was het dan wél, Wick? Hoe was het om zo vriendschappelijk met dokter Rennie Newton om te gaan?'

Om Orens vlijmscherpe blik te vermijden stak Wick zijn hand in de zak om nóg een donut te pakken. 'Ze is een ijskonijn. Net als een ratelslang houdt ze er niet van om te worden aangeraakt. In feite siste ze tegen me.'

'Heb je haar aangeraakt?'

'Nee. Dát,' zei Wick ongeduldig, wijzend naar de veelzeggende foto, 'en een handdruk was álles, wat het aanraken betreft. Ze werd woest toen ik de parkeerbediende een fooi gaf.'

'Hij zal je je vijf dollar teruggeven.'

Wick keek Oren aan, schudde vol ongeloof zijn hoofd en snoof: 'Was hij een van ons? Dat puisterige joch?'

'Rookie. Goed met een camera. Zo'n ding dat op een vulpen lijkt.'

'Dat verklaart hoe je aan de foto's komt. Hoe wist je dat ze naar de trouwerij ging?'

'Dat wisten we pas toen ze zich in het ziekenhuis meldde. Ze ging daar langs, op weg naar de kerk. We kwamen meteen in actie. En toen ze de receptie bereikte, zat onze jongen op zijn plaats.'

'Waarom heb je me dit niet verteld?'

'Nou, kijk, ik heb het geprobeerd. Ik ben zelfs teruggegaan naar het huis om je te zeggen waar ze heen ging en dat ik haar door iemand anders liet schaduwen, voor het geval je zin had een pauze in te lassen en lekker uit eten te gaan of naar de film. Ik vond het heel vervelend dat jij op zaterdagavond in een benauwd hok zat opgesloten. Stel je je mijn verbazing voor toen ik ontdekte dat het huis leeg was en dat jij in geen velden of wegen was te bekennen.'

'Ik was een pak aan het kopen.'

'Gemakshalve was je mobieltje uitgezet.'

'Op een bord bij de kerk stond dat mobiele telefoons en piepers moesten worden uitgezet vóór het betreden van het godshuis.'

'Trilt je zaktelefoon niet?'

'Ja, maar... hij...' Bij uitzondering kon Wick geen plausibel excuus of leugen bedenken. Daarom gooide hij het over een andere boeg. 'Ik weet niet waarom je zo kwaad bent, Oren. Ik heb me netjes gedragen. Ik heb geen druppel alcohol gedronken op de receptie. Ik had zelfs een cadeautje, een messenset, meegenomen voor het gelukkige paar. Niemand had door dat ik niet was uitgenodigd.' Hij at zijn donut op. Toen ging hij op zijn rug op het bed liggen en propte de kussens onder zijn hoofd. 'Er is niets verloren.'

Oren keek hem streng aan. 'Ik probeer te besluiten of ik dit gesprek voortzet of dat ik opsta en naar buiten loop en denk dat je de pot op kunt of dat ik naar je toe kom en je in elkaar ram.'

'Ben je zó boos? Omdat ik twintig minuten, hooguit een half uur, met Rennie Newton heb doorgebracht?'

'Nee, Wick. Ik ben boos omdat ik je ooit een blunder heb zien maken. En niet zo'n kleintje ook. En nu was ik als de dood dat je dat opnieuw zou doen. Een nog grotere blunder dan de eerste keer.'

Wick liep rood aan. 'Doe de deur zachtjes dicht als je weggaat, Oren.'

'O, nee. Ik vertrek niet. Je moet eraan herinnerd worden wat die miskleun je heeft gekost. Denk je dat ik niet weet waarom je dat elastiekje om je pols draagt?'

'Het is een gewoonte die ik heb aangenomen.'

'Ja, ja.' Wick had het gevoel dat Oren hem nog steeds een mep zou kunnen verkopen. 'Voor de mensen die om je geven — God weet waarom — was het pijnlijk om te zien hoe moeilijk je het had na wat er gebeurd was.

Het zegt iets over je uithoudingsvermogen dat je nog twee jaar bij het korps bleef voordat je vertrok. Achteraf begrijp ik hoe gevaarlijk dat voor ons allemaal was. Ben je al die ellende vergeten, Wick?'

'Hoe zou dat kunnen terwijl jij me er de hele tijd aan herinnert, verdomme!'

'Ik wil niet dat je opnieuw zo'n soort fout maakt.'

'Dat doe ik niet!'

'En óf je dat doet!'

Wick hees zich half overeind. 'Wat? Omdat ik naar een trouwreceptie ging en een glas water en wat sociaal gebabbel met een verdachte deelde? Toe nou, Oren.'

Wicks woede was niet zo zeer op zijn vriend gericht als op de juistheid van wat hij zei. Als Wick zich drie jaar geleden aan de regels had gehouden, hadden ze Lozada kunnen grijpen voor de moord op Joe. En nu had hij opnieuw de regels aan zijn laars gelapt — overduidelijk, door de waarnemingspost te verlaten en Rennie Newton op de receptie te benaderen, en niet zo overduidelijk, door het telefoontje dat ze vannacht had gekregen voor Oren te verzwijgen. Het eerste telefoontje, wat haar van streek had gemaakt.

Tenminste, ze had overstuur geleken toen ze naar haar raam rende met de telefoon in de hand en in de duisternis tuurde terwijl ze sprak. Het telefoongesprek, van wat voor aard ook, had haar in verwarring gebracht. Was het angst, frustratie of smart waardoor ze de telefoon op het bed smeet, haar gezicht met haar handen bedekte en eruitzag als een vrouw die op het punt stond in te storten? Na dat gesprek was ze compleet anders geweest dan de koele, rustige en beheerste vrouw die hem nog maar een paar uur daarvoor had afgewezen.

Wie had haar in godsnaam gebeld? Vriend? Vijand? Minnaar? De persoon die 'Ik ben smoorverliefd op je' op dat witte kaartje had geschreven? Wie het ook was, diegene had haar wereld aan het wankelen gebracht. Oren móest het weten.

Maar Oren was hier binnen komen vallen als een vuurspuwende aanhanger van de evangelische leer die al Wicks zonden blootlegde om er opnieuw naar te kijken, dus op dit moment voelde Wick zich niet geroepen om zijn vriend behulpzaam te zijn. Op die manier maakte hij het voor zichzelf aannemelijk dat hij niet alle dingen die hij wist deelde. Sommige konden wachten tot ze beiden waren afgekoeld.

Terwijl hij dit alles overdacht had Oren hem aangekeken, alsof hij wachtte op een verklaring voor zijn gedrag. 'Ik ben mijn eigen baas in deze zaak, Oren, weet je nog? Jij hebt me aangetrokken om je te helpen. Dus oké, ik help. Op míjn manier.'

'Zorg er alleen voor dat jouw "manier" helpt en mijn zaak geen kwaad doet.'

'Luister, mijn bruine kleurtje is aan het verdwijnen. Ik mis het geluid van de branding. Ik mis zelfs het afkrabben van de zeemeeuwenpoep op mijn terras. Ik ga net zo lief terug naar het strand; doen waar ik zin in heb, de zus van die garnalenvisser achternalopen en vergeten dat je ooit bent komen aankloppen. Dus als je mijn hulp niet meer wilt, zeg dat dan alsjeblieft.'

Oren keek hem aandachtig aan. Na een paar seconden schudde hij zijn hoofd. 'En je een uitstekend excuus geven om Lozada in je eentje te achtervolgen? Mooi niet!' Hij stond op, verzamelde de foto's en gaf ze aan Wick. 'Wil je deze voor je plakboek?'

'Nee, dank je. De ontmoeting was niet interessant.'

Oren gromde. 'Jij hebt nog nooit een oninteressante ontmoeting met een vrouw gehad.' Hij stopte de foto's weer in de envelop, raapte de zak met wat er nog over was van de donuts op, en zei, op weg naar de deur: 'Zie je vanavond. Slaap lekker.'

'O, vast wel.'

Wick was niet van plan te gaan slapen.

10

'Wat zal het zijn, liefje?'

Wick deed de menukaart dicht en keek naar de serveerster aan de andere kant van de eetbar. Ze moeten ze ergens zó fokken en ze dan allemaal naar Texas verschepen, dacht hij. Geblondeerd haar was opgestoken in een ingewikkelde toren. Wenkbrauwen leken met een zwart potlood te zijn getrokken. Fluorescerende, roze lippenstift bloedde in de rokerslijntjes rond haar smalle lippen, die zich tot een brede glimlach hadden gevormd.

'Wat kun je me aanbevelen?'

'Ben je baptist of methodist?'

'Pardon?'

'Het is zondag. De baptisten gaan vanavond nog een keer naar de kerk, dus dan beveel ik de Mexicaanse schotel niet als lunch aan. Oprispingen en winderigheid. Ze kunnen beter wienerschnitzel nemen, of varkenskoteletjes of gehaktbrood. Maar de methodisten kunnen de avonddienst zonder angst voor hellevuur en verdoemenis overslaan, dus die kunnen gerust heet en pikant voedsel eten.'

'Hoe zit het met ons heidenen?'

Ze gaf een speels tikje op zijn arm. 'Zodra je binnenkwam zag ik dat je een heiden was. Ik zei tegen mezelf dat iemand die zo knap is nooit een heilige kan zijn.' Ze legde haar hand op haar heup. 'Alles wat we hebben en wat jij wilt, mag je nemen.'

Met een knipoog zei hij: 'Ik zal beginnen met de wienerschnitzel.'

'Met jus?'

'Natuurlijk. Een beetje extra aan de rand.'

'Een man naar mijn hart. Zondags kun je voor het nagerecht kiezen uit aardbeienzandgebak of bananenpudding.'

'Mag ik je dat nog laten weten?'

'Neem alle tijd die je nodig hebt, liefje.' Ze wierp een blik op de neonklok aan de muur. 'Het is al over twaalven. Wil je een biertje terwijl het vlees gaar wordt?'

'Ik dacht dat je het nooit zou vragen.'

'Als je nog iets anders nodig hebt, roep dan om Crystal. Dat ben ik.'

Het Wagon Wheel Café was kenmerkend voor het kleinsteedse Texas. Het restaurant lag drie kilometer van de autosnelweg af, aan de rand van Dalton. Het serveerde stevige ontbijten, vierentwintig uur per dag. Truckers van overal kenden het bij naam. De koffie was altijd warm en vers, het bier altijd koud. Bijna alles wat op de menukaart stond werd gefrituurd, maar je kon een geroosterde T-bone van zestien ons krijgen, precies zoals je hem wilde hebben, van nog loeiend tot verbrand.

Zondags bediende het restaurant de mensen die naar de kerk waren geweest, en zaterdagsavonds de zondaren. De Rotary en Lions Clubs kwamen bijeen in de feestzaal van het restaurant. Overspelige geliefden spraken af op het met grind bedekte parkeerterrein.

De bankjes van de boxen waren met rood vinyl bekleed en in elke box stond een mini-jukebox die verbonden was met de antieke Wurlitzer in de hoek, die zelfs op de dag des Heren aanstond. Er was een eetbar met chromen krukken voor mensen die haast hadden of voor groepjes van één, zoals Wick.

De mensen die aan de bar zaten keken pal in de keuken – het uitzicht was té goed en kon je je eetlust ontnemen. Maar het uithangbord buiten pochte 'Open sinds 1919... En nog steeds geen slachtoffers'.

Het wedstrijdrooster van het footballteam van de middelbare school was met plakband aan de kassa vastgeplakt. De kampioensbeker die het plaatselijke honkbalteam in '88 had gewonnen, stond naast een stoffige pot waarin bijdragen werden verzameld voor de lokale dierenbescherming.

Het bier smaakte Wick geweldig na de warme, drie uur durende rit vanaf Fort Worth. De kilometers hadden hem op een veilige afstand gebracht van het advies van zijn vriend om te stoppen met het maken van zijn eigen regels voor het uitvoeren van de wet. Volgens Wick kon je niet creatief te werk gaan als je je strikt aan de regels hield. Vrijwel alle regels waren rampzalig.

Alles wat Oren had gezegd was juist, natuurlijk, maar Wick bleef er niet lang bij stilstaan.

Hij deed de wienerschnitzel, die mals was als boter onder het knapperige korstje, alle eer aan. Daarna koos hij voor de bananenpudding. Crystal schonk een gratis kopje koffie voor hem in.

'Voor het eerst in Dalton?'

'Ja. Ik ben op doorreis.'

'Een goede plaats om doorheen te rijden.'

'Het lijkt me een leuke stad. Veel te doen.' Hij wees met zijn lepel naar de ramen waarop affiches waren geplakt die reclame maakten voor toekomstige, plaatselijke evenementen.

'O, ja, het is hier wel aardig, niet beter dan ergens anders,' zei Crystal. 'Toen ik jong was wilde ik hier zo vlug mogelijk weg, maar je weet hoe dat gaat.' Ze haalde filosofisch haar schouders op. 'Ik trouwde met een minkukel omdat hij een beetje op Elvis leek. Hij nam de benen zodra het derde kindje was geboren. Het leven zette een streep door mijn grote plannen om mijn geluk ergens anders te beproeven.'

'Dus je hebt je hele leven in Dalton gewoond?'

'Elke klotedag ervan.'

Wick lachte. Toen nam hij een slok koffie. 'Op de universiteit kende ik een meisje dat hier vandaan kwam. Haar naam was... hmm... iets wat je niet vaak tegenkomt. Regan? Nee. Ronnie? Verdomme, dat is het ook niet, maar wel zoiets.'

'Van jouw leeftijd?'

'Ongeveer.'

'Je bedoelt toch niet Rennie Newton, hè?'

'Dat was het! Rennie. Ja, Rennie Newton. Ken je haar?'

Ze snoof vol minachting. 'Was ze een goede vriendin van je?'

'Ik kende haar van gezicht, dat is alles.'

'Dat verbaast me.'

'Hoezo?'

'Omdat het Rennies levensdoel was om elke man te kennen die in haar buurt was.' Ze trok in een veelzeggend gebaar een vettige wenkbrauw op. 'Jij bent een van de weinige mannen die haar nooit hebben gekénd – als je voelt wat ik bedoel.'

Dat deed hij. Maar hij vond het moeilijk de tendens van Crystals opmerking in overeenstemming te brengen met wat hij van dokter Rennie Newton, het ijskonijn, wist. 'Vlinderde ze wat rond?'

'Dat is een aardige manier om het uit te drukken.'

'En wat is de onaardige manier?'

Meer aanmoediging had Crystal niet nodig. Ze boog zich over de toog en zei zachtjes: 'Die meid neukte iedereen die een broek droeg en het kon haar geen moer schelen wie het wist.'

Wick keek haar met een wezenloze blik aan. 'Rennie Newton? Een allemansvriendinnetje?'

111

'En hóe, liefje.'

Hij toverde met moeite een glimlach te voorschijn. 'Verdomme!'

'Gezien de manier waarop kerels onder elkaar praten, had ik gedacht dat je haar reputatie wel zou kennen.'

'Ik heb gewoon pech gehad, denk ik.'

Crystal gaf een troostend klopje op zijn arm. 'Wees maar blij!'

'Ze deugde niet, hè?'

'Als klein kind was ze oké. Ongeveer aan het eind van de basisschool, toen haar puberteit begon, veranderde ze in haar nadeel. Zodra haar vrouwelijke welvingen goed zichtbaar begonnen te worden, leerde ze hoe ze er gebruik van moest maken. Ze raakte door het dolle heen. Haar moeder ging kapot aan het sletterige gedrag van haar dochter. Op een dag stond ik hier, achter deze toog, ketchupflessen te vullen en hoorde een hoop herrie buiten. Rennie stoof voorbij in de nieuwe, rode Mustang cabriolet die ze van haar pa had gekregen. Ze toeterde en zwaaide naar iedereen – naakt als een pasgeboren baby. Haar bovenlichaam, in elk geval.

Zij en een paar vrienden waren in het stuwmeer gaan zwemmen. Het dollen liep een beetje uit de hand. Een van de jongens stal het bovenstukje van Rennies bikini en wilde het niet teruggeven, dus zei Rennie dat ze hem zou leren haar met rust te laten. Ze zei tegen hem dat ze rechtstreeks naar zijn vaders verzekeringskantoor zou rijden en hem zou verraden, en dat deed ze ook! Ze stormde naar binnen, negeerde een secretaresse en liep naar de kamer van die man. Zo brutaal als de beul. Ze droeg niets anders dan haar bikinibroekje en een glimlach. Wil je nog een kopje koffie?'

Wick had een droge mond gekregen. 'Ik neem nog een biertje.'

Crystal bediende twee andere klanten voordat ze hem een biertje gaf. 'Wees blij dat je nooit ruzie met haar hebt gehad,' zei ze. 'Ben je getrouwd?'

'Nee.'

'Geweest?'

'Nee.'

'Waarom niet? Je bent hartstikke knap.'

'Dank je.'

'Ik ben altijd al dol op blauwe ogen geweest.'

'Het evenbeeld van Elvis?'

'Inderdaad! Die van hem straalden zo helder als koplampen. Later bleek dat dat het enige positieve aan hem was.' Ze wierp Wick een ervaren, keurende blik toe. 'Maar jíj bent volmaakt, liefje. Ik denk dat je de vrouwen met een stok van je moet afslaan.'

'Nee, ik heb een opvliegend karakter.'

'Dat zou ik op de koop toe nemen.'

Hij schonk haar de verlegen, bescheiden glimlach die ze waarschijnlijk verwachtte. Na nog een slok bier zei hij: 'Ik vraag me af hoe het haar is vergaan.'

'Rennie?' Crystal pakte een vochtige doek om een beetje gemorste suiker van de toog te vegen. 'Ze zeggen dat ze arts is geworden. Heb je ooit zoiets gehoord? Ik weet niet of ik het moet geloven of niet. Ze is nooit meer in Dalton geweest nadat ze door haar ouders naar die dure kostschool in Dallas is gestuurd. Ik denk dat ze, na wat er gebeurd was, hun handen van haar af wilden trekken.'

'Waarom? Wat was er dan gebeurd?'

Crystal hoorde zijn vraag niet. In plaats daarvan glimlachte ze tegen een oude man die aan kwam hinken en op een van de krukken naast Wick plaatsnam. Hij droeg een geruit cowboyhemd met parelmoeren knoopjes en een blauwe spijkerbroek, beide gestreken en gesteven, zo stijf als een plank. Nadat hij was gaan zitten zette hij zijn strohoed af en legde hem op de toog. Zoals het hoorde, met de bol naar beneden.

'Hallo, Gus. Hoe staat het leven?'

'Hetzelfde als toen je het me gisteren vroeg.'

'Wat zal het zijn?'

Hij keek naar Wick. 'Ik bestel al twintig jaar dezelfde maaltijd en tóch vraagt ze het.'

'Oké, oké,' zei Crystal. 'Chilikaasburger en friet,' riep ze naar de kok, die pauzeerde nu het aantal kerkgangers kleiner was geworden.

'En zó eentje.' Gus wees naar Wicks biertje.

'Gus is een van onze plaatselijke beroemdheden,' zei Crystal tegen Wick, terwijl ze een bierflesje openmaakte.

'Nou, dat valt wel mee,' bromde de oude man. Hij nam het flesje van haar aan en bracht het naar zijn lippen, waar tabaksvlekken op zaten.

'Rodeorijder, maar op een stier, geen paard,' zei Crystal vol trots. 'Hoeveel jaren ben je nationaal kampioen geweest, Gus?'

'Een paar.'

Ze knipoogde naar Wick. 'Hij is bescheiden. Hij heeft meer trofeeën dan Carter leverpillen.'

'En evenveel gebroken botten.' De oude man nam nog een grote slok bier.

'We hadden het over Rennie Newton,' zei Crystal. 'Herinner je je haar nog, Gus?'

'Ik ben zo krom als een hoepel, maar ik ben niet hersendood.' Hij wierp opnieuw een blik op Wick. 'Wie ben jij?'

Wick stak zijn rechterhand uit over de lege krukken die tussen hen in stonden. Het was alsof hij een cactus de hand schudde. 'Wick Threadgill. Op weg naar Amarillo. Ik ben even gestopt voordat ik mijn reis voortzet. Blijkbaar heb ik een van jullie plaatselijke meisjes gekend.'

Crystal liep weg om menukaarten neer te kwakken voor twee jongemannen die net waren binnengekomen en haar bij haar naam noemden. Toen ze buiten gehoorsafstand was, wendde Gus zich tot Wick. 'Ken je het meisje Newton?'

'Ja, van de universiteit,' zei Wick, in de hoop dat Gus niet zou vragen op welke ze hadden gezeten.

'Stoor je je aan onverbloemde mannentaal?'

'Nee.'

'Sommigen doen dat wél, tegenwoordig. Iedereen moet politiek correct zijn.'

'Ik niet.'

De oude man knikte en dronk van zijn bier. 'Dat grietje was een van de mooiste tweebenige dieren die ik ooit heb gezien. Ook een van de pittigste. Natuurlijk besteedde ze geen aandacht aan een ouwe bok als ik, maar wanneer ze tonreed bleef iedereen staan kijken. Het bloed van alle jonge bokken gierde door hun aderen.'

'Tonreed?'

'Tonreed, ja.'

Tonrijden? De Rennie Newton die hij kende gebruikte een liniaal om haar tijdschriften op te stapelen. Hij kon zich niet voorstellen dat zij aan een rodeo deelnam. 'Ik wist niet dat ze dat deed.'

'Ja, jongen. Elke zaterdagavond, van april tot en met juli, houdt Dalton een plaatselijke rodeo. Naar nationale maatstaven stelt het niet veel voor, maar voor de mensen hier is het vrij belangrijk. Bijna net zo belangrijk als football.

Hoe dan ook, cowboys stonden drie rijen dik naar Rennie te kijken. Ze toonde geen spoor van angst. Nooit. Ik heb twee keer gezien dat ze van haar paard werd geworpen. Beide keren stond ze meteen weer op, sloeg het stof van haar uitdagende kont en klom direct weer op het paard.

De cowboys zeiden altijd dat haar dijen zo sterk waren door de manier waarop ze reed.' Hij gaf een knipoog met zijn gerimpelde ooglid. 'Ik weet het niet, want ik heb nooit het genoegen gesmaakt tussen haar dijen te zijn, maar degenen die dat wel hadden gedaan zeiden dat ze nog nooit zo lekker hadden genaaid.'

Wick grijnsde, maar zijn vingers hielden zijn bierflesje in een dodelijke greep.

'Maar dat was cowboypraat,' zei Gus met een schouderophalen. 'We zijn allemaal grote leugenaars, dus je weet niet zeker wie uit ervaring sprak en wie uit zijn nek lulde. Ik denk dat velen het probeerden, maar dat het weinigen is gelukt. Het enige dat ik weet is dat die kleine springin-'t-veld T. Dan woedend maakte, en dat vond ik prima.'

'T. Dan?'

De oude cowboy keek hem behoedzaam aan met zijn druipogen. 'Je hebt haar helemaal niet gekend, hè?'

'Nee. Absoluut niet.'

'T. Dan was haar pa. Een schoft van het ergste soort.'

'Wat voor soort is dat?'

'Gaat alles goed met jullie?' Crystal was teruggekeerd nadat ze de twee jongemannen aan het eind van de bar hun drankje had gegeven.

Wick zei: 'Gus vertelde me over T. Dan Newton.'

'De meeste mensen hier vinden het jammer dat hij nog maar zo kort dood is,' zei ze met een droog lachje.

'Hoe komt het dat hij iedereen tegen zich in het harnas joeg?'

'Hij deed gewoon waar hij zin in had,' antwoordde ze. 'Een voorbeeld, vertel hem over je ruzie met hem, Gus.'

De oude cowboy dronk zijn bierflesje leeg. 'T. Dan huurde me in om een paard voor hem te temmen. Het was een goed paard, maar een vals loeder. Ik temde en trainde het, maar eindigde met een gebroken kuitbeen. T. Dan wilde mijn doktersrekening niet betalen. Hij zei dat het mijn eigen stomme schuld was. Ik heb het over een luizige vijfenzeventig dollar, wat kattendrek was voor zo'n rijkaard als T. Dan.'

'In geld vergaren was hij goed, maar vrienden maken en ze dan ook nog houden ook kon hij níet,' zei Crystal.

'Het klinkt of de hele familie door en door slecht was,' zei Wick.

'Als je het mij vraagt, is het goed dat de stad van hem af is.' Gus krabde aan zijn wang. 'Maar ik zou er geen bezwaar tegen hebben om dat grietje nog eens te zien tonrijden. De gedachte eraan maakt me al hitsig. Heb je plannen voor vanavond, Crystal?'

'In je dromen, oude man.'

'Dat dacht ik al.' Met wat een pijnlijke inspanning leek klom Gus van zijn kruk en hinkte naar de jukebox.

Wick dronk zijn bier op. 'Bedankt voor alles, Crystal. Het was heel leuk om met je te praten. Accepteer je creditcards?' Voordat hij zijn handtekening op het bonnetje zette, legde hij een fikse fooi neer en genoeg geld voor een extra biertje. 'Geef Gus nog een biertje van me.'

'Dat zal hij op prijs stellen. Hij slaat nooit een gratis drankje af.'

Quasi-achteloos zei Wick: 'Je hebt zonet verteld dat Rennies ouders haar naar een kostschool stuurden. Wat was voor hen de druppel die de emmer deed overlopen? Waarom wilden ze haar kwijt?'

'O, dát.' Crystal duwde een haarspeld terug in haar torenhoge haardos. 'Ze had een man gedood.'

11

'Sorry?'
  'Je hebt het goed gehoord, Oren. Ze heeft een man gedood.'
  'Wie?'
  'Dat weet ik nog niet.'
  'Wanneer?'
  'Dat weet ik evenmin.'
  'Waar ben je?'
  'Op de terugweg.'
  'Van?'
  'Dalton.'
  'Ben je naar Dalton gereden? Ik dacht dat je naar bed zou gaan en de hele dag zou slapen.'
  'Wil je dit horen of niet?'
  'Hoe ben je erachter gekomen dat ze een man heeft gedood?'
  'Dat heeft Crystal me verteld.'
  'Zou ik moeten weten wie Crystal is?'
  Wick vertelde het grootste deel van zijn gesprek met de serveerster in het Wagon Wheel. Toen hij klaar was zei Oren: 'Is ze betrouwbaar, denk je?'
  'Als de FBI! Ze heeft daar haar hele leven gewoond en kent iedereen. Het café is het epicentrum van de stad. Trouwens, waarom zou ze liegen?'
  'Om je te imponeren?'
  'Nou, ik was inderdaad onder de indruk, maar ik denk niet dat dat de reden is waarom Crystal het me vertelde.'
  'Deed ze het dan voor de sensatie?'
  'Dat denk ik niet. Ze is niet het type dat zomaar zou liegen.'
  'Ze is jouw vriendin, niet de mijne. Ik zal je op je woord moeten geloven. Wist ze dat je een politieman bent?'
  'Ik bén geen politieman.'

'God allemachtig,' bromde Oren. 'Wist ze het of wist ze het niet?'

'Nee.'

'Waarom vertelde ze dit alles dan aan een wildvreemde?'

'Ze vond me hartstikke knap.'

'Hartstikke knap?'

'Dat zei ze. Maar ik denk niet dat Gus zo gek op me was.' Wick glimlachte. Hij stelde zich Oren voor, zwijgend tot tien tellend.

Ten slotte zei Oren: 'Je wacht net zo lang tot ik het je vraag, hè?'

Wick lachte. Toen herhaalde hij vrijwel woordelijk zijn gesprek met de gepensioneerde stierrijder. 'Rennie Newton wakkerde zijn vuur aan, maar hij had de pest aan haar vader. Volgens jouw onderzoek was T. Dan Newton een succesvol zakenman, niet?'

'En een man die een leidende rol in de gemeenschap speelde.'

'Desondanks was hij niet de favoriete inwoner van de stad. Gus noemde hem "een schoft van het ergste soort". In politietaal is dat een klootzak.'

Oren dacht even na. Toen zei hij: 'Was Rennie Newton een wild kind? Dook ze met iedereen het bed in?'

'Ze zeiden alletwee dat onze Rennie zo geil was als boter.'

'De roddelpraatjes over haar kunnen overdreven zijn geweest. Als een meisje eenmaal een slechte reputatie heeft, wordt het alleen maar erger.'

'Dat gaf Gus toe,' zei Wick.

'In elk geval past het volstrekt niet bij het huidige image van dokter Newton.'

'Zeker weten.'

'Wie is deze vrouw?' vroeg Oren gefrustreerd. 'Wat is de werkelijkheid en wat is de pose? Wil de échte Rennie Newton opstaan?'

Wick had niets bij te dragen. Hij was nog meer in verwarring dan Oren. Ze had hem afgewezen, en dat stak nog steeds. Ze moest wel veel ervaring hebben om zo goed te zijn in het afschepen van mannen. Dat was tegenstrijdig aan wat hij vandaag had gehoord.

Oren zei: 'Heeft de praatzieke Crystal je niet het fijne van de moord verteld?'

'Wat voor moord?'

'Ze heeft een man gedood, Wick.'

'We weten niet of het moord was. Het kan een jachtongeval zijn geweest, een afzwaaiende tennisbal die net was geserveerd, een bootincident of...'

'Of misschien vrijde ze zo hartstochtelijk met een arme drommel, dat die een hartverlamming kreeg. Heb je al informatie ingewonnen bij de plaatselijke politie?'

'Ik heb geen politiepenning, dus kon ik niet naar binnen huppelen en vragen over een moord stellen terwijl ik niet eens de aard van het misdrijf wist – áls het een misdrijf was. Ik wist niet hoe het slachtoffer heette en ook niet wanneer het voorval had plaatsgevonden.'

'Krantenarchieven?'

'Het is zondag. Een middelbare scholier paste op de telefoon, maar de kantoren waren dicht. Hetzelfde geldt voor de overheidsgebouwen en de rechtbank.'

'De openbare bibliotheek?'

'Gesloten wegens renovatie. In de boekenbus die in Crockett Street geparkeerd stond kon je boeken lenen, maar er was geen onderzoeksmateriaal beschikbaar.'

Oren slaakte een zucht van frustratie.

'Ik kon Crystal niet aansporen nog meer informatie te verschaffen,' vervolgde Wick. 'Ik was nog aan het bijkomen van de schok van de bom die ze had laten vallen, toen het plaatselijke honkbalteam binnenmarcheerde. Ze hadden net getraind en waren warm en dorstig. Ze bestelden bier en hamburgers. Crystal had haar handen vol.

Bovendien, als ik was blijven praten over een meisje dat ik jaren geleden zou hebben gekend, was Crystal misschien wantrouwig geworden en had ze haar kiezen op elkaar gehouden. Instinctief wist ik dat ze me niet zo aardig zou hebben gevonden als ze had geweten dat ik een politieman was.'

'Je bént geen politieman.'

'Precies. Dat is wat ik bedoelde.'

'Hoe zit het met de oude man? Die Gus. Had hij nog iets anders te onthullen?'

'Hij begon met een kloon van hemzelf te praten. Over de goeie ouwe tijd op het rodeocircuit. Ik kon hem moeilijk onderbreken en met nog meer vragen bestoken.'

'Misschien wilde je de antwoorden niet horen.'

'Wat bedoel je daarmee?'

'Niets.'

Nu was het Wick die tot tien telde. De afgelopen dagen had Oren hem steeds uit zijn tent willen lokken, maar Wick had het doorgehad. Oren wilde weten of hij zich al dan niet tot Rennie Newton aangetrokken voelde, ongeacht haar mogelijke betrokkenheid bij een moord.

Hij had geen zin om over het onderwerp te discussiëren, en hij voelde ook niets voor zelfanalyse.

'Ik heb geprobeerd nog meer te weten te komen, Oren. Ik heb de omgeving van Danton verkend om te kijken wat ik kon zien, maar het was vergeefs. Zodra ik terug ben, ga ik on-line en kijk wat ik kan vinden, maar ik heb mijn laptop niet bij me...'

'Ik snap het. Ik snap het,' zei Oren. 'Je hebt gedaan wat je kon.'

'Dank je.'

Na een lange stilte zei Oren: 'En wat denk je er nou van?'

'Waarvan?'

'Van haar, Wick. Verdomme! Over wie hebben we het nou?'

'Ik weet niet wat ik moet denken. We moeten uitvissen voor wie deze "moord" iets opleverde.'

'Behalve een dode man, bedoel je.'

Wicks geduld begon op te raken, maar het was niet aan zijn stem te horen. 'Tot we de feiten weten, moeten we geen overhaaste gevolgtrekkingen maken.'

'Ze heeft een leven genomen.' Oren zei dat alsof dat voldoende voor hem was, en waarschijnlijk was dat ook zo. Hij had onwrikbare criteria voor goed en kwaad, en hij hechtte weinig belang aan verzachtende omstandigheden.

'Ze heeft er vanmorgen twee gered,' zei Wick kalm.

'Probeer je mijn medelijden op te wekken?'

'Nee, ik vind dat alleen een niet meer dan eerlijke vergelijking. Op zijn minst goed genoeg om haar het voordeel van de twijfel te geven, vind je niet?'

De stilte werd even gespannen als de vermoeide spieren in Wicks nek. Hij had vierentwintig uur niet geslapen en vijf uur autogereden, en dat begon hij nú te voelen. 'Luister, Oren, ik moet even pitten vóór ik vanavond aan het werk ga. Kun je me de eerste twee uur vervangen?'

'Als je me eerst een dienst bewijst.'

'Wat dan?'

'Je bent op snelweg 20, hè? Ten westen van Fort Worth?'

'Ja. Bijna in Weatherford.'

'Mooi zo. Je hoeft niet terug te komen.'

'Waar ga ik dán heen?'

Rennie drukte haar hielen in de flanken van de ruin. Het paard begon gehoorzaam sneller te lopen. Ze had hem drie jaar geleden als veulen gekocht. Ze had vele uren met hem geoefend om te reageren op het kleinste rukje aan de teugels, het spannen van een beenspier, de druk van haar hielen. Van de vijf paarden in haar stal was hij waarschijnlijk haar favoriet, omdat hij zo intelligent en zo gevoelig was. Als ze zonder zadel reed, zoals vandaag, bewogen ze vrijwel als een eenheid, ook zonder bit en teugels. Hij zorgde ervoor dat ze zich niet hoefde in te spannen, wat ze vanmiddag nodig had.

De spoedoperatie, de miltectomie, in de kleine uurtjes was lastig geweest. Het letsel was ernstig geweest, waardoor het orgaan de consistentie van een rauwe hamburger had gekregen. Toen ze probeerde het te verwijderen was het letterlijk in haar handen uiteengevallen.

Maar de miltectomie was geslaagd en ze had de andere inwendige verwondingen van de patiënt hersteld. Aangezien zijn hoofdletsel geen blijvende schade had aangericht, zou hij overleven en genezen. Zijn wanhopige vrouw en ouders hadden gehuild van dankbaarheid omdat Rennie zijn leven had gered.

In vergelijking met die operatie had de gescheurde appendix die volgde weinig voorgesteld, maar het was even bevredigend geweest om de bezorgde echtgenoot van de patiënte het goede nieuws te brengen.

In haar brievenbus in het ziekenhuis had een brief van de raad van bestuur gelegen, waarin het aanbod dat ze haar eerder die week hadden gedaan zwart op wit stond en waarin ze opnieuw de hoop uitspraken dat ze de functie van hoofd van de chirurgische afdeling zou accepteren.

Ze had ook een briefje van Myrna Howell gekregen, waarin ze haar bedankte voor het bloemstukje dat Rennie naar Lee's begrafenis had gestuurd. Aan het eind van de brief smeekte ze Rennie ja te zeggen tegen de baan die door de dood van haar man vacant was geworden. Lee zou er blij mee zijn, schreef ze.

Rennie stond nog steeds in tweestrijd. De brief van de raad van bestuur en Myrna's brief hadden haar bezwaar met betrekking tot het profiteren van Lee's vroegtijdige dood doen verdwijnen, maar ze kon de verdenkingen van rechercheur Wesley niet van zich afzetten.

Vanmorgen had ze goed werk verricht. Ze had het leven verlengd van mensen die nu dood hadden kunnen zijn. Ze had een baan aangeboden gekregen die ze wilde accepteren. Ze zou eigenlijk blij moeten zijn, in staat te genieten van een zondagmiddag zonder grote verantwoordelijkheden en moeilijke beslissingen.

Maar ze merkte dat het niet mogelijk was zich te ontspannen, vanwege het telefoontje dat ze 's nachts van Lozada had gekregen.

Het feit dat hij haar leven was binnengedrongen had haar gevoel voor orde en regelmaat verstoord en beïnvloedde een belangrijke beslissing over haar loopbaan. Hoe kon ze het aanbod van het bestuur aannemen terwijl ze wist dat, als ze dat deed, Wesley een nog grondiger onderzoek naar haar zou instellen? En als de rechercheur ooit ontdekte dat Lozada contact met haar opnam....

Lozada kon doodvallen! Ze werd helemaal eng van die vent, ze kreeg er kippenvel van. Hij had haar nooit aangeraakt, maar zijn stem was als het ware voelbaar, het was alsof hij haar streelde met elk woord dat hij sprak.

Waarom had hij in godsnaam háár uitgekozen als voorwerp van zijn genegenheid? Ze had hem beslist niet aangemoedigd, noch door een blik, noch door een woord, noch door een daad. Integendeel. Gewoonlijk had haar laatdunkendheid zelfs effect op de hardnekkigste aanbidder. Ze wist dat ze in het ziekenhuis en in aanverwante kringen de naam had koud en gereserveerd te zijn. Afgewezen mannen, zowel getrouwde als ongetrouwde, spraken over haar in niet erg vleiende, soms lelijke bewoordingen. Ze accepteerde het akelige geroddel als een prijs die ze moest betalen om met rust gelaten te worden.

Maar Lozada was anders. Het zou niet makkelijk zijn om hem te ontmoedigen.

Ze werd boos bij de gedachte en drukte nogmaals haar hielen in de flanken van het paard. Hij ging over in volle galop. Hij rende alsof hij alleen maar zijn tijd had afgewacht tot hij het subtiele bevel kreeg. Nu ze hem toestemming had gegeven gebruikte hij zijn krachtige spieren voor de functie waarvoor ze waren geschapen.

Zijn hoeven dreunden over de droge grond, een stofwolk achterlatend. Hij had altijd vol overgave gedraafd, maar vanmiddag leek hij nog vastberadener te galopperen dan anders. Haar vingers vlochten zich in zijn manen. De warme wind schuurde haar wangen en rukte haar hoed af. Ze liet hem gaan.

Als ze schrijlings op een paard zat dat zo hard mogelijk rende, voelde ze zich helemaal vrij. Voor korte tijd kon ze de slechte herinneringen die ze nooit helemaal van zich af kon zetten, achter zich laten.

Uit een ooghoek zag ze een beweging. Ze keek om en zag een pickup op de weg aan de andere kant van de omheining van prikkeldraad. De bestuurder hield haar bij met zijn wagen. Nu begreep ze waarom de ruin zo graag wilde galopperen. Hij mat zijn eigen snelheid en uithoudingsvermogen met die van een door mensen gemaakte machine.

Ze was nog nooit tot het uiterste gegaan met dit paard. Misschien had ze dat wél moeten doen. Misschien voelde hij zich bedrogen. Misschien wilde hij zich aan haar bewijzen. Misschien zou zij zich aan hém moeten bewijzen.

'Goed, jongen. Je hebt het verdiend.'

Ze boog zich over zijn nek en spoorde hem aan met haar knieën. Onmiddellijk voelde ze een uitbarsting van nieuwe energie. Hij lag een neuslengte voor op de pick-up. De pick-up meerderde vaart. De ruin spande zich tot het uiterste in en won het van de wagen.

Rennie lachte luid. Het was zijn race. Het enige dat zij deed was zich stevig vasthouden en God, wat was dat een zalig gevoel!

Ze reden minstens drie minuten in volle galop en bleven op gelijke hoogte met de pick-up. Voor zich uit zag Rennie haar huis en de schuur opdoemen. Binnen zestig seconden zouden ze bij het hek zijn. Nu zou ze langzaam snelheid moeten minderen, zodat ze de ruin volledig tot stilstand kon brengen, afstijgen en het hek openmaken.

Ze wilde eigenlijk niet verliezen. Na Lozada's telefoontje was ze bang en gevoelig geworden. Ze had er behoefte aan te bewijzen dat ze voor niemand bang was en voor niets gevoelig. Nooit, nooit meer!

Bovendien, hoe kon ze haar paard een overwinning afhandig maken terwijl hij alles op alles had gezet om te winnen? 'Zullen we?' Hij leek het te begrijpen. Hij meerderde vaart, marginaal, maar ze kon het in haar beenspieren voelen. 'Goed, dan. Daar gaan we!'

Haar hart bonkte in het ritme van zijn hoefslagen. Het gevaar deed haar huiveren. Ze verstevigde haar greep in zijn ruwe manen. Ze was zich ervan bewust dat de pick-up achterop begon te raken, maar dat weerhield haar en ook de ruin niet. Ze hadden al gewonnen, maar ze móesten dit doen.

'Daar gaan we.'

Ze boog zich nog verder naar voren. Het paard vloog door de lucht. Met nog een meter speling sprong hij over het hek en landde hard maar sierlijk aan de andere kant. Opnieuw lachte Rennie luid.

Bij het horen van het helse kabaal gaf ze een harde ruk aan de manen en liet de ruin een snelle draai maken. De pick-up was vlak achter het hek tot stilstand gekomen, en hij was gehuld in een dikke stofwolk.

Toen het stof begon op te trekken, zag ze dat de bestuurder geen rekening had gehouden met het losse grind op de weg. Waarschijnlijk had hij te snel geremd. De achterkant van de pick-up was tegen de metalen hekpaal aan geknald. De paal was intact. De schade aan de wagen stond nog te bezien. Maar het was de chauffeur die Rennie zorgen baarde.

Ze klom van haar paard en rende naar het hek. 'Alles goed met u?' Het hek stond op een rail. Ze rolde het open en rende naar de bestuurderskant van de cabine. 'Meneer?'

Zijn hoofd lag op het stuurwiel. Aanvankelijk dacht ze dat hij bewusteloos was. Maar toen ze zijn schouder door het open raampje aanraakte, kreunde hij en ging langzaam rechtop zitten. Daarna schoof hij zijn cowboyhoed naar achteren en zette zijn zonnebril af. 'U bent niet goed voor mijn ego, dokter Newton.'

Ze deinsde verbaasd terug. Het was de man van de trouwreceptie. 'Wat doet ú hier?'

'Een race verliezen.' Hij knikte naar de ruin. 'Wat een geweldig paard.' Toen keek hij naar haar. 'Ook een geweldige ruiter. U hebt onderweg uw hoed verloren.'

'Niet te geloven!' riep ze boos uit. 'Hoe bent u hier gekomen?'

'Autosnelweg 20, toen bij de Farm noordwaarts naar Market Road.'

Ze wierp hem een vernietigende blik toe.

'Oké, ik heb wat rondgeneusd tot ik u vond.'

'Rondgeneusd?'

'In het ziekenhuis. Het is niet te geloven dat u zonder zadel op die snelvoetige kanjer hebt gereden. Doet u dat altijd? Is het niet gevaarlijk?'

'Niet zo gevaarlijk als door een volslagen vreemde te worden opgespoord. Niemand in het ziekenhuis zou u persoonlijke informatie geven!'

Hij maakte zijn veiligheidsgordel los, opende het portier en klom uit de pick-up. 'Ik bén geen volslagen vreemde, maar u hebt gelijk. Ik heb gelogen. Ik heb de informatie van het internet gehaald. Dit hier is allemaal van u. Er zijn registers. Grondbelastingregisters en dergelijke. Ik heb het ziekenhuis gebeld, en toen ze zeiden dat u vandaag geen dienst had, dacht ik dat ik u hier wellicht zou kunnen vinden.' Hij haalde zijn schouders op. 'Ik had tóch een zondags ritje nodig.'

Terwijl hij sprak liep hij naar de achterkant van zijn pick-up om de schade op te nemen. Hij hurkte neer en bekeek de verticale deuk. Die was ongeveer twintig centimeter lang en één centimeter diep, en de verf was beschadigd. Meer schade leek de auto niet te hebben opgelopen.

Hij streek over de deuk. Daarna veegde hij het vuil van zijn hand en ging staan. 'Het zal niet veel werk zijn om de schade te herstellen.'

'Meneer...'

'Wick.'

'Ik gaf u...'

'Geen schijn van kans.'

'Waarom bent u hierheen gekomen?'

'Ik had niets te verliezen.'

'Tijd. U had tijd te verliezen. Laat me u wat tijd besparen, Mr. Threadgill.' Hij trok zijn wenkbrauwen op. Kennelijk was hij onder de indruk dat ze zijn naam nog wist, en ze vroeg zich af waarom ze het zich nog herinnerde. 'Ik ben niet in de markt voor...'

Toen ze aarzelde, boog hij zich hoopvol voorover.

'Voor wat dan ook,' zei ze. 'Een afspraakje. Een... Wat u ook van plan was, ik ben er niet in geïnteresseerd.'

'Bent u getrouwd?'

'Nee.'

'Verloofd?'

'Ik ben niets, en dat is precies wat ik wil.'

'Is deze afkeer iets algemeens, of bent u vooral niet op míj gesteld?'

'Ik ben op mijn privacy gesteld.'

'Hé,' zei hij terwijl hij zijn armen spreidde. 'Ik kan een geheim bewaren. Probeer het eens. Vertel me een geheim en kijk of ik het niet meeneem naar mijn graf.'

'Ik heb geen geheimen.'

'Laat me u dan een paar geheimen van mij vertellen. Ik heb prachtgeheimen.'

Hij had een ietwat scheve voortand die zijn glimlach nog schalkser maakte, wat hij waarschijnlijk ontwapenend vond. 'Adieu, Mr. Threadgill.' Ze keerde hem de rug toe en begon naar het hek te lopen. Even later sloot ze het resoluut achter zich, met veel geratel van metaal op metaal.

'Wacht even. Nog één seconde!'

Hij was knap en charmant, en dat wist hij. Ze had eerder met dat soort mannen te maken gehad. Vol zelfvertrouwen en arrogant. Ze dachten dat niemand, vooral geen vrouw, weerstand aan hen kon bieden.

'Alstublieft, dokter Newton?'

Ze was lang niet zo boos als ze veinsde of had moeten zijn. Ze was vastbesloten zich niet om te draaien, maar ze deed het tóch. 'Wat?'

'Ik wil mijn excuses aanbieden voor mijn laatste opmerking van gisteravond.'

'Ik kan me uw woorden niet eens meer herinneren,' loog ze.

'Over uw mond en de natte droom. Dat was niet gepast.'

Wat hij zei was niet iets dat van een overvloed aan zelfvertrouwen en arrogantie getuigde, en de ontwapenende glimlach was verdwenen. Hij leek het te menen. Tenminste, aan zijn gezicht te zien. Bovendien, als ze veel ophef over de opmerking maakte, dacht hij misschien dat zijn woorden haar hadden aangegrepen. Dat was wel het geval. Een beetje. Maar hij mocht het niet weten.

'Excuses aanvaard.'

'Ik was... nou... het was ongepast.'

'Misschien reageerde ik wat overdreven op het feit dat u de bediende een fooi gaf.'

Langzaam naderde hij het hek. 'Misschien moeten we het nogmaals proberen.'

'Dat denk ik niet.'

'Wat kan het voor kwaad?'

Ze wendde haar hoofd af en tuurde in de verte. Voor ieder ander zou dit een enorme beslissing zijn geweest. Voor haar was het hetzelfde als wanneer ze vanaf de top van een berg in een onbetrouwbare deltavlieger zou springen.

Toen ze haar blik weer op hem richtte, stond hij haar aan te kijken. En hoewel er niet langer een plagerige blik in zijn ogen school, werd ze er toch nerveus van.

Wat kon het voor kwaad? Niets misschien, of alles. In elk geval was het het risico niet waard. Dat maakte het des te verrassender toen ze zichzelf hoorde zeggen: 'Er is een ijssalon op het plein.'

'In Weatherford?'

'Ik was eigenlijk van plan daar heen te gaan als ik hier klaar was met mijn werk. U zou me daar kunnen ontmoeten.'

'Ik zal u helpen met uw werk.'

'Ik ben gewend alles in mijn eentje te doen.'

'Dat geloof ik,' zei hij plechtig. Toen draaide hij zich om en rende weg.

'Waar gaat u heen?'

'Uw hoed ophalen,' riep hij terug.

12

Ze had anderhalf uur nodig om haar werk af te maken. Allereerst liep ze met de ruin door de paddock om hem te laten afkoelen. Daarna leidde ze hem de stal in. De rustieke buitenkant was misleidend. Wick had niet veel verstand van stallen, maar deze zag er hypermodern uit.

'Ik heb eersteklas paarden,' zei ze, in antwoord op zijn compliment. Ze verdienen een eersteklas thuis.'

Hij was ook geen ervaren paardenkenner, maar hij hoefde niet veel te weten om te zien dat het imposante dieren waren. Rennie wreef de ruin droog, langzaam en methodisch, en fluisterde hem al die tijd lieve woordjes toe. Wick stond naast haar terwijl ze de lange manen van het paard kamde.

'Hij lijkt te begrijpen wat u tegen hem zegt.'

'Waarom niet?' zei ze geërgerd.

'Ik wist niet dat paarden een taal konden verstaan.'

'Mijn paarden wel.' Met ogen die glansden van liefde en trots streek ze over de gladde huid van de ruin. 'Tenminste, bij mij.'

'Dan is het waarschijnlijk úw gave, niet die van het paard.'

Ze draaide zich om om te antwoorden. Blijkbaar vond ze dat ze te dicht bij elkaar stonden. Ze dook onder het hoofd van de ruin door en liep naar de andere kant. Wick volgde haar onverschrokken. 'Heeft dit Engels sprekende wonder een naam?'

'Beade.'

'Een ongewone naam. Wat is de betekenis ervan?'

'Ik vind hem mooi klinken.'

'U geeft weinig details, hè?'

'Dat klopt.' Toen keek ze hem aan, en ze lachten. 'U stelt veel vragen.'

'Ik ben nieuwsgierig van aard. Laat u Beade vaak zo hard draven?'

'Alleen als hij door een pick-up wordt uitgedaagd.'

Ze liep weg, maar wierp hem over haar schouder een blik toe, een beetje flirterig. Of misschien was ze bloedserieus en leek het slechts of ze flirtte door haar strakke spijkerbroek en de lange, blonde vlecht die onder de strooien cowboyhoed uitkwam. Hij had anderhalve kilometer gehold om de hoed op te halen. Misschien had hij het gevoel dat ze flirtte omdat hij dat wílde.

Nadat alle voeremmers waren gevuld en Rennie elk paard een persoonlijk afscheidswoord had toegefluisterd, liep ze samen met Wick van de stal naar het huis. Ze excuseerde zich en zei dat ze naar binnen ging.

'Gaat u maar van de schommelbank op de veranda genieten.'

'Dat was ik net van plan.' Hij maakte er geen punt van dat hij niet werd uitgenodigd het huis binnen te gaan, maar nam op de schommelbank plaats en begon te schommelen. 'Neem alle tijd.'

'Mocht Toby komen, zeg dan tegen hem dat ik zo weer terug ben.'

'Toby?'

Maar ze was al in het huis verdwenen en Toby bleef een mysterie tot een paar minuten later, toen een man in een pick-up, een ouwe rammelkast, kwam aanrijden. Hij klom uit de wagen en bleef even naar Wick staan kijken alvorens het trapje van de veranda op te lopen. Wick zou niet verbaasd zijn geweest als hij sporen had horen rinkelen.

Hij was lang, een vent als een kleerkast. Grijs haar krulde onder zijn cowboyhoed, die onder de zweetvlekken zat. Toen hij zijn zonnebril afzette, deden zijn diepliggende ogen Wick denken aan de schurkachtige sheriffs in klassieke westerns. Hij onderdrukte de neiging om te zeggen: 'Goeiendag, sheriff.' Hij had zo het idee dat Toby er de humor niet van zou inzien.

'Waar is Rennie?'

Als groet stelde het weinig voor, nietwaar? 'Binnen. Als jij Toby bent, ze zei dat je moest wachten, dat ze hier gauw terug zou komen.'

Toby ging op de balustrade zitten, legde een grote Lucchese-laars – geen sporen – op zijn linkerknie, sloeg zijn armen over elkaar en begon Wick aan te staren.

'Een mooie dag,' opperde Wick.

'Als jij dat zegt.'

Oké, kennelijk had Toby nu al de pest aan hem.

Na een lange stilte die alleen werd verbroken door het gepiep van de schommelbank, vroeg de oude man: 'Woon je hier in de buurt?'

'In Fort Worth.'

Hij snoof, alsof Wick had geantwoord: 'Ik woon in Sodom, aan deze kant van Gomorra.'

'Hallo, Toby.' Rennie kwam het huis uit en voegde zich bij hen op de veranda.

Toby kwam overeind en nam zijn hoed af. 'Rennie.'

'Hoe gaat het?'

'Goed. Kan alles je goedkeuring wegdragen?'

'Dat vraag je altijd als ik hier ben, en het antwoord is steeds hetzelfde. Alles is perfect.' De manier waarop ze naar hem glimlachte zou een jaloerse man moordzuchtig hebben gemaakt. Wick durfde wat hij voelde niet nader te onderzoeken. 'Heb je al kennisgemaakt met Mr. Threadgill?'

'Zo ver zijn we niet gekomen.' Wick stond op, stak zijn hand uit en noemde zijn volledige naam.

'Toby Robbins.' Hij leek geen zin te hebben om elkaar een hand te geven, maar hij deed het toch. Zijn hand voelde nog ruwer aan dan die van Gus. Zijn handpalm prikte door de eeltplekken.

'Toby is de eigenaar van de naburige ranch,' legde Rennie uit. 'Hij verzorgt de paarden voor me. Soms duurt het een week of nog langer voor ik weer hierheen kan gaan.'

'Dan is het handig om jou in de buurt te hebben,' zei Wick tegen Toby.

Toby negeerde hem en richtte zich tot Rennie. 'Afgelopen week is de dierenarts langs geweest. Hij heeft ze stuk voor stuk onderzocht. Geen problemen, voor zover hij kon zien.'

'Ik had ook niets gezien, maar ik wilde er zeker van zijn. Bedankt dat je zijn bezoek hebt geregeld. Stuurt hij de rekening naar me toe?'

'Hij heeft hem aan mij gegeven.' Toby haalde een envelop uit zijn borstzakje en gaf hem aan haar.

'Dank je. Ik zal het morgen in orde maken.' Ze stopte de envelop in haar schoudertas. 'Heb je de rode lynx nog gezien?'

'Niet sinds hij dat kalf een paar weken geleden te pakken kreeg. Hopelijk hebben we hem de stuipen op het lijf gejaagd. Misschien is hij door een van mijn schoten gewond geraakt. Misschien is hij weggeslopen en gestorven, of naar vriendelijker jachtgebied verhuisd.'

Wick had niet gedacht dat de man kon glimlachen, maar hij wierp Rennie een glimlach toe, die zij beantwoordde. 'Ik hoop dat je gelijk hebt.'

'Het is een groot beest,' vervolgde Toby, 'groter dan ik ooit tegen het lijf ben gelopen, maar ik denk dat we hem nooit meer zullen zien.'

'Nou,' zei Rennie, 'we stonden net op het punt te vertrekken.'

'Dan zal ik je niet ophouden. Is het huis goed afgesloten? '

'Dat heb ik gedaan voor ik naar buiten ging.'

Toby gebaarde dat ze hem moest voorgaan. Ze liepen in een rijtje van drie de trap van de veranda af. 'Is er iets speciaals dat je deze week gedaan wilt hebben?'

'Ik kan niet zo gauw iets bedenken. Anders bel ik je wel. Zorg alleen goed voor mijn paarden.'

'Natuurlijk!'

'Doe de groetjes aan Corinne.'

'Dat zal ik doen.' Hij tikte tegen de rand van zijn hoed en wierp Wick een dreigende blik toe. Toen zette hij zijn zonnebril op, klom in zijn pick-up en reed weg.

De ijssalon deed goeie zaken op deze zomerse zondagmiddag. Toen een van de smeedijzeren tafeltjes vrij kwam, hield Rennie het voor hen bezet terwijl Wick in de rij ging staan om twee ijscoupes met warme karamel te bestellen. Toen hij ze naar het tafeltje bracht, bedacht hij dat hij wel een paar kilo zou aankomen door Crystals bananenpudding en deze ijscoupe.

Ze zaten een tijdje van het ijs te smullen toen Rennie vroeg: 'Hebt u last van paniekaanvallen?'

De vraag overviel hem. 'Pardon?'

Ze haalde haar schouders op. 'Ik zag het elastiekje om uw pols. Gisteravond had u het ook om.'

'O. Dat is een... eh... gewoon een oude gewoonte. Ik kan me niet herinneren wanneer of waarom ik het ben gaan dragen.'

Ze knikte, maar ze keek hem scherp aan. 'Soms worden mensen die aan hevige angsten lijden aangespoord een elastiekje om hun pols te dragen. Als ze een paniekaanval voelen aankomen, kunnen ze het elastiekje laten knallen. Soms stopt dat het valse signaal aan hun hersenen dat ze in doodsgevaar verkeren. Het weert de paniek af.'

'O, dat wist ik niet.'

Ze aten in stilte verder. Toen Rennie klaar was, nam ze een servetje uit de houder die midden op de tafel stond, en veegde haar lippen af. Als het mogelijk was de dromen die je had af te dwingen, zou Wick een natte droom over haar mond hebben afgedwongen. Dat zou iets zijn om naar uit te kijken.

'Hoe kwam u op het idee dat ik misschien een huis buiten de stad bezat?' vroeg ze.

'Gisteravond, toen ik u naar uw auto bracht, zag ik een zadel op de achterbank liggen.'

'Ik kon lid van een ruiterclub zijn geweest.'

'U kon lid van de Royal Canadian Mounted Police zijn geweest, maar ik dacht van niet.'

'U bent erg schrander.'

'Dank u. Maar waarschijnlijk minder schrander dan u denkt.'

'Dat zou mijn volgende opmerking zijn.'

Als ze glimlachte veranderde haar gezicht. Jammer genoeg glimlachte ze niet zo vaak. De hele middag was hij op zoek geweest naar een teken van de onversaagde tonrijdster die met Jan en alleman naar bed ging en maakte dat alle dekhengsten van Dalton in drie rijen dik aan de kant stonden om een glimp van haar op te vangen. Hij had geen enkel teken gezien, op de kleding na. Haar achterwerk zag er inderdaad uitdagend uit in de strakke spijkerbroek, maar dat was ook het enige uitdagende aan haar.

Wat was er gebeurd met dat wilde, roekeloze meisje? vroeg hij zich af. En wie was deze evenwichtige, rustige vrouw die haar plaats had ingenomen? Hij wilde dolgraag weten wat zo'n dramatische verandering teweeg had gebracht. Rennie was een raadsel dat hij wilde oplossen, of ze nu een klant van Lozada was of niet.

Waarschijnlijk had zijn verwarde, starende blik haar een onbehaaglijk gevoel gegeven, want plotseling zei ze: 'Ik moet gaan.'

'Hoezo?'

'Ik heb nog een hoop te doen.'

Dat was wat ze zei. Wat haar gelaat uitdrukte was: dat gaat je geen moer aan.

Hij zocht naar een ander onderwerp van gesprek, zodat ze niet de benen zou nemen. 'Hoeveel hectare hebt u daar?'

'Honderdtien.'

'Fantastisch. Een goeie plek om aan de dagelijkse sleur te ontsnappen.'

'Wat doe jíj, Wick?'

Nou, hij had vooruitgang geboekt. Ze zat nog steeds, ze had hem een persoonlijke vraag gesteld en ze had hem eindelijk bij zijn voornaam genoemd. 'Computersoftware.'

'Verkoop?'

'En ontwerp.'

'Hmm.'

'Wat?'

'O, niets.'

'Wát?' drong hij aan.

'Ik zie jou niet de hele dag achter een bureau zitten om aan software te werken.'

'Je hebt veel inzicht. Mijn werk is dodelijk saai.'

'Waarom doe je dan niet iets anders?'

'Ik ben aan het rondkijken. Je zou kunnen zeggen dat ik mijn draai nog niet heb gevonden.'

'Weet je niet wat je wilt worden als je groot bent?'

Hij lachte. 'Zoiets, ja.' Hij schoof zijn lege bordje weg en leunde met zijn ellebogen op het tafeltje. 'Je zag er verdrietig uit toen je de ranch verliet. Je zult het daar wel fijn vinden.'

'Heel fijn. Ik hou van het huis.'

Hij begreep waarom. Ze had best een leuk huis in Fort Worth, maar dit huis trok hem meer aan. Het was een karakteristieke, twee verdiepingen tellende, boerderijachtige bungalow, opgetrokken van autochtoon gesteente, met een cederhouten buitenkant en een grote veranda over de hele lengte van het huis. Informeel maar klassiek. En heel veel ruimte voor één persoon.

Werd het huis wel door één persoon bewoond? Misschien zorgde Toby voor meer dan alleen maar de paarden. Wick had aangenomen dat de genoemde Corinne Mrs. Robbins was, maar ze zou een oude tante of een ruwharige foxterriër kunnen zijn.

'Ken je Toby en Corinne allang?'

'Ja.'

'Hebben ze kinderen?'

'Drie. Onlangs hebben ze hun vijfde kleinkind gekregen.'

Mooi zo. Ze waren een echtpaar, en het was niet waarschijnlijk dat grootvader Toby op Rennies ranch logeerde. 'Ben je niet bang om daar helemaal in je uppie te verblijven?'

'Waarom zou ik bang zijn?'

Hij haalde zijn schouders op. 'Een vrouw alleen. Afgelegen plek.'

Ze pakte snel haar schoudertas en schoof haar stoel naar achteren. 'Er staan mensen op dit tafeltje te wachten. En het is tóch tijd dat ik naar Fort Worth vertrek. Bedankt voor het ijs.'

Ze vertrok. Wick liep bijna een gezin van vier personen omver in zijn haast om haar te volgen. Toen hij haar Jeep bereikte, kroop ze achter het stuur.

'Hé, niet zo snel. Wat heb ik miszegd?'

'Niets.'

'Waarom smeer je 'm dan ineens?'

'Ik moet terug, dat is alles.'

'Rennie, zelfs olympische sprinters lopen niet zo hard. Wat is er aan de hand?'

Ze duwde met kracht het contactsleuteltje in de ontsteking en keek hem aan. Haar ogen fonkelden van woede. 'Je insinuatie dat ik bescherming nodig heb.'

'Dat heb ik helemáál niet geïnsinueerd.'

'Hoopte je op een uitnodiging om me te komen beschermen?'

'Ik hield het gesprek gaande. Je verbindt een hoop onzinnige conclusies aan een onschuldige vraag.' Ze trokken beiden aan het portier. 'Luister, als we over angst praten, laten we het dan over de mijne hebben.'

'De jouwe?'

'Ja. Je maakt me ontzettend bang.' Ze liet het portier los en keek hem vragend aan. 'Je bent rijker dan ik, intelligenter dan ik.' Hij keek naar de portierkruk. 'Je bent bijna net zo sterk als ik, en ik vrees dat je waarschijnlijk harder kunt rennen dan ik.'

Ze boog haar hoofd. Hij zag een spoor van een glimlach en buitte het voordeel uit. 'Ga met me uit eten, Rennie.'

'Waarom?'

'Nou, ten eerste omdat ik honger zal hebben zodra het ijs is verteerd.'

'De ijscoupe was mijn avondmaaltijd.'

'Oké, we hoeven niet te eten. We zouden naar de bios kunnen gaan. Een wandeling maken. Wat dan ook. Ik wil alleen graag wat tijd met je doorbrengen.'

Ze draaide het contactsleuteltje om en startte de motor. 'Adieu, Wick.'

'Wacht!' Hij voegde er een zacht 'alsjeblieft' aan toe, waarna ze het portier losliet. 'Waarom sla je altijd voor me op de vlucht?'

'Ik heb je gezegd dat ik niet...'

'Ik weet het, ik weet het, je bent niet in de markt. Ga je met iemand om?'

Laat het niet Lozada zijn, dacht hij.

'Patiënten,' zei ze. 'Ik ga met patiënten om.'

'Ga je elke avond met hen uit eten?' Hij wierp haar zijn beste droeve-puppy-glimlach toe, maar hij kreeg er zelfs niet een van haar flauwe glimlachjes voor terug.

Ze wendde haar hoofd af en staarde gedurende een paar moeilijke momenten door de voorruit. 'Je bent erg charmant, Wick.'

'Dank je. Maar...?'

'Maar eigenlijk had alles moeten blijven waar het was toen we gisteravond afscheid namen.'

'Dat was nergens.'

'Inderdaad.'

'Nou, daar was ik niet tevreden mee.'

'Je zult wel móeten. Toen heb ik geprobeerd het je duidelijk te maken. En ik zeg het nu nog een keer. Ik kán en wíl je niet terugzien. Het zou geen zin hebben.' Ze richtte haar ogen weer op hem en voegde eraan toe: 'En ik zal niet van mening veranderen.'

Hij keek haar lang en onderzoekend aan. Ten slotte stak hij zijn hand uit naar haar gezicht.

'Niet doen,' fluisterde ze.

Maar hij raakte haar niet aan. Hij tilde een haarlok op van haar wang en stopte hem onder haar hoed. Zijn vingers talmden even vlak boven haar oor voor hij zijn hand terugtrok. Zacht zei hij: 'Ik rij achter je aan om te zorgen dat je veilig thuis komt.'

'Ik wil niet dat je dat doet.'

'Ik weet al waar je woont.'

'Je zult niet worden uitgenodigd om binnen te komen, Wick.'

'Ik volg je naar je huis.'

Hij deed een stap naar achteren en sloot haar portier. Ze reed weg zonder ook maar te zwaaien. Desalniettemin hield hij zich aan zijn woord. Hij volgde haar helemaal tot aan haar huis, en toen ze de Jeep haar garage inreed, claxonneerde hij tweemaal ten afscheid.

Ze belde het ziekenhuis om te vragen hoe het met haar pas geopereerde patiënten was, en hoorde dat de dienstdoende artsen niets bijzonders hadden te melden. De toestand van de miltectomiepatiënt was van redelijk in goed veranderd. Het ging prima met hem.

Na dat telefoontje was ze de rest van de avond officieel vrij. Tien minuten later lag ze in een warm schuimbad. Ze ademde diep in en probeerde zich te ontspannen, maar toen ze haar ogen sloot, zag ze een beeld van Wick Threadgill. Onwillekeurig glimlachte ze. Het was onmogelijk hem niet te mogen. Het was heel lang geleden dat ze iemand zo sympathiek had gevonden.

Daarom wilde ze hem nooit meer zien.

Haar vermogen tot een romance had opgehouden te bestaan. Het was samen met Raymond Collier gestorven op die noodlottige middag in haar vaders werkkamer. Dat deel van zichzelf had ze gedood, zo zeker als Raymond was gedood.

Was het wel dood? Misschien was het alleen maar succesvol onderdrukt.

Ze had zo effectief en zo lang doodgewone verlangens ontkend, dat ze zichzelf had wijsgemaakt dat ze die verlangens niet meer had. Wat voor de meeste vrouwen natuurlijk was, gold niet voor haar. Ze had geen behoefte aan liefde en romantiek. Ze had niemand of niets in haar leven nodig, behalve haar werk. Werk was wat ze begeerde, dus werk was wat haar bevredigde. Dat was haar mantra, haar lofzang geweest. Maar die was hol gaan klinken.

Toen ze in de twintig was, had haar besluit om nooit te trouwen en een gezin te stichten moedig geleken. Nu vroeg ze zich af of ze zichzelf alleen maar gepest had toen ze dat besluit nam. In de loop der jaren was het lijntje tussen onafhankelijkheid en eenzaamheid zo dun geworden, dat er nog maar weinig verschil tussen de twee was.

Deze man, deze slungelige Wick Threadgill met zijn lange benen en zijn weerspannige, blonde haren, had verlangens bij haar wakker gemaakt die naar haar idee allang dood waren. Ze had geen afscheid van hem willen nemen vanavond. Ze hield van zijn gezelschap, maar ze was bang voor wat ze voelde als hij haar op een bepaalde manier aankeek.

Zijn kussen zouden haar waarschijnlijk net zo in verwarring brengen als zijn glimlachjes. Niet dat ze een kus zou hebben toegestaan. Maar het zou fijn zijn geweest als ze, toen hij die haarlok onder haar hoed stopte, haar hoofd een beetje had omgedraaid en haar wang tegen zijn hand had laten rusten. Even maar. Alleen om...

Haar telefoon ging over.

Ze ging rechtop zitten, waardoor ze bergen schuim over het oppervlak van haar badwater verspreidde. Misschien was het Wick. Hij was arrogant genoeg, volhardend genoeg, om het nogmaals te proberen.

Maar het kon ook Lozada zijn.

Op de nummerweergave was niet te zien wie haar belde. Ze aarzelde. Toen schraapte ze haar keel en nam op.

'Rennie, is alles goed met je?'

13

Het geluid van haar lichte, snelle ademhaling deed Lozada huiveren. Een vrouw ademde alleen zo als ze neukte of bang was. In Rennies geval zou hij van alletwee genieten.

'Waarom belt u? Ik heb toch duidelijk gezegd dat u dat niet meer mocht doen?'

'Ik maakte me zorgen om je, Rennie,' zei hij. 'Ik bel om me ervan te verzekeren dat het goed met je gaat.'

'Waarom zou het níet goed met me gaan?'

'Vanwege de man met wie je omgaat.'

Hij had zijn ogen niet kunnen geloven toen ze thuis was gekomen, gevolgd door Threadgill in zijn pick-up. Hij kon hun ontmoeting op de trouwreceptie afdoen als een bizarre samenloop van omstandigheden. Maar twee dagen achterelkaar? Het rook uren in de wind naar politietactiek.

Threadgill had twee keer getoeterd toen hij wegreed. De enige reden waarom de ellendeling nog leefde, was dat hij niet met Rennie mee naar binnen was gegaan. Maar waar waren ze geweest? Hoe lang waren ze samen geweest? Een uur? De hele dag? Wat hadden ze gedaan?

Lozada had diverse manieren overwogen om Wick Threadgill te doden. Welke methode zou hem de meeste pijn bezorgen? Hij wilde dat Threadgills dood pijnlijk was, ja, maar het moest normale pijn overstijgen. Hij wilde ook dat de dood oneervol was. Hij wilde niet dat Wick Threadgill een martelaar, een dode held werd.

Hij kon niet herhalen wat hij bij broer Joe had gedaan. Dat zou niet origineel zijn, en Lozada stond bekend om zijn creatieve flair. Hij zou iets unieks, iets speciaals verzinnen. Misschien zou hij een van zijn schorpioenen gebruiken. De angstfactor alleen zou al ingenieus zijn.

Hoe dan ook, het doden van Wick Threadgill zou zijn meesterwerk zijn, het hoogtepunt van zijn loopbaan. Hij moest de tijd nemen en er heel diep over nadenken.

Als Threadgill met Rennie naar binnen was gegaan, zou hij natuurlijk gedwongen zijn geweest onmiddellijk in actie te komen en ze beiden te doden. Threadgill omdat hij zich op verboden terrein had begeven; Rennie omdat ze hem ontrouw was geweest.

Ineens was het idee bij hem opgekomen dat ze volstrekt onschuldig zou kunnen zijn. Wat als ze niet wist dat Threadgill een smeris was? Threadgill kon haar gebruiken, in de hoop hem, Lozada, te pakken te krijgen. Dat was wat hij had willen geloven. Om zich daarvan te vergewissen had hij Rennies telefoonnummer gedraaid.

'Ik weet niet wat u bedoelt, Mr. Lozada,' zei ze. 'En bovendien kan het me niets schelen.'

'Ik keur je vrienden niet goed.'

'Wat u goed- of afkeurt interesseert me geen barst. Voor de laatste keer, laat me met rust!'

'Het bevalt me niet dat je met politiemannen omgaat.'

Er viel een diepe stilte. Ze was duidelijk verrast.

'Het bevalt me vooral niet dat je met Wick Threadgill omgaat. Hij is een mislukkeling, Rennie. Jou onwaardig. Ons onwaardig.'

Er verstreken een paar seconden. Toen ze haar mond opendeed, sprak ze met een zwak stemmetje. 'Wick...? Is hij een...?'

Lozada grijnsde breed. Hij had gelijk gehad. Ze had het écht niet geweten. 'Arme lieveling. Ik dacht dat je het wist.'

'En wat gebeurde er toen?'

'Dat heb ik je verteld. Al een keer of tien.' Wick wreef in zijn ogen. Ze prikten door gebrek aan slaap.

'Vertel het nóg eens.'

'Nadat we de stal hadden verlaten, liep ze haar huis in. Ik werd niet uitgenodigd met haar mee te gaan.'

'Denk je dat er iemand anders in haar huis was?'

'Ik heb nooit een ander gezien. Er stonden ook geen andere auto's. Ik heb geen reden te geloven dat er iemand in huis was, maar ik zou het niet kunnen zweren!'

'Waarom nodigde ze je niet uit mee naar binnen te gaan?'

'Gezond verstand, zou ik zeggen. Ze had me nog maar één keer ontmoet. Kort. En dan kom ik bij haar huis op het platteland aanzetten met een halfbakken verklaring over hoe ik haar had opgespoord! Als ik een vrouw was, zou ik me ook niet mee naar binnen hebben genomen.'

'Daar zit wat in. Ga verder.'

'Ik heb een vraag,' zei Thigpen. 'Heb je ook wapens gezien?'

Wick knipte met zijn vingers. 'Nu je het zegt, ze stopte een Uzi in de zak van haar spijkerbroek.'

Thigpen mompelde een verwensing. Oren gebaarde Wick verder te gaan. 'Ik weet niet meer waar ik was gebleven.'

'Ze ging naar binnen. Jij bleef buiten.'

'Juist, ja. Toen verscheen die oude man op het toneel. Toby Robbins. Grote, robuuste kerel.' Wick vertelde uitvoerig over het gesprek dat hij en Rennie met de rancher hadden gevoerd. 'Hij had een zeer beschermende houding tegenover haar, en een wantrouwige tegenover mij. Hij bleef me raar aankijken.'

'Je ziet er ook raar uit.'

Het was moeilijk om Thigpen te negeren, maar Wick was vastbesloten dat toch te doen. Hij had gehoopt dat Thigpen was vertrokken als hij aankwam, en dat hij zijn verhaal alleen aan Oren hoefde te vertellen. Helaas niet.

Hij had gezien dat de foto's van Rennie, die hij van de muur had gehaald, waren gladgestreken en weer opgehangen. Hij deed net of hij niet zag dat ze terug waren. Hij weigerde de sukkel dat genoegen te doen.

Wick veranderde van onderwerp en vroeg: 'Zal de FWPD de schade aan mijn pick-up betalen? De reparatiekosten zal ik wel niet kunnen aftrekken. Dat zul je zien!'

Oren wuifde de deuk met een achteloos handgebaar weg. 'Toen ik je daarheen stuurde, vroeg ik je de boel te verkennen. Ik wist niet dat het tot een afspraakje zou komen.'

Wick rolde met zijn ogen. 'We verschillen van mening over het begrip "afspraakje". Ik wist niet dat ik haar zou zien. De wedstrijd gebeurde gewoon en toen vloeide er het een en ander uit voort. Ik heb me laten meevoeren. Ik was daar niet voor mijn lol.'

Leugenaar, leugenaar. Je stond in vuur en vlam, dacht Wick bij zichzelf. Hij had heel erg genoten toen hij Rennie haar paarden zag verzorgen. Wat ze ook was, wat ze ook had gedaan of bij wie ze ook was betrokken, wat dieren betrof was het het wederzijdse liefde. Dat was de enige keer dat Wick haar volmaakt gelukkig en ontspannen had gezien.

Hij had zich niet aan de stank van de stal gestoord. De geur van paarden, hoe gering ook, maakte in elke Texaan de latente cowboy wakker. Het hooi was vers en geurig geweest. En het kijken naar Rennie die zonder zadel reed was niet bepaald een moeilijk karwei geweest. Maar dat durfde hij niet toe te lichten.

'Ik beschouw het verzorgen van een stel paarden niet als een afspraakje,' zei hij.

'Jullie zijn ijs gaan eten.'

'In een doodgewoon tentje waar ze roodwit gestreepte hemden dragen en volksliedjes spelen. Bepaald geen kaarslicht en wijn. En nog steeds niet míjn idee van een afspraakje.'

'Het is alleen een afspraakje als je een wip maakt.'

'Thigpen!' Oren draaide zich naar hem om. 'Kop dicht!'

Wick sprong overeind, met gebalde vuisten. 'Ik kan tenminste een wip maken, Pigpen. Hoe jij en je vrouw je pik kunnen vinden onder al dat spek is me een raadsel. Als je vrouw er al naar wil zoeken, wat ik ernstig betwijfel.'

'In godsnaam, hou op alletwee!' brulde Oren. 'We hebben werk te doen!'

'Ik niet. Ik ga.'

'Wick, wacht!'

'Ik ben al uren op, Oren. Ik ben moe.'

'Dat weet ik. We zijn allemaal moe. Daarom hoef je niet zo onaardig te doen.'

'Onaardig is allang het woord niet meer. Ik heb niet geslapen sinds... verdomme, ik kan me niet eens herinneren wanneer ik voor het laatst heb geslapen. Ik ga naar mijn tijdelijke thuis en slaap het klokje rond. Tot ziens.'

'Hij was de zakenpartner van haar vader.'

De simpele verklaring maakte dat Wick bleef staan. Hij werd er ook door ontmoedigd. Hij zeeg weer neer op de metalen klapstoel, legde zijn hoofd in zijn nek en sloot zijn ogen. Hoewel hij een sterk vermoeden had wat het antwoord zou zijn, vroeg hij: 'Wíe was haar vaders zakenpartner?'

'De vent die door onze dokter werd gedood.'

Wick negeerde Thigpen opnieuw. Hij opende zijn ogen en keek Oren aan, die somber knikte. 'Vanmiddag heb ik een paar uur in de bieb in de binnenstad doorgebracht. Ik moest enkele jaren teruggaan om het verhaal te vinden, maar het heeft zelfs ónze krant gehaald.'

'Dat is meestal zo bij sappige verhalen,' merkte Thigpen op. 'En dit is écht sappig.'

Oren wierp hem nóg een waarschuwende blik toe alvorens zich weer tot Wick te richten. 'Zijn naam was Raymond Collier. Hij is doodgeschoten in de werkkamer van T. Dan Newton. De zestienjarige Rennie was erbij.'

Zestien? God allemachtig. 'En?'

'En wát?'

'Wat waren de details?'

'Schaars en vaag. Nadere gegevens ontbraken,' zei Oren. 'Tenminste, in de *Star-Telegram*. Ik kan morgen pas beginnen de zaak écht te onderzoeken. Ik wilde het politiebureau in Dalton pas bellen als ik met een hoge ome kon praten. Ik wil niet dat dit naar de manschappen uitlekt. Als bekend wordt dat er onderzoek naar haar wordt gedaan, zou dat een weerslag op ons kunnen hebben.' Hij keek Wick aandachtig aan. 'Ik neem niet aan dat ze openhartig met je heeft gesproken over iets wat gebeurd is toen ze zestien was.'

Wick wachtte even om te zien of Oren het serieus meende, en toen hij besloot dat dat inderdaad het geval was, lachte hij. 'Ja, toen ze een keus probeerde te maken tussen aardbeien of warme karamel.' Oren fronste geërgerd zijn wenkbrauwen. Wick zei vermoeid: 'Nee, ze heeft geen woord gezegd over iets wat gebeurd is toen ze zestien was.'

'Heeft ze het over Lozada gehad?'

'Nee, Thigpen, ze heeft het níet over Lozada gehad.'

'Het proces? Haar juryplicht?'

'Nee en nog eens nee.'

'Je hebt uren met haar doorgebracht. Waar hebben jullie al die tijd over gesproken?'

'Over primaten, en dat sommigen zich nog steeds aan het ontwikkelen zijn. In feite is jouw naam gevallen.'

'Wick,' zei Oren op strenge toon.

Wick ontplofte. 'Hij is een debiel! Waarom zou ze het over Lozada hebben?'

'Waarom vertel je ons niet gewoon waar jullie over hebben gesproken?'

'Over haar paarden. Haar huis. Hoe fijn ze het daar vindt. Mijn saaie baan in computersoftware. Niets. Gekeuvel. Koetjes en kalfjes. Dingen waar mensen over praten als ze elkaar leren kennen.'

'Maar het was geen afspraakje.' Thigpen knorde als het varken dat hij was.

Wick sprong opnieuw overeind. 'Ik heb geen behoefte aan dit gezeik.'

Oren overstemde hem. 'Ik probeer alleen maar achter je indrukken van deze verdachte te komen.'

'Goed, wil je mijn indrukken? Hier is de eerste. Ze ís geen verdachte. Ik denk dat haar connectie met Lozada ophield op het moment dat de rechter een klap met de hamer gaf om een einde aan het proces te maken. En over Lozada gesproken, heeft iemand hém geschaduwd?'

'Zijn Mercedes heeft de hele dag in de parkeergarage van zijn flat gestaan,' meldde Thigpen.

'Hoe dan ook,' zei Wick, 'het schaduwen van Rennie Newton is tijdverspilling. Het is dom en zinloos. Ze ziet er niet uit als een moordenares. Ze gedraagt zich niet als iemand die haar collega pas om zeep heeft geholpen. Wat voor verdachts heeft ze gedaan? Niets. Helemaal niets, verdomme. Ze heeft alleen maar gewerkt sinds we haar controleren.

En terwijl wij hier zitten en biljarten om voldoende wakker te blijven om alles wat ze doet te volgen, lacht de moordenaar van dokter Howell in zijn vuistje omdat hij ongestraft is gebleven. Je vroeg naar mijn indrukken. Dát zijn ze.'

'Jij wilt Lozada net zozeer als ik – nee, méér dan ik – grijpen.'

'En óf ik dat wil!' schreeuwde Wick. 'Maar zij heeft níets met Lozada van doen!'

'Voor mij is het nog te vroeg om dat te concluderen.'

'Dat is jóuw probleem.' Wick pakte zijn hoed.

'Vertrek je?'

'Goed geraden.'

'Naar huis?'

'Alwéér juist.'

'Naar Galveston?'

'Doe Grace en de meisjes de groeten van me.'

'Wick...'

'Tot ziens, Oren.'

Hij draaide zich om naar de trap, maar stopte abrupt. Rennie stond op de bovenste tree.

Oren en Thigpen zagen haar op hetzelfde moment. Thigpen bromde iets wat Wick niet kon horen door het geruis in zijn oren. Oren, die gewoonlijk een kaarsrechte, trotse houding had, boog zijn hoofd, als een kind dat door zijn moeder was betrapt toen hij een schunnig blaadje las. De sfeer werd nóg benauwender, nóg claustrofobischer, en de bedompte lucht te zwaar om in te ademen.

Ze keek hen beurtelings aan. Ten slotte bleef haar blik op Wick rusten.

Hij deed een stap in haar richting. 'Rennie...'

'Vuile leugenaar.'

Hij besloot dat zwijgen voorlopig zijn beste verdediging was. Bovendien vond hij dat ze haar woede verdiende.

Ze liep door de kamer, bracht de nachtkijker naar haar ogen en keek naar haar huis. Wick zag dat haar schouders een beetje inzakten, even maar, tot ze de nachtkijker weer op de tafel legde en zich naar hen omdraaide.

Haar lippen gingen zwijgend uiteen en ze trok wit weg, maar opnieuw werd haar aanvankelijke reactie snel door terechte boosheid vervangen. 'Wie van jullie heeft de hoogste rang? Wie is hiervoor verantwoordelijk?'

'Ik,' antwoordde Oren. 'Hoe wist u dat we hier waren?' Hij wierp Wick een wantrouwige blik toe.

Wick keek hem aan met een blik van 'je weet wel beter!'.

Rennie interpreteerde het uitwisselen van de blikken en zei: 'Ik verzeker u dat Mr. Threadgill een meesterlijke leugenaar is. U kunt erg trots op hem zijn, rechercheur Wesley.'

'Maar hoe wist u...'

'Het is míjn beurt om vragen te stellen,' snauwde ze. 'Wat voor verklaring heeft u voor het in de gaten houden van mijn huis?'

'U hebt ons met veel onbeantwoorde vragen over de moord op dokter Howell laten zitten.'

'En u verwachtte antwoorden op die vragen te vinden door mij te bespioneren?'

'Dat dachten we, ja.'

'En hebt u iets gevonden?'

'Nee.'

'Hebt u ook mijn telefoon afgeluisterd?'

'Nee.'

'Me op mijn werk bespioneerd?'

'Tot op zekere hoogte,' gaf Oren toe.

'U hebt op de meest verachtelijke wijze inbreuk op mijn privacy gemaakt. Morgenochtend vroeg zal mijn advocaat contact met uw superieuren opnemen.'

'Mijn superieuren hebben deze bewaking goedgekeurd, dokter Newton.'

'Dit is geen bewaking, dit is voyeurisme. Dit is...' Ze wierp een blik vol afkeer op de foto's. Daarna stevende ze, te boos om nog een woord te kunnen uitbrengen, naar de trap. 'U hoort van mijn advocaat.'

142

Ze vloog de trap af.

'Nou breekt de pleuris uit.'

Wick was niet geïnteresseerd in Thigpens commentaar. Hij rende achter Rennie aan en haalde haar op het trottoir voor het huis in. Hij pakte haar arm vast om haar tegen te houden. 'Rennie.'

'Laat me los.'

'Ik wil het je uitleggen.' Ze probeerde haar arm los te trekken, maar hij liet haar niet gaan. 'Luister, ik móet je dit zeggen.'

'Ik heb geen enkele belangstelling voor wat jij te zeggen hebt.'

'Alsjeblieft, Rennie.'

'Loop naar de hel.'

'Ik ben niet trots op mezelf.'

Ze hield op met tegenstribbelen en keek naar hem op. Toen wierp ze hem een kille glimlach toe. 'O, maar dat zou u wel moeten zijn, agent Threadgill. U speelde de rol van de knappe vreemdeling zeer overtuigend. Maar ja, ik was niet echt een vreemde voor u, hè? U kende me van de foto's op uw muur daarbinnen.'

'Ik snap best dat je boos op me bent.'

'Sla jezelf niet te hoog aan.' Ze rukte haar arm los. Haar ogen spoten vuur. 'Ik geef niet genoeg om je om boos op je te zijn. Je bent niet belangrijk genoeg om me boos te maken. Ik wou alleen dat ik je nooit had ontmoet. En ik wil je nooit meer zien. Niet toevallig. Niet opzettelijk, nooit.'

Wick deed geen poging haar tegen te houden. Hij keek toe terwijl ze zich omdraaide en wegrende. Hij bleef haar staan nakijken tot ze de hoek om was.

14

Hij had zin om zich te bezatten.

Om deze eerloze missie te volbrengen had hij een bar aan Sundance Square uitgekozen. In deze populaire kroeg zat Wick over zijn tweede, of derde, Wild Turkey gebogen.

Deze bar zou zijn eerste keus niet zijn geweest. Hij zou de voorkeur hebben gegeven aan een armzalig kroegje, waar de drankjes straffer waren, de muziek triester en de klanten ontevredener. Maar deze levendige tent was recht tegenover Trinity Tower, waar Ricky Roy Lozada woonde als de miljonair die hij door het plegen van huurmoorden geworden was.

Lozada's rijkdom droeg bij aan Wicks ellende, en het opstapelen van de ene ellende op de andere leek vanavond op de een of andere manier gepast en gerechtvaardigd.

Wick schatte, gezien de nabijheid van Lozada's luxe woning in combinatie met zijn eigen rothumeur, dat er nog een paar whisky's meer nodig zouden zijn voor hij zich weer een klein beetje beter zou voelen.

'Hé, cowboy, hoe komt het dat je in je eentje zit te drinken?'

De jonge vrouw die op de kruk naast hem ging zitten had zwartgeverfd haar. Ze droeg een rood T-shirt met glinsterende, zilveren letters. REKEN MAAR DAT ZE ECHT ZIJN.

'Ik zal je meteen maar waarschuwen, dame, ik ben vanavond slecht gezelschap. Daarom zit ik hier in mijn uppie te drinken.'

'Probeer het eens. Ik weet zeker dat ik je gezelschap kan verdragen.'

Wick haalde zijn schouders op en wenkte de barkeeper. Ze bestelde hetzelfde als wat hij dronk, whisky on the rocks. Ze bedankte hem voor het drankje. 'Ik heet Sally.'

'Aangenaam, Sally. Ik ben Wick.'

'Waarom kijk je zo ongelukkig, Rick? Heb je ruzie met je betere helft?'

Hij corrigeerde haar niet wat zijn naam betrof. 'Dat zou je kunnen zeggen, ja.'

'Dat is klote.'

'Vertel mij wat.'

'Waar ging het over?'

'Onze ruzie? Ik had iets stoms gedaan. Gelogen door iets te verzwijgen. Verloren vertrouwen, weet je wel.'

'Kerels doen dat,' zei ze met een berusting die uit ervaring voortkwam. 'Ik vraag me af hoe dat komt.'

'De aard van het beestje.'

'Het zal wel komen doordat jullie allemaal hetzelfde zijn.' Ze nam een grote slok whisky en probeerde de boel met een grote grijns op te vrolijken. 'Ander onderwerp. Wat doe je?'

'Wanneer?'

'Wat doe je voor de kost, stommerd.'

'O. Nou, je hebt het al geraden. Ik ben een cowboy.'

'Meen je dat? Ik maakte maar een grapje. Ben je écht een cowboy?'

'Vanmiddag stond ik nog in de stal te werken. Paarden, hooi, roskammen. Al dat soort zaken.'

In gedachten vergeleek hij de Rennie die zo liefdevol haar paarden had verzorgd met de Rennie die het puikje van Fort Worth de mantel had uitgeveegd. Dokter Newton kon niet alleen bedreven een scalpel hanteren, haar vlijmscherpe tong was even doeltreffend. Hij zette die gedachte opzij en vroeg aan Sally wat háár werk was.

'Ik ben een exotische danseres.' Ze wierp hem een schalkse glimlach toe en voerde een beweging uit waardoor de glimmende letters op en neer golfden.

Wick was niet onder de indruk, maar hij liet haar denken dat dat wél zo was. Het had geen zin dat twee mensen zich rot voelden. 'Wauw!'

Ze giechelde gevleid.

'Waar treed je op?'

Haar glimlach verdween. 'Nou, kijk, ik treed eigenlijk nog niet op. Ik ben nog bezig met audities. Op dit moment heb ik een tijdelijk baantje. Daarginds. Appartementen schoonmaken.' Ze wees naar het hoge flatgebouw.

Wicks instinct was sterker dan de whisky. Zijn geest sprong onmiddellijk in de houding. Hij probeerde zijn plotselinge nieuwsgierigheid te verbergen en glimlachte tegen haar. 'Laat het me weten als je danscarrière begint. Ik wil je graag zien optreden.'

Ze legde haar hand op zijn dij. 'Zal ik je een gratis privé-show geven? Rondje van het huis!'

'Waar? Daar?' Hij wees met zijn duim naar de torenflat. 'Woon je dáár?'
'Ja, hoor.' Ze snoof. 'Alsof ik me dat zou kunnen veroorloven.'

'Jemig, ik heb altijd al een kijkje in dat gebouw willen nemen.' Hij wierp een smachtende blik op de voorkant van het bouwwerk. 'Ik wil weten of het echt zo chic is als het eruitziet.'

'Nou, het ís chic. Er wonen alleen rijke mensen.'

'Wie bijvoorbeeld?'

Ze keek nerveus om zich heen. 'Ik mag niet over de bewoners praten. Als we erop betrapt worden dat we praten over de mensen die in de flats wonen, worden we op staande voet ontslagen.'

'Ik begrijp het.'

'Het is een kwestie van privacy.'

'Juist, ja.' Hij richtte zijn aandacht op de tv achter de bar en deed net of hij plotseling geïnteresseerd was in *The Magnificent Seven*, waarvan het geluid was afgezet.

'Maar je ziet er betrouwbaar uit.' Sally stootte onder de toog met haar knie tegen de zijne.

Toen ze zijn aandacht weer had, boog ze zich zo dicht naar hem toe, dat hij haar kon horen fluisteren en het gewicht van haar borst op zijn arm kon voelen. 'Ken je de autocoureur?'

Wick noemde de naam van een NASCAR-coureur van wie bekend was dat hij in Fort Worth woonde. Sally knikte hevig. 'Tien-B.'

'Echt waar? Hoe is hij?'

'Aardig. Maar die vrouw van hem?' Ze trok een lelijk gezicht. 'Een gigantisch kreng!'

'Nog meer beroemde mensen?'

'Afgelopen seizoen heeft een voetballer van de Dallas Cowboys daar gewoond, maar hij is verhuisd nadat hij door een andere club was gekocht. En op de vijfde etage woont een oude dame die aan *Dallas* heeft meegewerkt, maar ik weet haar naam niet en ook niet welke rol ze heeft gespeeld.'

'Hmm.' Wick deed net of zijn belangstelling opnieuw was afgenomen en keek naar de close-up van een stoïcijnse Yul Brynner. De borst op zijn arm werd zwaarder en Sally's hand kwam een beetje dichter bij zijn kruis.

'Heb je op het journaal de man gezien die van moord is vrijgesproken?'

Wick keek onbewogen. 'Van moord vrijgesproken? Nee, ik denk het niet. Hoelang is dat geleden?'

'Een paar weken. Hij heet Lozada.'

'O, ja, ik herinner me dat ik daar iets van heb gezien. Ken je hem?'

Ze schoof zo'n eind naar hem toe, dat hij niet begreep hoe het haar lukte op haar kruk te blijven zitten. 'Hij en ik zijn... intiem. Zijn appartement is op de etage waar ik werk. De penthouseverdieping. Ik ben de hele tijd in zijn woning. En niet alleen om schoon te maken.' Ze trok veelbetekenend haar wenkbrauwen op.

'Dat meen je niet, hè? Een moordenaar?'

'Sst.' Opnieuw keek ze zenuwachtig om zich heen. 'Hij is vrijgesproken, weet je nog?' Toen voegde ze er giechelend aan toe: 'Hij is er zonder straf vanaf gekomen en nu help ík hem van zijn sperma af.'

'Maak dat de kat wijs,' zei Wick met een bulderende lach.

'Ik zweer het.'

Hij liet zijn stem dalen tot een samenzweerderig gefluister. 'Doet hij het anders dan, je weet wel, gewone mannen?'

Ze dacht ernstig over de vraag na alvorens te antwoorden. 'Niet echt. Ongeveer hetzelfde. We hebben maar een paar keer geneukt. Meestal wil hij dat ik hem pijp. En, dit is best raar,' ze kwam nog dichterbij, 'hij heeft daar beneden geen haar.'

'Waarom niet? Wat is ermee gebeurd?'

'Hij scheert het weg.'

Wick liet zijn mond openvallen. 'Kom nou!'

'Ik zweer het.'

Wick keek haar met geveinsd respect en ontzag aan. 'En jij bent het vriendinnetje van die man?'

'Nou, niet officieel.' Ze sloeg haar ogen neer. Haar wijsvinger trok een spoor over zijn arm. 'Ik bedoel, hij is gek op me en zo. Hij is alleen niet het type dat zijn gevoelens toont.'

'Heb je hem ooit met andere vrouwen gezien?'

'Nee.'

'Zijn er weleens vrouwen naar zijn chique appartement gekomen?'

'Nee.'

'Weet je het zeker?'

'Ja. En ik zou het weten! Ik let op details. Er is nooit een spoor van een andere vrouw in zijn huis geweest en geloof me, ik controleer altijd alles tijdens het schoonmaken. Ik ben altijd op zoek naar een van die vervloekte schorpioenen. Als er eentje zou ontsnappen, zou ik het in mijn broek doen van angst.'

'Schorpioenen?'

Wick wist van Lozada's fascinatie voor schorpioenen, maar hij kreeg weer de kriebels toen hij Sally over de bak met de klimaatregeling hoorde vertellen. 'Ik hou mijn ogen open als ik daar ben."

'En hoe zit het met zijn telefoon?'

'Zijn telefoon?'

'Neem je die weleens voor hem op?'

'Meen je dat nu echt? Ik zou ongetwijfeld de zak krijgen. Bovendien gebruikt hij alleen een mobieltje.'

'Heb je hem ooit horen telefoneren?'

'Eén keer, maar ik kon niet horen wat hij zei.'

'Dus je weet niet of hij een vrouw aan de lijn had?'

Ze trok zich een beetje terug en wierp hem een bevreemde blik toe. 'Hé, wat is dit?' Hij glimlachte en gaf een klopje op de hand die nog steeds op zijn dij lag. 'Ik probeer je alleen maar te helpen, Sally. Ik zoek naar tekenen dat die man met iemand anders omgaat. Maar het lijkt me dat je geen concurrentie hebt.'

Ze nestelde zich dicht tegen hem aan. Beide borsten drukten nu op zijn onderarm. 'Je bent gaaf, Rick. Zullen we naar mijn huis gaan? Ik heb drank.'

'Hé, ik wil die Lozada niet achter me aan krijgen.'

'Ik ga ook met andere mannen om.'

'Ik dacht dat je zo dol op hem was.'

'Dat ben ik ook. Hij is knap en hij is altijd naar de laatste mode gekleed.'

'En hij is rijk.'

'Zeker weten.'

'Wat is dan het probleem?'

'Nou, hij... maakt me een beetje bang.'

'Hij slaat je toch niet?'

'Nee. Nou ja, min of meer. Ik bedoel, hij slaat me niet écht, maar zoals gisteravond, toen waarschuwde hij me dat als ik mijn mond opendeed...'

'Wick, wat ben je in godsnaam aan het doen?'

Wick draaide rond op zijn kruk. Oren stond achter hen, een dreigende blik in zijn ogen.

Sally, die dreigend terugkeek, vroeg wrevelig: 'Wie is dit?'

'Mijn partner. Oren, dit is Sally.'

'Partner, zei je?'

'Dat klopt.'

'Ben je een flikker?'

148

Haar geschreeuw trok de aandacht van bijna iedereen in de bar. Zelfs Steve McQueen leek twee keer te kijken vanaf het televisiescherm. Sally sprong van de kruk af. Haar borsten, waar ze zo trots op was, stuiterden als ballonnen. Ze beende weg op haar plateauschoenen.

'Ik wil je tóch een keer zien dansen,' riep Wick haar na.

'Neem je moeder in de maling!' schreeuwde ze terug.

Oren greep Wick bij zijn kraag en sleepte hem praktisch door de uitgang naar buiten. Toen gaf hij Wick zo'n harde duw, dat hij bijna door de lucht vloog. 'Ik heb de hele stad naar je afgezocht.'

Wick draaide zich razendsnel om. 'Als je me nog eens een duw geeft, Oren, zul je er spijt van krijgen.'

Oren leek niet alleen bereid om hem een duw te geven, maar ook om hem een ontzettende dreun te verkopen. 'Ik heb alle mannen van het korps naar je pick-up laten zoeken.'

'Waarom?'

'Omdat ik bang was dat je iets doms zou doen.' Oren haalde een paar keer diep adem, alsof het hem moeite kostte zijn woede te onderdrukken. 'Wat héb je toch, Wick?'

'Niets.'

'Aan me hoela! Je bent sikkeneurig, gespannen, onvriendelijk. Ruziemakerig, en steeds in de verdediging. Thigpen had gelijk toen hij je een eikel noemde.'

'Waarom komen Thigpen en jij dan niet gezellig samen om elkaar te pijpen? Ik ga naar huis.'

Oren greep hem bij de schouder. Zonder zich om Wicks waarschuwing te bekommeren duwde hij hem achteruit tegen de muur en pinde hem met één sterke onderarm over zijn borst vast. Oren had als eerste wijk een criminele buurt vol bendes en drugs gehad, maar hij was even taai geweest als de boeven. Zelfs de zwaarste criminelen waren zowel hem als Joe gaan respecteren en vrezen.

'Deze keer laat ik me niet met een kluitje in het riet sturen. Er is iets wat je dwarszit, en ik wil weten wat dat is. Als Joe hier was...'

'Maar dat is hij niet!' schreeuwde Wick.

'Als hij hier was,' schreeuwde Oren terug, 'zou hij het uit je slaan!'

'Laat me verdomme met rust.' Wick duwde hem opzij. Hij wist dat hij dat alleen kon doen omdat Oren het toeliet.

'Is zíj het?'

Wick draaide zich om. 'Wie?'

Oren schudde zijn hoofd en keek hem met een mengeling van ergernis en medelijden aan. 'Ze deugt niet, Wick. Een hoer vermomd in dokterskleren.'

'Dat is niet waar.'

'Je hebt het zelf van die mensen in Dalton gehoord. Ze naaide...'

Wick haalde als eerste uit, maar de laatste Wild Turkey was eindelijk gaan werken en beperkte zijn snelheid en zijn doeltreffendheid. Orens vuist belandde op Wicks kin. Wick hoorde zijn huid scheuren. Voelde het bloed eruit spuiten.

Gelukkig greep Oren hem bij zijn overhemd voor zijn benen het begaven. Hij trok hem dicht naar zich toe, tot hun gezichten vlak bij elkaar waren. 'Een paar dagen voordat Raymond Collier werd neergeschoten vroeg zijn vrouw een scheiding aan. Ze voerde aan dat hij overspel had gepleegd. Raad eens met wie!'

Voordat hij midden op straat whisky zou braken, draaide Wick zich om en liep naar het parkeerterrein waar hij zijn pick-up had achtergelaten, wat kennelijk was opgemerkt door een klikkende agent. Zo moeilijk was het voor Oren niet geweest om hem te vinden.

'Wick!'

Hij bleef staan. Toen kwam hij bij zijn positieven en stak een dreigende vinger naar Oren uit. 'Als je ooit nog eens zo over haar praat...' Hij ademde zwaar. Hij hijgde, in feite. Hij kon de waarschuwing geen kracht bij zetten, zoals hij wou. Hij moest maken dat hij wegkwam, en snel. Dus nam hij genoegen met: 'Doe het niet, Oren. Doe het niet.'

'Je moet nu niet rijden, Wick. Ik zal je naar het motel brengen. Of naar mijn huis.'

Wick draaide zich om en liep door.

Vanuit een bestelbusje dat bij een parkeermeter in de straat stond geparkeerd, keek Lozada naar wat zich tussen Wick en Joe Threadgills voormalige partner, Oren Wesley, afspeelde. Hij was te ver weg om te horen wat ze zeiden, maar ze waren duidelijk boos op elkaar.

Tot Lozada's grote vreugde vielen er klappen! Dit was beter dan hij ooit kon hebben verwacht. Tweedracht in de geledoren. Ruzie tussen goede vrienden. Iedereen met wie Wick Threadgill omging, was kwaad op hem. Perfect.

Eerder had hij het genoegen gesmaakt Wicks beroep aan Rennie te onthullen. Terwijl ze dat nog probeerde te verwerken, had hij er het 'bovendien' aan toe gevoegd. Bovendien werd ze constant door de FWPD in de gaten gehouden.

Toen Wick twee keer naar haar had getoeterd, was Lozada hem gevolgd naar een huis dat zogenaamd werd verbouwd. Aangezien hij zelf al eens door de politie was geschaduwd, kende hij de tekenen: drie vóór het huis geparkeerd staande auto's, inclusief Wicks pick-up. Her en der lagen bouwmaterialen, maar niets wees erop dat er echt werd gewerkt. Een lege afvalcontainer in de voortuin. Dat waren rekwisieten, onhandige pogingen van de politie om Lozada iets wijs te maken. Absurd dat ze dachten dat te kunnen!

'Ze bespioneren je vanuit een huis in de straat achter de jouwe,' had hij tegen Rennie gezegd.

'Je liegt.'

'Was dat maar waar, liefje.'

'Waarom zouden ze míj bespioneren?'

'Vanwege je vermoorde collega, denk ik.'

'Ik geloof je niet,' had ze koeltjes gezegd.

Maar ze had hem wél geloofd. Binnen een paar seconden nadat ze had opgehangen was ze haar huis uit gerend, rechtstreeks naar het andere huis. Ze was een paar minuten binnen toen ze, zichtbaar boos, weer te voorschijn kwam, op de voet gevolgd door Threadgill.

Geen van beiden had op het bestelbusje gelet, dat vlak bij was neergezet. Er stond nergens geregistreerd dat hij de eigenaar van deze wagen was. De politie wist van niets. Ze volgden zijn Mercedes, en dat tolereerde hij. Maar als hij niet gevolgd wilde worden, reed hij in dit busje.

Hij had het gesprek kunnen afluisteren waarin Rennie tegen Wick zei dat ze hem nooit meer wilde zien. God, wat een sensationele aanblik. Zijn Rennie die Wick Threadgill op zijn nummer zette, in bewoordingen die zelfs een stomme smeris als hij zou kunnen begrijpen.

Zelfs in zijn waarnemingspost had Lozada de hitte van haar woede gevoeld. Hij had er een stijve van gekregen. Als ze ook maar met een fractie van dat vuur vrijde, zou ze de moeite meer dan waard zijn.

Ze was naar huis teruggekeerd. Lozada had niets liever gewild dan zich bij haar te voegen en fase twee van zijn verleidingspogingen te starten, maar hij moest zich, noodzakelijkerwijs, op Threadgill concentreren. Hij was hem tot de bar gevolgd, waar hij ongetwijfeld naar toe was gegaan om zijn problemen weg te drinken.

Arme Wick, dacht Lozada nu terwijl hij hem zag wegrennen van Wesley. Eerst was hij door Rennie gekleineerd, en nu door zijn oude vriend. De verwaande kwast zag er niet meer zo verwaand uit.

Toen er plotseling op het raampje aan de passagierszijde van zijn bestelbusje werd geklopt, reageerde hij in een reflex. Vrijwel onmiddellijk werd de loop van zijn kleine pistool op het verbaasde gezicht van Sally Horton gericht.

'Jeetje, ik ben het maar,' riep ze door het raampje. 'Ik dacht dat jij het was, maar ik wist het niet zeker. Wat doe je hier?'

Lozada wilde haar ter plekke koud maken omdat ze de aandacht op hem vestigde. Wesley stond nog steeds aan de overkant van de straat. Hij sprak met een van de politiemannen die op de fiets in Sundance patrouilleerden.

'Sodemieter op.'

'Mag ik niet bij je komen zitten?' jammerde ze.

Lozada strekte zijn arm en opende het portier aan de passagierszijde. Hij had liever dat ze binnen was dan dat ze door het raam naar hem stond te schreeuwen. Ze stapte in. 'Waar is je Mercedes? Dit vind ik ook gaaf, hoor.' Ze streek over de handschoenzachte, leren bekleding.

Lozada keek naar Wesley. Ze volgde zijn blik. 'Hij is homoseksueel.'

Hij keek haar aan. 'Wat?'

'Hij is een flikker.'

Wesley was een familieman. Het hoorde bij Lozada's werk om dat soort dingen te weten. Wesley had een vrouw en twee dochters.

'Waarom denk je dat hij een homo is?'

'De vent die ik in de bar leerde kennen trakteerde me op een drankje, en we konden het best goed met elkaar vinden, toen die man daar binnenkwam. Ziedend! Het bleek dat ze partners waren.'

Had ze met Threadgill zitten praten? Had hij haar drankje betaald? 'Was de andere man ook zwart?' vroeg hij.

Sally schudde haar hoofd. 'Blond en blauwe ogen. Een cowboy. Stoer en knap!'

Threadgill.

'Ik ben geen heterovrouw die het gezelschap van een homo zoekt, hoe knap hij ook is.' Ze stak een hand uit en streek over zijn gulp. 'Zeg, dat spuitpistool van je windt me echt op. Net als je schietpistool.' Ze lachte om haar stompzinnige grapje.

'Waar hebben jullie over gesproken?'

'Ik en de cowboy? Ik heb hem verteld over mijn droom om danseres te worden. En ook over de man die ik graag mag, en die mij graag mag.' Ze knipoogde. 'Ben je benieuwd wie het is?'

Lozada toverde een glimlachje te voorschijn. 'Ik niet, zeker?'

Ze gaf hem een plagerig kneepje. 'En hij zei...'

'De cowboy?'

'Ja, hij zei dat ik waarschijnlijk geen concurrentie had, aangezien er geen vrouwen waren die je huis in- en uitliepen. Wat zeg jíj?'

Lozada betastte haar tepel door het belachelijke T-shirt heen. 'Hoe wist hij dat er geen vrouwen waren die in en uit mijn huis liepen? Vroeg hij dat?'

'Ja, maar ik zei tegen hem...' Plotseling zweeg ze, keek Lozada angstig aan en veranderde van koers. 'Ik heb hem helemaal níets verteld. Je vroeg of ik niet over je wilde praten, dus heb ik dat ook niet gedaan. Ik bedoel, niet met naam en toenaam.'

'Braaf meisje.' Hij kneep zo hard in haar tepel, dat ze ineenkromp. 'Weet je, je hebt me heel geil gemaakt.'

'Hmm, dat merk ik.'

'Laten we een rustig plekje opzoeken.'

'We kunnen het hier doen.'

'Nee, niet als we doen wat ik van plan ben.'

Rennie keek op haar wekker. Het was al drie uur in de nacht en ze had nog geen oog dichtgedaan. Om kwart voor zes werd ze in het ziekenhuis verwacht. Ze schudde haar kussen op. Daarna trok ze het laken recht dat zich om haar rusteloze benen had gewikkeld en sloot haar ogen, vastbesloten haar zorgen lang genoeg van zich af te zetten om in slaap te vallen.

Een half uur later gaf ze het op. Ze liep naar de keuken, vulde de waterketel en stak het gas aan. Ze verzamelde alles wat nodig was voor een kopje thee, maar er mankeerde iets aan haar coördinatievermogen, haar bewegingen waren onhandig. Ze liet het deksel van de theebus twee keer vallen voor ze de bus weer fatsoenlijk kon afsluiten.

'Laat hem doodvallen!'

Zelfs zij wist niet zeker wie ze precies met 'hem' bedoelde. Wick Threadgill of Lozada. Zoek maar uit. Ze deelden de eerste plaats op haar zwarte lijst. Rechercheur Wesley was nummer twee.

Ze was heilig van plan haar dreigement uit te voeren. Wesleys superieuren zouden van haar advocaat horen. Hij kon haar arresteren of hij kon haar met rust laten. Maar ze wilde niet leven onder verdenking van een misdrijf dat ze nooit had gepleegd en waar ze ook niets van afwist.

De vijf rozen waren de 'wederdienst' waarop Lozada had gezinspeeld. Iets anders was ondenkbaar.

Hij maakte haar bang. Hij was een crimineel. Hij was een griezel. Hij was volhardend en, vreesde ze, geduldig. Hij zou doorgaan met zijn telefoontjes tot ze er een einde aan maakte. Het probleem was dat ze niet wist hoe ze dat moest doen.

Eigenlijk zou ze hem bij de politie moeten aangeven, maar ze aarzelde om dat nu nog te doen. Ze had te lang gewacht. Als ze het Wesley nu pas vertelde, zou dat zijn verdenking bevestigen en misschien zelfs groter maken. Uiteindelijk zou ze worden gezuiverd van enige betrokkenheid bij het misdrijf dat Lee het leven had gekost, maar intussen...

Het was dat 'intussen' dat ze moest vermijden. Het voorval in Dalton zou weer worden opgegraven, en...

De ketel gilde. Ze zette hem gauw uit en schonk het kokende water over het theezakje in het kopje. Toen bracht ze het naar de zitkamer, zette de televisie aan en ging in een hoek van haar sofa zitten, met haar benen onder zich. Ze begon te zappen, in een poging een programma te vinden dat haar van haar problemen met Lozada zou afleiden en haar zou beletten over Wick na te denken.

Ze had gelogen toen ze zei dat ze niet boos was. Ze was wél boos. Witheet! Maar ze voelde zich ook gekwetst, en dat was het meest verwarrende van alles – de wetenschap dat ze nog steeds gekwetst kon worden. Ze had gedacht dat ze daar immuun voor was. Blijkbaar had ze zich vergist.

Ze had hem telkens weer ontmoedigd, maar haar afwijzing had hem niet afgeschrikt. Ze was zijn vasthoudendheid gaan bewonderen, en ze was gevleid door zijn halsstarrige achtervolging. Eerlijk is eerlijk, ze was blij geweest toen bleek dat hij de bestuurder van de racende pick-up was. Op het moment dat hij zijn hoed naar achteren schoof en met een zangerig accent zei 'U bent niet goed voor mijn ego, dokter Newton' had ze onmiskenbaar een gevoel van opwinding gehad.

Maar hij was helemaal geen volhardende aanbidder geweest, alleen maar een rechercheur die een verdachte op de hielen zat.

Zijn verraad had haar wakker geschud. Tijd had pijnlijke herinneringen weggevaagd. Jaren hadden de pijn van diepe, emotionele wonden gestild. Besluiten waren steeds minder belangrijk geworden. Wicks bedrog had haar op een wrede manier herinnerd aan de reden waarom ze die besluiten had genomen. Ze zat weer op het goede spoor, vastbeslotener dan ooit. Ze zou hem daar eigenlijk voor moeten bedanken.

Maar ze was er niet dankbaar voor dat hij haar gevoelens liet ervaren die ze zichzelf lang had ontzegd. Ze haatte hem omdat ze die gevoelens door zijn toedoen miste, omdat ze er door zijn toedoen naar verlangde ze te onderzoeken. Samen met hem.

Ze zette haar halflege theekopje op het salontafeltje en nestelde zich dieper in de kussens. Toen ze haar ogen sloot, beleefde ze weer hoe fantastisch het gistermiddag was geweest om schrijlings op Beade te rijden. De zon en de wind warm op haar huid. De vreugde van snelheid. Het gevoel dat ze aan alles kon ontsnappen. Vrijheid.

Als ze toen had geweten dat Wick achter het stuur van de pick-up zat, had ze zich waarschijnlijk nóg gelukkiger gevoeld. Hij maakte dat ze glimlachte, en zelfs dat ze lachte. Die scheve voortand...

De telefoon wekte haar.

15

Wick ontsnapte zo snel mogelijk aan Oren. Hij klom in de pick-up –
het leek of de bewaker van het parkeerterrein een uur nodig had om de
parkeerkosten te berekenen – en reed naar de rand van de binnenstad.
Hij zette zijn wagen in een uitgestorven zijstraat neer. De volgende paar
minuten probeerde hij zichzelf ervan te overtuigen dat hij niet op het
punt stond dood te gaan.

Herhaaldelijk liet hij het elastiekje tegen zijn pols knallen, maar zijn
hersenen bleven valse signalen van een naderende dood binnenkrijgen.
Het elastiekje maakte daar geen einde aan. Hij had er trouwens nooit
veel vertrouwen in gehad dat het dat wonder zou kunnen bewerkstelli-
gen. Het was zoiets als een rijzweep gebruiken om een op hol geslagen
goederentrein tot stilstand te brengen. Maar de dokter had het aangera-
den. Wick was hem ter wille geweest en was het elastiekje gaan dragen.

Zijn vingers en zijn tenen tintelden. Een verdoofd gevoel trok van
zijn voeten naar zijn benen, en van zijn handen naar zijn armen. Toen
hij die tijdelijke verlamming voor het eerst meemaakte, had hij het be-
schouwd als het bewijs dat hij een hersentumor had. Maar later had hij
gehoord dat het nergens op wees, alleen op een tekort aan zuurstof in
zijn bloed, als gevolg van hyperventilatie.

Hij opende het handschoenenvakje en haalde er de bruine, papieren
zak uit die hij altijd bij zich had. Hij legde de zak om zijn neus en mond
en begon langzaam in- en uit te ademen. Na een paar seconden namen
de tintelingen af. De verdoofdheid verdween en hij kreeg weer gevoel
in zijn ledematen.

Maar zijn hart bonkte, alsof hij oog in oog stond met een cobra die
klaar was om toe te slaan. Hij was drijfnat van het zweet. Hij wist dat
hij niet ging sterven, maar het voelde wél zo! Gedurende vijf helse minuten trokken zijn verstand en zijn lichaam ten strijde. Zijn verstand
zei hem dat hij een paniekaanval had. Zijn lichaam zei hem dat hij ging
sterven. Zijn lichaam was het meest overtuigend van de twee.

Hij had met vrienden in een restaurant zitten eten toen hij halverwege de maaltijd door zijn eerste aanval was overvallen. Hij had hem niet zien aankomen. Er was geen waarschuwing geweest. Het was niet zo, dat hij zich eerst niet lekker voelde en dat dat geleidelijk aan erger was geworden.

Het ene moment had hij zich prima gevoeld, en het volgende moment was hij overspoeld door een golf van hitte en was hij gaan beven. Onmiddellijk was hij duizelig en misselijk geworden. Hij had zich bij zijn vrienden verontschuldigd, was het herentoilet binnengerend en had een aanval van hevige diarree gekregen. Hij had getrild alsof hij aan de ziekte van Parkinson leed, en hij had het gevoel gehad dat zijn hoofdhuid van zijn schedel werd getrokken. Zijn hart was als een razende tekeergegaan, en hoewel hij naar adem had gehapt, had hij niet voldoende in kunnen ademen.

Hij had oprecht geloofd dat wat hem ook plotseling ziek had gemaakt, het een einde aan zijn leven zou maken. Onmiddellijk. Hij zou sterven op de vloer van het openbare toilet. Hij was nog nooit zo zeker van iets geweest.

Twintig minuten later was hij sterk genoeg geweest om op te staan, zijn gezicht met koud water te wassen en zich bij zijn vrienden te excuseren. Hij was blij geweest het restaurant levend te kunnen verlaten – slap als een vaatdoek, maar levend. Hij was naar huis gegaan en had twaalf uur geslapen. De volgende dag had hij zich nog steeds slap gevoeld, maar verder was er niks aan de hand geweest. Hij had aangenomen dat hij een aanval van buikgriep had gehad, of misschien was de saus die hij had gegeten bedorven geweest.

Achtenveertig uur later was het opnieuw gebeurd. Hij werd in zijn eigen bed wakker. Geen nachtmerrie. Niets. Hij had vast geslapen toen hij plotseling wakker werd, in panische doodsangst. Zijn hart bonkte. Het zweet gutste uit zijn poriën. Hij hapte naar adem. Opnieuw had hij de tinteling in zijn handen en voeten, de strakke hoofdhuid en de absolute overtuiging dat zijn tijd op aarde om was.

Dit alles had plaatsgevonden na alle ellende met Lozada. De moordenaar maakte een lange neus naar de politie in het algemeen en naar Wick in het bijzonder. En nu was hij getroffen door een terminale ziekte. Zo keek hij tegen de situatie aan toen hij een afspraak met een internist maakte.

'Bedoelt u dat ik alleen maar krankzinnig ben?'

Nadat de dokter hem aan een hele reeks tests had onderworpen –

neurologische, gastro-enterologische, cardiologische, noem maar op – luidde zijn diagnose dat Wick aan acute angststoornissen leed.

De arts haastte zich te zeggen dat Wick niet krankzinnig was, en hij legde uit wat het syndroom precies inhield.

Wick was opgelucht toen hij hoorde dat zijn ziekte niet fataal was, maar de oorzaak was onduidelijk en dát stoorde hem. Hij wilde een snelle oplossing, maar hij werd ontmoedigd toen hij hoorde dat het normaal gesproken niet zo werkte.

'Het kan zijn dat je nooit meer een aanval krijgt,' zei de dokter tegen hem. 'Maar het is ook mogelijk dat je er af en toe last van zult hebben gedurende de rest van je leven.'

Wick bestudeerde het beschikbare materiaal, deed onderzoek naar het onderwerp, putte het uit. Hij vond het een vreselijk idee dat duizenden anderen dezelfde kwaal hadden als hij, maar het troostte hem te weten dat zijn symptomen heel normaal waren.

Een tijd lang bezocht hij wekelijks een psychotherapeut en slikte de preventieve medicijnen die waren voorgeschreven. Ten slotte overtuigde hij beide deskundigen én zichzelf ervan dat hij genezen was. 'Het is over,' zei hij tegen de psycholoog. 'Wat de aanvallen ook veroorzaakte – en het was een combinatie van dingen – het is voorbij. Ik heb geen hulp meer nodig.'

En de afgelopen maanden was dat ook zo geweest. Het was tien maanden geleden dat hij zijn laatste paniekaanval had gehad, en sindsdien was het goed met hem gegaan. Tot vanavond. God zij dank was het een lichte aanval geweest, van korte duur. Hij had meteen beseft wat er aan de hand was en had zichzelf moed ingesproken. Misschien had het elastiekje tóch geholpen.

Hij wachtte nog vijf minuten om er zeker van te zijn dat het voorbij was. Daarna begon hij weer te rijden. Hij reed de snelweg naar het westen op, zonder aan een bepaald einddoel te denken. In feite was zijn hoofd leeg, op zijn gedachten aan Rennie Newton na. Chirurg. Amazone. Mannenverslindster. Moordenares.

Misschien was zijn paniekaanval veroorzaakt door de informatie dat ze op haar zestiende een verhouding met een getrouwde man had gehad. Haar vaders zakenpartner, nota bene. Waarschijnlijk een stuk ouder dan zij. Ze was een puberale huwelijk-kapotmaakster geweest.

Dat klopte met Crystals omschrijving van een puberale herrieschopster. Een meisje dat met blote borsten door de stad reed zou ook met haar vaders partner naar bed gaan, zijn huwelijk opblazen en er later waarschijnlijk om lachen.

De rechtse moraalridders van Dalton zouden zeer verontwaardigd zijn geweest over dergelijk gedrag. Voeg daarbij het doodschieten van haar vaders zakenpartner, en het was nogal logisch dat haar ouders 'opgeruimd staat netjes' zeiden toen ze haar naar kostschool hadden gestuurd.

Maar dat alles was onverenigbaar met de vrouw die Wick kende. Toegegeven, hij had haar slechts twee keer ontmoet, maar door wat hij gezien had meende hij haar vrij goed te kunnen inschatten.

Ze was allesbehalve een fuifnummer en leidde het sociale leven van een monnik. In plaats van met haar seksualiteit te pronken, deinsde ze terug voor een aanraking. Ze ging zelfs zo ver dat ze zei 'niet doen' toen hij haar wang zou hebben aangeraakt.

Was dat nou het gedrag van een femme fatale?

Hij kon de twee Rennie Newtons niet met elkaar in overeenstemming brengen, om redenen die niets te maken hadden met haar connectie met Lozada en de moord op Howell. Zijn objectiviteit was verdwenen, en Oren wist het. Daarom ging Oren zijn gangen na en volgde hij zijn spoor, als een bloedhond, verdomme.

Maar hij kon niet écht boos op Oren zijn. Goed, hij was nijdig omdat Oren hem zo hard had geslagen, en Oren zat er helemaal naast, wat Rennie betrof. Maar hij deed zijn werk. Hij had Wick aangetrokken om hem daarbij te helpen. En in plaats daarvan had hij, Wick Threadgill, de zaak nóg ingewikkelder gemaakt.

Plotseling besefte hij dat hij niet zo doelloos rondreed als hij had gedacht. Hij was in de straat waar hij was opgegroeid. Waarschijnlijk had zijn onderbewustzijn hem hierheen geleid. Misschien had hij het nodig om naar het thuishonk terug te keren, om weer grond onder zijn voeten te krijgen. Hij bracht de pick-up tot stilstand voor het huis waarin hij vroeger had gewoond.

Na de dood van Joe had hij het verkocht. Het zou heiligschennis hebben geleken om daar zonder Joe te wonen. Hij wist niet of het echtpaar dat het huis van hem had gekocht er nog steeds woonde, of dat het weer in andere handen was overgegaan, maar de huidige eigenaars waren goede beheerders. Zelfs in het donker kon hij zien dat het huis goed werd onderhouden.

De bomen en struiken waren keurig gesnoeid. De luiken hadden een andere kleur, maar zijn moeder zou het vast en zeker hebben goedgekeurd. De rozen van haar rozenperk aan de oostkant bloeiden.

Hij kon zijn vader horen zeggen: 'Jongens, jullie zouden je moeten schamen.'

'Ja, pap.'

'Ja, pap.'

'Jullie moeder is juist zo trots op die rozen.'

'Het was een ongelukje,' bromde Wick.

'Maar ze had toch gevraagd of jullie niet in de buurt van haar rozenperk wilden ballen?'

Wick had geprobeerd een bal te vangen die zijn broer naar hem toe gooide. De bal was in de rozenstruiken beland – evenals Wick. Terwijl hij worstelde om zich te bevrijden, had hij de takken van diverse planten tot aan de grond toe afgebroken. Zijn moeder had gehuild bij het zien van de onherstelbare schade. Toen hun vader van zijn werk thuiskwam, had hij hen de les gelezen.

'Van nu af aan spelen jullie op het onbebouwde stuk grond aan het eind van de straat.'

'Daar zijn mieren, pap,' zei Wick.

'Hou je kop,' siste Joe.

'Dat pik ik niet van je. Je bent mijn baas niet. Je bent ook Joe Namath niet. Als je die rotbal niet had gegooid...'

'Wick!'

Hij en Joe wisten dat, wanneer hun vader op die toon sprak, het verstandig was niets te zeggen. 'Dit weekend ruimen jullie de garage op en maken jullie de dakgoten schoon. Er komen geen vriendjes spelen en jullie mogen nergens heen. En als ik jullie hoor klagen, ruziën of schelden,' zei hij terwijl hij Wick aankeek, 'krijgen jullie het het volgend weekend nóg zwaarder!'

Wick glimlachte bij de herinnering. Zelfs toen had Joe laten zien dat hij zich kon beheersen en ook dat hij wist wanneer hij moest zwijgen. Lessen die Wick nog moest leren.

Er waren veel herinneringen met het huis verbonden. Zijn moeder had veel werk van feest- en verjaardagen gemaakt. Een verzameling katten en honden, twee hamsters en een gewonde spotlijster waren hun geliefde huisdieren geweest. Wick was een keer uit de pecannotenboom in de achtertuin gevallen en had zijn arm gebroken. Zijn moeder had gehuild en gezegd dat hij zijn nek wel had kunnen breken. Op de dag dat Joe zijn eerste auto kreeg, had Wick op de bestuurdersplaats mogen zitten terwijl Joe uitlegde waar alles voor diende.

Ze hadden alletwee een feest gegeven toen ze geslaagd waren voor het eindexamen van de middelbare school, en ook toen ze afstudeerden van de politieacademie. Hun ouders waren trots op hen geweest. Wick vermoedde dat zijn pa zijn collega's van Bell Helicopter had verveeld met zijn verhalen over zijn zoons de politiemannen.

Er waren ook enkele trieste herinneringen. Zoals de dag waarop zijn ouders hun hadden verteld dat zijn vader kanker had. Hij en Joe woonden toen elk in een eigen appartement, maar ze kwamen regelmatig thuis voor familiebijeenkomsten.

Ze zaten met z'n allen rond de keukentafel, aten chocoladecake en trakteerden hun ouders op verhalen over hun werk bij de politie. Op een gegeven moment werd hun vader heel ernstig. Zijn moeder was zo van streek, dat ze de kamer moest verlaten, herinnerde Wick zich.

Toen ze twee jaar weduwe was, was ze verongelukt nadat een tiener door rood licht was gereden. De broeders van de ambulancedienst hadden gezegd dat ze op slag dood was geweest. Wick had destijds fel geprotesteerd tegen de onrechtvaardigheid om je ouders zo kort na elkaar te verliezen. Later was hij blij geweest dat zijn moeder de gewelddadige dood van haar oudste zoon niet had hoeven meemaken. Joe was haar álles geweest. Als dat auto-ongeluk haar niet had gedood, zou het begraven van Joe haar het leven hebben gekost, en dat zou veel pijnlijker zijn geweest.

Zijn donkerste herinnering was die aan de avond waarop Joe van hem was afgenomen.

Na hun moeders dood waren ze alletwee weer in hun ouderlijk huis gaan wonen. Die avond had hij een groep vrienden op bezoek gehad. Ze hadden zitten drinken en er was veel herrie geweest. Door de schallende muziek had hij amper de deurbel gehoord. Tot zijn verbazing had hij Oren en Grace voor de deur zien staan.

'Hé, wie heeft de politie gebeld? Staat de muziek te hard?' Hij herinnerde zich dat hij zijn handen had opgestoken, in overgave. 'We beloven dat we lief zullen zijn, agent, maar zet ons niet achter de tralies.'

Maar Oren had niet geglimlacht, en Grace had vochtige ogen gehad. Ineens was daar het besef geweest, en toen 'Waar is Joe?'

Hij had het geweten voor hij het vroeg.

Wick zuchtte, keek nog eens naar het huis, haalde zijn voet van de rem en reed langzaam weg. 'Genoeg herinneringen voor vanavond, Wick, ouwe jongen.'

De stad sliep. Er waren nog een paar andere auto's op straat. Hij reed het parkeerterrein van het motel op, stapte uit, deed zijn pick-up op slot, sjokte naar zijn deur en ging naar binnen.

De kamer rook muf. Te veel sigaretten, te veel bewoners, te veel afhaalmaaltijden. Desinfecterende middelen konden de geuren niet verdrijven. Hij draaide de airco op de hoogste stand om de bedompte lucht te laten circuleren. Het bed, doorgezakt als het was, lokte, maar hij had eerst behoefte aan een douche.

Zelfs op dit uur van de morgen was het warme water op voordat hij zich fatsoenlijk kon inzepen, maar hij haastte zich niet. Hij liet het koude water lang over zijn gezicht en hoofd stromen om de nawerking van de paniekaanval weg te spoelen. Bovendien was hij van koude douches gaan houden. Dat was maar goed ook. Het leek of hij en voldoende warm water nooit huisgenoten zouden worden.

Op het moment dat hij de kranen uitzette, hoorde hij geluid in de slaapkamer. 'Verdomme,' bromde hij. Dat kamermeisje moest radar hebben! Maar dit was belachelijk. Het was... Hij keek op zijn horloge. Drie minuten voor halfvijf. De manager zou dit beslist te horen krijgen!

Nijdig griste hij een handdoek van het handdoekenrek, bond hem om zijn middel en duwde de deur open.

Ze lag op zijn bed, op haar rug. De zilveren letters op haar T-shirt glinsterden in het schijnsel van de lamp op het nachtkastje. Het licht weerkaatste in haar open ogen en bescheen de twee keurige gaatjes in haar voorhoofd.

Hij voelde iets achter zich bewegen, maar hij had geen tijd om te reageren voor een ijzeren onderarm zijn keel omklemde. Hij kreeg een harde klap in zijn rug, vlak boven zijn middel. Zijn oren tuitten en de kamer draaide.

'Haar dood is jouw schuld, Threadgill. Denk daar maar over na terwijl je sterft.'

De klap begon heel erg pijn te doen, maar zijn geconditioneerde reflexen kwamen erdoor in actie. Hij probeerde de arm over zijn keel weg te duwen. Tegelijkertijd stootte hij zijn elleboog naar achteren. Hij raakte ribben, maar niet hard genoeg. Hij herhaalde de bewegingen en trapte met zijn hiel tegen de knieschijf van zijn belager. Althans, dat dacht hij. Dat wilde hij. Hij probeerde het, maar hij was er niet zeker van of het lukte.

Allemachtig, hij had zich niet gerealiseerd dat hij zo uit vorm was. Of was de paniekaanval erger geweest dan hij dacht? Hij was zo zwak als een pasgeboren kat.

'Mr. Threadgill?'

Zijn naam klonk van heel ver weg. Daarna werd er een paar maal geklopt.

162

'Verdomme!'

De arm liet zijn keel los. Wick zakte door zijn knieën en stortte neer op het smerige tapijt. Hevige pijnscheuten schoten door zijn schedel. God wat deed dat zeer!

Vergetelheid kwam opzetten, als een dichte mist. Hij zag hem aankomen, verwelkomde hem.

Rennie rende van het parkeerterrein van de artsen naar de eerstehulp-afdeling.

'Nummer drie, dokter Newton.'

Ze smeet haar schoudertas naar de receptioniste. 'Pas er goed op, alsjeblieft.' Toen rende ze gang in. Er was veel bedrijvigheid in kamer drie, veel personeel, allemaal druk in de weer. Er stond een verpleegster met een operatieschort voor haar klaar. Ze stak haar armen door de mouwen en trok een paar latex handschoenen aan. Terwijl ze een heldere, beschermende bril opzette zei ze: 'Vertel.'

De assistent-chirurg van de eerstehulp zei: 'Man van eenenveertig, steekwond in de rug, rechtsonder. Steekwapen zit er nog steeds in. Tot aan het handvat.'

'Nier?'

'Vrijwel zeker.'

'Bloeddruk gezakt naar tachtig,' zei een verpleegster.

Andere verpleegsters en een co-assistent riepen nog meer belangrijke informatie. Er was een buis ingebracht in de patiënt. Hij kreeg een bloedtransfusie, O-negatief, en door een infuus kreeg hij een lactaatoplossing toegediend. Hij was op zijn zij gelegd, zodat ze de wond kon onderzoeken. Het handvat van wat eruit zag als een schroevendraaier stak eruit.

'Zijn abdomen zwelt. Hij heeft een buik vol bloed.'

Ze keek zelf en stelde vast dat het niet nodig was een peritoneale lavage te doen of een CAT-scan te maken. De patiënt bloedde inwendig.

'Bloeddruk zakt, dokter.'

Rennie had de grote hoeveelheid informatie binnen dertig seconden na haar aankomst in zich opgenomen. Een verpleegster hing de hoorn van een telefoon op de haak en schreeuwde boven de chaos uit: 'OK is klaar.'

'We gaan.'

Toen ze vertrok keek ze toevallig naar het gezicht van de patiënt. Haar woordloze kreet maakte dat iedereen rond de brancard bleef staan.

'Dokter Newton?'

'Alles goed met u?'

Ze knikte en zei nors: 'Lopen.' Maar niemand deed dat. 'Actie.' Toen kwamen ze in beweging. De brancard werd de gang in gereden. Rennie liep ernaast. De lift werd voor hen opengehouden. Ze waren er bijna toen iemand haar naam riep.

'Wacht!'

Ze bleef staan en draaide zich om. Rechercheur Wesley kwam naar haar toe gerend.

'Niet nu, rechercheur. Ik heb een spoedoperatie.'

'U gaat Wick niet opereren.'

'Zeker weten van wél!'

'Niet ú.'

'Ik voer deze operatie uit.'

'Niet bij Wick.'

De brancard stond in de lift. Ze gebaarde het team naar boven te gaan. 'Ik kom er zo aan.' De liftdeuren gingen dicht. Ze wendde zich weer tot Wesley. 'Hij is in shock en zou kunnen sterven. Spoedig. Snapt u dat?'

'Dokter Sugarman is onderweg. Hij zal hier over vijf minuten zijn.'

'Het spijt me, er is geen tijd te verliezen, rechercheur. Bovendien ben ik een betere chirurg dan Sugarman en heb ik meer ervaring met ernstige verwondingen. Een patiënt heeft me nodig, en ik verdom het om me te laten weerhouden zijn leven te redden.'

Ze keek hem strak aan, tien seconden, voordat ze zich omdraaide en naar de lift rende die voor haar was teruggestuurd.

'Gaat alles goed met de meisjes? Weet je het zeker?' vroeg Oren.

'Oren, dat vroeg je tien minuten geleden ook al. Ik heb naar huis gebeld. Ze redden het wel,' zei Grace.

Hij nam de hand van zijn vrouw in de zijne en streelde hem. 'Sorry.'

'Het geeft niet.' Ze sloeg haar arm om zijn schouder. 'De politieagente die je naar hen hebt toegestuurd was bezig een ontbijt voor hen klaar te maken. Een andere bewaakt het huis. Ze redden het wel.' Ze masseerde zijn nek. 'Ik vraag me af of dat ook voor jou geldt.'

'Met mij gaat het goed.' Hij stond op van de wachtkamerbank. 'Waarom zou het zo lang duren? Hij is al uren in de operatiekamer.'

'Dat zou een goed teken kunnen zijn.'

'Maar wat...'

'Bent u rechercheur Wesley?'

Hij draaide zich razendsnel om. Een operatiezuster kwam naar hen toe gelopen. 'Dokter Newton heeft me gestuurd om u te vertellen dat ze over een paar minuten bij u is. Ze vroeg of u wilde wachten.'

'Hoe zit het met Wick? De patiënt? Hoe is het met hem?'

'Dokter Newton komt zo.'

Ze draaide zich om en liep terug door de klapdeuren. Grace stak haar hand uit en trok hem weer naast zich. Hij sloeg zijn handen voor zijn ogen. 'Hij is dood. Anders zou ze ons iets hebben gezegd.'

'Ze vertelde ons niets omdat dat haar taak niet is.'

'Hij is dood. Ik weet het.'

'Hij is zo sterk als een beer, Oren.'

'Het is net als bij Joe. De geschiedenis herhaalt zich.'

'Nee, dat is niet waar.'

'Het enige verschil is dat Joe al dood was toen ik hem vond.'

'Het ís Joe niet. Het is níet hetzelfde.'

'Ik was er niet voor Joe, en ik was er niet voor Wick.'

'Bij geen van hen was jij verantwoordelijk voor wat er gebeurde.'

'Als Wick dood is...'

'Dat is hij níet.'

'Als hij dat wel is, Grace, heb ik Joe diep teleurgesteld. Hij zou van me hebben verwacht dat ik een oogje op zijn broer zou houden. Over hem zou waken. Hem beschermen tegen iets als dit.'

'Oren, hou op! Doe jezelf dit niet aan! Je moet jezelf hiervan niet de schuld geven.'

'Het is wél mijn schuld. Zonder mij zou Wick nog steeds in Galveston zijn. Veilig. Niet liggen te sterven op de vloer van die vervloekte motelkamer.' Zijn stem sloeg over van emotie. 'Hij vroeg me of dat motel het beste was wat het hoofdbureau hem kon bieden. Ik zei dat hij moest ophouden met zijn geklaag, dat hij in slechtere tenten had geslapen en dat het heel wat beter was dan het miserabele onderkomen waar hij in had gewoond. God, Grace, ik kan dit niet aan. Ik zweer het. Ik kán het niet.'

'Wick ís niet dood.'

'Hoe weet jij dat nou?'

Ze glimlachte tegen hem. 'Omdat hij te koppig is om dood te gaan.'

Hij wilde het geloven, maar Grace was een beroepsadviseur. Ze gaf de hele dag raad, elke dag. Ze had die baan gekregen omdat ze in slechte situaties goede dingen wist te zeggen. Maar al waren het gemeenplaatsen, hij was blij dat ze hier naast hem zat en de dingen zei die hij wilde horen. Hij had het ook nódig om ze te horen.

Het duurde nog twaalf minuten voor dokter Newton door de klapdeuren kwam. Haar aanblik was niet bemoedigend. Ze leek op een dodelijk vermoeide soldaat die de strijd had verloren.

Ze had een witte doktersjas aangetrokken, maar die verborg niet de bloedvlekken op haar operatiekleren eronder. Slierten haar, nat van het zweet, kwamen onder haar operatiemuts uit. Er waren donkere kringen onder haar ogen, en het leek of ze toe was aan een stuk of wat warme maaltijden.

Ze hield hen niet lang in spanning. Terwijl ze dichterbij kwam zei ze: 'Hij heeft de operatie overleefd.'

Oren liet zijn adem ontsnappen en gaf Grace een stevige knuffel. Ze drukte haar gezicht tegen zijn borst en fluisterde een dankgebed. Zo hielden ze elkaar een tijdje vast. Ten slotte liet hij Grace los en wreef in zijn ogen.

Grace stak haar hand uit naar de chirurg. 'Ik ben Grace Wesley.'

'Rennie Newton.'

'Dank u, dokter Newton.'

Nadat de twee vrouwen elkaar een hand hadden gegeven, gaf dokter Newton Oren een plastic tas waarin een bebloede Philips-schroevendraaier zat. 'Ik ben de enige die hem heeft aangeraakt.'

Toen stopte ze haar handen in de zakken van haar witte jas en kwam meteen ter zake. 'De wond was diep. Zijn rechternier was doorboord. Het orgaan is gerepareerd en moet in principe helen zonder nadelige effecten op zijn niersysteem.

Er was ook een spier beschadigd. Ik heb onze orthopedist erbij gehaald, die uitstekend werk heeft geleverd en de spier heeft gerepareerd. Als u wilt kunt u hem later op de dag spreken.'

'Wick heeft veel bloed verloren,' zei Oren.

Ze knikte. 'Toen ik eenmaal de hoofdoorzaak van de bloeding had gevonden – een doorgesneden slagader – kon ik de bloedstroom naar de nier terugleiden. Gelukkig waren we nog op tijd. Anders had hij het orgaan misschien verloren of was hij doodgebloed.'

Als ze op Sugarman hadden gewacht, had hij het misschien niet overleefd. Dat was wat ze hem vertelde. Oren vroeg wanneer ze Wick konden zien.

'Nu meteen, als u dat wilt. Kom maar mee.'

Ze draaide zich om, en ze volgden. Grace had waarschijnlijk de onderliggende vijandigheid tussen hen gevoeld. Ze wierp Oren een vragende blik toe en fluisterde heel zacht: 'Wat is er aan de hand?'

Hij schudde zijn hoofd. Later zou hij haar uitleggen hoe gecompliceerd de situatie was. Dan zou ze begrijpen waarom zijn gesprek met de arts beleefd maar vormelijk was geweest.

Rennie leidde hen door twee automatische schuifdeuren naar de intensive care. 'Hij is nog niet bij bewustzijn en ik moet u waarschuwen dat hij er niet zo goed uitziet. Er is iets met zijn gezicht gebeurd.'

'Daar is hij op gevallen.' Dokter Newton bleef staan en keek Oren met grote ogen aan. Ze toonde meer gevoel dan ze tot nu toe had gedaan. 'Hij werd van achteren aangevallen,' zei Oren. 'Toen zijn belager hem losliet, zakte Wick blijkbaar in elkaar en viel voorover op de harde vloer. Zo hebben de ambulancebroeders hem gevonden.' Hij schaamde zich en durfde niet te vertellen dat híj Wicks kin kapot had geslagen.

'De orthopedist heeft een röntgenfoto van zijn gezicht laten maken,' zei Rennie. 'Zijn jukbeen was niet gebroken, maar hij is... nou, u zult het wel zien.'

Ze liet hen een van de kamertjes binnengaan. Grace, die dapperder was dan Oren, liep direct naar het bed. Na één blik op Wick te hebben geworpen barstte ze in huilen uit. Oren hield zich afzijdig, maar hij kon genoeg zien. Als eerste reactie vloekte hij zachtjes.

Wick lag op zijn linkerzij, een kussen hield hem in die positie. De rechterkant van zijn gezicht, de kant die zichtbaar was, was opgezet en gekneusd, zodat hij amper herkenbaar was. Beide ogen waren dicht, maar zijn rechteroog was zo gezwollen, dat hij het niet zou kunnen opendoen, mocht hij dat willen. Een beademingsslang was op zijn lippen geplakt. De wond op zijn kin leek onbeduidend in vergelijking met de andere verwondingen, maar dat was wel de wond die maakte dat Oren grimaste.

'Via een infuus geven we hem antibiotica om infectie te voorkomen, hoewel niets erop wijst dat de darmen zijn doorboord, wat zijn toestand aanzienlijk gecompliceerder zou hebben gemaakt.' Dokter Newton zei dat met een stem die weer mechanisch en afstandelijk klonk. 'Hij heeft een katheter. Aanvankelijk zat er bloed in zijn urine, maar nu is het helder.'

'Dat is een goed teken, niet?' vroeg Grace.

'Absoluut. Zijn hart is sterk, zijn pols regelmatig. We blijven zijn bloeddruk controleren. We halen hem van de beademing af zodra hij bij bewustzijn is gekomen. Hij krijgt natuurlijk pijnstillers. Zijn goede fysieke conditie hielp hem overleven en zal hem helpen herstellen. Hij blijft een paar dagen op intensive care, en ik zal hem goed in de gaten blijven houden, maar zijn prognose is positief.'

Ze stonden nog een paar minuten zwijgend naar hem te kijken. Daarna vertrokken ze. 'Is er iemand die op de hoogte gesteld moet worden? Heeft hij een gezin? Familie? We wisten niet wie we moesten bellen,' zei dokter Newton.

'Wick is niet getrouwd,' zei Grace. Ze antwoordde voordat Oren dat kon doen. 'En hij heeft geen familie.'

Opnieuw verdwenen de handen van dokter Newton in de zakken van haar witte jas. Ze stak ze er diep in, alsof ze probeerde haar vuisten door de naden heen te duwen. 'Juist, ja.'

'Is er iets wat we voor hem kunnen doen?' vroeg Grace.

Rennie wierp haar een flauwe glimlach toe. 'Op dit moment niet. Als hij ontslagen is, zal hij thuis minstens een week hulp nodig hebben en veel bedrust moeten nemen. Tot dan zullen onze bekwame verpleegkundigen goed voor hem zorgen. Morgen, aan het eind van de middag, zal ik bezoek toestaan, maar alleen in beperkte mate.'

Oren zei: 'Helaas kan ík geen bezoek toestaan, dokter Newton. Hij is het slachtoffer van een misdrijf en ook een hoofdgetuige.'

'Waarvan?'

'Moord.'

16

'Er was een jonge vrouw bij Wick in de kamer toen hij werd aangevallen,' zei Wesley. 'Ze was daar gestorven.'

Rennie probeerde zich te beheersen en geen reactie te tonen. Dat viel niet mee. Ze vertrouwde haar stem niet. Daarom knikte ze slechts.

'De kamer wordt nu door het onderzoeksteam onderzocht. Het kamermeisje, dat tot vanmorgen een echte lastpost was, heeft zijn leven gered. Ze kwam Wicks kamer binnen met behulp van haar loper. Als ze op dat moment niet had gestoord, zou ook hij dood zijn geweest.'

'Heeft ze de dader gezien?'

Wesley schudde zijn hoofd. 'Het badkamerraam stond open. We nemen aan dat hij vlak voor haar komst naar buiten is geklommen. Ze had eerst geklopt. Hij was bang geworden.'

'Dus ze kan u geen beschrijving geven.'

'Helaas niet. En het is vreselijk moeilijk om in motelkamers bewijs te verzamelen, omdat het een komen en gaan is van honderden motelgasten.'

'Voetafdrukken buiten het raam?'

'Een geasfalteerde steeg. Tot nu toe hebben we geen aanwijzingen. Hopelijk vinden onze experts iets bruikbaars.'

'En hoe zit het daarmee?' vroeg Rennie terwijl ze naar de tas met de schroevendraaier wees.

Ze wilde hem vragen of hij al iemand verdacht, maar ze was bang voor zijn antwoord.

'Zodra Wick wakker wordt, zal ik hem moeten ondervragen, uitvissen wat hij weet,' zei hij.

'Dat begrijp ik, maar vergeet niet dat hij gisteravond voor zijn leven heeft gevochten. Hij heeft rust nodig. Ik wil niet dat mijn patiënt zich opwindt.'

'Ik zou niets doen wat Wicks herstel in gevaar brengt,' zei Oren geërgerd.

'Dat mag ik hopen. Goed, ik moet me nu excuseren. Over een half uur moet ik weer opereren.'

'Maar u ziet er uitgeput uit,' riep Grace.

'Ik heb alleen een ontbijt nodig.' Ze glimlachte tegen Grace Wesley, die ze van begin af aan sympathiek had gevonden, en daarna richtte ze zich weer tot de rechercheur. 'Blijkbaar zijn u en Mr. Threadgill meer dan collega's.'

'Vrienden. Praktisch familie.'

'Dan zal ik een bericht bij de IC-verpleegkundigen achterlaten dat ze u, als u belt, inlichtingen over zijn toestand mogen verstrekken.'

'Dat stel ik zeer op prijs. Dank u.'

'Niets te danken.'

Grace Wesley bedankte Rennie opnieuw voor het redden van Wicks leven.

De rechercheur zei kortaf: 'Ik neem nog contact met u op.' Toen drukte hij op de liftknop om naar beneden te gaan.

Rennie liep terug naar Wicks kamertje en vroeg aan de verpleegster of er al signalen waren geweest dat de patiënt bijkwam. 'Hij heeft een paar keer gekreund, dokter. Dat is alles.'

'Piep me alsjeblieft op als hij bij bewustzijn is. Ik zal in de OK zijn, maar zodra hij wakker wordt wil ik het weten.

'Natuurlijk, dokter Newton.'

Voordat Rennie vertrok, keek ze naar haar patiënt. Ze onderdrukte de neiging een haarlok van zijn voorhoofd te strijken.

In de kleedkamer nam ze een douche en trok schone operatiekleren aan. Daarna liep ze naar het zelfbedieningsrestaurant op de begane grond. Als ontbijt nam ze roerei, toast en sinaasappelsap, maar ze at het alleen op omdat ze brandstof nodig had, niet omdat ze er zin in had of van het voedsel genoot.

Toen ze weer op de operatievleugel was, bekeek ze opnieuw de kaart van haar volgende patiënte en sprak kort met haar. 'Uw oncoloog en ik zijn het erover eens dat de tumor niet is uitgezaaid. Als dat stuk darm is verwijderd, is uw prognose heel positief.'

De vrouw bedankte haar met suffe stem terwijl de anesthesist het zware sedatief via haar infuus toediende.

Rennie schrobde zich methodisch schoon. Het was prettig om een vertrouwde routinehandeling uit te voeren. Ze had geen controle meer over haar zorgvuldig geordende leven. Sinds ze gehoord had dat Lee was vermoord, sinds de verschijning van de rozen in haar zitkamer, was het één grote wanorde.

Maar, dacht ze terwijl ze stevig haar vingers schrobde, ik kan de controle over mijn leven terugkrijgen. Ze hoefde zich alleen maar op haar werk te concentreren. Werk was haar greep op het leven. Als ze greep kreeg op haar werk, had ze ook greep op haar leven.

Toen ze een snee maakte in het vetweefsel van de onderbuik van de patiënte, zei de assistent-chirurg tegen haar: 'Ik hoorde dat het hier nogal spannend is geweest vanmorgen.'

'Onze dokter Newton is een echte heldin,' zei een van de operatiezusters.

Rennie, die zich op haar werk concentreerde, vroeg afwezig: 'Waar heb je het over?'

'Het was vanmorgen op het journaal.'

Rennie keek naar de anesthesist, die vanaf zijn kruk achter de patiente had gesproken. 'Wát zeiden ze op het journaal?'

'Dat u het leven van de politieman had gered.'

De assistent-chirurg zei: 'Een paar jaar geleden is de broer van Threadgill omgekomen tijdens zijn dienst. Hij werkte bij de politie. U hebt verhinderd dat Threadgill hetzelfde overkwam.'

'Behalve dat déze Threadgill géén dienst had,' zei een operatiezuster.

'Ik weet niets van de man,' zei Renny koeltjes. 'Afzuigen, alsjeblieft. Ik werd opgeroepen en heb de operatie uitgevoerd. Dat is alles.'

'Volgens het journaal was het meisje niet meer te helpen,' merkte de anesthesist op.

De praatgrage assistent-chirurg vertelde verder. 'Ik hoorde van de ambulancebroeders die het 911-telefoontje beantwoordden, dat ze in het bed van de politieman is gevonden. Kennelijk heeft degene die Threadgill aanviel haar eerst gedood.'

'Jaloers vriendje?'

'Of echtgenoot.'

'Zou kunnen. Volgens de reconstructie stond Threadgill onder de douche.'

'Wat mij betreft,' grapte de assistent-chirurg, 'ik rook altijd eerst een sigaret. Dan neem ik een douche. En jij, Betts? Rook jíj na de seks?'

'Ik weet het niet,' antwoordde een van de operatiezusters. 'Dan ben ik halfdood.'

Iedereen lachte.

Een andere operatiezuster bewoog haar wenkbrauwen op en neer boven haar masker. 'Als die politieman ook maar een beetje op de foto in de krant lijkt, zou ik zeggen dat het meisje met een glimlach om haar lippen is gestorven.'

'Kunnen we ons alsjeblieft weer op de operatie concentreren?' snauwde Rennie. 'Wat is haar bloeddruk?'

De anesthesist antwoordde op een ingetogen, professionele toon. Rennies bruuskheid had een einde aan de grappenmakerij gemaakt. Ze hield haar hoofd gebogen, al haar aandacht was bij de operatie. Maar toen haar pieper ging, vroeg ze een operatiezuster te kijken wie haar oppiepte.

'Het is de IC, dokter Newton.'

'Wil je ze even voor me bellen, alsjeblieft?'

Ze luisterde terwijl de zuster aan het telefoneren was. 'Oké, ik zal het tegen haar zeggen.' Ze hing op. 'Threadgill is wakker aan het worden.'

'Bedankt.'

Rennie was zich bewust van de opgetrokken wenkbrauwen boven de maskers, maar niemand durfde commentaar te leveren. Van toen af aan werd er alleen maar gesproken over de handelingen die ze verrichtten. Ten slotte trok Rennie haar handen terug en gaf de assistent-chirurg met een knikje toestemming de laatste inwendige hechting aan te brengen. Ze onderzocht het gebied met haar gehandschoende vinger om zich ervan te verzekeren dat geen van de hechtingen losliet. 'Ziet er goed uit.'

'Perfect,' zei hij. 'Voortreffelijk gedaan, dokter Newton.'

'Dank je. Wil je het voor me afmaken?'

'Uw wens is mijn bevel.'

'Bedankt. Goed werk, mensen.'

Ze trok haar bebloede handschoenen uit en liep door de deur. Ze wist dat ze, zodra ze hem achter zich had gesloten, het onderwerp van een speculatief gesprek zou zijn. Laten ze zich maar afvragen hoe het zit, dacht ze.

Ze rapporteerde de bevredigende resultaten van de operatie aan de bezorgde familie van de patiënte. Daarna haastte ze zich naar de kleedkamer, nam opnieuw een douche en bereikte de IC net op het moment dat Wick door een verpleegster werd aangespoord in de ademhalingsmeter te blazen. Zoals alle patiënten had hij het gevoel dat hij stikte, maar ten slotte lukte het. 'Dat viel best mee, is het niet, Mr. Threadgill? U hebt het heel goed gedaan.'

Hij bewoog zijn lippen, maar de verpleegster kon hem niet verstaan, en daarom boog ze zich dicht naar hem toe. Toen ze weer rechtop ging staan, grinnikte ze. 'Wat zei hij?' vroeg Rennie.

'Hij zei: "Krijg de klere!"'

'Dat hoef je niet van hem te nemen.'

'Maakt u zich maar niet druk, dokter. Ik heb een man en vier zonen.'

Rennie nam haar plaats naast Wicks bed in. 'Wick, weet je waar je bent?'

Hij bromde een onverstaanbaar antwoord. Ze zette haar stethoscoop op zijn borst en luisterde even. 'Het gaat goed met je.'

'Dorst.'

'Wat denk je van wat fijngestampt ijs?' Ze keek naar de verpleegster, die knikte en vertrok om ijs te halen. 'We beginnen met fijngestampt ijs, Wick. Ik wil niet dat je al iets drinkt en misselijk wordt.'

Hij bromde opnieuw en spande zich tot het uiterste in om zijn rechteroog te openen, zich er niet van bewust hoe erg dat was gezwollen. Hij zou nog urenlang suf zijn en gedesoriënteerd. 'Hoe is de pijn, Wick? Ik kan de dosering van je pijnmedicatie verhogen.' Hij bromde nóg iets wat ze niet kon verstaan. 'Ik neem maar aan dat dat "ja" betekent.'

De verpleegster keerde terug met een beker fijngestampt ijs en een lepel. 'Geef hem telkens wanneer hij wakker wordt een paar lepels vol.' Rennie maakte de noodzakelijke aantekeningen op zijn kaart. Voor ze vertrok zei ze: 'Ik zal hier zijn of in mijn praktijk. Piep me op als er een verandering is.'

'Dat zal ik zeker doen. O, dokter Newton, ik denk dat hij iets tegen u wil zeggen.'

Rennie ging naast Wicks bed staan. Hij tastte naar haar hand. Ondanks de infuusnaald die op de rug van zijn hand was vastgeplakt, was zijn greep verbazingwekkend sterk. Ze bracht haar gezicht dicht bij het zijne. 'Wat is er, Wick?'

Hij fluisterde slechts één woord.

'Lozada.'

Rechercheur Wesley keek haar met gefronste wenkbrauwen aan vanaf de andere kant van zijn rommelige bureau. 'Nog meer?'

'Alleen Lozada,' herhaalde Rennie.

'Wanneer was dat?'

'Vanmiddag rond twaalf uur.'

'En u vertelt het me nú pas?'

'Ik moest eerst een aantal zaken op een rijtje zetten.'

'Wát dan?'

Andere leden van het rechercheteam leken druk bezig met hun werk, maar Rennie realiseerde zich dat ze het voorwerp van hun nieuwsgierigheid was. 'Kunnen we ergens onder vier ogen met elkaar praten?'

Wesley haalde zijn schouders op en gebaarde dat ze hem moest volgen. Hij bracht haar naar de kamer waar de ondervraging op video was vastgelegd. Ze zaten allebei op dezelfde plaats. Rennie was bepaald niet blij met de onuitgesproken suggestie dat ze opnieuw in een verdedigende positie was, maar ze zei er niets van. In plaats daarvan zette ze het gesprek onmiddellijk voort.

'Zou dat kunnen betekenen dat Lozada Wick gisteravond heeft aangevallen?' vroeg ze.

'O, denkt u dat?'

Rennie voelde dat haar wangen gingen gloeien. 'Blijkbaar is dat geen nieuws voor u.'

'Niet echt, dokter.'

'Mag ik u iets vragen?' Hij haalde onverschillig zijn schouders op. 'Is er een speciale reden waarom u de pest aan me hebt?'

Hij schoof heen en weer in zijn stoel. 'Nee, geen enkele.'

'Dat is niet waar. U hebt vanaf het begin een hekel aan me gehad. Waarom?'

'Waarom vertelt u me niet gewoon wat u op uw hart hebt, dokter Newton? Wát moest u vanmiddag op een rijtje zetten?'

'Op de dag van de begrafenis van Lee kreeg ik een bos rozen. Dit kaartje zat erbij.'

Ze opende haar handtas en haalde er een plastic tasje uit waarin ze het witte kaartje had gestopt. Het was het tweede bewijsstuk dat ze die dag had verzameld, hoewel ze probeerde er niet aan te denken dat ze de schroevendraaier uit Wicks rug had moeten trekken.

Wesley nam het tasje van haar aan, keek op het kaartje en las de ene, getypte regel. Maar zijn reactie was anders dan ze had verwacht. In feite reageerde hij helemaal niet. Zijn gelaatsuitdrukking veranderde niet.

'Klaarblijkelijk is ook dít geen verrassing voor u.'

'Ik wist niet dat het kaartje bij een bos rozen hoorde die op de dag van Howells begrafenis bij u is bezorgd.'

'Maar u herkende het kaartje, nietwaar? Hoe is dat mogelijk? Het heeft...' Ze zweeg abrupt en keek hem ontzet aan. 'Het was niet voldoende voor u om mijn huis in de gaten te houden – u heeft het doorzocht. Waar of niet?'

'Ik niet.'

Ze ging achterover zitten, alsof ze door een onzichtbare hand werd geduwd. 'Wick.'

Wesley zei niets.

Ze boog haar hoofd en staarde naar haar handen, die droog waren door de antiseptische zeep waarmee zij ze schrobde. Geen crème of lotion kon dat verhelpen.

Wick was in haar huis geweest. Hij had in haar laden gesnuffeld en haar spulletjes doorzocht. Voor of na hun eerste ontmoeting? vroeg ze zich af. Het maakte niet uit. Er was inbreuk op haar privacy gepleegd, en, nog erger, het was Wick die dat had gedaan!

Na een korte maar gespannen stilte tilde ze haar hoofd op en keek Wesley aan. 'Het kaartje was afkomstig van Lozada. Hij heeft de rozen persoonlijk bezorgd. Hij drong mijn huis binnen en liet ze in de zitkamer achter, zodat ik ze zou vinden.'

'Hoe weet u dat?'

'Dat heeft hij me verteld.'

'Heeft hij u dat vertéld?'

'Hij heeft me een paar keer opgebeld. Ik heb hem gevraagd dat niet te doen. Ik heb geëist dat hij me met rust laat, maar hij blijft bellen.'

'En wat zegt hij dan?'

'Lees het kaartje, rechercheur. Tijdens het proces is hij verliefd op me geworden. Hij zat me constant aan te staren, telkens wanneer hij in de rechtszaal was. Na verloop van tijd viel het anderen ook op en werd het gênant. Blijkbaar heeft hij zichzelf wijsgemaakt dat ik ook voor hém romantische gevoelens koester.'

'Vanwege de uitspraak?'

'Dat denk ik. Wie weet waarom? Hij is krankzinnig.'

Oren schraapte zijn keel. 'Lozada is veel, maar niet krankzinnig.' Hij keek haar scherp aan. 'Waarom vertelt u me dit nú?'

'Ik vrees dat hij dokter Howell heeft vermoord. Ik denk dat hij gehoord had dat niet ík maar Lee tot hoofd van de chirurgische afdeling was benoemd, en dat hij hem vermoordde om me een dienst te bewijzen. Hij zei tegen me dat hij iets wilde terugdoen voor de dienst die ik hém had bewezen.'

'Door hem vrij te spreken?'

'Hij is vrijgesproken door een jury van twaalf personen.'

Hij haalde zijn schouders op. 'Ga door.'

'Lozada is degene die me vertelde dat u me in de gaten hield. Hij heeft hetzelfde gedaan. Hij zag dat Wick me volgde toen ik gistermiddag naar huis reed. Vermoedelijk reed Lozada achter Wick aan naar het huis waar jullie waarnemingspost is. Daarna belde hij me. Hij genoot toen hij me vertelde dat mijn pas gevonden vriend een politieman was.'

'Wick zou dat tegenspreken.'

'Hoezo?'

'Laat maar zitten. Waarom hebt u gisteravond, toen u ons het hoofd bood, niets over Lozada gezegd?'

'Omdat ik niet wilde dat u dacht wat u denkt.'

'En wat is dat?'

'Dat ik onder één hoedje met Lozada speel!' riep ze uit. 'Dat is wat u denkt, nietwaar? U denkt dat ik hem heb ingehuurd om Lee te vermoorden. En nu... nu Wick. Daarom maakte u er bezwaar tegen dat ik hem opereerde.'

'U was boos op ons. Op Wick in het bijzonder.'

'Dus u denkt dat ik die huurmoordenaar, die verliefd op me is, opbelde en hem opdroeg een schroevendraaier in Wicks rug te steken?'

Wesley keek haar onbewogen aan. Hij was een doorgewinterde politieman met een jarenlange ervaring. Bekentenissen werden op allerlei manieren afgelegd. Hij was ervan overtuigd dat haar reactie op schuld duidde.

'Als dat uw beschuldiging is, is die te absurd om zelfs maar te ontkennen,' zei ze.

'Wat doet u dan hier?'

'Nadat Wick Lozada's naam had genoemd, werd alles duidelijk. Ik zag de dingen zoals u ze hebt gezien. Lee krijgt een promotie die ik wilde hebben. Hij wordt vermoord. Ik zei tegen Wick dat ik hem nooit meer wilde zien. Er wordt een aanslag op zijn leven gepleegd. Toen alles zo helder als glas voor me was, ben ik meteen hierheen gegaan. Ik ben alleen even thuis geweest om dat kaartje op te halen.'

'Waarom hebt u het bewaard?'

'Dat weet ik niet. Ik heb de rozen vernietigd. Misschien bewaarde ik het kaartje omdat ik dacht dat ik het nodig zou kunnen hebben... als bewijs.'

'Bedoelt u dat u van meet af aan vermoedde dat Lozada Howells moordenaar is?'

'Nee. Een paar dagen na de begrafenis van Lee, nadat ik de rozen had gekregen, belde Lozada me voor het eerst op. Hij vroeg of ik van de rozen had genoten. Tot dan wist ik niet wie ze had gestuurd.'

'Kom nou, dokter Newton.' Hij wierp haar een ongelovige blik toe.

'Ik zweer het.'

'Had u écht geen flauw vermoeden?'

'Goed dan, misschien. Onbewust. Ik kende niemand anders die mijn huis had kunnen binnendringen, of dat zou hebben gedaan.'

'Maar toen u erachter kwam dat het Lozada was, nam u nog steeds geen contact met me op. Waarom niet?'

'Vanwege uw houding toen u me hier in dit vertrek ondervroeg. Ik was bang dat het uw verdenking dat ik erbij betrokken was zou versterken.'

'U had informatie die tot Lozada's arrestatie had kunnen leiden en u liet na het aan ons door te spelen!'

'Dat was fout.'

'Waarom bent u niet pijlsnel naar me toe komen rennen, wapperend met dat kaartje, om te zeggen dat u meende te weten wie uw vriend had vermoord en waarom?'

'Ik had het faliekant mis kunnen hebben. Ik had uw onderzoek kunnen belemmeren, u op het verkeerde been kunnen zetten.'

'Nee, ik denk niet dat dát het is, dokter Newton. Ik denk dat u hoopte dat we het raadsel van de moord op dokter Howell zonder uw hulp zouden oplossen. Heb ik gelijk of niet?' Hij keek haar indringend aan. 'U wilde niet dat uw naam aan een gewelddadige dood van een man werd gekoppeld.' Na een veelbetekenende stilte voegde hij eraan toe: 'Een tweede keer.'

'Aha.' Ze boog opnieuw haar hoofd, heel even maar. Toen trotseerde ze zijn vlijmscherpe blik en keek hem uitdagend aan. 'U weet het van Raymond Collier.'

'Ik weet er iets van, ja. Wilt u me er meer over vertellen?'

'U hebt uw bronnen, rechercheur, en ik ben er zeker van dat u er goed gebruik van zult maken.'

'Daar kunt u op rekenen.' Hij sloeg zijn armen over elkaar en hief zijn hoofd. 'Er is iets waar ik me suf over pieker. Ik vraag me af hoe u in die jury terecht bent gekomen. Hebben de advocaten de toekomstige juryleden niet aan een aan de rechtszaak voorafgaande ondervraging onderworpen en gevraagd of ze een strafblad hadden? Moest u niet zweren dat u de waarheid zou zeggen?'

'De dood van Raymond Collier was een tragisch ongeluk. Ik heb geen strafblad. En tijdens de ondervraging van de advocaten heeft niemand gevraagd of ik als minderjarige betrokken was geweest bij een incident waarbij per ongeluk was geschoten.'

'Nou, dat kwam goed uit, hè?'

Ze ging staan. 'Ik begrijp dat u mijn hulp niet waardeert en er ook niet van gediend bent.'

'Integendeel, dokter Newton. Het is een verhelderend gesprek geweest.'

'Gaat u Lozada nu in hechtenis nemen?'

'Als ik voldoende bewijs in handen heb om een arrestatie en een tenlastelegging te ondersteunen.'

'Hoezo "als"? Vanmorgen drenkten mijn handen zich in al het bewijs dat u nodig hebt. Wicks bloed. En ik heb u het wapen gegeven.'

'Het zal grondig door het lab worden onderzocht. Rechercheurs zijn de oorsprong van het wapen bijna op het spoor, maar ik kan u nu al vertellen wat ze zullen ontdekken: dat het tientallen jaren oud is en dat het, als het nieuw is, in elke ijzerwinkel van dit land en waarschijnlijk ook nog daarbuiten kan zijn gekocht. Joost mag weten door hoeveel handen het tussen toen en nu is gegaan. Niemand zal erdoor worden opgespoord.'

'Het meisje werd doodgeschoten. Hoe zit het met het wapen?'

'Op de plek van het misdrijf achtergelaten en in ons bezit. Maar het is net als bij de schroevendraaier. Het is goedkoop en oud en alleen betrouwbaar als er van dichtbij wordt geschoten. In dit geval tien tot vijftien centimeter. De gebruiker wist dat het wapen niet naar hem zou leiden. We proberen het, maar we schieten er niets mee op.'

'U weet dat het Lozada was,' riep ze zacht. 'Wick kan hem identificeren.'

'Is dat zo? Ik ben er zeker van dat Wick hem verdenkt. Lozada zou op ieders lijst de hoofdverdachte zijn. Hij en Wick zijn gezworen vijanden.'

Dat had ze al opgemaakt uit de toon waarop Lozada sprak bij het noemen van Wicks naam. 'Wat is er tussen hen gebeurd?'

'Dat is een politiezaak.'

Een zaak die hij kennelijk niet aan haar wilde onthullen.

'Kunt u Lozada niet aanhouden voor verhoor?'

Oren lachte spottend. 'Zonder aannemelijke grond van verdenking? Hij zou dat heerlijk vinden. Het zou praktisch garanderen dat hij nooit voor de rechter zal worden geleid. Ik zal hem alleen arresteren als Wick hem werkelijk kan identificeren als de man die hem aanviel. Maar ik kan u bijna verzekeren dat Wick hem niet heeft gezien.

En, zoals ik verwachtte, de motelkamer barst van de sporen. Ze zouden van Lozada kunnen zijn of van ieder ander die ooit over de drempel van die kamer is gestapt, ik inbegrepen. Geen enkel bewijs dat daarvandaan komt zou in de rechtszaal overeind blijven.

Zelfs met bewijs dat we van het andere slachtoffer, het meisje, hebben, komen we geen stap verder. Tientallen mensen hebben gezien dat ze fysiek contact had met diverse mannen in die bar, onder wie Wick. We hebben haar vingernagels schoongemaakt, wat alleen maar zandkorrels opleverde. Er was niets wat ze niet door losse contacten had kunnen oppikken.'

'Ze was op de verkeerde plek op de verkeerde tijd.'

'Absoluut, maar dat is niet alles. Ze had een band met Lozada,' zei Wesley. 'Haar werk bestond uit het schoonmaken van zijn penthouse, en tegen haar collega's schepte ze op dat ze intiem waren.'

'Waarom hebt u dan nog méér bewijs nodig?'

'O, we hebben een heleboel bewijs dat ze dagelijks in contact kwam met Lozada's kleding, zijn beddengoed, zijn tapijt, zijn... noem maar op. Dat is meer een handicap dan een voordeel. Zijn advocaat zou alleen maar hoeven aan te voeren dat ze het bewijs op elk moment kon hebben opgedaan, en daar zou hij gelijk in hebben. Dag bewijs!'

Hij wierp haar een spottende blik toe. 'Vertel me eens, mevrouw de juryvoorzitter, wat voor bewijs een jury nodig zou hebben om Lozada schuldig te bevinden?'

'Hoe zit het met bloed op zijn kleren?'

'U weet beter dan ik dat er voornamelijk sprake was van een inwendige bloeding omdat hij het wapen niet terugtrok. Als Lozada al bloed op zijn kleren had, wat twijfelachtig is, dan zou hij de kleren hebben vernietigd voordat we een huiszoekingsbevel in handen hadden. In de vorige zaak was er bloed op de nek van het slachtoffer. Kon het OM aantonen dat het op een van Lozada's bezittingen zat?'

'Nee,' antwoordde Rennie. 'En zijn advocaat zorgde ervoor dat wij juryleden dat wisten.' Ze dacht een tijdje na. Toen vroeg ze: 'En hoe zit het met DNA? Dat zou praktisch onbetwistbaar zijn. En hoe zit het met sperma? En met speeksel?'

Hij schudde zijn hoofd. 'Zo onvoorzichtig zou hij nooit zijn. Maar stel dat het wél zo was, hij en het meisje zouden eerder die dag samen kunnen zijn geweest, niet per se in die motelkamer.'

Hij zei niet of ze Wicks DNA op het meisje hadden aangetroffen, en Rennie vroeg er niet naar. 'Het lijkt me dat ik uw tijd heb verspild.'

Ze stond op en trok de deur open. Al het gepraat in de kamer erachter hield abrupt op. Ieder hoofd werd omgedraaid. Ze aarzelde, maar Wesley duwde haar zachtjes vooruit. 'Voordat u gaat wil ik u iets laten zien.'

Hij leidde haar terug naar zijn bureau, waar hij een foto oppakte. 'Het meisje heette Sally Horton. Ze was drieëntwintig.'

Ze móest het vragen. 'Kende Wick haar allang? Waren ze vrienden?'

'Sinds een minuut of twintig. De barkeeper heeft gezien dat ze hem aansprak en zich voorstelde. Wick verliet de bar samen met mij. Ik zal hem moeten vragen wat er daarna is gebeurd. Maar wat dat ook was, en hoeveel tijd ze ook met Wick doorbracht, Lozada keurde het af.' Hij overhandigde haar de foto.

Rennie kwam dagelijks met de dood in aanraking. Ze had de verwoesting gezien die een ziekte of een machine of een wapen in een mensenlichaam kon aanrichten. Vaak was de schade niet te geloven, en leek het iets uit een gruwelijke horrorfilm van een producent met een levendige, ziekelijke fantasie.

Ze verwachtte een foto die gelijk was aan de foto's die tijdens het proces aan de jury waren getoond. Opgezwollen gezicht, uitstekende tong, uitpuilende ogen. Maar Sally Horton leek onaangetast, op twee donkere plekken op haar voorhoofd na.

Rennie legde de foto terug op Wesleys bureau. 'Als ik u eerder over Lozada had verteld, zou hij misschien in de gevangenis hebben gezeten en zou zij niet zijn vermoord. Heeft u me dáárom de foto laten zien?'

'Ja, maar ook om u te waarschuwen.'

'Ik weet al dat Lozada gevaarlijk is.'

'Dat geldt dus ook voor een relatie met Wick beginnen.'

17

Toen Lozada het nieuws hoorde op het televisiejournaal, was hij woedend geweest.

Hoe kon Rennie het leven van Wick Threadgill hebben gered nadat hij, Lozada, zoveel moeite had gedaan en zoveel risico had genomen om haar van die vent te bevrijden? Vrouwen! Hij zou ze nooit begrijpen. Wat je ook voor hen deed, het was nooit genoeg.

Wanneer een politieman werd vermoord, kwam het altijd in het nieuws. Collega's kwamen bijeen. De zwarte armbanden werden te voorschijn gehaald. Foto's van de weduwe en haar kinderen haalden de voorpagina. Het grote publiek treurde, alsof ze een vriend hadden verloren. De gesneuvelde man werd tot een held uitgeroepen.

Te oordelen naar wat ze vanmorgen op de televisie hadden gezegd kon Wick Threadgill over water lopen. Ze noemden diverse moordzaken die Threadgill had opgelost, ogenschijnlijk helemaal in zijn eentje, Batman en Dick Tracy in één persoon verenigd. Hij was bijna uit het korps geknikkerd, maar dat werd gebagatelliseerd.

Rennie werd geprezen als de begaafde chirurg die hem van de rand van de dood had weggehaald. Ze had in de operatiekamer van Tarrant General gebruikgemaakt van de trauma-ervaring die ze in oorlogvoerende landen had opgedaan, in de tijd dat ze aan internationale hulpprogramma's, zoals Artsen zonder Grenzen, deelnam.

Lozada wond zich zo op over deze schandelijk tendentieuze berichten, dat hij zelfs niet kon genieten van het spelen met zijn schorpioenen. Zijn aartsvijand kreeg loftuitingen. Rennie werkte hem tegen. Hij had zich niet meer zo gefrustreerd gevoeld sinds een ambulancebroeder zijn broertje redde nadat hij, Lozada, een bal in zijn keelgat had geduwd.

Dat was gebeurd op de kerstmorgen van zijn zestiende levensjaar. Zijn dertienjarige broer had het verstand van een tweejarige. Een van zijn kerstcadeautjes was een plastic honkbal en een plastic honkbalknuppel geweest. Hij had er onder de versierde kerstboom mee gespeeld. Hun ouders waren in de keuken met de kerstham bezig geweest.

Lozada had een paar minuten naar zijn broer zitten kijken en toen had hij besloten dat zijn wereld een stuk leuker zou zijn zonder zijn broer. De idioot had gedacht dat het een spelletje was toen Lozada de plastic bal in zijn mond propte. Hij had geen enkel geluid gemaakt en totaal geen weerstand geboden.

Toen het levenslicht in de vriendelijke ogen van zijn broertje bijna was gedoofd, had Lozada zijn ouders horen terugkeren uit de keuken. Hij was gaan roepen dat ze snel moesten komen, dat zijn broertje de nieuwe honkbal in zijn mond had gestopt. 911 was gebeld en het kind was in leven gebleven. Zijn ouders hadden gehuild van opluchting. Ze hadden het joch de hele dag geknuffeld en steeds maar weer gezegd dat hij zo'n godsgeschenk was.

Het was een rotkerst geweest. Zelfs de ham was verbrand.

Ironisch genoeg had hij zich de moeite te proberen om zijn broer te doden kunnen besparen. Nauwelijks een half jaar later waren zijn ouders met de jongen op weg geweest naar Houston om de zoveelste toverdokter te raadplegen – wisten die mensen dan niet wanneer ze moesten stoppen? – toen hun vliegtuig tijdens een onweersbui in een moeras in Oost-Texas neerstortte. Alle bemanningsleden en alle passagiers waren omgekomen. Over boffen gesproken!

Maar Lozada zou Wick Threadgill niet aan het lot overlaten.

In de eerste plaats wilde hij per se het genoegen smaken hem te doden. Hij had de ontspannen planning ervan al moeten opofferen. Gisteren nog had hij besloten de tijd te nemen en iets bijzonders voor Threadgill te verzinnen. Maar vannacht was het duidelijk geworden dat hij zonder uitstel moest handelen. Hij had er een bloedhekel aan om overhaast plannen te maken. Je dronk een Louis XIII-decanteerfles anders leeg dan een blikje frisdrank. Hij zou nu niet genieten van de smaak. Maar als het betekende dat Threadgill vroeger in plaats van later dood zou zijn, kon hij het accepteren.

Hoewel hij vannacht met een paar tactische problemen was geconfronteerd, had hij onmiddellijk een plan gemaakt en snel gehandeld. De exotische danseres-in-de-dop was makkelijk te verleiden geweest. Ze had hem zonder meer geloofd toen hij tegen haar zei dat hij een vriend had die van een triootje hield – deed ze mee? 'Als hij net zo knap is als jij, nou en of!'

Ze had bezwaar gemaakt om haar auto in plaats van de zijne te nemen, maar ze had snel genoeg ingestemd toen hij zei: 'Ach, we kunnen de zaak maar beter vergeten!'

Hij wist waar Threadgill verbleef. In de bouwkeet waarin de FWPD altijd betaalde procesgetuigen, bezoekende politiemensen, nieuwe rekruten en dergelijke opborg. Om te weten of zijn vermoeden juist was, had hij alleen maar hoeven op te bellen en te vragen of ze hem met de kamer van Wick Threadgill wilden doorverbinden. Hij had opgehangen terwijl de telefoon overging, want toen wist hij zeker dat Threadgill in het motel was ondergebracht.

Hij had Sally laten parkeren op een parkeerterrein van een supermarkt, twee straten van het motel verwijderd. De rest van de weg hadden ze te voet afgelegd. Toen ze hem naar de reden daarvan vroeg, had hij gezegd dat hij zijn vriend wilde verrassen. Ze had het voor zoete koek aangenomen.

Wicks pick-up had buiten kamer 121 gestaan. Lozada had zijn blik over het parkeerterrein laten dwalen om zich ervan te verzekeren dat er niemand anders in de buurt was. De meeste kamers waren donker. Van de weinige waar licht brandde waren de gordijnen gesloten.

Hij had het meisje naar voren geduwd. 'Jij gaat eerst. Ik wil dat hij jou als eerste ziet wanneer hij de deur opendoet.'

Ze had geklopt. Na een paar seconden te hebben gewacht had ze haar oor op de deur gelegd. 'Ik geloof dat ik de douche hoor.'

Ze was onder de indruk geweest toen hij het slot met zijn creditcard opende. Hij had haar een teken gegeven dat ze heel stil moest zijn. Daarna waren ze naar binnen gegaan en had hij gezegd dat ze op het bed moest gaan liggen. Ze had gedaan wat hij vroeg. Terwijl ze een giechelbui onderdrukte, had hij haar twee keer in het voorhoofd geschoten. Hij had overwogen haar tong uit te snijden, zoals hij had beloofd te zullen doen wanneer ze over hem kletste, maar het zou een troep hebben gemaakt. Bovendien had hij gehoord dat de douchekranen werden dichtgedraaid.

Achteraf gezien had hij het pistool met de geluiddemper ook moeten gebruiken om Wick dood te schieten. Eén schot in het oor terwijl Wick uit de badkamer kwam, en nog een schot tussen de ogen, voor alle zekerheid. Maar daar was toch geen plezier aan te beleven? Hij had gewild dat Wick besefte dat hij ging sterven.

Aan de andere kant, de schroevendraaier was een goede keus. Hij had hem in een oude gereedschapskist gevonden, in de bergruimte van zijn televisiereparatiezaak. Praktisch, roestig, verouderd, niet op te sporen.

183

Er was nóg een mogelijkheid geweest. Hij had moeten toesteken om te doden en niet om er plezier aan te beleven. In plaats van Wick recht in het hart te steken, zoals hij bij Howell had gedaan, had hij met Threadgill willen spelen. Dat was geen goed idee geweest. Hij had geen tijd gehad om het karwei af te maken, wat de schuld was van het kamermeisje. Wie maakte er nou een kamer schoon om halfvijf in de morgen?

Toen ze 911 belde was hij al terug geweest bij de supermarkt. Hij had Sally's auto naar de plek gereden waar ze de zijne hadden achtergelaten, met de sleutels erin. Hij was in zijn bestelbusje gestapt en had hem op een onopvallende plek neergezet. Toen was hij naar het hotel gelopen om te ontbijten. Hij had zijn laatste kopje koffie zitten drinken op het moment dat de ochtendjournaals met de eerste berichten over de moord kwamen.

Al dat werk heeft geen vruchten afgeworpen, dacht hij nu. De hufter was niet gestorven. En Rennie had hem helpen overleven. Waarom? Waarom had ze hem gered? Ze was razend op hem geweest. Ze had tegen hem gezegd dat ze hem nooit meer wilde zien. Ze haatte hem.

Was dat wel zo?

Hij bleef de hele dag in zijn appartement, te mistroostig om naar buiten te gaan. Hij draaide zijn superprivé voicemailnummer en hoorde dat er een klus voor hem was, waar hij alleen maar ja op hoefde te zeggen. Het contract was zo belangrijk voor de klant, dat Lozada zijn eigen prijs kon noemen. Gewoonlijk zou het vooruitzicht hem hebben opgewonden, maar zelfs de belofte van een lucratief karweitje met nog een extra bonus kon hem niet opvrolijken.

Hij was in alle opzichten superieur aan Wick Threadgill. Hij had klasse. Hij betwijfelde of Threadgill dat woord zelfs maar kon spellen. Híj was miljonair. Threadgill had het salaris van een politieman. Híj droeg haute-couturekleding. Threadgill was gekleed als een zwerver. Híj wilde Rennie op een voetstuk plaatsen. Threadgill wilde haar slechts gebruiken om hém in handen te krijgen.

Het sloeg echt nergens op. Hoe kon ze in godsnaam Threadgill boven hem verkiezen?

Hij zat nog steeds te mokken toen het vroege avondjournaal begon. Er was die dag niets gebeurd wat het verhaal van de moord op Sally Horton en de bijna fatale aanval op Wick van de eerste plaats had verdrongen. Na de gebeurtenissen van die ochtend kort te hebben samengevat, zei de presentator: 'In het Tarrant General werd vandaag een persconferentie gegeven. Dokter Rennie Newton gaf antwoord op vragen van de verslaggevers.'

Er volgde een reportage van de persconferentie. Rennie stond op een verhoging achter een microfoon, geflankeerd door twee sombere mannen in donkere pakken, waarschijnlijk leden van het ziekenhuisbestuur. Ze kneep haar ogen samen tegen het licht van de tv-lampen terwijl ze een van de gretige journalisten toeknikte.

'Dokter Newton, hoe gaat het op dit moment met Mr. Threadgill?'

'Zijn toestand is stabiel,' antwoordde ze, 'wat bemoedigend is. Vanmorgen was hij kritiek. Mr. Threadgill had een diepe steekwond in zijn rug en er was veel schade aan het omringende weefsel toegebracht.'

In de juiste handen zou een Philips-schroevendraaier dat effect op iemand hebben. Lozada's lippen krulden zich tot een grijns van voldoening.

'Was de steekwond mogelijk fataal?'

'Naar mijn mening wel. Onmiddellijk zijn er maatregelen getroffen om zijn leven te redden. Ons traumateam heeft het uitstekend gedaan.'

'Had deze aanval iets te maken met de onopgeloste moord op de broer van Mr. Threadgill, drie jaar geleden?'

'Daar weet ik niets van.'

'Is Wick Threadgill nog steeds met verlof?'

'Dat moet u aan de politie vragen.'

'Is hij...'

Ze stak haar handen op om de journalisten tot zwijgen te brengen. 'Ik werd vanmorgen opgeroepen voor een spoedoperatie. Een tijd lang wist ik niet eens hoe de patiënt heette. Ik weet niets van Mr. Threadgills loopbaan of zijn familiegeschiedenis. Ik deed mijn werk. Dat is alles wat ik u kan zeggen.'

Daar eindigde de reportage. De presentator kwam weer in beeld met een korte samenvatting en toen ging hij over naar het volgende onderwerp.

Lozada zette de televisie uit, maar hij bleef zitten en dacht aan Rennies verklaring: 'Ik deed mijn werk.'

Natuurlijk! Ze had Threadgill niet gered omdat ze hem graag mocht. Ze had alleen maar haar werk gedaan. Hij, Lozada, had meestal niets gehad tegen de meeste mensen die hij vermoordde. Hij had ze niet eens gekend. Maar dat had hem er niet van weerhouden datgene te doen waarvoor hij werd betaald. Rennie had haar werk met professionele afstandelijkheid uitgevoerd, zoals hij ook altijd deed.

En was de manier waarop ze met de media omging niet fantastisch? Kalm, professioneel, niet onder de indruk van alle aandacht die ze van de media kreeg.

Ja, ze was moe. Dat zag hij wel. Ze had er weleens beter uitgezien. Maar ook al was ze onverzorgd en uitgeput, ze was was nog steeds mooi en begeerlijk. Hij wilde haar hebben. Hij zou haar spoedig hebben. Hierna zou ze vast en zeker de diepte van zijn toewijding aan haar op prijs stellen.

Plotseling had hij honger als een paard. Hij had zin om uit te gaan.

Hij schonk een tequila in en nam zijn glas mee naar de zwartmarmeren douche. Na zijn hoofd en zijn lichaam te hebben gewassen en geschoren, liet hij het water tien minuten doorstromen. Daarna demonteerde hij de afvoerbuis, maakte elk onderdeel ervan schoon met papieren wegwerpdoekjes en spoelde die door de wc.

Hij deed de afvoerbuis weer op zijn plaats. Toen maakte hij de douchecel droog met een handdoek, die hij in een waszak stopte. Op weg naar buiten zou hij de zak in een stortkoker laten vallen die in een grote container in de kelder van het gebouw uitkwam. Twee keer per dag werden de waszakken door een wasserij opgehaald. Hij liet nooit een gebruikte handdoek in zijn badkamer achter.

Hij dronk zijn glas leeg terwijl hij een handgemaakte, linnen broek en een zijden T-shirt aantrok. Hij hield van het gevoel van zijde op zijn huid, hij hield van de manier waarop de stof zijn tepels streelde, zacht en sensueel als de tong van een vrouw. Hij hoopte maar dat Rennie zijn tatoeage mooi zou vinden.

Hij maakte zijn outfit af met een contrasterend tweedjasje. Hij was te chic gekleed voor het Mexicaanse restaurant, maar hij was in een feeststemming. Hij belde de receptie en vroeg of de parkeerbediende zijn Mercedes wilde voorrijden.

Voor hij zijn appartement verliet, pleegde hij nóg een telefoontje.

Zijn Mercedes stond op hem te wachten, en de bediende hield het portier voor hem open. 'Prettige avond, Mr. Lozada.'

'Dank je.'

In de wetenschap dat hij er geweldig uitzag en dat de jongeman hem waarschijnlijk benijdde, gaf Lozada hem een royale fooi.

18

Op het moment dat ze uit de lift stapte, zag ze de rozen.

Ze zou ze onmogelijk hebben kunnen missen. Het boeket stond op de balie van de verpleegsterspost. Verpleegsters en verpleeghulpen hadden haar blijkbaar op staan wachten om haar reactie te zien. Elk van hen had een hoopvolle glimlach om de lippen.

'Ze zijn voor u, dokter Newton.'

'Ze zijn ongeveer een half uur geleden bezorgd.'

'Je kon de bezorger amper zien achter al die bloemen. Zijn ze niet schitterend?'

'Wie is uw geheime aanbidder?'

'Het is in elk geval geen politieman.' Dat zei de agent die Wesley buiten Wicks kamertje had geposteerd. 'Er is geen politieman die zich zoiets zou kunnen veroorloven, dat kan ik jullie verzekeren.'

Rennie keek niet meer naar het boeket. 'Er moet een vergissing in het spel zijn. Ze zijn niet voor mij.'

'M... maar er zit een kaartje bij,' stotterde een van de zusters. 'En daar staat uw naam op.'

'Ruim de rozen en het kaartje op. De vaas. De hele santenkraam.'

'Wilt u dat we ze weggooien?'

'Verdeel ze onder de patiënten. Breng ze naar het atrium van de hal, de kapel, zet ze op het menu van vanavond. Het kan me niet schelen. Zorg er alleen voor dat ik ze niet zie. Geef me de kaart van Mr. Threadgill, alsjeblieft.'

De groep, nu zonder glimlach, verspreidde zich. De politieman sloop terug naar zijn post. Een van de verpleegsters droeg de loodzware vaas weg. Een andere overhandigde Rennie de patiëntenkaart waar ze om had gevraagd en volgde haar dapper Wicks kamertje in.

'Hij is langere periodes wakker geweest,' zei de verpleegster tegen Rennie. 'Hij heeft de pest aan de spirometer.' Patiënten moesten regelmatig in de ademhalingsmeter blazen om hun longen schoon te houden.

Ze controleerde het verband dat zijn wond bedekte. Hij kreunde in zijn slaap toen ze het verband verwijderde om een kijkje te nemen. Na het verband weer te hebben aangebracht, vroeg ze de verpleegster of hij al iets had gedronken.

'Alleen fijngestampt ijs.'

'Als hij weer om iets vraagt, laat hem dan kleine slokjes Sprite drinken.'

'Medfidki.'

Rennie ging aan de linkerkant van het bed staan, zodat ze zijn gezicht kon zien. 'Zeg dat nog eens?'

'Fidki in de spaid.' Vrijwel zonder zijn hoofd te bewegen probeerde hij haar met zijn ene oog aan te kijken. Om het hem gemakkelijker te maken, ging ze op de stoel naast het bed zitten.

'Passen whisky en Sprite wel bij elkaar?'

'Kannie schele.'

Ze glimlachte. 'Ik denk dat je al goed van medicijnen bent voorzien.'

'Niet genoeg.'

De verpleegster haastte zich om de frisdrank te halen. Wick legde zijn hoofd zo neer, dat zijn gezicht niet half in het kussen was begraven. 'Heb jij me dit aangedaan, Rennie?'

'Schuldig.'

'Dan verdwijn je,' – hij kreunde en zoog zijn adem in – 'van mijn kerstkaartenlijst.'

'Als je een grapje kunt maken, voel je je vast en zeker beter.'

'Als een platgetrapte drol.'

'Nou, zo zie je er ook uit.'

'Ha ha.' Zijn oog ging dicht en bleef dicht.

Rennie stond op en beluisterde zijn borstkas met haar stethoscoop.

'Hoor je mijn hart slaan?' vroeg hij, wat haar verbaasde omdat ze dacht dat hij weer in slaap was gevallen.

'Luid en duidelijk, Mr. Threadgill.' Ze ging weer zitten. 'Je longen klinken ook schoon, dus blijf in de ademhalingsmeter blazen als de verpleegsters dat vragen.'

'Mietjesgedoe.'

'Maar dat is longontsteking niet!'

'Rennie?'

'Ja?'

'Ben ik neergeschoten?'

'Neergestóken.'

Hij deed opnieuw zijn oog open.

'Met een schroevendraaier.'

'Schade?'

'Aanzienlijk maar niet onherstelbaar.'

'Bedankt.'

'Niets te danken.'

'Mijn ballen doen pijn.'

'Ik zal zorgen dat je daar een ijszak voor krijgt.'

Het verbaasde haar dat één oog zo vuil kon kijken.

'Ze zijn gezwollen,' legde ze uit. 'Na een verwonding als die van jou verzamelt zich bloed in de testikels.'

'Maar is er niets met ze aan de hand?'

'Er is niets met ze aan de hand. Dit is een voorbijgaande zaak.'

'Zweer je dat?'

'Geef ze een paar dagen. Dan zijn ze weer normaal.'

'Mooi zo.' Hij sloot zijn oog. 'Grappig gesprek.'

'Maar de pijn is minder grappig. Tenminste, dat heb ik altijd gehoord.'

'Rennie?'

Hij deed zijn oog weer open. 'Hebben ze hem te pakken?'

Ze schudde haar hoofd.

'Verdomme.'

Rennie bleef waar ze was, op de stoel naast het bed. Opnieuw dacht ze dat hij weer in slaap was gevallen toen hij bromde: 'Mijn gezicht. Doet verrekte zeer. Wat heeft hij ermee gedaan?'

'Blijkbaar heeft hij je van achteren aangevallen.'

'Juist, ja.'

'Je bent voorover gevallen en hard op je wang terechtgekomen. Je kin was kapot, maar er waren geen hechtingen nodig. Je bent gekneusd en gezwollen, maar er zijn geen botten gebroken.'

'Dus ik zal weer net zo knap zijn als altijd?'

'En ook zo verwaand, daar ben ik zeker van.'

Hij glimlachte, maar ze kon zien dat dat pijn deed.

De verpleegster keerde terug met een plastic bekertje vol Sprite. Ze keek Rennie verbaasd aan toen die het bekertje van haar overnam. Er waren niet veel chirurgen die patiënten op deze manier hulp verleenden. Rennie hield het gebogen rietje tegen Wicks lippen. Hij nam een paar voorzichtige slokjes. Toen trok hij zijn hoofd een beetje terug om aan te geven dat hij klaar was.

'Is dat het voor nu?' vroeg ze.

'Wil niet overgeven.'

Toen zweeg hij. Ze wist zeker dat hij deze keer weer in slaap was gevallen. Na het vertrek van de verpleegster bleef Rennie in de kamer. Ineens vroeg een zachte stem: 'Hoe gaat het met hem?'

Ze keek op en zag Grace Wesley op de gang staan. Rennie had haar niet horen naderen, ze had helemaal níets gehoord of gezien, ze was zich absoluut niet bewust geweest van de tijd. Hoelang had ze naar Wicks gehavende gezicht zitten staren?

Snel kwam ze overeind. 'Het, eh, het gaat beter met hem. Als hij wakker is slaat hij geen wartaal meer uit. Hij heeft een paar slokjes Sprite gedronken.' Ze hield het bekertje nog steeds in haar hand en zette het vlug op het nachtkastje. 'Hij slaapt nu.'

'Mag ik binnenkomen?'

'Natuurlijk.'

'Ik wil niet storen.'

'Dat doet u niet. Hij slaapt als een roos.'

Grace Wesley was aantrekkelijk en slank. Ze had haar haar glad naar achteren gekamd en in een chignon opgestoken, een minimalistische stijl die alleen flatteus was voor iemand met hoge jukbeenderen en een fijngetekend gezicht. Haar amandelvormige ogen getuigden van intelligentie en integriteit. Ze had een rustige, zachte uitstraling. Eerder had Rennie opgemerkt dat de lichtste aanraking van Grace al een kalmerend effect op haar sterke, gespierde man had.

Grace liep naar het voeteneinde van Wicks bed en bleef een tijdje naar hem staan kijken. 'Ik kan moeilijk geloven dat dat Wick is,' zei ze glimlachend. 'Ik heb hem nog nooit zo roerloos gezien. Hij zit nooit langer dan een paar seconden achterelkaar stil. De man is constant in beweging.'

'Dat is me ook opgevallen.' Grace draaide zich om en keek Rennie vragend aan. 'Ik ken hem natuurlijk niet goed,' haastte ze zich te zeggen. 'Helemaal niet. U wel, neem ik aan.'

'Wick zat in de hoogste klas van de middelbare school toen Oren, mijn man...'

Rennie knikte.

'Toen Oren en Wicks broer op de politieacademie begonnen. We werden goede vrienden van Joe. Hij nodigde ons uit voor een basketbalwedstrijd van zijn oude middelbare school om zijn broertje te zien spelen, zoals hij zei.' Ze lachte zacht. 'Wick kreeg een rode kaart.'

'Is hij een agressieve speler?'

'En een heethoofd, een driftkop. Opvliegend. Maar als hij boos wordt, duurt het meestal niet lang voor hij zijn excuses aanbiedt.'

Ze zwegen een poosje. Toen zei Rennie: 'Ik wist het niet van zijn broer. Tot vandaag, toen een journalist me een vraag over hem stelde.'

'Joe is drie jaar geleden gestorven. We zijn daar nog niet over heen. Geen van ons. Vooral Wick niet. Joe kon niets verkeerds doen in zijn ogen. Wick hield heel veel van hem.'

De verpleegster kwam binnen om een infuuszak te vervangen. Ze zetten hun gesprek pas voort toen ze weer alleen waren. 'Ik heb begrepen dat Joe is...'

'Vermoord,' zei Grace botweg.

Ineens ging Rennie een licht op en zag ze het verband. 'Lozada,' zei ze.

'Dat klopt. Lozada.'

'Hoe is hij er ongestraft vanaf gekomen?'

'Hij is nooit aangeklaagd.'

'Waarom niet?'

Grace aarzelde. Ze ging dichter bij Rennie staan en zei zachtjes: 'Dokter Newton, ik heb mijn man gevraagd wat er vanmorgen gaande was tussen jullie. Ik voelde de sterke onderstroom van gevoelens.'

'Twee weken geleden maakte ik deel uit van een jury die Lozada vrijsprak.'

'Dat heeft Oren verteld.'

'Uw man neemt mij de uitkomst van dat proces kwalijk. Vooral nu. Lozada heeft één vriend van hem afgepakt, en bijna ook een tweede.' Ze keek naar Wick. 'Als de jury tot een andere uitspraak was gekomen, zou Wick niet zijn aangevallen en zou de jonge vrouw die vannacht werd gedood nog in leven zijn. '

'Mag ik u iets vragen?' vroeg Grace kalm. Toen Rennie zich weer tot haar wendde, zei ze: 'Als u het helemaal overnieuw kon doen, zou u dan nogmaals vóór vrijspraak van Lozada stemmen?'

'Gebaseerd op wat ik toen wist of op wat ik nu weet?'

'Op wat u toen wist.'

Rennie dacht net zo diep over de vraag na als destijds over haar laatste, beslissende stem. 'Louter gebaseerd op wat ik toen wist en de instructie die de rechter ons gaf, zou ik gedwongen zijn opnieuw vóór vrijspraak te stemmen.'

'Dan hoeft u zich niet schuldig te voelen, dokter Newton. U kunt niet verantwoordelijk worden gehouden voor Lozada's aanval op Wick.'

'Dat moet u tegen uw man zeggen,' zei Rennie meesmuilend.

'Dat heb ik al gedaan.'

Rennie stond paf. Grace glimlachte haar zachte glimlach en gaf Rennie een hand. 'Ik ga. Maar als Wick wakker wordt, wilt u dan tegen hem zeggen dat ik hier geweest ben?'

'Ik moet ook zo weg, maar ik zal aan de zusters doorgeven dat ze niet moeten vergeten het hem te vertellen.'

'Weet u wanneer hij naar een gewone kamer wordt gebracht?'

'Over een paar dagen. Tenminste, als het zo goed blijft gaan. Ik hou hem nauwlettend in de gaten, uit angst voor een infectie.'

'Wat kan ik tegen mijn dochters zeggen?'

'Heeft u dochters?'

'Twee. Zeer levenslustige!'

'Wat fijn voor u.'

'Ze smeekten of ik ze vanavond wilde meenemen, maar Oren wilde niet dat ze het huis verlieten.'

Rennie hoefde niet naar de reden daarvan te vragen. Wesley was bang voor hun veiligheid, vreesde dat Lozada misschien niet tevreden was met een aanval op Wicks leven. Op diverse plekken in het ziekenhuis had hij agenten neergezet, en nu zag ze er nóg twee aan de andere kant van de glazen wand van Wicks kamertje. Dat waren ongetwijfeld de lijfwachten van Grace Wesley.

'Mijn dochters zijn stapel op hun oom Wick,' zei ze. 'Als er een poster van hem was, zou hij aan de muur van hun kamer hangen, naast hun andere droomprinsen.'

'Zeg maar tegen uw dochters dat het allemaal weer goed komt met hun oom Wick.'

'Daar zijn we u dankbaar voor. De meisjes staan te trappelen van ongeduld om kennis met u te maken.'

'Met míj?'

'Ik heb ze alles over u verteld. Even later hoorde ik toevallig wat ze tegen elkaar zeiden. Ze hebben besloten chirurg te worden. Ze willen mensen redden zoals u Wick hebt gered.'

Rennie was zo ontroerd, dat ze niets wist te zeggen. Grace had dat waarschijnlijk gevoeld, want ze nam vlug afscheid en vertrok. Geflankeerd door de twee politieagenten liep ze naar de lift.

Er waren geen rozen meer te zien toen Rennie naar de verpleegsterspost terugkeerde. In de cirkelvormige ruimte stonden diverse bureaus, computers, beeldschermen, dossierkasten en losliggende rommel. Ze wist niet waar ze moest beginnen met haar zoektocht naar wat ze nodig had. En dat was haar blijkbaar aan te zien, en blijkbaar zocht ze tevergeefs.

'Kan ik u helpen, dokter Newton?'

'Eh, ja.'

Ze moesten diverse lades doorzoeken voor ze een blikje met medicinale lippenzalf vonden. Rennie nam het blikje mee naar Wicks kamertje. Hij sliep nog steeds. Zijn ademhaling was regelmatig. Ze ging op de stoel naast zijn bed zitten, maar het duurde minstens een volle minuut voor ze het blikje openmaakte. Er kwam een aangename vanillegeur uit.

Eerder had ze gezien dat Wicks lippen droog en gebarsten waren. Dit was een niet ongebruikelijk neveneffect van een operatie en het verlies van vloeistoffen. In feite was het heel normaal. Maar Wicks lippen hadden er wel érg droog uitgezien. Misschien zou het helpen om zijn lippen met lippenzalf in te smeren. Wat was daar verkeerd aan?

Met wie was ze áan het redetwisten?

Ze wreef met het puntje van haar wijsvinger over de zalf, in stevige kringetjes, tot de zalf warm en zacht werd door het wrijven en haar lichaamswarmte. Toen bracht ze zachtjes wat zalf aan op zijn onderlip, en daarna op zijn bovenlip, Ze maakte nauwelijks contact. Ze raakte hem zo voorzichtig aan, dat je het amper aanraken kon noemen.

Toen zijn beide lippen met een laagje geurige zalf waren bedekt, trok ze haar hand terug. Ze aarzelde. Daarna raakte ze opnieuw zijn onderlip aan, maar deze keer verbrak ze het contact niet. Langzaam smeerde ze de zalf van de ene mondhoek naar de andere, en weer terug. Ze deed hetzelfde met de bovenlip. Ze volgde de mannelijke vorm en bleef binnen de lijn, heel voorzichtig, als een kind dat een standje zou krijgen als ze buiten de lijnen kleurde.

Juist op het moment dat ze haar hand opnieuw wilde terugtrekken, werd hij wakker. Het oogcontact was als een elektrische schok.

Geen van beiden zei iets. Ze bewogen zich niet. Haar wijsvinger rustte nog op de rand van zijn lippen. Rennie hield haar adem in, in het besef dat zijn diepe, gelijkmatige ademhaling ook was opgehouden. Ze had sterk het gevoel dat, als een van hen zich bewoog, er iets zou gebeuren. Iets gedenkwaardigs. Wat precies, dat wist ze niet. In elk geval durfde ze zich niet te bewegen. Ze was er niet zeker van of ze zich wel kón bewegen. Zijn blauwe blik had een verlammende uitwerking op haar.

Ze bleven zo zitten, als bevroren, gedurende... hoelang? Later kon ze het zich niet herinneren. Het duurde tot Wicks linkeroog zich sloot. Ze hoorde zijn wimpers langs de kussensloop strijken. Ze haalde pas weer adem nadat híj dat had gedaan.

Toen trok ze haar hand terug, draaide onhandig het deksel op het blikje lippenzalf en zette het op het nachtkastje. Ze keek niet meer naar hem voor ze de intensive care verliet. 'Bel me als er een verandering is,' beval ze op norse toon toen ze zijn kaart bij de verpleegsterspost afgaf.

Bij de lift hield de dienstdoende agent de deur voor haar open en zei verlegen: 'Dokter Newton, ik wilde u zeggen... nou, Wick is een fantastische vent. Een paar jaar geleden raakte een van mijn kinderen gewond. Wick stond als eerste klaar om bloed te geven. Hoe dan ook, ik wilde u bedanken dat u hem vanmorgen het leven hebt gered.'

Rennie schreef de traan aan vermoeidheid toe. Ze had zich niet gerealiseerd hoe moe ze was tot de lift aan zijn afdaling begon. Ze leunde tegen de achterwand en sloot haar ogen. Op dat moment voelde ze de traan over haar wang biggelen. Ze veegde hem weg voor ze de begane grond bereikte.

Toen ze door de uitgang liep, verraste een andere agent haar door met haar mee naar buiten te lopen. 'Is er iets?'

'Orders van Wesley, mevrouw. Dokter,' zei hij, zichzelf corrigerend.

'Waarom?'

'Dat heb ik niet gevraagd en hij zei het niet. Het zal wel iets met Threadgill te maken hebben.'

De agent bracht haar naar haar auto, controleerde de achterbank en keek onder de Jeep. 'Rij veilig, dokter Newton.'

'Dat zal ik doen, dank u.' Hij bleef haar nakijken tot ze door de open slagboom was verdwenen.

Een paar straten verderop zag ze pas het cassettebandje. Het stak uit de cassetterecorder in het dashboard. Ze keek er verbijsterd naar. Ze speelde nooit cassettebandjes af, altijd cd's.

Bij het volgende stoplicht haalde ze het bandje eruit om het etiket te bekijken. Er wás geen etiket. Door het transparante plastic kon ze het bandje zien. Terwijl ze het akelige voorgevoel dat bezit van haar nam van zich afzette, stopte ze het bandje in de cassetterecorder en drukte op 'play'.

Flarden pianomuziek vulden de auto, samen met de omfloerste stem van een smartlappenzangeres. 'Ik ben smoorverliefd op je, snoezepoes.'

Rennie stompte net zo lang met haar vuisten op het bedieningspaneel tot de muziek ophield. Ze beefde, hoofdzakelijk van woede, maar ook van angst. Het feit dat er agenten rond het ziekenhuis stonden, had Lozada niet weerhouden dit bandje in de cassetterecorder van haar auto te stoppen. Hoe had hij dat in godsnaam klaargespeeld? Haar wagen was op slot geweest.

Ze tastte in haar leren tas, op zoek naar haar zaktelefoon, maar het enige dat haar lukte was de inhoud van haar tas op de vloer gooien. Ze besloot niet te stoppen en haar telefoon te zoeken, maar zo snel mogelijk naar huis te rijden. Dan zou ze Wesley daarvandaan bellen.

Ze reed door twee op rood staande verkeerslichten nadat ze naar rechts en links had gekeken om te zien of er geen verkeer aankwam. Met een roekeloze snelheid reed ze haar oprit in. Het duurde een eeuwigheid voor de garagedeur openging. Zodra het kon reed ze haar Jeep naar binnen. Ze drukte op de afstandsbediening. De deur begon al dicht te gaan voor ze haar motor uitzette.

Ze liet de inhoud van haar tas op de vloer liggen. Ze klom uit de Jeep, rende naar de achterdeur en stormde de keuken binnen. Toen bleef ze abrupt staan.

Door de verbindingsdeur van de zitkamer scheen flakkerend licht. Er was geen lichtbron in de kamer die dat soort licht produceerde. Wat was er aan de hand? Tot ze dat wist was het het verstandigste om achteruit naar buiten te lopen, de garage open te doen en naar het midden van de straat te lopen, zwaaiend met haar armen en roepend om hulp.

Maar ze piekerde er niet over om schreeuwend haar eigen huis uit te lopen. Geen haar op haar hoofd!

Ze liet de achterdeur openstaan en haalde een slagersmes uit een la. Toen liep ze door de keuken naar de zitkamer. Kaarsen, honderden naar het scheen, maar waarschijnlijk waren het er tientallen, stonden in kaarsenstandaards van allerlei vormen en afmetingen te flakkeren. Ze waren op alle mogelijke plaatsen neergezet. Ze vulden de lucht met een bedwelmende bloemengeur en maakten dat het leek of de kamer in lichterlaaie stond.

Op haar salontafeltje stond een boeket rode rozen. Uit de cd-speler klonk muziek. Een andere versie. Een andere artiest. Maar hetzelfde lied. Lozada's herkenningsmelodie.

Ze had moeite met ademen en ze kon het bonken van haar hart boven de muziek uit horen. Ze deed voorzichtig een stap naar achteren terwijl ze zich opnieuw afvroeg of het raadzaam was dit zelf af te handelen. Misschien was het tóch beter om door de keukendeur te ontsnappen.

Hoeveel tijd zou het kosten om hulp te krijgen? Terug door de keuken. De deur uitlopen. Een klap geven op de garagedeurschakelaar aan de muur. Onder de deur door duiken. De oprit afrennen, de straat op. Of door de heg naar het huis van Williams. Om hulp roepen. Andere mensen erbij betrekken. De politie erbij betrekken.

Nee.

Ze liep naar de geluidsinstallatie en zette de muziek af. 'Kom hier en laat je zien. Waarom doe je dat niet?'

De geschreeuwde woorden echoden na. Ze luisterde aandachtig, maar het was moeilijk een ander geluid te onderscheiden dan het gerasp van haar ademhaling en het gebonk van haar hart.

Ze liep de gang in, maar bleef abrupt staan. De gang strekte zich voor haar uit, donker en onheilspellend, en leek veel langer dan anders. Omdat hij haar bang had gemaakt in haar eigen veilige haven, werd ze nog bozer. Woede dreef haar naar voren.

Ze liep snel de gang door. Toen reikte ze naar de lichtschakelaar in haar werkkamer. De kamer was leeg en je kon je nergens verstoppen. Ze trok de kastdeur open. Niets, behalve haar opgeborgen reisspullen. Nogmaals, een volwassen man kon zich nergens verstoppen.

Vervolgens liep ze haar slaapkamer in, waar nog meer kaarsen flakkerden. Ze wierpen dansende schaduwen op de muren en het plafond, op de jaloezieën die ze nu, vanwege hém, de hele dag en de hele nacht dichthield. Ze keek onder het bed. Ze liep naar de wc en zwaaide de deur open. Ze sloeg tegen de kleren die in de kast hingen.

De badkamer was ook leeg, maar het douchegordijn, dat ze altijd openhield, was dicht. Ze was te boos om bang te zijn en schoof het gordijn opzij. Op het rek boven de badkuip stond ook een vaas met rozen.

Ze haalde naar de vaas uit, die in de porseleinen badkuip aan diggelen viel. Het leek wel een explosie, zo groot was het lawaai.

'Vuile schoft! Waarom laat je me niet met rust?'

Ze beende terug naar de slaapkamer en blies de kaarsen uit, tot ze vreesde dat de rook het alarm in werking zou zetten. Ze liep weer door de zitkamer, maar liet de kaarsen voorlopig branden. In de keuken sloot ze de achterdeur en deed hem op slot. Het mes legde ze terug in de la.

In de koelkast vond ze een halfvolle fles chardonnay. Ze schonk een glas vol en nam een grote slok. Terwijl ze haar ogen sloot drukte ze het koude glas tegen haar voorhoofd.

Ze overwoog Wesley te bellen. Wat had het voor zin? Ze kon niet bewijzen dat Lozada haar huis was binnengedrongen, net zomin als Wesley kon bewijzen dat Lozada Sally Horton had vermoord en een poging had gedaan om Wick te doden.

Aan de andere kant, als ze dit niet rapporteerde en als Wesley er op de een of andere manier achterkwam... Oké. Hoe ze er ook tegen opzag, hij moest op de hoogte worden gesteld.

Ze tilde haar hoofd op, opende haar ogen en zag haar spiegelbeeld in het raam boven de gootsteen. Achter haar stond Lozada.

Ze had slechts gedácht dat ze te boos was om bang te zijn.

19

Hij greep haar bij de schouders en draaide haar naar zich toe. Zijn ogen waren zo donker, dat de pupillen niet van de irissen te onderscheiden waren.

'Je lijkt overstuur. Ik wilde je behagen, Rennie, niet je van streek brengen.' Zijn stem was zacht. Als die van een minnaar.

Ze voelde zowel woede als angst. Ze wilde naar hem uithalen omdat hij haar geordende leven ontwrichtte. Maar ze wilde evenzeer ineenkrimpen van angst. Beide reacties waren echter tekenen van zwakheid, die ze hem niet durfde te laten zien. Hij was een roofdier dat de zwakheid van zijn prooi zou voelen en er gretig misbruik van zou maken.

Hij pakte haar wijnglas en bracht het naar haar lippen. 'Drink.'

Ze probeerde haar hoofd af te wenden, maar met zijn andere hand pakte hij haar kin vast terwijl hij het glas schuin hield. Ze voelde de wijn koud tegen haar lippen. Het glas tinkelde tegen haar tanden. Wijn vulde haar mond. Ze slikte het door, maar niet alles. Er droop een beetje over haar kin. Toen hij het met zijn duim wegveegde, glimlachte hij tegen haar.

Rennie had dat soort glimlach overal ter wereld gezien. Het was de glimlach van de bruut voor de mishandelden. Het was de glimlach van een wrede echtgenoot voor de vrouw die hij zó had geslagen, dat ze onherkenbaar was. De glimlach van een vijandelijke soldaat voor het meisje dat hij had verkracht. De glimlach van de vader voor de maagdelijke dochter die hij had laten steriliseren.

Het was een bezitterige, neerbuigende glimlach. De glimlach vertelde dat de vrije wil van de mishandelde was afgepakt, en dat ze er, via een perverse redenering, blij om moest zijn, zelfs dankbaar voor de verdraagzaamheid van degene die haar mishandelde.

Dat was Lozada's glimlach voor haar.

Hij bracht het wijnglas opnieuw naar haar lippen, maar ze kon zijn glimlach niet langer verdragen en sloeg het glas weg. De wijn klotste over zijn hand. Zijn ogen vernauwden zich gevaarlijk. Hij hief zijn hand. Ze dacht dat hij op het punt stond haar te slaan.

Maar in plaats daarvan bracht hij zijn hand naar zijn mond en likte de wijn op met obscene, suggestieve bewegingen van zijn tong.

Zijn duivelse glimlach veranderde in zacht gelach. 'Geen wonder dat je het niet wilde, Rennie. Het is goedkoop. Van zeer slechte kwaliteit. Een van mijn eerste projecten zal zijn je kennis te laten maken met eersteklas wijnen.'

Hij reikte langs haar om het glas wijn op het aanrecht te zetten. Zijn lichaam drukte tegen het hare. Zijn nabijheid verstikte haar. Ze kon niet ademen, en dat wilde ze ook niet. Ze wilde niet dat zijn geur in het geheugen van haar reukzin werd opgeslagen.

Ze dwong zichzelf hem niet weg te duwen. In een flits dacht ze terug aan de foto van Sally Horton. Daardoor kon ze doodstil blijven staan en de druk van zijn lichaam verdragen. Waarschijnlijk wilde Lozada dat ze vocht. Hij zou blij zijn met een excuus om zich als de overheerser te doen gelden. Mensen die mishandelden vonden het heerlijk om redenen te hebben die hun wreedheid rechtvaardigden.

'Je beeft, Rennie. Ben je bang voor me?' Hij boog zich nog dichter naar haar toe. Ze voelde zijn adem in haar nek. Hij had een erectie en wreef zich suggestief tegen haar aan. 'Waarom zou je bang voor me zijn terwijl ik je alleen maar gelukkig wil maken? Hmm?'

Ten slotte deed hij een stap naar achteren en nam haar geamuseerd op. Vanaf haar kruintje tot aan haar schoenen en weer terug. 'Voordat we je gebrek aan wijnkennis aanpakken, moeten we misschien beginnen met iets elementairders. Je garderobe, bijvoorbeeld.' Hij legde zijn vingers op haar sleutelbeenderen en streelde ze zacht. 'Zonde om je prachtige lichaam te verstoppen.'

Zijn blik dwaalde naar haar borsten en bleef daarop rusten. Op de een of andere manier was dat erger dan wanneer hij ze had aangeraakt. 'Je zou nauwsluitende kleren moeten dragen, Rennie. Kleren die je lichaam omhelzen. En de kleur zwart. Steekt goed af tegen je blonde haar. Ik zal iets voor je kopen wat zwart is en heel sexy, iets waarin je borsten goed uitkomen. Ja, absoluut. Mannen zullen je willen liefkozen, maar ík zal dat als enige dóen!'

Zijn blik keerde terug naar haar gezicht. Hij begon plagerig te klinken. 'Je ziet er vandaag natuurlijk niet op je best uit. Je hebt keihard gewerkt.' Zijn vingertop streek over de donkere kringen onder haar ogen. 'Je bent doodop. Arme schat.'

Ze was kotsmisselijk geworden terwijl hij zijn fantasie beschreef. 'Ik bén je schat niet.'

'Aha, de dame doet haar mond open. Ik begon me al af te vragen of je dat nog wel kon.'

'Ik wil dat je vertrekt.'

'Maar ik ben hier nét.'

Dat was natuurlijk een leugen. Hij had minstens een uur nodig gehad om alle brandende kaarsen in haar zitkamer neer te zetten. Waar had hij zich schuilgehouden toen ze het huis doorzocht?

Alsof hij haar gedachten kon lezen zei hij: 'Ik verklap nooit vakgeheimen, Rennie. Dat zou je moeten weten.' Hij gaf een speels kneepje in haar kin. 'Maar er is veel waar we over moeten praten.'

'Inderdaad.'

Hij glimlachte tevreden. 'Jij mag eerst.'

'Lee Howell.'

'Wie?'

'Jij hebt hem vermoord, hè? Je deed het om mij een dienst te bewijzen. En de aanval op Wick Threadgill. Dat was jij ook, hè?'

Hij was snel als kwikzilver. Met één hand trok hij haar bloes omhoog. Zijn andere hand dwaalde over haar borsten en langs de binnenkant van haar tailleband. Ze duwde zo hard mogelijk tegen zijn borstkas. 'Blijf met je handen van me af.' Ze sloeg naar zijn onderzoekende handen.

'Hou op!' Hij greep haar handen vast en hield ze tegen zijn borst. 'Rennie, Rennie, hou op je tegen me te verzetten.' Zijn stem was zacht. Zijn greep niet. 'Sst. Sst. Ontspan.'

Ze keek hem dreigend aan.

Op bedrieglijk zachte en redelijke toon verontschuldigde hij zich. 'Het spijt me dat ik dat moest doen. Een paar jaar geleden gebruikte de politie een undercoveragente om te proberen me in de val te laten lopen. Ik moest me ervan verzekeren dat je geen zendertje bij je had. Sorry dat ik een beetje ruw te werk ging. Hoe is dit? Beter?'

Hij liet haar handen los en legde de zijne op haar schouders. Zijn sterke vingers spanden en ontspanden zich ritmisch. Ze masseerden haar als een attente echtgenoot die net had gehoord dat zijn vrouw een lange, vermoeiende dag achter de rug had.

'Ik werk niet voor de politie.'

'Als dat wel zo was, zou ik ontzettend teleurgesteld in je zijn.'

Zijn handen knepen een beetje harder. Zijn gelaatsuitdrukking werd boosaardig. 'Waarom heb je tijd met Wick Threadgill doorgebracht?'

Ze trok een lelijk gezicht. 'Ik wist niet dat hij van de politie was. Hij misleidde me om misbruik van me te maken.'

'Waarom deed je dan zo je best om zijn leven te redden?'

Wesleys waarschuwende woorden kwamen bij haar boven. Sally Horton was een onschuldige pion geweest in de dodelijke rivaliteit tussen Wick en Lozada. Ze was gestorven voor de rol die ze ongewild had gespeeld. 'Daar betalen ze me voor,' zei ze luchthartig. 'Ik kan niet altijd mijn patiënt uitkiezen. In dit geval heeft het lot míj uitgekozen. Ik trok het kortste strootje. Ik kon hem niet laten doodbloeden daar op de eerste hulp.'

Hij keek haar doordringend aan. Toen legde hij zijn hand op haar keel. Zijn duim vond haar halsslagader en streelde hem. 'Ik zou erg ongelukkig zijn als je me met Wick Threadgill zou bedriegen.'

'Er is níets tussen ons.'

'Heeft hij je ooit gekust?'

'Nee.'

'Je op deze manier aangeraakt?' Hij liefkoosde haar borst.

Haar keel kneep samen. Ze kon geen woord meer uitbrengen en schudde haar hoofd.

'Die smeris heeft nooit zo'n stijve bij je gehad als ik, Rennie,' fluisterde hij terwijl hij zich tegen haar aan drukte. 'Dat is onmogelijk.'

'Handen omhoog, Lozada!'

Oren Wesley stormde binnen, gevolgd door twee politieagenten met getrokken dienstpistool. Ze gingen in een halve kring om Rennie en Lozada heen staan.

'Handen omhoog, zei ik! Doe een paar stappen achteruit!'

Rennie was verbijsterd. Terwijl Lozada het bevel opvolgde, werd zijn gezicht een onbewogen masker. Binnen een paar seconden was hij veranderd in een exacte kopie van zichzelf, het soort volmaakte beeld dat in een wassenbeeldenmuseum te zien is. Hij toonde geen woede, verbazing of bezorgdheid. 'Rechercheur Wesley, ik wist niet dat u zo laat opbleef.'

'Leg je handen op tafel en spreid je benen.'

Lozada haalde achteloos zijn schouders op. Hij boog zich voorover en leunde op de keukentafel. Naast zijn rechterhand stond een mand fruit waarin de bananen overrijp begonnen te worden. Het was absurd om daarop te letten terwijl een man die een potentiële verkrachter en een beruchte moordenaar was in haar keuken werd gefouilleerd, maar Rennie vond het een welkome afleiding.

De agent die de eer had Lozada te fouilleren haalde een klein pistool uit Lozada's broekzak. 'Het is geregistreerd,' zei Lozada.

'Doe de handboeien om,' beval Wesley. 'Hij zal ongetwijfeld een mes in een enkelholster hebben.' Terwijl de ene agent Lozada's handen naar achteren trok om ze in boeien te sluiten, knielde de andere neer en tilde Lozada's broekspijp op. Hij haalde een klein, glanzend mes uit de schede. Lozada's gezicht bleef emotieloos.

Wesley keek Rennie aan. 'Alles goed?'

Rennie, die nog steeds te verbaasd was om iets te zeggen, knikte.

Een van de agenten las Lozada zijn rechten voor, maar Lozada keek over het hoofd van de agent naar Wesley. 'Waarvoor word ik gearresteerd?'

'Moord.'

'Interessant. En wie was het vermeende slachtoffer?'

'Sally Horton.'

'Het kamermeisje in mijn flatgebouw?'

'Je spelletjes bewaar je maar voor de jury,' zei Wesley met een blik op Rennie.

'Je hebt ook Wick Threadgill neergestoken, in een poging tot moord.'

'Dit is een farce.'

'Nou, we zullen wel zien wat ons onderzoek oplevert, nietwaar? Intussen ben je onze gast.'

'Morgen loop ik weer op vrije voeten.'

'Zoals ik zei, we zullen zien.' Wesley gaf de andere politiemannen een teken dat ze Lozada naar buiten moesten brengen.

Lozada glimlachte tegen Rennie. 'Dag, liefje. Zie je heel gauw. Jammer van deze onderbreking. Rechercheur Wesley wil graag indruk maken als compensatie voor andere gebreken.' Terwijl hij naast Wesley ging staan zei hij: 'Ik denk dat jouw pik samen met Joe Threadgill is begraven.'

Een van de agenten gaf hem een harde duw in de rug. Ze verdwenen naar buiten. Rennie leunde zwaar op het aanrecht.

'Dank u.'

'Graag gedaan.'

'U zei dat u hem pas zou arresteren als u onomstotelijk bewijs had. Betekent dat...'

'Dit betekent alleen dat ik net zo lang heb lopen drammen tot ik toestemming kreeg hem op te pakken terwijl wij doorgaan met het onder-

zoek. Als we geluk hebben – en geluk is schaars als we proberen Lozada te pakken – komt er iets boven water wat hem als de schuldige aan-
wijst.'

'Ik neem aan dat dat tot nu toe niet is gebeurd.'

Hij haalde zijn schouders op. 'We kunnen hem niet eindeloos in
hechtenis houden zonder hem aan te klagen, maar we zullen het zo lang
mogelijk rekken. Tenzij we hard bewijs kunnen verzamelen om Wicks
bewering te staven, zou het neerkomen op een gevecht over en weer in
de rechtszaal. Tenminste, áls het OM de zaak voor de rechter brengt.'

'Dat kan toch niet anders wanneer Wick Lozada als zijn aanvaller
identificeert?'

'Het OM voelt er waarschijnlijk niet veel voor de zaak aan de grand
jury voor te leggen, alleen afgaand op Wicks woord dat Lozada de
dader is. Ze zouden rekening houden met de geschiedenis tussen Wick
en Lozada, wat Wicks geloofwaardigheid er niet groter op maakt. Bovendien zijn ze daar niet zo gek op hem.'

'Het OM? Hoe komt dat?'

Een agent stak zijn hoofd om de deur en zei tegen Wesley: 'Hij is op
weg naar de cel.'

'Ik kom zó achter jullie aan.'

De agent trok zich terug. Rennie volgde Wesley naar haar zitkamer,
waar de kaarsen nog steeds brandden. Ze verspreidden een weeïge geur.
Ze liep naar een raam en zette het open, zodat de kamer kon luchten.
Diverse patrouillewagens reden met knipperende zwaailichten weg van
de stoeprand voor haar huis.

In pyjama geklede buren hadden zich op het trottoir verzameld en
spraken met elkaar. Williams, haar buurman, stond in het midden. Hij
trok alle aandacht en maakte theatrale gebaren.

'Hoe wist u dat Lozada hier was, rechercheur? Houdt u mijn huis
nog steeds in de gaten?'

'Nee. We kregen een telefoontje. Uw buurman. Een zekere Williams.
Zei dat er iets vreemds gaande was.'

God, dit was een nachtmerrie.

Wesley stond midden in de kamer. Hij liet zijn blik langzaam ronddwalen. De rozen ontgingen hem niet. Toen hij zich weer tot Rennie
wendde zei hij: 'Ik heb vandaag met een lid van de raad van bestuur van
het ziekenhuis gesproken. Hij zei dat u de baan die door de dood van
dokter Howell vrij is gekomen aanvaardt.'

Haar kin ging een stukje omhoog. 'Ik heb hun vanmiddag mijn besluit meegedeeld. Na mijn gesprek met u. Ik dacht niet dat het accepteren van de baan iets uitmaakte. U zou blijven geloven dat ik Lozada heb ingehuurd om Lee te doden, of ik de baan aannam of niet.'

Hij wees naar de rozen. 'Gefeliciteerd.'

'Dit was geen feestje, als u dat denkt. Dit was hier allemaal toen ik thuiskwam van het ziekenhuis. Hij had opnieuw ingebroken.'

'U hebt niet gebeld om dat te rapporteren.'

'Daar kreeg ik de kans niet voor.'

Hij keek naar haar verkreukelde kleren. 'Hij joeg me angst aan!' riep ze uit. 'Hij terroriseerde me. Hij heeft het... het idiote idee dat ik zijn geliefde zal worden.' Ze vertelde Oren alles wat Lozada tegen haar had gezegd, zelfs de meest gênante dingen. 'Hij behandelde me ruw. Hij dacht dat ik misschien een zendertje bij me had.'

'Een zendertje?'

'Toen ik over de moord op Lee Howell begon, fouilleerde hij me. Hij was bang dat ik voor jullie werkte en hem in de val probeerde te lokken.'

'Nou, we weten beiden hoe onjuist dat is.'

Zijn hatelijke toon stond Rennie niet aan. 'Rechercheur,' zei ze, 'ik heb hem hier niet uitgenodigd. Waarom nam u automatisch aan dat ik dat wél had gedaan?'

'Hebt u iets gebroken?'

'Ja, in de badkamer. Ook in mijn badkuip had hij zo'n boeket neergezet. Ik was zo boos, dat ik de vaas op de grond heb gesmeten.'

'Mr. Williams stond in zijn achtertuin te wachten tot zijn hond zijn behoefte had gedaan. Hij hoorde het kabaal en probeerde u telefonisch te bereiken om te vragen of alles goed met u was.' Wesley keek naar de draadloze telefoon op het bijzettafeltje.

Rennie pakte hem op. Toen gaf ze hem aan Wesley. Er was geen kiestoon. De verbinding was zo lang verbroken geweest, dat het hinderlijke piepalarm zichzelf had uitgeput.

'Ik denk dat hij niet gestoord wilde worden,' zei ze kalm.

'Dat denk ik ook.'

Ze legde de telefoon op zijn gebruikelijke plek op de tafel. Toen trok ze haar hand snel terug. 'Had ik hem wel mogen aanraken?'

'Lozada heeft geen vingerafdrukken. Hoe dan ook, het maakt niet uit. We weten al dat Lozada hier was, en er is geen misdrijf gepleegd.'

'Sinds wanneer is inbreken geen misdrijf meer? Hij drong mijn huis binnen en heeft het zich gemakkelijk gemaakt.'

'Ja. Mr. Williams zei tegen de telefoniste van 911 dat het leek of hij zich thuis voelde. Na het melden van de herrie zei hij "Wacht, laat maar zitten, ik kan haar en een man door het keukenraam zien. Het lijkt of er niets aan de hand is, dat ze hem erg goed kent." Iets dergelijks. Maar de telefoniste was alert. Ze herkende uw naam en adres, wist dat ik...'

'Mij had bespioneerd.'

'Dus belde ze mij en zei dat ze net een merkwaardig 911-telefoontje van uw buurman had gehad. U en een man stonden te vrijen in de keuken.'

'Zo zou ík het bepaald niet willen omschrijven. Ik was bang dat, als ik me verzette, ik net zo zou eindigen als Sally Horton.'

'Dat had gekund.'

'Waarom moet ik me dan altijd tegen u verdedigen?'

Hij keek haar alleen maar aan en wendde toen zijn hoofd af. 'Ik moet gaan.'

Toen hij naar de deur liep, rende ze achter hem aan, greep hem bij de arm en draaide hem om. 'Ik heb recht op een antwoord, rechercheur.'

'Prima. Dít is mijn antwoord,' zei hij bars. 'U hebt me geen reden gegeven om u te vertrouwen, dokter, maar u hebt me veel redenen gegeven om u te wantrouwen.'

'Hoe zou ik u ervan kunnen overtuigen dat ik de waarheid spreek? Zou u het wél geloofd hebben als Lozada me vanavond had vermoord?'

'Nee, eigenlijk niet,' antwoordde hij met een blasé schouderophalen. 'Voordat Sally Horton zijn slachtoffer werd, was ze zijn geliefde.'

20

'Hij wil haar alleen maar gelukkig maken.'

'Meen je dat nou?'

'Kijk me niet zo aan, Wick,' klaagde Oren. 'En ík zei het niet. Zíj zei dat híj het zei.'

Wick had twee dagen op intensive care gelegen. Nu lag hij al vijf dagen in een privé-kamer met uitzicht op de skyline van de binnenstad. Hij kon intussen op zijn rug liggen. Het deed vreselijk pijn, vooral als hij, minstens tweemaal per dag, gedwongen werd op te staan en rond te lopen.

Elk van die voetreizen, zoals hij ze noemde, was een beproeving die gelijk stond aan het beklimmen van de Mount Everest. Hij had vijf minuten nodig om uit bed te stappen. Aanvankelijk kon hij alleen wat door zijn kamer schuifelen, maar eerder vandaag was het hem gelukt naar het eind van de gang te lopen en weer terug. De verpleegsters beweerden dat dat een belangrijke doorbraak was. Een hele prestatie. Ze prezen zijn vooruitgang. Hij vloekte en vroeg waar ze hun nazi-uniformen bewaarden. Toen hij zijn bed weer bereikte, zweette hij. Hij voelde zich zo hulpeloos als een pasgeboren baby.

Hij verlangde naar de pijnstillers die regelmatig werden toegediend. De pijn verdween niet, maar werd er draaglijk door. Hij kon wel met de pijn leven als hij er niet te veel aan dacht en zich op iets anders concentreerde. Op Lozada, bijvoorbeeld.

Vanmorgen was het infuus verwijderd. Hij was blij geweest dat hij van dat ding af was, maar toen waren de verpleegsters hem gaan dwingen veel vloeistof tot zich te nemen. Ze brachten hem vruchtensap in plastic bekertjes met dekseltjes van aluminiumfolie. Hij was er nog niet in geslaagd er eentje te openen zonder de helft van de inhoud te morsen.

'Eet je wel?' vroeg Oren.

'Een beetje. Ik heb geen honger. Bovendien, het is niet te geloven wat voor troep ze hier voor voedsel laten doorgaan.'

Zijn wang had nog steeds de kleur van een bedorven aubergine, maar de zwelling was een eind geslonken, zodat hij nu weer uit beide ogen kon kijken. Hij kon bijvoorbeeld zien dat Orens wenkbrauw kritisch was opgetrokken. 'Wat is er?' vroeg hij humeurig.

'Hoe is het met je geslachtsdelen?'

'Goed, dank je, en met die van jou?' Gedurende een paar ongemakkelijke dagen had er een ijszak op zijn ballen gelegen, maar, zoals Rennie had beloofd, ze hadden weer hun normale afmeting aangenomen.

'Je weet wel wat ik bedoel,' zei Oren.

'Het gaat goed met ze. Wil je het soms controleren?'

'Ik geloof je op je woord.' Oren ging van zijn ene op de andere voet staan. 'Ik heb geen kans gehad om het tegen je te zeggen, maar het spijt me van je kin.'

'Dat is wel het kleinste van mijn problemen.'

'Ja, maar ik had je niet moeten slaan.'

'Ik sloeg eerst.'

'Stom van ons allebei. Ik bied je mijn excuses aan.'

'Excuses aanvaard. Ga verder met je verhaal. Vertel eens wat meer over Lozada en zijn obsessie voor Rennie.'

'Ik heb je alles al verteld,' klaagde Oren.

'Vertel het dan nóg een keer.'

'Allemachtig, wat ben jíj chagrijnig. Hebben ze de katheter er nog niet uitgehaald?'

'Vanmiddag. Als ik kan plassen, brengen ze hem niet meer in.'

'En wat als je níet kunt plassen?'

'Ik kán het. Al zou ik het eruit moeten knijpen, plassen zál ik. Geen sprake van dat ze die katheter er weer instoppen terwijl ik bij bewustzijn ben. Ik zou eerst uit het raam springen.'

'Je bent zo'n huilebalk.'

'Ga je het me vertellen of niet?'

'Ik héb het je verteld. Ik heb het al een paar keer woord voor woord herhaald. De buurman zei dat het leek of ze het naar hun zin hadden met elkaar. Dokter Newton zei dat Lozada haar terroriseerde, dat ze zich niet durfde te verzetten uit angst dat hij haar zou aandoen wat hij Sally Horton had aangedaan.'

Wick zonk terug in zijn kussen en sloot zijn ogen. De herinnering aan wat er met dat meisje was gebeurd was pijnlijk. Hij zou nooit haar aanblik vergeten toen ze dood in bed lag. Terwijl hij van een douche genoot, was zij in koelen bloede vermoord.

Met gesloten ogen zei hij: 'Daar zit wat in, Oren. Lozada vormt een bedreiging voor haar. Vooral als hij denkt dat het neerkomt op een keuze tussen hem en mij, en dat ze aan mij de voorkeur geeft.'

'Ik neem aan dat ze er niet met jou over heeft gesproken.'

'Nee. Als je me niet had verteld wat er gisteravond is gebeurd, zou ik van niks weten.'

Hij kon zich Rennies houding niet voorstellen, en dat was de voornaamste reden waarom hij zo humeurig was. Ja, hij had pijn. Ja, het eten was waardeloos. Ja, hij wilde weer normaal plassen. Ja, hij hield er niet van om op slappe benen en in zijn blote kont rond te lopen.

Maar wat hem écht stoorde was Rennies gereserveerdheid. Elke morgen en elke avond kwam ze binnen, met gebogen hoofd en haar ogen op zijn kaart gericht in plaats van op hem. 'Hoe gaat het, Mr. Threadgill?' Altijd dezelfde emotieloze toon.

Ze wierp een vluchtige blik op zijn wond, vroeg hoe hij zich voelde en knikte afwezig, ongeacht het antwoord dat hij gaf. Het was alsof ze niet echt luisterde en het haar niet echt iets kon schelen. Ze vertelde hem dat ze blij was met zijn vooruitgang. Dan glimlachte ze mechanisch en vertrok. Hij besefte dat hij niet haar enige patiënt was. Hij verwachtte heus geen voorkeursbehandeling.

Nou, misschien wel. Een beetje.

Hij was duf geweest van alle medicijnen toen hij op intensive care lag, maar hij herinnerde zich dat ze naast zijn bed zat en hem slokjes Sprite gaf. Hij herinnerde zich dat ze zalf op zijn lippen smeerde. Hij herinnerde zich de manier waarop ze naar elkaar hadden gekeken en hoelang die blik had geduurd en hoe belangrijk het had geleken.

Wás dat allemaal wel gebeurd?

Misschien had hij zo onder de pillen gezeten dat hij had gehallucineerd. Was het een prettige droom geweest die hij met de werkelijkheid had verward? Misschien. Omdat dat uiteindelijk de avond was waarop Oren haar en Lozada had betrapt bij een 'innige' omhelzing in haar keuken.

Wist hij maar wat er met haar aan de hand was.

'Als ze haar ronde doet is ze een en al zakelijkheid,' zei hij tegen Oren. 'We hebben niet eens over het weer gepraat.'

'Het is warm en droog.'

'Ja, zo lijkt het.'

'Ze heeft de baan van hoofd van de chirurgische afdeling aangenomen.'

'Ik heb het gehoord,' zei Wick. 'Fijn voor haar. Ze heeft het verdiend.'

Oren bleef hem veelzeggend aankijken. 'Dat betekent niets, Oren.'

'Ik heb niet gezegd dat dat wel zo was.'

'Dat was niet nodig.'

Een verpleegster kwam de kamer in met een nieuw bekertje sap. 'Ik zal het later opdrinken,' zei Wick tegen haar. 'Dat beloof ik.' Ze leek niet overtuigd, maar ze zette het bekertje op het nachtkastje en vertrok. Hij bood Oren het sap aan.

'Nee, dank je.'

'Veenbes en appel.'

'Ik hoef niks.'

'Weet je het zeker? Sorry dat ik het zeg, maar jíj ziet er ook niet zo gezond uit.' Oren zag er afgemat uit, niet alleen door de zomerhitte, maar hij was ook aan het eind van zijn Latijn. 'Wat is er aan de hand?'

Oren haalde zijn schouders op. Hij keek uit het raam naar het nevelige uitzicht alvorens naar Wick terug te keren. 'Een uur geleden belde het OM. De hoofdofficier van justitie zelf. Geen assistent.'

Wick had al het idee dat Orens mistroostigheid iets met hun zaak tegen Lozada te maken had. Als hij goed nieuws had, zou hij dat allang hebben verteld.

Ongemak maakte het nog erger om slecht nieuws te krijgen. Hij ging gemakkelijker liggen, waardoor zijn zere rechterzij werd ontzien. 'Vertel!'

'Hij zegt dat het zwak is wat we van Lozada hebben. Niet genoeg om ermee naar de grand jury te gaan. In elk geval weigert hij dat.'

Wick had het wel vermoed. 'Hij is gisteren bij me op bezoek geweest. Van top tot teen welwillendheid en bemoediging, tot aan zijn Italiaanse loafers toe.' Hij wees naar een armzalige bos rode, witte en blauwgekleurde anjers.

'Hij heeft zich uitgesloofd.'

'Ik heb hem een volledig verslag gegeven van de gebeurtenissen in de nacht waarin ik werd neergestoken. Ik vertelde hem dat het Lozada was, dat ik daar net zo zeker van was als van het feit dat ik nog ademde.'

'Hoe reageerde hij?'

'Nou, hij trok aan zijn halskwab, krabde zijn slaap, wreef over zijn pens, fronste zijn wenkbrauwen, ademde uit door zijn getuite lippen en rilde een paar keer. Hij leek op een vent die winderig is en een nette manier probeert te bedenken om een scheet te laten. Hij zei tegen me dat ik een paar ernstige aantijgingen deed. "Gelul", zei ik. "Moord en een poging tot moord zijn verdomd serieuze zaken". Hij had moeite me in de ogen te kijken toen hij vertrok. Hij zei het niet rechtstreeks maar...'

'Hij is niet voor niets politicus.'

'Maar ik maakte uit al zijn ogenschijnlijke verdriet op dat hij problemen met mijn verhaal had.'

'Dat klopt.'

'Zoals?'

'Ik zal je niet met de details vervelen,' zei Oren. 'God weet dat hij míj er al mee heeft verveeld. Ongeveer een half uur stamelde en stotterde hij, maar waar het op neerkomt...'

'Geen zaak.' Oren speelde met het driekleurige, satijnen lint dat om de lelijke anjers was gebonden. Hij wierp Wick een achterdochtige blik toe. 'Je moet het vanuit zijn standpunt bekijken, Wick.'

'Om de donder niet! Tot híj zes eenheden bloed moet hebben, tot zíjn ballen opzwellen tot ze zo groot zijn als bowlingballen en tot híj een buis in zijn pik krijgt geschoven, moet je het niet over zijn standpunt hebben.'

'Ik weet dat je woedend zult zijn als ik dit zeg...'

'Zeg het dan níet!'

'Eigenlijk heeft hij gelijk.'

'Als ik je nu een ontzettende dreun kon geven, zou ik dat doen.'

'Ik wist wel dat je boos zou worden.' Oren zuchtte. 'Luister, Wick, de hoofdofficier van justitie kiest het zekere voor het onzekere, ja, maar...'

'Hij is een slappe zak!'

'Misschien, maar deze keer heeft hij gelijk. In feite hebben we geen enkel hard bewijs tegen Lozada.'

'Lozada,' zei Wick met een spotlach. 'Hij maakt iedereen bang, niet-waar? Denk je niet dat hij zich rot lacht om ons?'

Oren gaf Wick een paar seconden om te bedaren alvorens verder te gaan. 'Alles wat we hebben is indirect bewijs. Lozada kent jou. Hij kende Sally Horton. Dat is een link, maar daarmee heb je nog geen motief. Als, door een rare speling van het lot, de grand jury hem zou aanklagen, zouden we er nooit een zaak van kunnen maken. Ik heb drie dagen gekregen om met iets op de proppen te komen. Hetzelfde als altijd, hij heeft geen spoor achtergelaten. Ik heb níets.'

'Behalve mijn woord dat Lozada schuldig is.'

Oren keek gepijnigd. 'De hoofdofficier van justitie liet je achtergrond met Lozada meetellen. Hij is niet vergeten wat er is gebeurd. Dat vermindert je geloofwaardigheid.'

Het zou zinloos zijn om een punt dat zo zonneklaar was te betwisten.

Oren ging in de groene, vinyl leunstoel zitten en staarde naar de grond. 'Ik kan niet anders dan hem vrijlaten. Het was niet makkelijk, maar tóch heb ik een huiszoekingsbevel gekregen. We hebben zijn hele huis doorzocht. Niets. Brandschoon. Zelfs zijn schorpioenen zien er schoon uit. Zijn auto, idem dito. Geen spoor van bloed, vezels, wat dan ook. We hebben de wapens, maar die zouden van iedereen kunnen zijn. Geen ooggetuigen. Alleen jij, en jou vertrouwen ze niet helemaal. Bovendien heb je zelf gezegd dat je hem niet daadwerkelijk hebt gezien.'

'Ik was een beetje afgeleid door mijn inwendige bloeding...'

'Zijn advocaat maakt al veel heibel over pesterij van de politie. Hij zegt...'

'Ik wil niet horen wat hij zegt. Ik wil niet horen dat de burgerrechten van die ellendeling worden geschonden, begrepen?'

Er viel een lange stilte. Na een tijdje keek Oren schuin omhoog. 'Doet de tv het goed?'

Wick had het geluid afgezet toen Oren binnenkwam. Het beeld was iets meer dan gekleurde sneeuw, maar als je aandachtig genoeg keek, kon je beelden ontdekken. 'Het is zwaar klote. Geen kabel.'

Ze keken een paar momenten naar het programma zonder geluid, en toen vroeg Oren of het een goede soap was.

'Die twee zijn moeder en dochter,' zei Wick. 'De dochter heeft met de man van de moeder geslapen.'

'Haar vader?'

'Nee, zo ongeveer haar vierde stiefvader. Haar echte vader is de parochiepriester. Maar niemand weet dat, op haar moeder en de priester na. Hij hoort zijn dochter biechten dat ze met haar moeders man vrijt, en hij windt zich op. Hij beschuldigt de moeder ervan dat ze een slechte invloed heeft, noemt haar een hoer. Maar hij is met schuld beladen, omdat hij er niet voor zijn dochter is geweest. Als vader, bedoel ik. Hij heeft haar gedoopt en sindsdien is hij haar pastoor. Het is nogal ingewikkeld. Hij is naar haar huis gegaan, verdomme.' Wicks laatste zin sloeg niet op de soap, maar Oren wist dat.

'Ik kan de mogelijkheid dat ze hem in haar huis had uitgenodigd niet uitsluiten, Wick.'

Wick gaf daar niet eens antwoord op. Hij liet zijn boze blik boekdelen spreken.

'Ik zei dat het slechts een mogelijkheid is.' Owen wendde zijn hoofd af en bromde nóg iets, wat Wick niet kon verstaan.

'Wat zei je?'

'Niets.'

'Wat?'

'Niets.'

'Wát?'

'Hij betastte haar tiet. Begrijp je?'

Wick wou dat hij het niet had gevraagd, maar dat had hij wél gedaan. Hij had pressie op Oren uitgeoefend om het hem te vertellen, en Oren hád het verteld. En nu peilde hij Wicks reactie. Wick keek zo onverschillig mogelijk. 'Ze was bang om zich tegen hem te verzetten.'

'Dat zei Grace ook, maar geen van jullie was erbij.'

'Grace?'

'O, ja.' Oren maakte weidse gebaren. 'Mijn vrouw is de allergrootste fan van dokter Newton geworden.'

'Ik wist dat ze elkaar hadden ontmoet. Grace zei alleen tegen me dat ze blij was dat ik in zulke bekwame handen ben.'

'Ik krijg een beetje meer dan dat te horen als ik thuis ben. Ze zegt me recht in m'n gezicht dat ik de dokter te hard en onredelijk beoordeel. Ze denkt dat ik een wrok tegen de dokter koester omdat ze lid van die jury is geweest.'

Voor het eerst sinds Oren zijn kamer was binnengelopen, verscheen er bijna een glimlach op Wicks gezicht. Hij vond het leuk zich voor te stellen dat Grace zijn partner onomwonden de waarheid zei. Als er iemand op aarde was naar wie Oren luisterde, was het zijn vrouw, van wie hij niet alleen hield maar die hij ook om haar inzicht respecteerde.

'Grace is een intelligente dame.'

'Ja, nou, zíj heeft het romantische tafereel niet gezien, maar ik wél. En dít heeft ze ook niet gezien.'

Uit het borstzakje van zijn tweedjasje haalde Oren een paar vellen papier die in de lengte waren gevouwen. Hij legde ze op het nachtkastje naast het onaangeraakte sap. Wick maakte geen aanstalten om de papieren op te pakken.

'In alle opwinding van de afgelopen dagen ben je misschien vergeten dat dokter Newton op haar zestiende een man heeft doodgeschoten.'

'Maar uit jóuw geheugen is het níet verdwenen, hè?'

'Denk je niet dat we haar moeten natrekken voor we haar voordragen voor een heiligverklaring? Ik heb contact gehad met de politie in

Dalton, en ook met de sheriff van het district. Kijk maar, daar staat alles in.'

Wick stoorde zich aan de beschuldigende vellen papier op het nachtkastje en aarzelde om ze te lezen. 'Vat het voor me samen.'

'Smerig. Heel smerig,' zei Oren. 'Vlak nadat de twee schoten zijn gelost komt papa binnen. Raymond Collier was dood. Op slag. T. Dan beweerde dat zijn slechte zakenpartner had geprobeerd zijn lief dochtertje te verleiden. Ze schoot op hem om haar deugdzaamheid te beschermen. Pure zelfverdediging.'

'Het zou zo kunnen zijn gebeurd.'

'Ja, maar het is niet waarschijnlijk. Vooral niet omdat ze Collier heeft gepijpt.'

'O, goed speurwerk, rechercheur.'

Oren negeerde de opmerking. 'Een goede vraag voor haar zou zijn waarom ze verkoos juist op díe dag haar deugdzaamheid te beschermen.'

'Heeft niemand haar dat gevraagd?'

'Ik weet het niet, maar ik betwijfel het. Want hier begint het écht interessant te worden. Niemand is officieel ondervraagd. Er was geen hoorzitting, geen lijkschouwing, helemaal niets. T. Dan had diepe zakken. Blijkbaar strooide hij voldoende geld rond om de zaak te begraven, sneller dan Colliers lichaam koud werd. Er werd ter plekke vastgesteld dat zijn dood een ongeluk was. Zaak gesloten. Iedereen ging tevreden naar huis, inclusief Colliers weduwe. Ze verliet Dalton en nam haar intrek in haar nieuwe, gemeubileerde koopflat in Breckenridge, Colorado. Ze maakte de reis in haar glanzende, nieuwe Jaguar.'

Wick dacht even na. Toen zei hij: 'Je hebt het over verminderde geloofwaardigheid. Dat geloof ik niet.'

'Waarom niet?'

'Hebben de politie en de sheriff toegegeven dat ze een fatale schietpartij onder het tapijt hebben geveegd?'

'Nee. Hun rapporten waren kort, maar officieel. Er was geen bewijs om iets anders dan een ongeluk te ondersteunen. Maar ik heb de voormalige agent opgespoord die als eerste ter plaatse was.'

'Voormalig?'

'Hij is bij de politie weggegaan om satellietschotels te gaan installeren. Maar hij herinnerde zich dat hij die dag naar het huis van de Newtons reed, na het telefoontje van T. Dan. Hij zei dat het heel vreemd was.'

'Wat?'

'Hun gedrag. Of het nu per ongeluk of met opzet was, als je iemand net morsdood hebt geschoten zou je toch van streek zijn? Een beetje van slag? Een paar tranen vergieten? Enige wroeging tonen? Op zijn minst een beetje nerveus je handen wringen?

Hij zei dat Rennie Newton daar doodbedaard zat. Die grote, groene ogen van haar bleven droog. En ze was zestien, weet je nog? Kinderen van die leeftijd zijn gewoonlijk snel opgewonden. Hij zei dat haar stem geen moment stokte toen ze hem vertelde wat er was gebeurd.

Ze zat tussen T. Dan en Mrs. Newton in. T. Dan beschuldigde Collier ervan dat hij had geprobeerd zijn dochter te verkrachten. Zo zie je maar weer, zei hij, dat je iemand nooit zo goed kent als je had gedacht. De moeder huilde zacht in een zakdoek. Ze had niets gehoord, niets gezien, wist niets, en wilde de agent misschien iets drinken? De ex-agent zei dat het ronduit griezelig was, als een scène in een aflevering van *The Twiligth Zone*.'

Wick probeerde zich een zestienjarige Rennie voor te stellen die kalm rekenschap aflegde van het doden van een man, al was het per ongeluk. Het lukte hem niet. Hij kon zich ook niet de onverbeterlijke tiener voorstellen die Crystal had beschreven, of het vroegrijpe meisje dat een getrouwde man had verleid. Niets van wat hij over haar vroegere leven had gehoord kwam overeen met haar huidige leven.

Oren zei: 'Ik moet weg. Dan kun jij slapen. Kan ik nog iets voor je doen voor ik vertrek?'

Wick schudde zijn hoofd.

'Ik wil best naar beneden gaan om een paar tijdschriften in het winkeltje te kopen en...'

'Nee, dank je.'

'Goed dan. Vanavond kom ik terug met Grace. Na het eten. Denk je dat je opgewassen bent tegen een bezoekje van de meisjes?'

'Natuurlijk, dat zou geweldig zijn.'

'Ze hebben aan ons hoofd zitten zeuren of we hen wilden meenemen. Ik beloof dat we niet lang zullen blijven.'

Wick toverde een glimlachje te voorschijn. 'Ik kijk ernaar uit.'

Oren knikte en liep naar de deur. Daar bleef hij staan, met zijn hand op de deurknop. 'Even geen flauwekul, Wick. Oké?'

'Oké.'

'Van man tot man, niet van partner tot partner.'

Wick fronste ongeduldig zijn voorhoofd. 'Wat is er?'

'Je hebt het flink van haar te pakken, hè?'

Wick draaide zijn hoofd naar het raam en het vertrouwde uitzicht. 'Ik weet het niet.'

Oren vloekte zachtjes.

'Ga nou maar,' zei Wick. Plotseling was hij erg moe. 'Je hebt gezegd wat je wilde zeggen.'

'Bijna. Er zijn nóg een paar dingen die ik wil zeggen.'

'Bof ík even!'

'Rennie Newton heeft je leven gered. Geen twijfel mogelijk. En daar zal ik haar altijd dankbaar voor zijn.'

Wick draaide zijn hoofd weer om en keek hem aan. 'Wat is het "maar"?'

'Die ex-agent in Dalton. Hij zei dat hij zich niet kon voorstellen dat iemand een ander van het leven kon beroven, al was het dat van een aartsvijand, en daarna zo'n afstand van de daad kon nemen. Ze was zo emotieloos, zei hij, dat hij nog steeds koude rillingen kreeg als hij eraan dacht.'

21

Wick keek dreigend naar de man met de witte doktersjas en de witte glimlach die zijn kamer binnenstormde alsof hij de eigenaar van het ziekenhuis was.

'Ik ben dokter Sugarman. Hoe voelt u zich vanavond, Mr. Threadgill?'

'Waar is dokter Newton?'

'Ik doe vanavond haar ronde.'

'Waarom?'

'Ik heb begrepen dat de katheter vandaag is verwijderd. Hoe was dat?'

'O, fantastisch. Ik hoop dat het morgen opnieuw gebeurt.'

De dokter liet nogmaals een witte glimlach zien. 'En is alles nu in orde?'

'Ik kan verder plassen dan u. Waar is mijn normale dokter?'

'Ik bén een normale dokter.'

En ook een komediant, dacht Wick wrang.

Dokter Sugarman knikte zijn goedkeuring over wat hij op Wicks status las. Daarna deed hij de map dicht. 'Ik ben blij dat ik eindelijk kennis kan maken met de beroemdste patiënt van het ziekenhuis. Ik heb u op tv gezien. U hebt het een tijdje zwaar gehad, maar u gaat uitstekend vooruit.'

'Blij dat te horen. Wanneer kan ik hier weg?'

'Wilt u ons zo graag verlaten?'

Wat was dat nou voor onnozele vraag? Wick had hem wel kunnen wurgen. Hij mocht de man en zijn brede, witte glimlach niet. En waar was Rennie? Waarom deed ze haar ronde niet? Ze verdiende een vrije avond, zoals ieder ander, maar waarom had ze niet tegen hem gezegd dat ze er vanavond niet zou zijn? Wilde ze niet dat hij dat wist?

Lozada is vrijgelaten en Rennie neemt een vrije avond. Dat was een onprettige gedachte. Hij had de pest aan zichzelf omdat die gedachte bij hem opkwam.

Zijn donkere gelaatsuitdrukking had dokter Sugarman waarschijnlijk duidelijk gemaakt dat hij zijn doktersact beter aan het ziekbed van een aangenamer, dankbaarder patiënt kon opvoeren. Zijn Colgate-glimlach verdween. 'Dokter Newton zal uiteindelijk de beslissing over uw ontslag nemen, maar veel langer dan een paar dagen zal het niet duren. Tenzij zich onvoorziene complicaties voordoen.' De dokter gaf Wick een hand en vertrok.

'Wat een lul,' bromde Wick.

De Wesleys arriveerden. Zoals beloofd beperkte Oren het bezoek tot een kwartier, maar de energie en de uitbundigheid van de meisjes was ónbeperkt.

Ze hadden zelfgebakken chocoladekoekjes meegenomen, en ze waren pas tevreden toen hij er twee opat. Grace had een boodschappentas bij zich. 'Pyjama's. Ik weet niet of je ze al mag dragen, maar dan heb je ze maar, voor het geval dat. Ik heb ook slippers bij me.'

Wick gaf haar een handkus. 'Wil je met me trouwen?'

Haar dochters gierden van het lachen en moesten tot kalmte worden gemaand. Ze ratelden maar door. Het waren heel leuke kinderen, maar Wick werd er doodop van. Hij schaamde zich dat hij opgelucht was toen ze hem een afscheidszoen gaven.

Oren praatte pas over zaken toen zijn gezin de gang op was gegaan en buiten gehoorsafstand was. Hij zei tegen Wick dat Lozada weer op vrije voeten was. Zijn baas had geen toestemming gegeven om Lozada te schaduwen. En na vanavond zou er geen politiebewaking meer zijn in het ziekenhuis.'

'Je komt me waarschuwen.

Oren knikte ernstig. 'Wees op je hoede. Na vanavond word je niet meer door de FWPD beschermd.'

Dat vond Wick prima. Hij wilde geen politiebescherming, omdat hij in ruil daarvoor zijn vrijheid moest opgeven. Nadat hij vandaag het besluit van het OM had gehoord, was hij tot de conclusie gekomen dat het wettelijke gezag geen gevaar voor Lozada vormde. Het recht kende morele grenzen en Lozada werd door dergelijke beperkingen niet gehinderd.

Als Wick Lozada wilde pakken, moest hij in zijn eentje achter hem aan gaan. Gelijke kansen creëren, even meedogenloos en obsessief gedreven als Lozada. Dat kon Wick niet als hij constant werd gevolgd en beschermd.

Hij vroeg naar zijn pick-up.

Oren keek hem wantrouwig aan. 'Wat is ermee?'

'Ik wil weten waar hij is.'

'Waarom?'

'Omdat het míjn pick-up is,' antwoordde Wick geërgerd.

Met tegenzin vertelde Oren dat de auto bij zijn huis stond. 'Ik heb de vrijheid genomen je bij het motel uit te schrijven. Toen het sporenonderzoek in je kamer klaar was, heb ik alles ingepakt en mee naar huis genomen.'

Wick wilde vooral naar zijn pistool vragen, maar hij deed het niet. Het had geen zin om Oren nóg meer reden te geven om zich zorgen te maken. 'Bedankt. Ik sta beslist niet te trappelen om die kamer weer binnen te gaan.'

'Dat dacht ik al. Je spullen heb ik allemaal in je pick-up opgeborgen. Hij staat op mijn oprit.'

'Sleutels?'

'Die heb ik, samen met je portemonnee, op een veilige plek in ons huis gelegd.'

Veilig voor wie? vroeg Wick zich af. Veilig voor hem? Opnieuw vroeg hij niets. 'Bedankt, partner.' Oren beantwoordde Wicks onschuldige glimlach niet, waarschijnlijk had hij het vermoeden dat die niet oprecht was.

Na Orens vertrek doorstond Wick ongeduldig de lange, vervelende avonduren. Ten slotte nam de drukte op de gang buiten zijn kamer af. Etensbladen werden verzameld en op karretjes gelegd die naar de keuken werden teruggereden. Artsen maakten hun ronde af en vertrokken naar huis. Bezoekers gingen weg. Personeel loste elkaar af. Het ziekenhuis maakte zich klaar voor de nacht.

Om elf uur kwam een verpleegster binnen om Wick een pijnstiller te geven. 'Wilt u dat ik de jaloezieën dichttrek?'

'Graag. 's Morgens schijnt de zon altijd naar binnen.'

Terwijl ze naar het raam liep, merkte hij achteloos op: 'Jammer van dokter Newton.'

De verpleegster lachte. 'Jammer? Ik wou dat ík spontaan vakantie kon nemen.'

'Vakantie? Ik dacht dat dokter Sugarman zei dat ze zich niet lekker voelde.'

'Nee, ze heeft een paar dagen vakantie, dat is alles.'

Wick wees naar zijn hoofd. 'Die medicijnen maken me duf.'

'Dat zou kunnen.'

'Wanneer komt dokter Newton weer terug?'

'Ze heeft haar rooster niet door mij laten goedkeuren,' zei de verpleegster met een brede grijns, 'maar maakt u zich geen zorgen. Dokter Sugarman is een schat.'

Terwijl ze in de weer was met de jaloezieën, deed Wick net of hij de pil doorslikte. Hij zette het lege bekertje op zijn nachtkastje.

Toen legde hij gapend zijn hoofd op het kussen. 'Truste!'

'Goedenacht, Mr. Threadgill. Slaap lekker.'

De avond was al gevallen toen Lozada zijn appartement binnenging. Hij was blij te zien dat zijn instructies waren opgevolgd. Er hing een serene stilte in zijn huis, zoals in een kerk.

Op het moment dat hij van zijn advocaat hoorde dat zijn woning was doorzocht, had hij geweten wat hij moest verwachten. Hij had al eerder huiszoekingen meegemaakt. Toen hij op de middelbare school zat, waren er op een avond mannen van de drugsbrigade met een huiszoekingsbevel zijn huis binnengekomen, in de hoop drugs te vinden. Het was hun alleen gelukt zichzelf belachelijk te maken en zijn ouders en zijn achterlijke broertje angst aan te jagen. Sindsdien waren andere huizen van hem doorzocht met het enthousiasme van een lid van een stormtroep.

Daarom had hij vanuit zijn cel via zijn advocaat maatregelen getroffen om zijn appartement door een schoonmaakbedrijf op orde te laten brengen en het van politiebesmetting te zuiveren. Hij had het ook op elektronische afluisterapparatuur laten controleren.

'Het is schoon,' had zijn advocaat gemeld toen ze in de City Club een borrel zaten te drinken om zijn vrijlating te vieren. 'In alle opzichten.'

De advocaat informeerde nooit naar Lozada's schuld of onschuld. Lozada betaalde hem jaarlijks een exorbitant voorschot op zijn honorarium, wat hem in staat stelde uitsluitend aan Lozada juridische bijstand te verlenen en veel golf te spelen. Hij kon zich ook de leefstijl van een rijke playboy veroorloven. Lozada's aansprakelijkheid stond onder aan zijn prioriteitenlijst.

'Het is schoon, maar slechts voorlopig,' waarschuwde hij. 'Let van nu af aan goed op wie je huis in- en uitgaat.'

Lozada hoefde daar niet voor gewaarschuwd te worden. Hij had de conciërge van het flatgebouw al laten weten dat hij niet langer gebruik wilde maken van de kamermeisjes. Hij had een eigen huishoudkracht in dienst genomen, die was aangeprezen door een van zijn vroegere – erg tevreden – klanten. Er was hem verzekerd dat de jongeman zich uitstekend van zijn taak zou kwijten en onvoorwaardelijk kon worden vertrouwd.

Lozada zou ook geen vrouwen meer in zijn huis ontvangen – behalve Rennie, natuurlijk. Hij had die stomme griet, die Sally Horton, gebruikt omdat ze bij de hand was. Een onvoorzichtige liefhebberij, zoals was gebleken. Voortaan zou hij alleen buiten de deur seks bedrijven, tot Rennie hier bij hem was.

Hij had veel vooruitgang bij haar geboekt tot Wesley was komen binnenstormen, met getrokken pistool, als de hoofdrolspeler in een slechte B-film. Wat een giller. Had hij zich niet gerealiseerd hoe belachelijk hij eruitzag?

Rennie had het niet leuk gevonden. Ze had ontdaan geleken omdat een stelletje onhandige politiemannen haar huis binnenviel en de verrassing verpestte die hij voor haar had bedacht. Nee, ze had absoluut niet blij geleken met de onaangekondigde komst van Wesley en consorten.

Na een kwaliteitshalfuurtje met zijn schorpioenen te hebben doorgebracht, stond hij lang onder de douche om alle sporen van de gevangenis weg te spoelen. Hij schoor zich zorgvuldig, aangezien hij zijn huid niet had toevertrouwd aan het botte scheermes dat de gevangenis beschikbaar stelde. Tot slot volgde het ritueel van het schoonmaken van de afvoerpijp en het verwijderen van de handdoeken.

Hij genoot van een paar tequila's en at het eten op dat hij in zijn lievelingsrestaurant had besteld. Bij andere vaste klanten werd geen maaltijd aan huis bezorgd, maar bij hem maakte het deel uit van zijn VIP-behandeling.

Tijdens het drinken van een slaapmutsje draaide hij Rennies nummer. Uiteindelijk kreeg hij de voicemail aan de lijn. 'Dit is dokter Newton. Spreek alstublieft uw naam en telefoonnummer in. Voor spoedgevallen...'

Hij hing op. Hij wilde haar heel dringend zien, maar misschien beschouwde ze zijn begeerte niet als spoedeisend. Terwijl hij van zijn drankje nipte, deed hij nóg twee pogingen om haar te bereiken, in het ziekenhuis en thuis, maar zonder succes.

Nou ja, dacht hij, morgen is snel genoeg. Hij zou haar voor een etentje uitnodigen. Het zou hun eerste officiële afspraakje zijn. Hij glimlachte bij het idee dat hij aan haar zijde een eersteklas restaurant binnenliep. Hij zou haar meenemen naar Dallas. Naar een of ander superdeluxe, eliterestaurant. Morgen zou hij een sexy, zwarte jurk voor haar kopen en haar ermee verrassen. Hij zou haar helemaal aankleden, van onder tot boven, zodat alles perfect zou zijn en naar zijn zin. Hij zou zijn nieuwe pak dragen. Aller ogen zouden op hen gericht zijn. Iedereen zou zien wat Lozada had weten te versieren.

Na drie nachten op een veldbed met een stinkend matras te hebben doorgebracht, verlangde hij ernaar om in zijn eigen brede bed te slapen. Naakt gleed hij tussen de zijden lakens en genoot van hun koele streling tegen zijn gladde huid. Hij viel in slaap terwijl hij zich aftrok, denkend aan de stimulerende klanken die Rennie had voortgebracht toen ze de kracht van zijn erectie voelde.

Hij sliep als een roos tot hij door het onophoudelijke geluid van zijn deurbel werd gewekt.

Het ziekenhuis uit sluipen was veel makkelijker dan Wick had gedacht.

Het moeilijkste was het aantrekken van de nieuwe pyjama die Grace voor hem had meegebracht. Toen hij het rotding eindelijk aan had, was hij nat van het zweet en zo zwak, dat hij beefde. Hij weerstond de verleiding weer te gaan liggen en een paar minuten uit te rusten, want hij was bang dat hij dan niet meer overeind kon komen.

De verpleegsters in de verpleegsterspost hadden het zo druk met hun administratieve werkzaamheden, dat ze niet zagen dat hij zijn kamer uit sloop. Eerder was hij de gang afgelopen. Toen had hij gezien waar de nooduitgang was. Gelukkig niet al te ver van zijn kamer! Het lukte hem om ongezien in het trappenhuis te komen. Terwijl hij zich aan de ijzeren trapleuning vasthield, liep hij vier trappen af. Zijn knieën waren als van rubber toen hij de begane grond bereikte.

Niemand sprak hem aan. De agenten die op hun post stonden zouden hem makkelijk hebben herkend, maar hij passeerde hen ongezien. De ene agent flirtte met de zusters achter de balie van de eerste hulpafdeling. De andere zat in zijn stoel te dutten.

Hoezo bewaking?

Het dichtstbijzijnde winkelcentrum was twee straten bij het ziekenhuis vandaan. Hij begon te lopen, maar al vrij snel besefte hij dat de twee straten net zo goed de afstand van een marathon konden zijn geweest. Het was even moeilijk voor hem om die afstand af te leggen als wanneer het 39 kilometer zou zijn geweest. Hij wankelde en voelde zich uiterst zwak, en zijn rug deed pijn uit protest tegen elke stap, maar hij zette door.

Toen hij de 7-Eleven binnenging, keek de met een tulband getooide man achter de toonbank hem met onverholen angst aan.

'Ik weet dat ik er belachelijk uitzie,' zei Wick vlug. 'Het is werkelijk niet te geloven. De vrouw is zwanger. Smacht een kwartier nadat ik in slaap ben gevallen naar een Butterfinger. Dus rij ik hierheen in mijn pyjama om een vervloekte Butterfinger voor haar te halen – verdomme, we hebben Snickers in de provisiekast, maar, nee, het moet en zal een Butterfinger zijn. Hoe dan ook, op de snelweg raakt mijn benzine op, ongeveer vijftig meter van de afrit. Moet ik lopen. En het is bloedheet buiten, al is het midden in de nacht.' Door het zweet was zijn pyjamajasje aan zijn borst gaan plakken. Hij trok het los van zijn huid en wuifde zich koelte toe. 'Mag ik alsjeblieft uw Gouden Gids even inzien? Ik moet een taxi bellen.'

Misschien was 'Gouden Gids' het enige woord van de hele monoloog dat de buitenlandse heer begreep. Hij legde een versleten exemplaar op de toonbank en zette er een vieze, plakkerige telefoon naast.

Na zijn telefoontje te hebben gepleegd, ging Wick op een visstoeltje zitten wachten. Om de tijd te doden las hij de ruime sortering bodybuilderbladen door. Er kwam slechts één andere klant binnen. Hij kocht een pakje sigaretten en vertrok zonder een tweede blik op Wick te werpen.

Toen de taxi op het parkeerterrein tot stilstand kwam, zei Wick: 'Bedankt,' en zwaaide ten afscheid. Hij wist niet wie meer opgelucht was bij het zien van de taxi, hij of de nerveuze man achter de kassa. Hij vertrok zonder Butterfinger.

Gelukkig was het huis van de Wesleys donker. Wat Oren niet wist, was dat Wick een reservesleutel bewaarde in een gemagnetiseerd doosje aan de onderkant van de bumper van zijn pick-up. Hij haalde het weg, hoewel de inspanning van het bukken en weer opstaan hem naar adem deed snakken van de pijn. Een paar keer was hij gedwongen even te pauzeren, uit angst dat hij zou flauwvallen.

Hij maakte het portier van zijn pick-up open en rommelde in de zakken van zijn ingepakte kleren, op zoek naar geld. Ten slotte had hij voldoende bijeengescharreld om de taxi te betalen. Het lange wachten was de taxichauffeur niet goed bevallen. Hij liep weg met een boze woordenvloed van obsceniteiten en een nóg bozer gegier van banden.

Wick wachtte in de schaduw van het huis om te kijken of Oren wakker was geworden door het lawaai. Hij wachtte vijf minuten, maar er kwam niemand naar buiten om een onderzoek in te stellen. Wick klom in zijn wagen en draaide het contactsleuteltje om. De motor kwam grommend tot leven. Hij moest maken dat hij wegkwam, verdomme.

Hij reed over het lege parkeerterrein van een basisschool, waar hij zijn pyjama voor vrijetijdskleren omruilde, en zijn slippers voor gymschoenen. Hij keek constant naar buiten of hij Orens auto zag, of een patrouillewagen, maar blijkbaar was zijn ontsnappingspoging geslaagd.

Hij reed rechtstreeks van de basisschool naar Rennies huis en parkeerde langs de stoeprand. Het licht van de veranda aan de voorkant was aan, maar het huis was donker. 'Jammer voor haar.' Ze stond op het punt gewekt te worden. Hij liet zich behoedzaam uit zijn pick-up op de grond zakken, met de behendigheid van een tachtigjarige invalide.

Bij haar deur gekomen drukte hij hard op de bel. En toen er geen reactie kwam, bonsde hij met de koperen deurklopper. Hij wachtte dertig seconden voordat hij zijn oor tegen de houten deur legde en luisterde. Niets dan stilte. 'Verdomme!'

Maar stel dat hij Rennie was, zou hij dan midden in de nacht de voordeur opendoen?

Hij liep naar de garage en bekeek de deur. Omdat hij Rennie afgelopen zondag naar haar huis was gevolgd, wist hij dat ze een automatische deuropener had. Maar toch testte hij de deurkruk. Zonder de afstandsbediening zat er absoluut geen beweging in de deur.

Hij ging de hoek om van het huis – hij hoopte maar dat een aan slapeloosheid lijdende buurman hem niet voor een dief aanzag – en liep langs de zijkant van de garage naar de achtertuin. Zijn verkenningsreis werd beloond. In de achterkant van de garage was een deur, en, o wonder, er zat een raam in.

Hij legde zijn handen boven zijn ogen en tuurde naar binnen. Het was donker, maar hij wist dat hij, als haar auto in de garage had gestaan, dat had kunnen zien. De garage was leeg. Ze was niet thuis.

Trillend van moeheid liep hij terug naar zijn pick-up. Het leek een onoverkomelijke opgave om erin te klimmen, maar hij speelde het klaar – met heel veel moeite. Zijn huid was klam, en hij was bang dat hij zijn koekjes zou overgeven. De zelfgebakken chocoladekoekjes van Stephanie en Laura. De hoofdsteun was verleidelijk. Hij had te veel pijn om te slapen, maar als hij alleen maar zijn ogen kon sluiten en een paar minuutjes kon uitrusten...

Nee, hij moest in beweging blijven tot hij Rennie vond.

Tweede op zijn lijst van plaatsen waar ze kon zijn was: Trinity Tower.

Lozada's gezicht was een masker van kille woede toen hij de voordeur van zijn appartement opende.

'Het spijt me dat ik u stoor, Mr. Lozada, maar ik heb een dringende boodschap voor u.' De conciërge reikte hem een gesloten envelop aan met het discrete, goudkleurige logo van het flatgebouw in de linkerbovenhoek.

Lozada had verrukkelijk over Rennie liggen dromen. Het geluid van zijn deurbel had hem wakker geschud. Hij voelde het gewicht van zijn pistool in de zak van zijn ochtendjas. De boodschapper neerschieten werd een letterlijke verleiding.

Hij griste de envelop uit de hand van de conciërge. 'Wát voor boodschap? Van wíe?'

'Hij noemde zijn naam niet, meneer. Ik vroeg ernaar, maar hij zei dat u hem kende.'

Lozada scheurde de envelop open, haalde er een vel papier uit en las de zogenaamde boodschap. Het was overduidelijk wie het korte gedichtje had geschreven.

'Was hij hier?'

'Nog maar een paar minuten geleden, Mr. Lozada. Hij vertrok nadat hij dit had geschreven en had gevraagd of ik het u onmiddellijk wilde overhandigen. De man zag er heel slecht uit. Toen hij het gebouw binnenkwam, dacht ik dat hij dronken was. Hij was totaal verward.'

'In welk opzicht?'

'Aanvankelijk zei hij dat hij een boodschap voor uw gast had.'

'Gast?'

'Dat is wat hij zei, Mr. Lozada. Ik antwoordde dat u vanavond in uw eentje was binnengekomen, naar mijn weten, en dat er geen bezoekers waren aangekondigd, met uitzondering van de man die het eten bezorgde. Voor alle zekerheid heb ik nog in het logboek gekeken.'

Threadgill had geen enkele moeite gehad om deze sukkel erin te laten lopen!

'Ik bood aan u te bellen, maar dat wilde hij niet. Toen vroeg hij of hij een pen kon lenen en een velletje papier.'

'Goed, u hebt de boodschap doorgegeven.' Lozada stond op het punt de deur te sluiten toen de conciërge zijn hand opstak.

'Er is nóg iets, Mr. Lozada.' Hij kuchte achter zijn vuist. 'U krijgt er nog een officiële brief over, maar het lijkt me dat ik het u net zo goed nú kan vertellen.'

'Wat?'

'Ik heb de opdracht gekregen u ervan op de hoogte te stellen dat de vereniging van huiseigenaren eerder vandaag bijeen is gekomen. Ze hebben unaniem gestemd vóór... dat u... dat ze...'

'Wát?'

'Ze willen u uit het gebouw hebben, meneer. Gezien recente beschuldigingen eisen ze dat u uw huis binnen dertig dagen ontruimt.'

Lozada piekerde er niet over zich te verlagen door met dit stuk onbenul in debat te gaan. 'Zeg maar tegen de andere huiseigenaren dat ze de pot op kunnen. Dit penthouse is mijn eigendom en ik zal hier net zo lang wonen als ik wil!'

Hij gooide de deur voor de neus van de man dicht. Met boze stappen liep hij naar de leistenen bar en schonk een glas tequila in. Hij wist niet wat hem bozer had gemaakt en hem meer had beledigd, het dringende verzoek het prestigieuze adres te verlaten of de kinderachtige provocatie van Wick Threadgill:

De rozen waren rood;
En ook mijn bloed.
Kom me maar halen, klootzak.
Ik pak je goed.

22

Toen Rennie op haar ranch arriveerde, was het eerste dat ze deed Beade zadelen en hem meenemen voor een lange rit. Na die rijtocht in galop bracht ze twee uur in de stal door met het roskammen van de paarden. Dat was weliswaar niet nodig, maar het werkte therapeutisch.

Eerder die dag had Oren Wesley haar een beleefdheidsbezoekje gebracht om te vertellen dat Lozada binnenkort uit de gevangenis zou worden ontslagen. 'Laat u hem vrij?'

'Ik heb geen keus. Het is een besluit van het OM. Ik heb u gewaarschuwd dat de beschuldiging misschien niet hard kan worden gemaakt. Wick beweert dat het Lozada was, maar zonder solide bewijs...'

'En hoe zit het met zijn inbraak in mijn huis?'

'Er waren geen sporen van braak, dokter Newton.'

'Maar hij heeft wél ingebroken!'

'Als u dat wilt, zou u naar het politiebureau kunnen gaan en een klacht indienen.'

'Wat zou ik daarmee opschieten?'

Wat haar duidelijk was geworden, was dat ze er niet op kon vertrouwen dat de rechterlijke macht haar van Lozada zou verlossen. Het was háár probleem en zíj moest het oplossen. Maar hoe?

Verder was er de kwestie van Wick. Ze was nog steeds boos op Wick de politieman, die haar minachting verdiende. Maar Wick de man was haar patiënt, die de beste medische zorg verdiende die ze maar kon geven. Hoe moest ze die twee met elkaar in overeenstemming brengen?

Uit respect voor dokter Howell had de raad van bestuur bepaald dat Rennie over twee weken officieel als hoofd van de afdeling chirurgie zou worden aangesteld. Ze wilde haar nieuwe baan met een schone lei beginnen, met een leven dat perfect geordend en probleemloos was. Ze had tijd nodig om over het een en ander na te denken en een actieplan te maken.

Haar plotselinge besluit om een paar dagen vrij te nemen had haar bekwame kantoorpersoneel wat handig gemanoeuvreer gekost, maar ten slotte was het hen op wonderbaarlijke wijze gelukt het rooster zo aan te passen, dat het haar patiënten vrij weinig last bezorgde. Dokter Sugarman bewees haar een wederdienst voor iets dat ze een paar maanden geleden voor hem had gedaan. Hij zorgde voor haar patiënten in het ziekenhuis, onder wie Wick.

Ze had razendsnel haar koffer gepakt en was pijlsnel hierheen gereden. Het was niet echt druk geweest op de weg. De rit met Beade had haar tijdelijk bevrijd van haar verwarrende gedachten. Toby Robbins arriveerde kort nadat ze naar het huis was teruggekeerd. 'Je had niet meteen hoeven komen, Toby,' zei ze tegen hem zodra ze de deur opendeed. Eerder had ze hem opgebeld om melding te maken van een losse plank in het hek van de kraal.

'Ik vind het rot dat ik hem over het hoofd heb gezien.'

'Het is niets bijzonders. Het heeft geen haast.'

'Ik zal hem meteen repareren. Tenzij het jou niet uitkomt op dit moment.'

'Geen punt.'

Hij keek achter haar naar de bagage die nog steeds op de vloer van haar woonkamer stond. 'Blijf je lang deze keer?'

'Een paar dagen. Ik zal je die losse plank laten zien.' Ze liepen samen de trap aan de voorkant van het huis af. Op weg naar de kraal haalde hij een metalen gereedschapskist uit de laadbak van zijn pick-up. 'Hoe gaat het met Corinne?'

'Uitstekend. Aanstaande donderdag moet ze de korte godsdienstoefening verzorgen tijdens de lunch van de christelijke vrouwenvereniging. Ze heeft de kriebels.'

'Ik weet zeker dat het een succes zal worden.'

Hij knikte. Toen zei hij: 'We hebben je deze week in de krant zien staan.'

'Geloof niet alles wat je leest, Toby.'

'Maar deze keer was het positief.'

Deze keer! Ze wist niet of hij dat met opzet had gezegd. De oude rancher herinnerde zich krantenberichten over haar die niet zo vleiend waren geweest, de verhalen over het fatale schot op Raymond Collier.

Voordat Toby zijn ranch van zijn ouders erfde, had hij in Dalton gewoond. Af en toe had hij losse karweitjes voor T. Dan gedaan. Toen hij de ranch overnam was zijn kudde slachtvee niet groot geweest, maar hij had de kudde met zorgvuldig beheer vergroot. Zijn bedrijf had goed gedijd terwijl andere ranchers aan droogte ten onder waren gegaan of aan economische recessies, waar dan ook door veroorzaakt.

Door de jaren heen had hij contact met Rennie gehouden. Hij wist dat ze graag een buitenhuis wilde hebben waar ze de weekends door kon brengen, een plek waar ze paarden kon houden. Daarom had hij haar meteen gebeld toen de ranch die aan de zijne grensde op de markt werd gebracht. Na de ranch slechts één keer te hebben gezien, had ze al een contract getekend voor de vraagprijs.

Toby had niet langer het extra inkomen nodig dat hij verdiende door af en toe een klus voor haar te doen. Ze nam aan dat hij voor haar werkte omdat hij een goede buurman was, een sympathieke man, of gewoon omdat hij haar graag mocht.

Of misschien was hij aardig voor haar omdat hij T. Dan zo goed had gekend.

'Zie je?' Ze stonden bij het hek. Ze bewoog de losse plank heen en weer. Toen deed ze een stap opzij, zodat hij erbij kon. Hij keek wat er precies aan de hand was. Daarna hurkte hij neer en pakte een hamer uit zijn gereedschapskist. Hij gebruikte het gevorkte eind om de roestige spijkers uit de gaten te trekken.

'De man wiens leven je hebt gered...'

'Wick Threadgill.'

'Heb ik die hier niet ontmoet?'

'Dat klopt.'

'Wat vind je van hem?'

'Ik vind níets van hem.'

Ze had te vlug en te defensief geantwoord. Van onder de rand van zijn hoed keek Toby haar met half dichtgeknepen ogen aan.

'Eh, luister, Toby, als je me wilt excuseren, ik ga weer naar binnen om mijn spullen op te bergen. Kom nog even gedag zeggen voor je vertrekt.'

'Dat zal ik doen.'

Ze was druk bezig in de keuken toen hij op de achterdeur klopte. 'Kom erin.'

Hij liep naar binnen en zette zijn hoed af. 'Van sommige andere planken zaten de spijkers ook los. Ik heb ze allemaal vervangen. Ze zitten nu muurvast.'

'Dank je. Wil je iets kouds drinken?'

'Nee, bedankt. Ik moet gaan, want anders moet Corinne het eten voor me warm houden. Volgende week heb ik tijd om dat hek een nieuw likje verf te geven.'

'Dat zou fijn zijn. Wil je dat ik de verf koop?'

'Ik breng het wel mee. Dezelfde witte kleur, is dat goed?'

'Uitstekend.

'Red je het hier wel in je eentje, Rennie?'

'Waarom niet?'

'Nou, zo maar. Ik heb er geen speciale reden voor.'

Die had hij wél. Zeker weten. Dat kon ze zien aan de manier waarop hij nerveus de rand van zijn hoed door zijn vingers liet glijden en naar de punten van zijn sjofele werklaarzen staarde.

'Wat zit je dwars, Toby?'

Hij hief zijn hoofd en keek haar recht aan. 'De laatste tijd ben je met nogal ruige figuren omgegaan. Als je het niet erg vindt dat ik het zeg.'

'Ik vind het niet erg. Ik ben het met je eens. En volgens mij is "ruig" zacht uitgedrukt voor Lozada.'

'Ik had het niet alleen over hem. Die Threadgill is uit het politiekorps getrapt, weet je.'

'Hij heeft verlof genomen.'

Toby's schouderophalen zei 'dat is hetzelfde'. 'Nou, hoe dan ook, ik en Corinne hebben ons zorgen om je gemaakt.'

'Dat is niet nodig, Toby, geloof me. Ik ben niet vrijwillig bij deze mensen betrokken geraakt. Mijn pad kruiste zich bij toeval met dat van Lozada. Mijn connectie met Mr. Threadgill is louter beroepsmatig. Zowel zijn beroep als het mijne. Dat is alles.'

Hij keek sceptisch.

'Ik bescherm mezelf al heel lang, Toby,' voegde ze er zacht aan toe. 'Sinds mijn zestiende.'

Hij knikte. Het was duidelijk dat hij zich opgelaten voelde omdat hij nare herinneringen had doen herleven. 'Het is gewoon een soort gewoonte van mij en Corinne om voor je te zorgen.'

'En ik kan je niet vertellen hoeveel dat voor me betekent, altijd voor me heeft betekend.'

'Nou,' zei hij terwijl hij zijn hoed opzette, 'ik ga. Als je iets nodig hebt, geef je maar een gil.'

'Dat zal ik doen. Nogmaals dank voor het repareren van het hek.'

'Pas op, Rennie.'

Ze nipte van een glas wijn terwijl ze een pastamaaltijd bereidde. Tijdens het eten keek ze naar de zonsondergang aan de westelijke horizon. Daarna droeg ze haar bagage naar boven om alles uit te pakken. Hier op het platteland was ze niet zo'n Pietje Precies. Ze gooide ondergoed in laden zonder het op te vouwen. Ze hing kleren kriskras door elkaar in de kast, in een willekeurige volgorde. Hier gaf ze toe aan opstandige gevoelens – tegen haar geordende zelf.

Toen ze klaar was ging ze van kamer naar kamer, op zoek naar een bezigheid. Nu ze de zo begeerde vrije tijd had, wist ze niet hoe ze hem moest vullen. De tv had niets interessants in de aanbieding. Ze had geen zin om naar een film uit haar verzameling dvd's te kijken. Ze probeerde een nieuwe biografie te lezen, maar het onderwerp vond ze saai en het boek was pretentieus geschreven. Ze slenterde de keuken binnen. Ze zocht meer iets om zich mee bezig te houden dan om op te eten. Niets zag er aanlokkelijk uit, maar omdat ze er toch was maakte ze een blik koekjes open en begon op een koekje te knabbelen.

Een voordeel van het platteland, ver van de lichten van de stad, was de prachtige sterrenhemel. Ze waagde zich naar buiten om naar de nachtelijke hemel te kijken. Ze vond de bekende sterrenbeelden, en toen kreeg ze een satelliet in het oog. Ze volgde zijn boog tot ze hem niet langer kon zien.

Ze liep door haar tuin en ging de kraal binnen door het hek dat Toby had gerepareerd. Hoewel ze wist dat zijn bedoelingen goed waren en zijn bezorgdheid oprecht was, had zijn waarschuwing tot gevolg dat ze zich rusteloos voelde en zelfs een beetje nerveus toen ze de donkere stal binnenliep.

Gewoonlijk troostten de vertrouwde geuren van hooi en paarden haar. T. Dan had haar schrijlings op een pony gezet rond de tijd dat ze had leren lopen. Sindsdien hadden paarden een belangrijke rol in haar leven gespeeld. Ze was nooit bang voor hen geweest en vond het heerlijk om in hun buurt te zijn.

Maar vanavond leek de spelonkachtige stal onheilspellend. De schaduwen waren abnormaal donker en ondoordringbaar. Terwijl ze van box naar box liep, hinnikten de paarden en ze stampten nerveus. Ze waren geroskamd en gevoed. Ze waren droog. Er was geen storm op komst. Ze sprak tegen hen met een zachte, kalmerende stem, maar het klonk vals in haar oren. Ze moest haar eigen onrust op hen hebben overgebracht. Net als zij waren ze van slag, zonder aanwijsbare reden.

In plaats van getroost te worden door de dieren, versterkten ze haar onrust omdat ze die leken te delen. Nadat ze naar het huis was teruggekeerd, deed ze iets dat ze nooit eerder had gedaan. Ze sloot alle deuren en ramen af, en controleerde ze nóg een keer om zich ervan te verzekeren dat ze er niet één was vergeten. Boven nam ze een douche, maar ze besefte dat ze het zo snel mogelijk deed.

Zij, die gewaad had door Afrikaanse rivieren barstensvol slangen en krokodillen, was nu bang om zich in haar eigen badkamer te douchen? Boos op zichzelf omdat ze in spoken geloofde, deed ze gedecideerd het licht uit en klom in bed.

Ze sliep licht, alsof ze de geluiden verwachtte die haar uiteindelijk wakker zouden maken.

'Wat voor de dui...'

Wick omklemde het stuur van zijn pick-up. Hij gaf toe dat zijn hersens traag waren door uitputting. Waarschijnlijk zwommen er in zijn bloedbaan nog een paar korreltjes pijnstiller, die hem het denken moeilijker maakten. Hij was niet zo vlug van begrip, maar hij had sterk het idee dat er iets met het stuur aan de hand was. Hij keek op de benzinemeter.

'Verdomme!'

De benzine was op. Midden in deze kloterimboe. In de kleine uurtjes van de morgen. Hij had geen benzine meer.

Het was nooit bij hem opgekomen de benzinemeter te controleren voordat hij Fort Worth verliet. Toen hij Trinity Tower had verlaten met de redelijke zekerheid dat Rennie niet met Lozada in het penthouse hokte, toen hij de huismeester had verlaten met de envelop en een tiendollarbiljet als garantie voor een snelle bezorging, had hij alleen maar de stad uit willen vluchten voordat Oren zag dat er een pick-up op zijn oprit ontbrak of dat een verpleegster ontdekte dat ze een patiënt te kort kwam.

Gedurende de rit had het hem heel veel moeite gekost om zijn ogen open te houden. Gewoonlijk was hij een agressieve chauffeur die slome slakken uitschold. Hij vond radarcontroles een schending van de grondwet. Maar vannacht was hij op de langzame rijstrook gebleven. De snellere had hij overgelaten aan vrachtwagenchauffeurs en automobilisten die niet een levensbedreigende aanval hadden meegemaakt, amper een week geleden.

Het was een gewaagde veronderstelling dat Rennie naar haar ranch was gegaan. Ze kon op weg zijn naar elke plek ter wereld, maar aangezien ze maar een paar dagen vakantie had genomen, was de ranch als eerste mogelijkheid bij hem opgekomen. Dus was dát zijn plaats van bestemming.

Hij wist niet precies wat hij tegen haar zou zeggen als hij aankwam, maar hij verzon nog wel iets. Hij kon ook niet voorspellen wat haar reactie op zijn onaangekondigde komst zou zijn. Ze had zijn leven gered op de operatietafel, maar misschien was ze toch geneigd hem ervan te beroven omdat hij tegen haar had gelogen en haar had bespioneerd.

Hoe dan ook, hij kwam er wel uit. Hij was er bijna, en dat was het belangrijkste.

Tenminste, dat had hij gedacht tot de benzine op was.

Hij draaide zo hard aan het stuur als zijn verminderde kracht toestond en reed de pick-up de smalle berm in. Hij liet hem uitrijden tot hij helemaal tot stilstand kwam. Zonder de airco begon het al onaangenaam warm in de cabine te worden. Hij draaide het raampje naar beneden voor de ventilatie, maar toen kwam er nog meer warme lucht naar binnen.

De autosnelweg was minstens twaalf kilometer achter hem. Hij schatte dat hij nog ruim vijftien kilometer van Rennies ranch was verwijderd. Als hij kon rennen, zou hij die afstand in een uur kunnen overbruggen, een uur en tien minuten op z'n hoogst. Maar hij kón niet rennen. Hij kon nauwelijks lopen. Strompelend zou hij er uren voor nodig hebben, als hij niet eerst in elkaar zakte, wat ongetwijfeld zou gebeuren.

Hij kon zijn zaktelefoon gebruiken om een benzinestation aan de snelweg op te bellen. Maar benzinestations aan de snelweg verleenden gewoonlijk geen hulp aan mensen die met panne aan de kant van de weg stonden, laat staan dat ze benzine kwamen brengen. En als hij een kraanwagen hierheen liet komen, zou hij er een eeuwigheid op moeten wachten. Bovendien had hij geen geld of creditcards, omdat Oren zijn portemonnee veilig in zijn huis had opgeborgen. Er zou weinig verkeer zijn op de weg. Tot aan het aanbreken van de dag, en het duurde nog een paar uur voor het zover was. In wezen zat hij vast. Hij kon geen kant op.

Zodra de zon opkwam, kon hij naar Rennies ranch gaan lopen en hopen dat een barmhartige Samaritaan langs zou komen en hem een lift zou geven. Het was te donker om zijn spiegelbeeld in het achteruitkijkspiegeltje te zien, maar als hij er net zo rot uitzag als hij zich voelde, leek hij iemand die hard aan barmhartigheid toe was.

Hij kon de uren tot de dageraad gebruiken om een hazenslaapje te doen. Met die gelukzalige gedachte in zijn hoofd leunde hij achterover tegen de hoofdsteun en sloot zijn ogen. Maar het duurde niet lang of hij besefte dat, tot hij languit lag, zijn rug zo erg pijn zou blijven doen, dat hij niet eens kón soezen. Hij vervloekte zichzelf omdat hij kuipstoelen boven een bank had verkozen.

Vermoeid duwde hij het portier open. Daar had hij al zijn kracht voor nodig. Hij haalde een paar keer diep adem voordat hij uitstapte, zich afvragend of zijn benen hem zouden dragen. Dat deden ze, maar ze waren wankel. Terwijl hij zwaar tegen de zijkant van zijn wagen leunde, liep hij moeizaam naar de achterkant en liet de laadklep zakken, die een miljoen kilo leek te wegen.

Het rotding was niet alleen loeizwaar maar ook hard, als een plaat beton. Probeer daar maar eens comfortabel op te liggen, dacht hij. Verdomme, als hij niet ging liggen zou hij omvallen.

Hij keek om zich heen. Nergens een lichtje te zien. Aan de overkant van de weg, achter een omheining van prikkeldraad, was een groepje bomen. Aarde was zachter dan metaal, nietwaar? Absoluut. En aarde onder bomen was misschien extra zacht omdat er waarschijnlijk meer vocht in zat. Hij wist er geen donder van, maar het klonk goed.

Voordat hij zijn pick-up achterliet, pakte hij zijn plunjezak, nóg zo'n zwaar rotding, en sleepte hem achter zich aan terwijl hij sjokkend de weg overstak. Hij ging op zijn rug liggen en schoof onder het prikkeldraad door. Dit was voor hem de enige manier om aan de andere kant van het prikkeldraad te komen.

De duisternis was misleidend geweest. Het groepje bomen was verder weg dan hij had ingeschat. Het was doodstil, op zijn zwoegende ademhaling na. Maar als zweten een geluid voortbracht, zou hij een hels kabaal hebben gemaakt. Hij was drijfnat. Het begon hem zwart voor de ogen te worden, en hij vreesde dat dat niets te maken had met het feit dat het nacht was.

Toen hij eindelijk de bomen bereikte, gooide hij de plunjezak tegen een boomstam en liet zich ernaast op zijn knieën zakken. Daarna leunde hij op handen en voeten en boog zijn hoofd. Het zweet droop van zijn neus, van zijn oorlellen. Het kon hem niets schelen. Het kom hem niet schelen of hij smolt, níets kon hem wat schelen, behalve languit liggen. Hij strekte zich uit in het droge gras. Het prikte door zijn hemd heen, maar daar kon hij mee leven. Als hij zijn ogen maar kon sluiten!

Hij legde zijn wang op de stugge plunjezak en beeldde zich in dat het een vrouwenborst was. Koel en zacht en verrukkelijk geurend. Naar Hydrangea misschien.

Hij sliep vast en droomloos. Alleen iets schokkends had hem uit zo'n diepe slaap kunnen halen. Iets écht schokkends, zoals: 'Beweeg en je bent dood.'

Hij bewoog natuurlijk tóch. Eerst opende hij zijn ogen. Toen rolde hij op zijn rug om zich te oriënteren en te bepalen waar de waarschuwing vandaan kwam.

Rennie stond zo'n twintig meter verderop, met een geweer in de aanslag. Hij vloog half overeind.

'Ik zei dat je je niet moest bewegen.'

Toen vuurde ze.

23

De lynx viel dood uit de boom.

Het scheelde maar een haar of hij was op Wick gevallen. Zijn harde landing op de grond wierp een stofwolk op. Er was een bloederig gat in het midden van zijn borst. In die van Wick bonkte zijn hart.

'Goed schot,' bracht hij er met moeite uit.

Rennie kwam dichterbij en knielde naast het karkas. 'Hij was zo mooi.' Afgezien van de dodelijke snijtanden leek het dier een uit zijn krachten gegroeide huiskat met een mooie vacht. Rennie streelde het zachte toefje witte bont onder aan zijn oor. 'Ik vond het afschuwelijk dat ik hem moest doodschieten, maar het leek of hij op het punt stond zich naar beneden te storten. Hij heeft maandenlang lammetjes en huisdieren gedood. Vanmorgen is hij zelfs in mijn stal geweest.'

'Ik wist niet dat hij op zo'n groot dier als een paard aasde.'

'Dat doet hij ook niet. Waarschijnlijk was hij op zoek naar iets kleins, zoals een muis of een konijn. Maar hij maakte de paarden bang en toen werd hij net zo bang als zij. Ten slotte gaf hij eentje een haal. Ik hoorde het tumult en kwam net op tijd om hem te zien wegrennen. Het afgelopen uur heb ik zijn spoor gevolgd.'

'En hij heeft míjn spoor gevolgd.'

Voor het eerst keek ze hem recht aan. 'Je was een makkelijke prooi.'

'De lopende gewonde.'

'De bijna dode. Wat doe je hier in godsnaam, Wick?'

'Slapen. Tenminste, dat deed ik.' Hij wees naar het geweer dat op haar knie rustte. 'Mis je weleens?'

'Nooit. Krijg ik nog antwoord op mijn vraag?'

'Wat ik hier doe? Het is een lang verhaal. Maar de clou is dat de benzinetank van mijn pick-up leeg was. Ik hoop dat je niet te voet bent.'

Ze stond op en floot schel. Hij was onder de indruk. Hij had nog nooit een vrouw ontmoet die goed kon fluiten. Maar ze had nog veel meer talenten! Een paar seconden later kwam een merrie aangedraafd.

'Wauw, net als in de film,' zei hij. Het paard bleef op een voorzichtige afstand van de dode lynx staan en stampte nerveus. 'Ik ben er niet zeker van of ik zonder zadel op haar kan klimmen.'

'Je gaat helemaal niet op haar klimmen. Dat doe ík.' Rennie draaide zich om en begon naar het paard te lopen.

'Ben je dan van plan me hier achter te laten? Met het karkas van dit dier?'

'Ik heb je niet uitgenodigd.'

Poëzie in beweging, dacht hij, toen hij zag dat ze haar vingers in de dikke manen van de merrie vlocht en zich hoog genoeg optrok om haar rechterbeen over het paard te kunnen zwaaien. Ze voerde dit in één vloeiende beweging uit, zonder de .22 te laten vallen. Ze drukte zachtjes haar hielen in het paard. De merrie danste sierlijk een rondje, met opgeheven hoofd en staart.

'Je komt toch wel terug om me op te halen?' Hij dacht dat hij Rennie zag glimlachen, maar de zon was nog niet helemaal op, dus hij kon het zich hebben verbeeld. Met een bijna onmerkbare beweging van haar knieën bracht ze de merrie in galop.

Hij was er zo zeker van dat ze hem zou komen halen, dat hij sliep voor paard en ruiter achter de horizon waren verdwenen.

Hij wist niet hoelang hij had geslapen. Het konden vijftien minuten of vijftien uren zijn geweest. Toen hij zijn ogen opendeed, zat Rennie weer naast hem. Ze wikkelde de lynx in een dikke meubelhoes. Toen ze zag dat hij naar haar keek zei ze: 'Ik ben niet van plan hem hier achter te laten om hem door hén te laten oppeuzelen.' Ze wees naar boven.

Hij keek omhoog door de takken van de boom. Boven hun hoofd vlogen buizerds in het rond. 'Misschien wachten ze tot ík het loodje leg.'

'Dat zou kunnen.'

Ze tilde de bundel op en droeg hem naar een pick-up waarin hij haar nog nooit had zien rijden. Hij nam aan dat ze de wagen alleen voor de ranch gebruikte, omdat hij slijtageplekken vertoonde. Toen ze de lynx in de laadbak had gelegd en de klep had gesloten, lukte het hem te gaan staan, dank zij de boomstam die hij als steun gebruikte. Hij bukte om zijn plunjezak op te tillen.

'Dat doe ík wel,' zei Rennie en begon naar de plunjezak te lopen. 'Klim in de pick-up.'

Terwijl ze elkaar passeerden, overwoog hij te salueren, maar op het laatste moment bedacht hij zich.

Natuurlijk, haar outfit vormde een tegenwicht tegen haar militaire houding. Ze droeg een rood, mouwloos T-shirt, het soort waarin ze sliep, een nauwsluitende spijkerbroek en cowboylaarzen. Haar loshangende haren zaten in de war. Hij vermoedde dat de opschudding in haar stal ervoor had gezorgd dat ze uit bed sprong, en spijkerbroek en laarzen aantrok voor ze naar buiten rende. Hoe dan ook, wat ze droeg stond haar goed.

Bij daglicht onder het prikkeldaad door schuiven was slechts een tikkeltje makkelijker dan 's nachts. Toen hij de pick-up bereikte en erin slaagde in de cabine te klimmen, beefde hij en brak het koude zweet hem uit. Rennie keerde terug met zijn plunjezak. Ze gooide hem zonder plichtplegingen in de laadbak naast de dode lynx. Daarna ging ze achter het stuur zitten en startte de motor. Toen ze zag dat Wick door het achterraam naar de laadbak keek, zei ze: 'Is er iets?'

'Nee. Ik ben alleen blij dat je míj niet in de laadbak hebt gesmeten.'

'Ik heb het even overwogen.'

'Hoe zit het met mijn pick-up?'

'Ik heb een jerrycan met benzine.'

Ze vertelde niet hoe en wanneer ze de benzine uit haar jerrycan in zijn pick-up zouden doen. Hij vroeg er niet naar. Ze reed de weg op. Pas na een kilometer of twee zei ze: 'Ik weet dat dokter Sugarman je niet uit het ziekenhuis heeft ontslagen.'

'Waar heeft hij al die tanden gekocht?'

'Ben je gewoon naar buiten gelopen?'

'Hmm.'

'En hoe zit het met de bewakers?'

'Ik zou niet graag in hun schoenen staan als Oren ontdekt dat ik verdwenen ben.'

'Weet hij het niet?'

'Inmiddels wel, misschien.'

'Zal hij boos zijn?'

'Ziedend!'

'Omdat hij weet dat je nog een paar dagen in het ziekenhuis moest blijven.'

'Omdat hij weet dat ik in mijn eentje achter Lozada aan ga.'

Ze wierp hem een scherpe blik toe. 'Waarom ben je dan hierheen gekomen?'

'Om jóu te zoeken, om hém te zoeken. Hij zal je achterna komen, Rennie, en hij zal, net als ik, het eerst híer zoeken.'

'Hij weet niet dat ik deze ranch heb.'

'Daar zal hij uiteindelijk wel achterkomen. Hij zal je vinden. Hij zal niet ophouden tot hij je vindt. Hij heeft te veel van zichzelf, van zijn ego, in je geïnvesteerd. Hij zál komen.'

Ze zeiden niets meer. Toen ze het huis bereikten, parkeerde ze de pick-up dicht bij de trap aan de voorkant van het huis. Ze liep om de wagen heen en hielp Wick úit de pick-up en óp de veranda stappen. Daarna maakte ze de voordeur open en gebaarde hem naar binnen te gaan.

Ze kwamen in een ruime zitkamer die in Texaanse stijl was ingericht. Veel leer en suède, allemaal erg smaakvol en duur. Dikke tapijten op de hardhouten vloer. Sierkussentjes met franjes. De meubels waren groot en comfortabel. Ze nodigden je uit om je te ontspannen en uren voor de open haard te zitten lezen in de tijdschriften die hier en daar verspreid – verspréid? Niet keurig opgestapeld? – op bijzettafeltjes lagen.

In een hoek was een Mexicaans zadel van zwart, bewerkt leer met veel zilveren versieringen. Tentoongesteld en goed belicht, alsof het een beeldhouwwerk was. Een paardendeken met vrolijke strepen diende als wandkleed. Wick vond hem schitterend. 'Dat is mooi.'

'Dank je.'

'Het lijkt me niks voor jou.'

Ze keek hem aan. 'Het is júist iets voor mij! Heb je honger?'

'Ik overwoog net aan de lynx te beginnen.'

'Deze kant op.'

Ze ging hem voor naar de keuken, waar hem nog meer verrassingen wachtten. Midden in het vertrek was een werkeiland met open planken eronder. In het midden een kleine, koperen spoelbak waar rode en groene appels lagen uit te lekken. Erboven hingen pannen aan een ijzeren rek. Op de eetbar stond een geopende doos koekjes.

'Soep of havermout?'

Hij liet zich moeizaam op een stoel zakken, die achter de ronde, houten tafel stond. 'Moet ik dááruit kiezen?'

'Tenzij je het meende wat de lynx betreft. In dat geval maak je het zelf maar klaar!'

'Wat voor soep?'

Het was aardappelcrèmesoep. Misschien wel het lekkerste dat hij ooit had gegeten. Rennie was begonnen met de inhoud van het blik op te warmen. Ze had er boter en kruiden aan toe gevoegd. Daarna had ze de aardewerken schaal met een laagje geraspte cheddar bedekt en hem lang genoeg in de magnetron gezet om de kaas te laten smelten. Haar bewegingen waren efficiënt en bekwaam, als die van een chirurg.

'Dat was haute cuisine na het ziekenhuisvoer,' zei hij terwijl hij nog een stuk geroosterd brood verorberde. 'Wat heb je als lunch?'

'Je zult door de lunch heen slapen.'

'Ik kan nog niet slapen, Rennie. Ik ben niet uit het ziekenhuis losgebroken en als een gek hierheen gevlogen om te gaan slapen zodra ik aankwam.'

'Het spijt me, maar dat is wat je nodig hebt en dat is wat je gaat doen. Ik heb nooit een patiënt gehad die er zo slecht uitzag als jij en in leven bleef. Eigenlijk zou ik 911 moeten bellen en je met spoed door een ambulance naar het districtsziekenhuis laten brengen.'

'Ik zou onmiddellijk vertrekken.'

'Daarom heb ik nog niet gebeld.' Ze was klaar met de afwas en droogde haar handen af. 'Kom, ga naar boven en kleed je uit. Ik zal je helpen.'

'Ik héb geslapen, Rennie. Onder de boom.'

'Hoelang?'

'Lang genoeg.'

'Lang niet lang genoeg.'

'Ik ga niet slapen.'

'Jawel.'

'Je zou me moeten drogeren.'

'Dat héb ik gedaan.'

'Hè?'

'Toen je naar de wc ging, heb ik een sterke pijnstiller en een slaappil fijngemalen en in je soep gedaan. Je kunt elk moment in een diepe slaap vallen.'

'Verdomme! Ik zal me ertegen verzetten.'

Ze glimlachte. 'Dat kun je niet. Het zal je compleet uitschakelen. Het zal prettiger voor je zijn als je je, voordat het zover is, door mij in bed laat helpen.'

'We moeten praten, Rennie.'

'Oké, maar nadat je hebt geslapen.'

Ze legde haar hand onder zijn elleboog en hees hem overeind. Tenminste, dat probeerde ze. Zijn benen waren al wankel en er was een duidelijke tinteling in zijn tenen. Hij wist dat dat door het slaapmiddel kwam en niet door hyperventilatie.

'Leg je arm om mijn schouder.' Hij gehoorzaamde. Ze sloeg haar arm om zijn middel en steunde hem terwijl ze hem door de woonkamer naar de open trap bij de muur aan het andere eind van de kamer bracht.

'Ik begin het al te voelen,' zei hij ongeveer halverwege de trap. 'Mijn oren tuiten. Hoelang duurt het voor het is uitgewerkt?'

'Dat hangt van de patiënt af.'

'Dat is geen antwoord.'

Op de bovenverdieping was een grote vide die uitkeek op de zitkamer. Er kwamen diverse deuren op uit. Ze leidde hem door een ervan en bracht hem een slaapkamer binnen. Het bed was niet opgemaakt. 'Is dit jouw kamer?' vroeg hij.

'Het is de enige slaapkamer die gemeubileerd is.'

'Slaap ik in jóuw bed?'

Ze zette hem tegen een grote kast. 'Til je armen op.' Dat deed hij. Ze trok zijn T-shirt over zijn hoofd. Toen knielde ze neer en hielp hem uit zijn schoenen. 'Doe nu je broek uit en ga liggen.'

'Wel allemachtig, dokter Newton, ik had gedacht dat u veel subtieler zou zijn. Dat u... Wat is dat?' Ze had iets uit de onderste la van de kast gehaald.

'Dit is een injectiespuit.' Ze kwam overeind, hield de spuit omhoog en tikte op het plastic buisje. 'En je krijgt een hele lading antibiotica.'

'Dat heb ik niet nodig.'

'We gaan hier niet over redetwisten, Wick.'

Nee, ze leek niet in de stemming om te redetwisten. Trouwens, hij had tóch niet met haar kunnen kibbelen. Zijn tong was zo wendbaar geworden als een walrus. Zijn benen waren veranderd in gelatinepilaren. Hij kon amper zijn ogen openhouden.

Hij maakte zijn gulp open, liet zijn broek zakken en stapte eruit. Waarschijnlijk had ze verwacht dat hij ondergoed droeg. Nou, jammer dan, dokter Newton. Hij schreed – voor zover dat mogelijk was in zijn bedwelmde toestand – naar het bed en ging liggen.

'Op je buik, alsjeblieft.'

'Je bent helemaal niet leuk,' bromde hij met dubbele tong.

Rennie deed een beetje alcohol op een watje en wreef ermee over een plekje op zijn heup. Daarna stak ze de naald in het spierweefsel.

'Verd...'

'Dit zou pijn kunnen doen.'

'...omme! Bedankt voor de waarschuwing.' Hij klemde zijn tanden op elkaar en wachtte tot ze klaar was met de injectie, wat eeuwen leek te duren.

240

Terwijl ze de lege injectiespuit op het nachtkastje legde, zei ze: 'Blijf waar je bent. Ik ga je wond schoonmaken.'

Hij wilde iets scherpzinnigs zeggen, maar hij kon niets bedenken. Het kussen voelde ontzettend goed.

Hij was zich er amper van bewust dat ze zijn wond met een koude vloeistof schoonmaakte en nieuw verband aanbracht. Het drong vaag tot hem door dat ze hem met een laken en een lichte deken bedekte. De kamer leek langzaam donkerder te worden. Hij opende zijn ogen lang genoeg om haar bij de ramen te zien, waar ze de luiken aan het sluiten was. Een duizendste van een seconde voor ze de jaloezieën dichttrok, zag hij haar silhouet tegen het heldere licht van de buiten-lamp. Haar vormen waren duidelijk zichtbaar. Ze droeg geen beha.

Hij kreunde. 'Mijn God.'

Of misschien kreunde hij niet.

Toen hij wakker werd lag hij op zijn rug om zijn rechterzij te ontzien. De kamer was leeg, maar door een kier onder de gesloten badkamer-deur kwam licht. Hij keek naar de ramen. De luiken waren nog steeds dicht.

God, wat had ze hem gegeven? Hoelang had hij geslapen? De hele dag? Twee dagen? Drie?

Op dat moment ging het licht onder de badkamerdeur uit. De deur ging geluidloos open. Rennie kwam de badkamer uit, geurend naar zeep en shampoo. Ze keek naar het bed. Toen zag ze dat hij wakker was en naar haar keek.

'Sorry, ik had de föhn niet moeten gebruiken. Ik was bang dat je er wakker van zou worden, maar je sliep zo vast, dat ik het er maar op waagde.'

'Hoe laat is het?'

'Tegen zessen.'

Terwijl ze naar de rand van het bed liep, maakten haar blote voeten fluisterende geluiden op de hardhouten vloer. 'Hoe voel je je?'

Toen ze zich bukte om hem beter te kunnen bekijken, viel haar haar als een gordijn voor haar gezicht. Ze wierp het naar achteren. 'Kan ik iets voor je halen?'

Haar, ogen, huid, lippen. Ze was een mooie vrouw. Dat had hij al ge-dacht toen hij haar voor het eerst zag op Orens acht-bij-tien foto's. Op dat moment had de begeerte wortel geschoten en was het liegen be-gonnen. Hij had tegen Oren gelogen en ook tegen zichzelf. Eerst over zijn mening over haar, en toen over zijn objectiviteit. Die was opgehouden te bestaan toen ze zich op de trouwreceptie tot hem wendde. Hij had op dat moment geweten dat het gedaan was met zijn professionele houding. Die zonk, samen met hem, weg in de diepten van haar groene ogen.

Tijdens zijn carrière had hij met allerlei vrouwen te maken gehad, van hoeren tot huismoeders. Oplichtsters, leugenaarsters, dievegges en heiligen. Vrouwen in zakelijke mantelpakken die als levensdoel hadden elke man met wie ze in contact kwamen symbolisch te castreren, en vrouwen die zich uitkleedden om mannen te vermaken.

Oren had gelijk gehad toen hij zei dat hij, Wick, nooit een oninteressante ontmoeting met een vrouw had gehad. Ze waren om de een of andere reden allemaal gedenkwaardig, van zijn liefdevolle kleuterjuf, tot de politieagente die zei dat hij de grootste klootzak was met wie ze ooit het ongenoegen had gehad kennis te maken, tot Crystal de serveerster. Hij maakte altijd indruk.

Goed of slecht, hij had een natuurlijke aantrekkingskracht voor vrouwen en dat was wederzijds. Dat had hij gewoon, het was een onderdeel van hem waarmee hij was geboren en wat hij min of meer vanzelfsprekend vond, als zijn handpalmafdruk of zijn scheve voortand.

Hij had met een paar van die vrouwen geslapen – hij had met veel van hen geslapen. Maar nooit had hij iemand zo begeerd als Rennie Newton. En nooit was iemand zo verboden geweest. Vanaf het allereerste moment wist hij dat ze hem in de problemen zou brengen, en dat zou zo blijven.

Maar dat alles deed er niet meer toe toen haar haren langs zijn blote borstkas streken. Gezond verstand en geweten hadden geen schijn van kans.

'Ach, wat kan het me schelen,' bromde hij. Hij legde zijn hand om haar nek en trok haar hoofd naar zich toe.

Het was meteen een hartstochtelijke kus. Zodra zijn lippen de hare raakten, duwde zijn tong ze uit elkaar. Vol verlangen verkende hij haar mond. Haar adem was warm en snel op zijn gezicht, en dat spoorde hem aan. Hij tilde haar hoofd op, vond nog meer warmte, nog meer zoetheid, vochtig genot.

Zijn hand gleed van haar nek naar haar achterhoofd. Zijn andere hand rustte op haar ribbenkast. Tegen zijn duim kon hij het zachte gewicht van haar borst voelen. Haar tepel reageerde op zijn aanraking en werd steeds harder onder zijn streling.

242

'Nee!'

Ze trok zich terug en schudde heftig haar hoofd. Gedurende enkele lange, emotievolle seconden keek ze hem aan. Toen draaide ze zich om en vluchtte – de enige manier om de haast waarmee ze de kamer verliet te beschrijven.

24

Hij nam een douche. Hij schoor zich met een van Rennies roze scheer-apparaten. In de spiegel boven de wastafel zag hij er niet meer zo vre-selijk uit als vóór de lange slaap. De donkere kringen onder zijn ogen waren lichter geworden en zijn oogkassen lagen niet meer zo diep.

Maar hij was geen droomprins. Zijn bleke ziekenhuiskleurtje bena-drukte de blauwe plek op zijn jukbeen. En wanneer had hij voor het laatst zijn haar laten knippen? Na een afkeurende blik op zijn spiegel-beeld te hebben geworpen, verliet hij de badkamer.

Rennie was in de keuken. Ze keek achterom toen hij binnenkwam. 'Heb je je plunjezak gevonden?'

'Ja, bedankt.' Ze had hem op het voeteneinde van het bed gelegd, zodat hij schone kleren kon aantrekken.

'Hoe voel je je?'

'Beter. Dank je. Voor alles. Behalve voor de injectie. Mijn achterwerk doet zeer.'

'Ik weet zeker dat je dorst hebt. Kijk in de koelkast en pak wat je wilt.' Ze haalde stukken kipfilet door paneermeel en legde ze vervolgens in een ovenschaal.

Wick nam een pak sinaasappelsap uit de koelkast, schudde het en maakte het open. 'Vind je het goed dat ik uit het pak drink?'

'Nee, niet in dit huis.'

'Ik heb je tandenborstel gebruikt.'

'Ik heb een paar in reserve.'

'Waarom verbaast me dat niet?'

'Glazen staan in de kast achter je.'

Het sap smaakte lekker. Hij dronk het glas in één teug leeg en vulde het opnieuw. 'Wat heb je met de lynx gedaan?'

'Ik heb de jachtopziener gebeld. Hij is hem komen ophalen, en toen feliciteerde hij me.'

'Je hebt de samenleving een goede dienst bewezen.'

Ze staarde even in de verte. 'Zo voelde het niet. Het voelde als moord.' Ze waste haar handen, liep naar de oven en deed hem aan. Toen pakte ze een mes en begon tomaten te snijden. Ze wees met het mes naar een zaktelefoon die op het aanrecht lag. 'Er is een paar keer gebeld.'

'Jeetje, ik weet niet eens meer waar ik mijn telefoon heb achtergelaten.'

'In je pick-up.'

'Waar is mijn pick-up?'

'In de garage.'

Hij keek door het raam en zag het gebouwtje. Het was een kleinere versie van de stal. De dubbele deuren waren dicht. 'Hoe is het je gelukt hem hier te krijgen?'

'Ik ben er op Beade heen gereden, met een jerrycan vol benzine. Daarna heb ik het paard aan de laadklep vastgebonden en ben langzaam teruggereden.'

'Het zou makkelijker zijn geweest als je had gewacht tot ik met je meekon.'

'Ik dacht dat je niet wilde dat iemand wist dat je hier was.'

Hij keek haar scherp aan. 'Dat is niet helemaal correct, hè Rennie?'

Ze hield op met tomaten snijden en keek hem aan.

'Jíj wilde niet dat iemand wist dat ik hier was.'

Ze ging weer verder met haar bezigheden. 'Hou je van tomaten in je salade?'

'Rennie.'

'Sommige mensen houden er niet van.'

'Rennie.'

Ze liet het mes vallen en ging vlak voor hem staan. 'Wát?'

'Het was maar een kus,' zei hij zachtjes.

'Laten we er geen probleem van maken, goed?'

'Jíj doet dat, niet ík. Jíj rende weg alsof er brand was in de slaapkamer!'

'Zodat je zou ophouden me toe te takelen.'

'Je toe te takelen?' riep hij uit. 'Je toe te takelen?'

'Op de avond dat we elkaar leerden kennen – nee, de avond waarop jij régelde dat we elkaar leerden kennen – zei ik tegen je, recht voor zijn raap en in een taal die een kind kon begrijpen, dat ik geen belangstelling had voor... dat alles.'

Mannelijke trots begon op te spelen. Wick liep om het kookeiland

245

heen, zodat dat niet langer tussen hen in stond. 'Nou, dat is een hele verandering voor je, hè? Eén kus en ik takel je toe, maar toen je in Dalton woonde was je er niet vies van. Hoe noemde je het toen?'

Ze deinsde terug, alsof hij haar had geslagen. Maar die eerste reactie duurde slechts een seconde voor er een harde uitdrukking op haar gezicht verscheen. 'Je hebt ongetwijfeld een onderonsje gehad met je vriend rechercheur Wesley.'

'Pas nadat mensen in Dalton me alles over je hadden verteld. Ze zijn je daar niet vergeten, liefje, omdat je vroeger veel meer deed dan de plaatselijke bewoners kussen. Waar of niet?'

'Je bent zó goed geïnformeerd – waarom vraag je het aan míj?'

'Je deed aanzienlijk meer dan kussen.'

Ze gaf het op en wendde haar hoofd af. 'Maar nú ben ik niet meer zo.'

'Waarom niet? Het lijkt me dat je je uitstekend vermaakte. Ze hebben het in Dalton nog steeds over die keer dat je met ontblote borsten door de stad reed in je rode Mustang cabriolet. Maar ík laat je tepels tintelen en je wordt hysterisch!'

Ze probeerde langs hem te lopen, maar hij deed snel een stap opzij en versperde haar de weg. 'Al die hitsige cowboys stonden zich aan je te verlekkeren op de rodeo. En hun vaders, en hun ooms, en waarschijnlijk zelfs hun grootvaders.'

'Hou op!'

'En je wist het, nietwaar? Je hield ervan om ze een stijve te bezorgen.'

'Je weet niet...'

'O, ja, dat weet ik wél. Mannen weten dat. We hebben lelijke namen voor meisjes als jij, Rennie. Maar dat weerhoudt ons er niet van om te verlangen naar waar jullie reclame voor maken. Hoeveel harten werden er gebroken toen je Raymond Collier begeerde?'

'Niet...'

'En toen er een einde aan die verhouding kwam, schoot je hem neer en vermoordde hem. Ben je daardoor afgeknapt op "toetakelen"?'

'Ja!'

Haar schreeuw werd gevolgd door een plotselinge, weergalmende stilte. Ze keerde hem de rug toe en leunde tegen het aanrecht. Ze bracht haar hand naar haar mond. Ze hield hem daar even. Toen, zeer merkwaardig voor een chirurg, leek ze niet te weten wat ze met haar handen moest doen. Ze sloeg haar armen over elkaar en hield haar ellebogen stevig vast. Ze veegde haar handpalmen af aan haar dijen. Ten slotte pakte ze de schaal met kipfilet en zette hem in de oven. Na de keuken-wekker te hebben gezet, begon ze weer tomaten te snijden.

Wick bleef naar haar staan kijken met de vastberadenheid van de buizerds die boven het karkas van de lynx hadden gecirkeld. Hij wei-gerde het onderwerp te laten varen. Hij vond dat hij het recht had om een van haar vele lagen af te pellen. Hij wilde minstens een glimp op-vangen van wie ze was. Hij wilde weten wat haar zo dwangmatig netjes had gemaakt, wat haar zo afkerig had gemaakt om een ander mens aan te raken, behalve in de steriele veiligheid van een operatiekamer. Hij wilde de échte Rennie Newton zien, al was het maar heel even.

'Wat is er die dag in je vaders werkkamer gebeurd?'

Het mes viel met een harde dreun op de snijplank. 'Heeft Wesley de details niet met je gedeeld?'

'Jazeker. En ik heb het politierapport gelezen.'

'Nou dan.'

'Ik werd er geen cent wijzer van! Ik wil van jóu horen wat er gebeurde.'

Ze was klaar met de tomaten en spoelde het mes af. Terwijl ze het met een theedoek afdroogde, keek ze hem aan en zei met een sardo-nisch lachje: 'Wellustige nieuwsgierigheid, Wick?'

'Niet doen,' zei hij met ingehouden woede. 'Je weet dat dat niet de reden is waarom ik het vraag.'

Ze leunde met haar armen op het aanrecht en boog zich naar hem toe. 'Waarom vraag je het dan wél? Leg me uit waarom het zo verdom-de belangrijk voor je is om dat te weten.'

Hij boog zich naar voren om de afstand tussen hen kleiner te maken. 'Dat weet je, Rennie,' fluisterde hij. Zijn bedoeling kon haar onmoge-lijk zijn ontgaan. Maar voor alle zekerheid legde hij zijn hand op de hare en omvatte haar pols met zijn vingers.

Ze boog haar hoofd. Het leek of ze naar hun handen staarde, maar hij kon alleen maar haar kruintje zien, de natuurlijke scheiding in haar haar. Na een halve minuut trok ze haar hand terug.

'Dit kan alleen maar tot ellende leiden, Wick.'

'Bedoel je met "dit" de vreemde driehoek die we vormen? Jij, ik en Lozada?'

'Zo'n driehoek is er niet.'

'Je weet wel beter, Rennie.'

'Jullie tweeën hadden al een oude rekening te vereffenen voordat jul-lie van mijn bestaan wisten.'

'Dat is waar, maar jij hebt er een andere dimensie aan toegevoegd.'

'Ik ben niet bij jullie vete betrokken,' zei ze resoluut.

'Waarom ben je dan uit Fort Worth weggegaan?'

'Ik had er behoefte aan om een tijdje niet te werken.'

'Je had gehoord dat Lozada was vrijgelaten.'

'Ja, maar...'

'En heel kort na zijn vrijlating ben je 'm gesmeerd en ben je hierheen gereden. Het lijkt me dat je je voor hem verstopt.'

Zijn mobiele telefoon ging. Hij pakte hem op en keek naar de nummerweergave. Toen vloekte hij zacht. 'Oké, dan heb ik het maar gehad.' Hij nam de telefoon mee terwijl hij door de woonkamer naar de veranda aan de voorkant van het huis liep. Toen ging hij op de schommelbank zitten. 'Hallo.'

'Waar ben je, verdomme?'

'Geen hallo?'

'Wick...'

'Goed, goed.' Hij slaakte een diepe zucht. 'Ik kon dat ziekenhuis niet langer verdragen, Oren. Je weet dat ik moeite heb met niets doen. Nog één dag langer in dat kamertje en ik was kierewiet geworden. Daarom vertrok ik. Ik haalde mijn pick-up op bij je huis en reed het grootste deel van de nacht door. Vanmorgen om een uur of vijf ben ik in Galveston aangekomen. Ik heb vrijwel de hele dag geslapen. Het luisteren naar de branding geeft me veel meer rust dan ik in het ziekenhuis krijg. Daar is het onmogelijk om écht uit te rusten.'

Na een veelbetekenende stilte zei Oren: 'Je huis in Galveston is hermetisch afgesloten.'

O, verdomme. 'Hoe weet je dat?'

'Omdat ik de politie daar heb gevraagd het te controleren.'

'Waarom?'

'Ik wacht op een verklaring, Wick.'

'Goed, op weg naar huis heb ik een eindje omgereden. Wat maak je je druk?'

'Je bent bij háár, is het niet?'

'Ik ben een grote jongen, Oren. Ik hoef jou geen rekenschap af te leggen van mijn...'

'Omdat zij er toevallig ook tussenuit is geknepen. Weg uit het ziekenhuis. Weg uit haar huis. Haar attente buurman zei me dat hij in het holst van de nacht een man heeft gezien die er doodziek en ondervoed uitzag en op haar deur stond te kloppen.'

'Houdt die vent soms de wacht bij zijn raam of zo?'

'Hij is een waardevolle informant geworden.'

'Nou, nou, Oren. Praten met de politie in Galveston. Praten met nieuwsgierige buren. Je hebt het maar druk gehad vandaag.'

'Lozada ook.'

'O ja? Waarmee?'

'Met het terroriseren van mijn gezin.'

Zijn naam was Weenie Sawyer. Alleen iemand die even klein was als Weenie zou zo'n belachelijke naam — lulletje – hebben getolereerd. Weenie duldde het omdat hij geen keus had. Hij kon zich niet verdedigen.

Hij had de naam 'Lulletje' in het tweede leerjaar gekregen, toen hij in het leslokaal in zijn broek had geplast. Tijdens een aardrijkskundeles over Hawaï had een schijnbare rivier van urine een koers langs zijn been naar beneden uitgezet. Tot groot vermaak van zijn klasgenoten had de urine die niet door zijn sok was geabsorbeerd een plas onder zijn tafeltje gevormd. Hij had ter plekke willen sterven, maar hij had de vervloekte pech gehad te overleven. Die middag had een groep pestkoppen, aangevoerd door de grootste treiteraar van het schoolplein, Ricky Roy Lozada, hem de bijnaam 'Weenie' gegeven.

De bijnaam had hij nog steeds en Lozada pestte hem nog steeds. Weenie kreunde hoorbaar toen hij zijn voordeur opende en Lozada op de stoep zag staan.

'Mag ik binnenkomen?'

Die formele vraag was slechts schijn. Lozada stelde hem alleen om Weenie eraan te herinneren dat hij geen uitnodiging nodig had. Hij drong zich langs Weenie en ging het benauwde, muffe appartementje binnen waar Weenie zich soms dagen achtereen opsloot zonder naar buiten te gaan. Uit zelfbescherming leefde Weenie in een universum dat hij zelf had geschapen.

'Het komt slecht uit, Lozada. Ik zit te eten.' Op een dienblad naast een seksblad stond een schaaltje yoghurt met cruesli slap te worden.

'Ik wil je niet storen, Weenie, maar dit is erg belangrijk.'

'Dat zeg je altijd.'

'Omdat mijn zaken altijd belangrijk zijn.'

Lozada's kwelling van zijn onfortuinlijke klasgenoot was niet geëindigd op die middag in het tweede leerjaar, maar hij was ermee doorgegaan tot na het eindexamen van de middelbare school. Weenies lengte, zijn loensende blik en zijn zachtmoedige karakter waren open uitnodigingen om hem te treiteren en belachelijk te maken. Hij was bijna een té makkelijk doelwit. En dus had Lozada hem behandeld als een slecht huisdier, dat hij, naar willekeur, kon uitschelden en verwaarlozen, of begunstigen en prijzen.

In elke klas zit een kei op het gebied van computers, en in hun klas was Weenie dat geweest. Lozada had geen belangstelling voor computers en microchiptechnologie. Desalniettemin was hij zich bewust van de vooruitgang die op dat gebied werd geboekt. Het gebruik van computers was toegenomen en daarmee ook Weenies waarde voor hem.

Tegenwoordig verdiende Weenie de kost met het ontwerpen van websites. Hij hield van zijn werk. Het was lonend en hij kon er zijn creatieve ei in kwijt. Hij kon het thuis doen, in zijn eentje, en zijn eigen tijd indelen. Hij stuurde zijn klanten een rekening van vier keer het aantal uren dat hij nodig had gehad om een klus te klaren, maar ze waren zo tevreden met het resultaat dat niemand ooit een vraag over de factuur had gesteld. Het was een lucratieve handel.

Maar die inkomsten waren schamel vergeleken bij wat Lozada hem betaalde.

Weenies computers namen een hele kamer van zijn appartement in beslag, en ze waren even geavanceerd als die van NASA. Hij stopte het grootste deel van zijn geld terug in zijn zaak, kocht ultramoderne apparaten, accessoires en snufjes. Hij kon een computer ontleden met de precisie van een patholoog-anatoom, en hem dan weer met nieuwe, verbeterde onderdelen in elkaar zetten. Hij was dol op alle computers. Hij wist hoe ze werkten. Bovendien begréép hij hoe ze werkten.

Hij hoefde maar even met de muis te klikken en dan kon hij elke geheime chatroom binnengaan, een dodelijk virus produceren of een veiligheidscode kraken. Als Weenie de verbeeldingskracht of de inborst van een dief had gehad, zou hij in principe de wereld kunnen besturen vanuit dit oude, lelijke, stinkende, rommelige appartementje in een vervallen buurt vlak bij de binnenstad van Dallas.

Lozada vond het een jammerlijke verspilling van talent. Weenies knowhow zou iemand moeten toebehoren die het exploiteerde, iemand met lef en stijl en *cojones*.

Als Lozada in een andere branche had gezeten, had hij Weenies talent kunnen gebruiken om enorme hoeveelheden geld te stelen, met weinig kans om gepakt te worden. Maar waar zou dan de uitdaging zijn? Hij was veel liever persoonlijk bij zijn werk betrokken, zoals nu.

Hij verliet zich alleen op Weenie om hem van informatie over zijn klanten en zijn doelwitten te voorzien.

Hij zei tegen Weenie dat dát de reden van zijn komst was. 'Informatie.'

Weenie duwde zijn afzakkende bril omhoog. 'Dat zeg je altijd, Lozada. En dan gaat degene over wie ik je informatie geef uiteindelijk dood.'

Lozada wierp hem een kille blik toe. 'Wat is er met je aan de hand?'

'Niets.' Weenie plukte aan een korstje op zijn elleboog. 'Waarom denk je dat er iets mis is?'

'Je lijkt niet erg blij te zijn om me te zien. Heb ik je de laatste keer niet genoeg betaald?'

'Ja, maar...' Weenie haalde zijn neus op die vol snot zat. 'Ik heb geen aanmerking op het geld.'

'Wat is er dán?'

'Ik wil geen problemen krijgen. Met de politie, bedoel ik. Je bent de laatste tijd veel in het nieuws geweest, of is je dat niet opgevallen?'

'Is het jóu opgevallen dat het allemaal goed nieuws was?'

'Ja, maar deze keer, ik weet het niet, de politie lijkt steeds dichterbij te komen. Die Threadgill zit je op de hielen.'

'Over hem maak ik me wel het mínste druk.'

Weenie keek zeer bezorgd. 'Hij komt over als een man met een missie. Wat als ze ons met elkaar in verband brengen? Jou en mij?'

'Hoe zouden ze dat kunnen?'

'Geen idee.'

Lozada herinnerde zich die zeurderige toon uit hun basisschooltijd. Destijds had hij zich eraan geërgerd, en nu ergerde hij zich er nog meer aan. Hij had haast, en dit gesprek liet kostbare tijd verloren gaan.

'Wat ik bedoel is,' vervolgde Weenie, 'dat ik geen medeplichtige wil worden. Gisteravond heb ik naar *Law and Order* gekeken. Ze beschuldigden die vent van medeplichtigheid. Hij moest bijna net zolang in de bak zitten als de moordenaar. Ik wil er niets mee te maken hebben.'

'Ben je bang?'

'Nou en of! Hoelang denk je dat iemand als ik het zou volhouden in de gevangenis?'

Lozada nam hem van top tot teen op. Hij glimlachte. 'Ik snap wat je bedoelt. Dus zul je dubbel voorzichtig moeten zijn om niet gepakt te worden, hè?'

Weenie toonde opnieuw zijn zenuwtrekjes: bril omhoogduwen, aan korstje op elleboog plukken, snot opsnuiven. Hij vermeed Lozada's blik. Lozada hield niet van oogcontact.

'Ga zitten, Weenie. Ik heb haast. Laten we beginnen.'

Weenie leek een weigering te overwegen, maar uiteindelijk ging hij schoorvoetend op zijn bureaustoel zitten. De terminals die vóór hem stonden trilden met allerlei screensavers.

'Rennie Newton,' zei Lozada tegen Weenie. 'Dokter Rennie Newton.'

Opnieuw kreunde Weenie. 'Ik was al bang dat je dat ging zeggen. Op het journaal werd ze over die politieman geïnterviewd. Wat wil je weten?'

'Alles.'

Weenie ging aan de slag. Zijn neus was vlak bij het beeldscherm, zijn ogen samengeknepen tegen het licht. Zijn vingers vlogen met indrukwekkende snelheid over het toetsenbord. Maar Lozada liet zich niet bedotten. Hij zag dat Weenie treuzelde. Zo ging het minstens vijf minuten door. Af en toe gromde Weenie van frustratie.

Ten slotte ging hij achterover zitten en zei: 'Een zootje doodlopende wegen. De waarheid is, Lozada, dat er niet veel over haar is.'

Lozada stak zijn hand in zijn broekzak. Hij haalde er een glazen flesje met een geperforeerde metalen dop uit. Hij maakte het flesje langzaam open. Toen hield hij het op zijn kop. Boven Weenies hoofd.

De schorpioen belandde op Weenies borstkas. Weenie gilde en probeerde in een reflex achteruit te rijden met zijn stoel. Lozada stond achter de stoel en zette Weenie klem tussen hem en de computertafel. Hij trok Weenies hoofd naar achteren en hield het stevig vast, terwijl de schorpioen over zijn borst kroop.

'Hij is nog maar kort van mij. Ik heb op het volmaakte moment gewacht om ermee te pronken. Is hij geen schoonheid?'

Weenie slaakte een schrille kreet.

'Ik wil je voorstellen aan *Mesobuthus tamulus*, helemaal uit India, een van de zeldzame schorpioensoorten waarvan het vergif giftig genoeg is om mensen te doden, hoewel het wel dagen kan duren voor een slachtoffer van een steek sterft.'

Weenies bril zat scheef. Met wild rollende ogen probeerde hij zich te concentreren op de gevaarlijk uitziende schorpioen die over zijn borstkas kroop. 'Lozada, in godsnaam!' hijgde hij.

Lozada liet hem grinnikend los. 'Je gaat toch niet wéér in je broek plassen, hè?'

Hij schoof rustig een vel papier onder de schorpioen, maakte er een trechter van en liet de schorpioen terugglijden in het flesje. 'Ziezo, genoeg lol gehad, Weenie,' zei hij terwijl hij de geperforeerde dop dichtdraaide. 'Aan de slag!'

25

'Vind je het niet lekker?'

Wick keek op van zijn bord. 'Eh, jawel. Het is heerlijk. Alleen... ik denk dat ik nog vol zit van dat aardappelsoep-ontbijt.' Hij probeerde te glimlachen, maar hij wist dat hij faalde.

Ze hadden hun avondmaaltijd op een dienblad meegenomen naar het terras achter het huis, en tijdens het eten hadden ze naar de zonsondergang gekeken. Hoofdzakelijk in stilte. Sinds Wicks telefoongesprek met Oren hadden ze in feite niet meer dan een paar onbelangrijke zinnen gewisseld.

Rennie stond op met haar dienblad en reikte naar het zijne. 'Klaar?'

'Ik kan het blad zelf wel dragen.'

'Nee, dat moet je niet doen. Niet met je rug.'

'Ik heb geen pijn meer.'

'Geef me je blad, alsjeblieft.'

Hij gaf het haar, en ze nam het mee het huis in. Hij hoorde haar rondscharrelen in de keuken, het stromen van water, het open- en dichtgaan van de koelkast. Achtergrondgeluid voor zijn gepeins.

Toen Rennie terugkwam had ze een fles witte wijn bij zich. Ze zette hem op het tafeltje dat tussen hun teakhouten stoelen stond. 'Dat is net wat ik nodig heb.'

'Je krijgt niets.' Ze schonk wijn voor zichzelf in in het enige glas dat ze had meegebracht.

'Waarom niet?'

'De medicijnen.'

'Heb je deze keer een verdovingsmiddel in mijn kipfilet gestopt? Of in de wilde rijst?'

'In geen van beide, omdat ik niet weet wat je slikt.'

'Wat bedoel je?'

'Tegen de paniekaanvallen.'

Hij overwoog stommetje te spelen. Hij overwoog het domweg te ontkennen. Maar wat had het voor zin? Ze wíst het. 'Ik slik niets. Niet méér.' Hij wendde zijn hoofd af en staarde naar het landschap. 'Hoe komt het dat je het weet?'

'Ik herkende de symptomen.' Zijn blik dwaalde naar haar terug. Zachtjes bekende ze: 'Een uit een dwangneurose voortkomende obsessie. Jaren geleden. Ik heb nooit elke hartslag of elke voetstap geteld, zo ver ging ik niet. Maar het moest allemaal precies zijn zoals het hoorde, en dat is grotendeels nog zo. Het heeft te maken met alles onder controle hebben.'

Het onderwerp dat aan de orde was gaf hem een ontzettend onbehaaglijk gevoel. 'Ik heb een... een paar... wat jij waarschijnlijk "aanvallen" zou noemen gehad. Snelle hartslag, kortademigheid. Dat is alles. Ineens overkwamen me allerlei ellendige dingen. Belangrijke veranderingen in mijn leven.' Hij haalde zijn schouders op. 'De zielenknijper leek van mening dat er niets aan de hand was.'

'Je hoeft je niet te schamen, Wick.'

'Ik schaam me helemaal niet.' Uit zijn bruuskheid bleek juist het tegenovergestelde.

Ze keek hem lang aan. Toen zei ze: 'Nou, hoe dan ook, de medicijnen die ik je vandaag heb gegeven zijn te combineren met alles wat je eventueel zou slikken. Het is maar dat je het weet.'

'Bedankt, maar zoals ik zei, ik slik dat spul niet meer.'

'Misschien zou je er weer mee moeten beginnen.'

'Waarom, dókter?'

'Omdat, als je vijf pond minder woog, de zwaartekracht van de aarde je volgens mij niet in die stoel zou kunnen houden.'

Hij deed een welbewuste poging stil te blijven zitten.

'Waarom vertel je me niet wat Wesley tegen je heeft gezegd?' vroeg ze.

Opnieuw wendde hij zijn hoofd af en liet zijn blik over haar land dwalen. Het was een mooi stuk land. Hij zou het heerlijk vinden om zo'n ranch te bezitten als hij het zich kon veroorloven, wat nooit het geval zou zijn. Hij was niet materialistisch. Dat was hij nooit geweest. Hebzucht was niet een van zijn slechte eigenschappen. Maar het zou fijn zijn om een huis als dit te hebben.

In de wei achter de omheining stonden talloze volgroeide bomen, voornamelijk pecannotenbomen. Een beek die dwars door de wei liep, was omzoomd met hoge populieren en wilgen. Ze wiegden in de avondbries. De zuidenwind had de lucht afgekoeld. Het was aangenaam om buiten te zitten.

Na een week in het ziekenhuis te zijn opgesloten, was hij blij geweest met haar voorstel hun eten naar het terras mee te nemen. Maar hij had niet zo van de voortreffelijke maaltijd genoten als eigenlijk had gemoeten. Orens nieuws had zijn eetlust verpest.

'Grace Wesley vertrok vandaag rond halfvijf uit haar werkkamer op school,' begon hij. 'De afgelopen paar weken is ze bezig geweest met de voorbereidingen voor het komende semester, net als de rest van het docentenkorps. Behalve dat Grace uiterst plichtsgetrouw is. Gewoonlijk is ze de laatste die het schoolgebouw verlaat. Ook vandaag was dat zo. Toen ze in haar auto stapte, zat Lozada op de achterbank.'

Rennie hapte naar adem.

'Ja,' zei hij. 'Ze schrok zich dood.'

'Is ze...'

'Alles is goed met haar. Hij heeft geen vinger naar haar uitgestoken. Hij praatte alleen maar.'

'Wat zei hij dan?'

'Hij wilde weten waar ík was, waar jíj was.'

'Weet ze dat?'

'Nee, en dat zei ze ook tegen hem, maar waarschijnlijk geloofde hij haar niet.' Rennie sloeg haar armen over elkaar, alsof ze zich schrap zette tegen wat ging komen. 'Hij zei dat het beter voor haar was als ze hem vertelde wat hij wilde weten, en toen ze zei dat ze dat niet kon, merkte hij op dat haar dochters zo mooi waren.'

Rennie boog haar hoofd en ondersteunde het met haar hand, haar middenvinger en duim drukten hard tegen haar slaap. 'Alsjeblieft, alsjeblieft, zeg niet dat...'

'Nee, met de meisjes is ook niks aan de hand. Het was een waarschuwing. Een verholen dreigement. Maar een echt, omdat hij veel van hen wist. Hun namen, hun hobby's, hun vriendinnen, de plaatsen waar ze graag heen gaan.

Grace begon te huilen. Ze is een sterke vrouw, maar ze heeft een zwakke plek, zoals wij allemaal, en bij haar is dat haar gezin. Oren zegt dat ze niet bezweek, niet smeekte of pleitte. Maar op de een of andere manier heeft ze hem ervan weten te overtuigen dat ze niets wist. Hij stapte uit haar auto en in die van hem. Hij zwaaide zelfs naar haar alvorens weg te rijden.

Grace belde onmiddellijk Oren op met haar mobieltje. Binnen een paar minuten waren de meisjes opgehaald en onder politiebewaking gesteld. Grace ook. Oren was... nou, je kunt het je wel voorstellen.'

Ze zwegen een tijd. Krekels draaiden warm voor de nacht.

'Hij wil dat Grace en de meisjes bij haar moeder in Tennessee gaan logeren,' vervolgde Wick. 'Terwijl hij met me sprak was hij hun koffers aan het pakken, zonder zich iets van hun protest aan te trekken. Ik kon de meisjes op de achtergrond horen schreeuwen. En Grace riep dat, als hij dacht dat ze hem alleen zou laten, hij het wel kon vergeten! En ze zei ook dat ze niet van plan was zich door een moordzuchtige engerd als Lozada uit haar huis te laten wegjagen.'

'Wat vind jíj?'

'O, hij is inderdaad een engerd.'

'Je weet wel wat ik bedoel. Moet ze weggaan?'

Hij haalde zijn schouders op. 'Ik snap hen allebei wel.'

'Ik ook. Ik heb Grace ontmoet en ik heb ze samen gezien. Het verbaast me niet dat ze weigert haar man in een tijd van crisis in de steek te laten.'

'Dat niet alleen, Rennie. Als Lozada Orens gezin kwaad wil doen, zal hij zich door niets en niemand laten weerhouden. Een reisje naar een andere staat zou hem alleen maar een beetje ongemak bezorgen.' Ze keken elkaar lang aan.

Plotseling ging Wick staan en begon heen en weer te lopen over het betegelde terras. 'Lozada. Hij is echt het laagste van het laagste. Hij bedreigt nu vrouwen en kinderen! Wat een proleet... Weet je wat ík denk? Hij heeft geen lef, dát is wat ik denk. Hij valt in het donker aan, net als die vervloekte schorpioenen van hem.'

'Schorpioenen?'

'Hij valt zijn slachtoffers van achteren aan. Van achteren! Stel je voor! Hij wurgde de bankier van achteren. Hij stak mij in de rug. De enige met wie hij bij daglicht een confrontatie aanging is een vrouw, en hij bedreigde haar kinderen. Hij is nog nooit een confrontatie met een man aangegaan. Ik wou dat ík oog in oog met hem stond!'

'Dat zou gevaarlijk kunnen zijn.'

Hij wierp haar een bittere blik toe. 'Jij en Oren zijn één pot nat. Ik was al op weg naar de garage om mijn pick-up te halen en terug te keren naar Fort Worth, maar Oren zei dat hij me zou arresteren zodra ik de stad binnenreed.'

'Waarvoor?'

'Dat vertelde hij niet, maar hij meende het serieus. Hij zei dat een heethoofdige wreker het enige was dat hij nodig had om een slechte situatie nóg slechter te maken. Hij zei dat het enige goede aan Lozada's bedreiging van Grace was dat hij had verkozen dat te doen terwijl ík buiten de stad was.'

'Hij deed het juist omdát je buiten de stad was.'

Wick hield op met ijsberen en draaide zich naar haar om. 'Heb je ons gesprek soms afgeluisterd? Want dat is precies wat Oren zei. Hij denkt dat Lozada Grace bedreigde in de hoop me uit te roken.'

'Ik ben er zeker van dat Oren gelijk heeft.'

Wick haalde zijn vingers door zijn haar. 'Ik denk het ook, ja,' bromde hij. 'Lozada verwacht dat ik in galop de stad binnen kom rijden, als de cavalerie.'

'Dan zou je een doelwit zijn dat hij nauwelijks kan missen.'

'Vooral als ik de aanvaller was. Lozada zou niets liever willen dan dat ik achter hem aanzat. Dan kon hij me doden en zeggen dat het zelfverdediging was.'

Rennie knikte instemmend, waardoor hij zich nog meer opwond. Hij begon weer heen en weer te lopen. 'Oren hoopte dat ik terug zou gaan naar Galveston. Hij was niet blij toen hij hoorde dat ik nog zo dicht bij Fort Worth was.'

'Samen met mij.'

'Ik heb tegen hem gezegd dat er geen sprake van is dat jij en Lozada onder één hoedje spelen of dat in het verleden hebben gedaan.'

'Gelooft hij jou?' Hij aarzelde met zijn antwoord, en dat zei haar genoeg. 'Laat maar zitten,' zei ze. 'Ik weet dat hij me onbetrouwbaar vindt.'

Wick ging daar niet tegen in. Hij keerde terug naar zijn stoel, pakte de fles wijn en nam een slok. Ze hield hem niet tegen. Hij boog zich naar haar toe. 'Lozada verhoogde vandaag de inzet op het moment dat hij Grace lastigviel. Mij aanvallen is één ding. Maar haar en de kinderen van Oren achtervolgen, dat is heel wat anders. Ik zal die rotzak voorgoed uitschakelen, Rennie.

Maar dat kan niet via de legale kanalen. Die les heb ik al een aantal keren geleerd. Oren beseft het nu ook. We kunnen ons niet op het rechtssysteem verlaten. Dat heeft ons in de steek gelaten. We moeten hem op een andere manier te pakken zien te krijgen. We moeten de wet vergeten en net als Lozada gaan denken.'

'Dat ben ik met je eens.' Hij toonde duidelijk zijn verbazing. 'Jij dacht dat ik de stad had verlaten,' vervolgde ze, 'om aan hem te ontsnappen. Dat ik uit angst op de vlucht sloeg toen ik hoorde dat hij weer op vrije voeten was. Je dacht dat ik hierheen was gegaan om me te verstoppen. Nou, je hebt het mis. Ik ben weggegaan omdat ik tijd nodig had om een plan bedenken om me van hem te bevrijden. Ik weiger mijn leven door angst te laten beheersen en al helemaal niet door angst voor een man.

Lozada is mijn huis binnengedrongen. Tweemaal. Hij heeft mijn vriend Lee Howell vermoord. Hij heeft Sally Horton vermoord. Hij heeft geprobeerd jou te doden. Maar tot nu toe is hij ongestraft gebleven. Hij is niet gestraft voor de moord op die bankier, en ík heb daarbij geholpen.'

'Je was jurylid. Je stemde volgens je geweten.'

'Bedankt voor je steunbetuiging, maar nu heb ik spijt van die beslissing. Het lijkt of Lozada immuun is voor de wet, maar hij is niet onoverwinnelijk, Wick. Hij is niet kogelbestendig.'

'En jij kunt verdomd goed schieten.' Zijn grijns verdween toen hij haar gelaatstrekken drastisch zag veranderen. 'Ik zinspeelde op de lynx, Rennie, niet op wat er in Dalton is gebeurd.'

Ze toverde een flauwe glimlach te voorschijn en knikte. 'Ik ben niet van plan iemand neer te schieten, zelfs Lozada niet. Ik wil niet in een gevangenis belanden.'

'Dat wil ik ook liever niet, hoewel ik mezelf plechtig heb beloofd hem koste wat kost uit de weg te ruimen.'

'Vanwege je broer?' Toen hij knikte voegde ze eraan toe: 'Was dat een van de dingen die je leven ineens veranderden?'

'Dat was de grootste verandering.'

Hij leunde achterover in zijn stoel. De hemel had een blauwpaarse kleur gekregen. Hij kon al sterren zien. Duizenden meer dan er in de stad te zien waren. Zelfs nog meer dan hij op het strand van Galveston kon zien, waar lichtreclames sterren reduceerden tot zwakke herinneringen aan hoe ze eruit zouden moeten zien.

'Joe en Lozada hadden elkaar op school leren kennen. Beter gezegd, ze hadden van elkaar gehoord. Ze zaten op rivaliserende middelbare scholen, maar deden in hetzelfde jaar eindexamen. Joe was een topatleet en president van de schoolvereniging. Lozada was een vandaal, een herrieschopper, een drugsdealer. Ze zagen elkaar af en toe op plekken waar tieners rondhingen.

Ze zijn maar één keer met elkaar in conflict gekomen, toen Joe een einde maakte aan een vechtpartij tussen Lozada en een andere jongen. Ze hadden een woordenwisseling, maar daar bleef het bij. Joe werd politieman. Lozada werd huurmoordenaar. Beiden blonken uit in wat ze deden. Ze waren voorbestemd om met elkaar in botsing te komen. Het was slechts een kwestie van tijd.'

Wick reikte naar de wijnfles en nam nog een slok, in de hoop verlichting te krijgen van de hevige rugpijn die was teruggekeerd. En hoe!

'Ik sla een paar jaar over. Joe en Oren werkten aan een moordzaak die veel publiciteit trok. Een typisch Texaans verhaal. Echtgenote van rijke oliemagnaat op terras van landhuis vermoord.

De echtgenoot was – héél toevallig – de stad uit en had een lange lijst ijzeren alibi's. Aangezien er niets van zijn plaats was gehaald en er niets was gestolen, riekte het naar huurmoord. Joe en Oren zetten de echtgenoot zwaar onder druk. De man had een zeer veeleisende, zeer dure tweeëntwintigjarige maîtresse in New York.

Figuurlijk gesproken had de moordenaar overal Lozada's vingerafdrukken achtergelaten, maar ze konden geen verband aantonen tussen Lozada en de echtgenoot. Joe pakte de man stevig aan, en telkens wanneer hij hem ondervroeg, onthulde hij een beetje meer. Joe was meedogenloos en bleef maar doorgaan. Hij had de man bijna zover dat hij ging bekennen.'

Wick zweeg even. Toen ging hij verder. 'De laatste keer dat ik Joe zag hadden we afgesproken om samen een kopje koffie te drinken. Hij zei tegen me dat hij de angst van de man kon voelen. "Ik ben dichtbij, Wick. Heel dichtbij." Hij voorspelde dat de man spoedig zou doorslaan, en dan zou Joe niet alleen hém maar ook Lozada te pakken hebben. De oliemagnaat was een lulhannes, zei hij. Als was in de handen van die sekspoes in New York. Zijn pik had hem geruïneerd. Joe zei dat je bijna medelijden met hem zou krijgen.

"Maar die fatterige Lozada deugt niet, broertje. Hij deugt voor geen meter." Dat waren zijn exacte woorden. Joe zei dat Lozada meer voor zijn plezier doodde dan voor geld. Hij hield ervan om mensen te vermoorden. Joe zei dat hij de wereld een dienst zou bewijzen en die harteloze, haarloze hufter voorgoed zou opbergen.

Ik weet nog dat we met onze koffiekopjes op zijn succes proostten. Lozada verwachtte blijkbaar ook dat het niet lang meer zou duren. Hij moet hebben gevoeld dat de oliemagnaat op het punt stond hem te verraden.

Diezelfde avond verliet Oren het bureau. Een paar minuten na Joe. Toen hij bij het parkeerterrein kwam, zag hij dat Joes auto er nog stond. Het portier aan de bestuurderszijde was open. Joe zat achter het stuur, starend door de voorruit. Oren herinnert zich dat hij naar de auto liep en zei: "Hé, wat is er aan de hand? Ik dacht dat je al weg zou zijn."'

Wick zweeg even om diep in- en langzaam uit te ademen. Het was nu helemaal donker. De maan hing als een sikkel boven de horizon.

'Joe was al dood toen Oren hem vond. Ik had die avond een feestje bij ons thuis. Oren en Grace kwamen me het nieuws vertellen.' Wick boog naar voren, leunde met zijn ellebogen op zijn knieën en tikte met zijn ineen geklemde handen tegen zijn lippen.

'Weet je waar ik me het meest over verbaas, Rennie?' Hij draaide zijn hoofd om en keek haar aan. Toen besefte hij dat ze zich niet had bewogen sinds hij was gaan praten. 'Weet je wat écht een raadsel voor me is?'

'Nou?'

'Ik vraag me af waarom Lozada de óliemagnaat niet heeft gedood. Dat zou de man de mond hebben gesnoerd. Waarom vermoordde hij hém niet in plaats van Joe?'

'Joe vormde een grotere bedreiging. De oliemagnaat doden zou een tijdelijke oplossing voor een langdurig probleem zijn geweest. Lozada wist dat Joe het pas zou opgeven als hij hem in handen had.'

'Een soort compliment dus, vanuit zijn verwrongen gezichtspunt bekeken.'

'Waarom is hij nooit aangeklaagd en voor de rechter gebracht vanwege de moord op Joe?' vroeg ze.

Maar Wicks zaktelefoon ging, waardoor hij niet meteen antwoord hoefde te geven.

Hij bracht de telefoon naar zijn oor. 'Ja?'

Hij luisterde een paar seconden, keek Rennie aan, ging staan en liep naar de rand van het terras, met zijn rug naar haar toe. 'Nee, we hebben het er nog niet over gehad,' hoorde ze hem zeggen terwijl hij van de tegels afstapte en de afstand tussen haar en hem nog groter maakte.

Rennie begreep de hint, hij wilde privacy. Ze liep naar binnen om de keuken op te ruimen. Ze vroeg zich af wat voor onaangename ontwikkelingen rechercheur Wesley deze keer had te melden.

Door het raam boven de gootsteen kon ze Wick langs de omheining zien ijsberen. Ze deelde zijn rusteloosheid. Ze had zin om actie te ondernemen, iets te dóen, maar ze wist alleen niet wát.

In de zitkamer deed ze een lamp op een bijzettafeltje aan en ging op haar lievelingsplekje in de hoek van de sofa zitten. Ze bladerde in een tijdschrift, maar geen van de plaatjes noch de tekst drong tot haar door. Haar gedachten waren bij Wick.

Hij was voortdurend in beweging, precies zoals Grace Wesley had gezegd. Maar hij had de gewoonte om zijn standpunt duidelijk te maken door je eindeloos lang aan te kijken. Als zijn blauwe ogen de jouwe eenmaal hadden gevangen, was het moeilijk aan hun intensiteit te ontsnappen.

Hij was intelligent, welbespraakt en grappig, en het ontbrak hem beslist niet aan zelfvertrouwen. Maar hij was niet oppervlakkig. Zijn gevoelens gingen diep. Hij had van zijn broer gehouden, en het verlies was nog steeds een rauwe, open wond. Elk uur dat Lozada ongestraft rondliep was als zout in die wond. Zijn liefde voor Joe leek even groot als zijn haat tegen Lozada, en het was gevaarlijk om zoveel emotie te onderdrukken. Lozada zou eigenlijk heel bang voor Wick Threadgill moeten zijn.

Ze begreep Wicks gedrevenheid om wraak te nemen.

Haar wraak had een totaal andere vorm aangenomen, maar ze begreep Wicks obsessie om zich te wreken. Ze had ook medelijden met hem, want het zoeken naar vergelding was een eenzame, allesverterende zaak.

Ze had Wick Threadgill niet sympathiek willen vinden, maar dat vond ze hem wél. Ze had hem niet willen vergeven dat hij haar had misleid, maar dat had ze wél. Ze had zich niet tot hem aangetrokken willen voelen, maar dat voelde ze zich wél. Ze had geweten dat ze, als ze hem eenmaal had gekust, het opnieuw zou willen. Ze had hem gekust en ze wilde het opnieuw. En als die kus aangaf hoe hartstochtelijk hij de liefde bedreef, dan wilde ze dat meemaken.

'Rennie?'

Ze ging rechtop zitten en schraapte haar keel. 'Hier ben ik.'

Zijn laarzen stampten over de hardhouten vloer. Hij ging in de andere hoek van de bank zitten, op het puntje, alsof hij elk moment kon opspringen. 'Wat ben je aan het doen?'

Ze wees naar het opengeslagen blad in haar schoot.

'Paardentijdschrift?'

'Hmm.'

'Is er iets nieuws en interessants in de paardenwereld?'

'Wat zei hij, Wick?'

Hij slaakte een zucht en wreef met zijn hand over zijn nek. 'Ik heb een massage nodig.'

'Het zou niet goed zijn voor je wond.'

'Alleen mijn schouders. Ik heb een stijve nek door het slapen onder die boom gisteravond. Wat vind je van wat massagetherapie voor je lievelingspatiënt?'

'Nog méér slecht nieuws?'

'Niet echt. Hoe kom je aan dat zadel?'

'Gewonnen.'

'Bij het tonrijden?'

'Weet je dan dat ik dat heb gedaan?' Bij het zien van zijn schuldige gelaatsuitdrukking zei ze: 'Natuurlijk weet je dat. Ja, ik heb het zadel bij het tonrijden gewonnen.'

'Prachtig zadel. Maar is het niet lastig rijden met die zilveren sierspijkers?'

'Wick, als Orens nieuws niet zo slecht was, waarom zit je dan tijd te rekken?'

'Goed,' zei hij kortaf. 'Ik zal je vertellen waar we het over hebben gehad. Maar ik wil dat je van tevoren weet dat het niet míjn idee was.'

'Het zal me niet aanstaan, hè?'

'Ik vrees van niet.'

Ze keek hem vol verwachting aan, maar toch aarzelde hij. 'Alsjeblieft, zeg, hoe erg kan het zijn?'

'Oren denkt dat we net moeten doen of we geliefden zijn.' Hij knikte met zijn hoofd als extra leesteken.

Ze keek hem even aan. Toen begon ze te lachen. 'Is dát het? Is dát het briljante plan om Lozada in de val te lokken?'

Hij nam aanstoot aan haar gelach. 'Wat is er mis mee?'

'Niets. Zoals elke schrijver van stuiverromannetjes en elke producent van C-films zal bevestigen.' Ze begon nog harder te lachen, maar hij deed niet met haar mee. 'Toe nou, Wick. Vind je niet dat dat idee een beetje cliché is? We proberen Lozada jaloers te maken. Hij bedenkt een afschuwelijke straf, en wanneer hij aanvalt, rekenen we hem in. Is dat de kern van Orens fantastische plan?'

'In wezen wel, ja,' zei hij stijfjes.

Ze schudde vol ongeloof haar hoofd. 'Goeie genade.'

'Ik ben blij dat je kunt lachen, Rennie, want ík kan dat niet. Lozada is verdwenen. Zijn Mercedes staat in de parkeergarage, dus hij gebruikt een onbekend vervoermiddel. Hij is niet in zijn favoriete restaurants gesignaleerd, en sinds gisteravond is hij ook niet meer in zijn penthouse in Trinity Tower geweest. De conciërge zei tegen Oren dat de vereniging van huiseigenaren hem hadden verzocht zijn huis te ontruimen.'

'Misschien ís hij al verhuisd.'

'En misschien zal de lynx die je vanmorgen hebt gedood vanavond herrijzen.' Hij ging staan en begon doelloos door de kamer te zwerven. 'Lozada zou nooit gehoor aan het uitzettingsbevel van zijn buren hebben gegeven. Zijn woning is een van zijn statussymbolen, zoals zijn maatpakken en die honderdduizend dollar kostende kar van hem. Verzocht worden om te vertrekken zou een uiterst diepe belediging voor hem zijn, die hem razend zou maken. En wie krijgt er de schuld van dat hij ongewenst is bij de elite van Fort Worth? Je raadt het al. Ik! Wij! Hij is woest op ons omdat we plotseling zijn verdwenen, vooral als hij weet dat we samen zijn. Hij is woest op ons omdat we in het nieuws zijn geweest en dat hij daarom uit zijn flat is getrapt. Nu weet niemand waar hij is. En dát maakt me écht nerveus!'

Toen ze er zeker van was dat zijn uitbarsting voorbij was, bood ze haar excuses aan. 'Het was niet mijn bedoeling de situatie luchtig op te vatten, Wick. Ik weet hoe ernstig die is. Ik hoef alleen maar aan Grace te denken, en dan weet ik het weer. Maar laten we redelijk zijn. Lozada zou heus niet in zo'n banale schertsvertoning trappen!'

Hij ging vlak voor haar staan, zodat ze gedwongen was haar hoofd op te tillen en hem aan te kijken. 'Goed, laat jóuw idee dan maar horen. Ik neem aan dat je een alternatief plan hebt dat haalbaar is. Je zei dat je hierheen was gegaan om na te denken over een manier om hem uit je leven te doen verdwijnen. Heeft de frisse plattelandslucht je grijze cellen gestimuleerd?'

Ze boog haar hoofd. 'Je hoeft niet zo beledigend te doen.'

'Gezien je recente gelach, kan ik me niet voorstellen dat je het lef hebt me in de ogen te kijken en dat te zeggen.'

Hij beende weg naar de keuken. Rennie ging hem achterna. Toen ze de keuken bereikte, stond hij een fles water leeg te drinken.

'Je hinkt. Doet je rug pijn?'

'Behoorlijk!'

'Je zei dat het níet zo was.'

'Ik loog.'

'Niet voor het eerst.'

Ze staarden elkaar aan in een vijandige stilte, die zij als eerste verbrak. 'Goed, wat worden we geacht te doen? Handje vasthouden op de hoek van Fourth en Main? Elkaar aanstaren tijdens dineetjes bij kaarslicht? Schuifelend dansen tot aan het ochtendgloren? Wat?'

'Vergeet het toetakelen niet,' zei hij. 'Ik zou je nog wat meer kunnen toetakelen.'

Haar gezicht begon te gloeien, maar ze bleef waar ze was. Boos weglopen zou het voorval alleen maar het belang geven dat het volgens haar zeggen niet had.

Zacht vloekend zette hij de fles op het aanrecht en wreef in zijn vermoeide ogen. 'Het spijt me. Je maakt altijd dat ik dingen zeg die me achteraf een rotgevoel geven.'

'Het geeft niet. Ik had nooit die term moeten gebruiken voor wat...'

Hij liet zijn hand zakken en keek haar aan. 'Voor wát?... Wát?'

'Je takelde me niet toe.'

Hij fixeerde haar met een van die verlammende blikken tot ze zichzelf dwong haar hoofd af te wenden. 'Vertel me eens wat meer over Orens plan.'

'Eh, ja.' Hij schudde zijn hoofd alsof hij zich in herinnering moest brengen waar ze over hadden gesproken. 'Hij zei dat we Lozada misschien konden aanklagen wegens stalken. Als we hem daarvoor kunnen opsluiten, al was het maar voor een poosje, zouden we meer tijd hebben om bewijs te verzamelen voor de moord op Sally Horton en de aanval op mij. Maar...'

'Ik was al bang dat er een "maar" zou komen.'

'Niemand anders heeft de telefoontjes gehoord die hij, naar jij beweerde, pleegde.' Ze stond op het punt te protesteren toen hij zijn handen opstak, met de palmen naar buiten. 'Heb geduld met me. Ik denk als het OM. Ik kan een pas afgestudeerde assistent-officier van justitie al naar het bewijs van die telefoontjes horen vragen, en dat bewijs hebben we niet. Klopt dat?'

'Dat klopt. Maar ik heb het kaartje dat tussen de rozen was verstopt.'

'Daar stond geen dreigement op.'

'Hij is mijn huis binnengedrongen.'

'Oren en twee andere politiemannen hebben jou en Lozada in een omhelzing gezien.'

'Ik was bang dat ik net zo zou eindigen als Sally Horton, als ik me verzette.'

'Er was geen spoor van braak in je huis, Rennie.'

'Dat was er ook niet nadat jíj had ingebroken.'

Hij was verrast. 'Wéét je dat dan?'

'Ik had er een vermoeden van, en Wesley bevestigde het met een ijzige stilte.'

'Oren heeft me niet verteld dat jij het wist.' Hij boog zijn hoofd en wreef opnieuw over zijn nek. 'Het is een wonder dat je me niet liet doodbloeden.'

'Ik hoorde pas van de onwettige huiszoeking nadat ik je leven had gered.'

Zijn hoofd ging met een ruk omhoog. Ze glimlachte spottend om hem te laten weten dat ze een grapje maakte. Hij beantwoordde haar glimlach. 'Wat ben ik een bofkont!'

'Om terug te komen op het stalkmotief,' zei ze, 'hoe doeltreffend is het als ik niet kan bewijzen dat Lozada me niet lastigviel?'

'We zouden veel sterker staan als Lozada je ergens anders heen volgde.'

'Zoals hierheen.'

Hij schudde zijn hoofd. 'Hij zou kunnen zeggen dat je hem had uitgenodigd. Het zou zijn woord tegen het jouwe zijn.'

'Maar waar dán heen?'

'Naar mijn huis in Galveston. Hij zou nooit ofte nimmer op mijn gastenlijstje staan! Hoe gauw kunnen je koffers zijn gepakt?'

26

Oren nam meteen op. Wick zei tegen hem dat ze hadden besloten met zijn plan in te stemmen.

'Vindt dokter Newton het een goed idee?'

'Nee,' zei Wick, 'evenmin als ik. Het is veel te voor de hand liggend en Lozada zou een debiel moeten zijn om erin te trappen.'

'Maar niemand weet iets beters.'

'Ik wel. Bewapen me tot de tanden, en laat me de schoft achtervolgen en neerschieten.'

'Dát plan zou de rest van je leven verpesten.'

'Wat de enige reden is waarom ik met dít plan akkoord ga. Rennie denkt er net zo over. Het is niet ideaal, maar het is het enige dat we hebben. Een pluspunt is dat het Lozada precies in zijn zwakke punt treft: zijn ego.'

'Daarom werkt het misschien.'

'Wat hebben jij en Grace besloten?'

'De meisjes zijn vertrokken. Grace is gebleven.'

Wick glimlachte in de telefoon. 'Goed van Grace.'

'Ja, nou... luister, als je bij je huis in Galveston arriveert, zullen er mannen zijn die het dag en nacht bewaken. Ga niet naar ze op zoek. Je zult ze niet zien. Tenminste, dat hoop ik.'

'Kom jij ook naar Galveston?'

'Zou jij je beste vriend uitnodigen voor een liefdesfeestje met je nieuwe vlam?'

'Ik weet het niet. Hangt ervan af hoe pervers we worden.'

'Wick.'

'Sorry. Ik snap het.' Als Lozada Oren in de gaten kreeg, zou hij weten dat het doorgestoken kaart was.

'Ik ben dag en nacht telefonisch te bereiken,' vervolgde Oren. 'Hou je ogen open en bel vaak. Als je een zeemeeuw een scheet hoort laten, wil ik het al weten.'

'Weet je het zeker? Als ze net zo vaak scheten laten als ze poepen...'
'Hou op met flauwekul te verkopen. Dit is geen grap.'
'Dat weet ik. Goed, alle gekheid op een stokje.' En hij meende het.
'Lozada is ondergedoken, Wick. Je weet wat er gewoonlijk gebeurt als hij voor een paar dagen verdwijnt.'
'Dan wordt er een lijk gevonden.'
'Het bevalt me niet.'
'Mij ook niet, maar ik denk niet dat hij ons zo snel zal kunnen vinden.'
'En toch is het mogelijk. In de hele stad heb ik politiemensen en informanten die het gerucht verspreiden dat je een verhouding hebt met de chirurg die je leven heeft gered. Waarschijnlijk heeft Lozada al gehoord dat jij en dokter Newton het gesprek van de dag zijn.'
'O, hij zal vast en zeker opduiken.' Wick had Oren en Rennie niet verteld over de rode vlag die hij, in de vorm van een kinderversje, voor Lozada's gezicht heen en weer had gewapperd. Lozada zou geen weerstand aan de uitdaging kunnen bieden.

Wick maakte een einde aan zijn gesprek met Oren, en ging naar buiten. Hij liep om het huis heen. Daarna controleerde hij de stal en de garage. Alles leek in orde te zijn. Toen hij het huis weer binnenkwam, controleerden hij en Rennie alle ramen en deuren om zich ervan te verzekeren dat ze afgesloten waren. Ze reageerde niet overspannen, maar ze was wel zo verstandig om voorzichtig te zijn.

'Wie zou ooit hebben gedacht dat dit uit mijn taak als jurylid zou voortvloeien?'
'Je wist niet dat de verdachte smoorverliefd op je zou worden.'
'Dat woord impliceert een onschuldige, bijna kinderlijke bevlieging. Dit gaat veel verder. Dit is...' Toen het leek of ze niet op het juiste woord kon komen, zei Wick: 'Lozada.'
'Zelfs zijn naam klinkt bedreigend.' In een onbewust gebaar wreef ze over haar armen, alsof ze het koud had. 'Verwachtte hij écht dat ik gevleid zou zijn door zijn griezelige aandacht?'
'Absoluut.'
'Hoe kon hij zo arrogant zijn? Hij stond terecht wegens moord. Een halsmisdaad waar de doodstraf op staat. Wie kan er in zo'n situatie nou aan een romance denken?'
'Niemand met gezond verstand. Alleen iemand met Lozada's grootheidswaan. Hij beschouwt zichzelf als de winnende quarterback, de spelbepaler.'

'In de Super Bowl voor beroepsmoordenaars.'

'Zoiets, ja. Hij is een van de besten op zijn gebied. Voor zover we weten werkt hij niet internationaal. Waarom zou hij? Hij kan meer geld met minder risico verdienen door vanuit Fort Worth, Amerika, te opereren. Bovendien werken de meeste huurmoordenaars diep in het geheim, wat Lozada's stijl niet is. Waarom zou hij zich inspannen en overheidsambtenaren neerknallen om vervolgens door hele regeringen en Interpol achterna te worden gezeten? Hij is een grote vis in een betrekkelijk kleine vijver.'

'Welke vrouw zou niet blij zijn met zijn aandacht! Is dát wat hij denkt?'

'Precies,' zei Wick. 'En voeg daar zijn ambitie naar het beste aan toe. Hij komt uit de middenstand. Zijn enige broer was verstandelijk en lichamelijk gehandicapt. Zijn ouders gaven al hun geld aan zijn verzorging uit.

Daarom zijn verworven bezittingen heel belangrijk voor Lozada. Hij ziet zichzelf als een goedbetaalde zakenman die zich het beste van het beste kan veroorloven. Op bijna elk gebied. Als klap op de vuurpijl wil hij een chique vrouw aan zijn zijde.'

'Hoe zit het met schorpioenen?'

'Die verzamelt hij. Ja, daar krijg je de kriebels van, hè? Ze zijn min of meer zijn mascotte. Het zijn nachtdieren. Ze doden hun prooi 's nachts. Hij zou nooit munten of postzegels en zelfs geen kunst verzamelen, want dat zou te gewoon zijn. Hij gaat er prat op dat hij bijzonder is.'

Ze hief haar hoofd en keek hem peinzend aan. 'Je hebt hem grondig geanalyseerd, hè?'

'Ik heb niet zitten niksen na mijn vertrek bij de politie. In tegenstelling tot wat Oren denkt, heb ik het druk gehad. Ik heb alles over Lozada verzameld wat ik in handen kon krijgen.'

'Zoals?'

'Schoolverslagen. Hij is psychologisch getest toen hij net op de middelbare school zat en in die tijd begon zijn criminele loopbaan zo ongeveer. De meeste achtergrondinformatie komt bij die school vandaan. Zijn psychopathische gedrag, zijn meerderwaardigheidscomplex, hebben constant een rol gespeeld in zijn leven. Ik heb hem binnenstebuiten gekeerd. Psychologisch gezien ken ik hem waarschijnlijk beter dan mezelf.'

Hij zweeg. Toen zei hij somber: 'Maar wat ik niet wist, was dat hij met Sally Horton sliep. Als ik dat had geweten, zou ik haar hebben gewaarschuwd dat ze uit zijn buurt moest blijven, en ook uit de mijne, en ik zou die avond heel goed hebben opgelet. Als hij denkt dat jij en ik geliefden zijn...' Meer hoefde hij niet te zeggen. 'Sally Horton was niet eens belangrijk voor hem. Jij bent héél belangrijk, Rennie.'

'En ik heb hem met een ander bedrogen.'

'Zo zal híj het zien. Onderschat het gevaar waarin je verkeert niet. Oren heeft politiemensen en informanten pikante roddels over ons laten verspreiden. Lozada zal het niet kunnen verdragen dat wij bij elkaar zijn. Je hebt hem met mij bedrogen, en ik heb een van zijn mooie speeltjes van hem afgepikt.'

'Maar ik ben níets van hem, behalve een obsessie.'

'Als hij dénkt dat je van hem bent, bén je van hem.'

'Over mijn lijk.'

'Dat zou ik graag willen vermijden.' Hij tilde haar kin op, zodat ze elkaar recht in de ogen konden kijken. 'Je hoeft het maar te zeggen en ik bel Oren terug en zeg tegen hem dat we Lozada op een andere manier zullen aanpakken, op een manier die jou níet in gevaar brengt. Ik ben vannacht hier gekomen om je te waarschuwen, om je dringend te verzoeken heel ver weg te gaan, tot Lozada op de een of andere manier is uitgeschakeld.'

'Dat zou een tijd kunnen duren.'

'Dat geloof ik niet,' zei hij. Hij dacht opnieuw aan het briefje dat hij gisteravond bij Lozada had laten bezorgen.

'Ik bén al in gevaar, Wick. Met of zonder jou. Ik heb hem afgewezen. Bovendien kan ik me niet zomaar aan mijn verantwoordelijkheden onttrekken. Nee, ik zal het anders stellen. Ik wíl dat niet.'

'Oké. Hoe gauw kun je klaar zijn?'

'Wil je dan vanavond al vertrekken?'

'Zodra jij je koffers hebt gepakt.'

'Dat is het probleem niet. Je bent nog geen vierentwintig uur uit het ziekenhuis en je bent dagen eerder vertrokken dan de bedoeling was.'

'Met mij gaat het goed.'

'Dat is niet waar! Je rug is stijf en doet zeer. Je kunt niet door een kamer lopen zonder te grimassen. Het idee dat je de staat doorkruist! Je hebt geen uithoudingsvermogen, en ik ben nog steeds bang voor infectie en longontsteking. Beide zouden fataal kunnen zijn. Misschien hebben een paar hechtingen losgelaten.'

'Je zei dat de wond er goed uitzag.'

'Er zijn veel meer inwendige dan uitwendige hechtingen. Beloof me dat je me meteen waarschuwt als je pijn in je onderbuik hebt.'

'Ik zal je waarschuwen. Als ik me echt beroerd ga voelen tussen hier en Galveston, stop ik bij het dichtstbijzijnde ziekenhuis.'

'We vertrekken vanavond níet,' zei ze koppig. 'Ik heb de politiezaken aan jou en Wesley overgelaten. Maar je gezondheid is míjn domein. We gaan nergens heen tot je meer rust hebt gehad. Discussie gesloten.'

Ze deelden het bed, aangezien hij had geweigerd haar in haar eentje beneden achter te laten om op de bank te slapen. 'Het is een politiezaak die je aan mij moet overlaten. Discussie gesloten,' had hij gezegd.

Als echte heer hield hij zijn broek aan en ging op de dekens liggen. Hij sluimerde, maar vanavond zou hij niet in een diepe slaap vallen. Gedeeltelijk omdat hij overdag zo lang had geslapen. Gedeeltelijk omdat hij op elk geluid lette. Gedeeltelijk omdat hij probeerde te denken met de slinksheid van Lozada. En gedeeltelijk omdat hij zich er sterk van bewust was dat Rennie naast hem sliep.

De trekken van haar gelaat en de contouren van haar lichaam waren ontspannen in haar slaap. Haar ene hand lag op de dekens, vlak bij hem. De handpalm omhoog, de slanke vingers naar binnen gekruld. Haar hand zag er teer en weerloos uit, heel anders dan de sterke, kundige hand van een chirurg. Ze was de meest onafhankelijke en bekwame vrouw die hij ooit had ontmoet. Hij bewonderde haar prestaties. Maar hij had ook een beschermend gevoel voor haar.

En hij wilde met haar vrijen.

God, óf hij dat wilde! Hij wilde dat omdat... nou, omdat hij een man was, en mannen wilden met vrouwen vrijen. Maar dat was het niet alleen. Zijn humor, charme en zelfs zijn boosheid hadden niet door de muur van gereserveerdheid die ze had opgetrokken heen kunnen breken. Ze hadden er hooguit een barst in gemaakt. Zou hij haar kunnen bereiken als hij haar lichaam penetreerde? Het was een prikkelende gedachte, die hem in diverse opzichten opwond.

Ze schrok terug voor zijn aanraking, maar hij dacht niet dat dat kwam omdat ze hem niet mocht. De reactie was een geconditioneerde reflex die ze zichzelf had opgelegd, een onderdeel van haar controledwang, een erfenis van het incident met Raymond Collier. Passie had haar in grote problemen gebracht. Dat hoefde beslist niet te betekenen dat ze geen passie meer had. Ze gaf er alleen niet meer aan toe.

Ondanks haar terughoudendheid kon hij zich haar blozend van opwinding voorstellen. Toen hij haar vandaag kuste, een paar ongelofelijke seconden lang, was het niet helemáál eenzijdig geweest. Ze had zichzelf niet toegestaan zijn kus te beantwoorden, maar ze had dat wél gewild. En dat was niet de opgeblazen interpretatie van een opschepper die veel vrouwen had gekust.

Hij had zich haar stokkende ademhaling niet verbeeld, of de bijna-maar-niet-helemaal-overgave van haar tong. Haar huid had koortsig aangevoeld, zelfs door haar kleren heen. Hij had haar ook niet tot een reactie hoeven te verleiden. Twee liefkozingen met zijn duim, en haar tepel was hard geweest, klaar om in zijn mond te worden gezogen.

Hij smoorde een kreun door net te doen of hij zijn keel schraapte. Rennie, naast hem, sliep door, ongestoord en zich niet van zijn ellende bewust. Hij rolde op zijn zij, met zijn gezicht naar haar toe. Als ze wakker werd en hem ter verantwoording riep, kon hij naar waarheid zeggen dat zijn rug pijn was gaan doen. Trouwens, hij kon haar tóch niet zien. Daarvoor was het te donker in de kamer.

Maar hij kon wel haar zachte adem voelen. En hij hóefde haar niet te zien om over haar te fantaseren. Gedurende de lange nachten in hun waarnemingspost had hij voldoende tijd gehad om haar gelaatstrekken in zijn geheugen te prenten.

Hij dacht terug aan de avond waarop ze de jurk uittrok die ze in de kerk en op de trouwreceptie had gedragen. Waren die onpraktische lapjes lavendelblauwe kant de lingerie van een vrouw zonder passie? Onmogelijk!

Een voor een, met langzame bewegingen, maakte hij de knoopjes van zijn gulp los. Als ze nu wakker werd, zou ze een aanval van hysterie krijgen, omdat niet alleen zijn rug stijf was. Hij was dankbaar dat zijn geslachtsorganen niet blijvend waren beschadigd en weer optimaal functioneerden, maar het leek of ze probeerden te bewijzen dat ze beter in conditie waren dan vóór de verwonding.

Nadat hij die last had verlicht, sloot hij zijn ogen en dwong zichzelf om, als hij niet kon slapen, in elk geval zijn hoofd leeg te maken en uit te rusten. Hij zou zich niet herinneren hoe lekker die kus had gesmaakt, of hoe volmaakt haar borst in zijn hand had gepast. Hij zou niet aan haar denken, warm en zacht, onder de lichte dekens, of aan dat zoete plekje waar ze nog warmer en zachter zou zijn. Hem binnenlatend. Hem omhullend.

Paardengesnuif wekte hem met het schokeffect van een rinkelende wekker. Hij lag doodstil, met open ogen en longen vol lucht die hij niet durfde uitademen, uit angst een tweede geluid te zullen missen. Hij hoefde niet lang te wachten voor hij nogmaals een paard hoorde snuiven.

De geluiden hadden Rennie niet wakker gemaakt. Ze bleef vast in slaap. Ondanks de pijn in zijn rug stapte hij uit bed met de monterheid van een kat. Hij pakte zijn pistool, dat hij binnen handbereik op het nachtkastje had gelegd. Hij liep op zijn tenen naar het raam, drukte zich plat tegen de muur en boog zich voorover, net genoeg om naar buiten te kunnen kijken.

Hij keek een tijdje, maar bespeurde geen beweging in de tuin of op de open plek tussen de achterkant van het huis en de stal. Zijn instinct vertelde hem echter dat er iets aan de hand was in de stal. Misschien had een muis een van de paarden laten schrikken. Misschien had de lynx een maat die hem was komen zoeken. Of misschien was Lozada bij de paarden op bezoek.

Hij sloop door de slaapkamer. Nadat hij gecontroleerd had of Rennie nog sliep, glipte hij de kamer uit en liep geluidloos over de overloop. Boven aan de trap bleef hij staan om te luisteren. Hij wachtte zestig volle seconden, maar hij hoorde niets anders dan zijn hartslag die tegen zijn trommelvlies bonsde.

Hij ging zo snel mogelijk naar beneden, bedachtzaam op krakende treden die zijn aanwezigheid zouden verraden. De zitkamer leek nog precies zo te zijn als toen ze hem een paar uur geleden hadden achtergelaten. Alles stond gewoon op zijn plaats. De voordeur was op slot en vergrendeld.

Met het pistool in zijn uitgestrekte handen liep hij naar de keukendeur. Hij aarzelde even. Toen sprong hij de keuken binnen en doorzocht het vertrek. De keuken was leeg, evenals de grote provisiekast.

Hij deed de achterdeur open en glipte naar buiten. Ondanks zijn ineengedoken houding voelde hij zich kwetsbaar. Hij zocht dekking achter de tuinstoel waar hij eerder op had gezeten. Het was niet echt een solide plek om zich te verbergen, maar de duisternis hielp ook een handje. Hij prees zich gelukkig met het piepkleine beetje maanlicht.

Hij wachtte en luisterde. Spoedig kwamen er onmiskenbare geluiden van beweging uit de stal. Hij kwam achter de stoel vandaan en legde de afstand rennend af. Toen hij de stal bereikte, drukte hij zich plat tegen de buitenmuur, in de hoop met de schaduw samen te zullen smelten.

Hij had de muur ook nodig als steun. Hij was duizelig en buiten adem, en hij zweette als een otter. Het leek of er een pin in zijn rug werd geduwd.

Dat doen een paar dagen ziekenhuis met je, dacht hij. Ze maken je tot een zwakkeling. Tegen elke vijand die sterker was dan een sukkel zou hij al in moeilijkheden komen. Maar hij had een pistool, en dat was geladen, en hij zou zich tot het uiterste verdedigen.

Hij sloop dicht langs de muur tot hij de brede deur bereikte, waar hij bleef staan om te luisteren. En wat hij hoorde, stoorde hem, want hij hoorde helemaal níets. De stilte was zwaar, niet leeg. Hij vóelde iemands aanwezigheid. Hij wist dat er iemand in de stal was. Dat wist hij instinctief.

Wie het ook was, hij was gestopt met wat hij aan het doen was. Iets, misschien zíjn scherpe instinct, had hem attent gemaakt op Wicks aanwezigheid. Hij luisterde nu of hij Wick hoorde, met dezelfde intensiteit waarmee Wick luisterde of hij hém hoorde.

De impasse ging zijn tweede minuut in. Niets bewoog. Er was geen geluid. Zelfs de paarden in hun box waren doodstil geworden. De lucht was zwaar van spanning. Wick voelde het gewicht ervan op zijn huid.

Bijtende zweetdruppels sijpelden in zijn ogen. Het zweet droop over zijn ribbenkast en zijn schouderbladen naar beneden. Het prikte in zijn wond. Zijn handen, die nog steeds zijn pistool omklemden, werden glibberig van het zweet. Hij besloot dat hij óf zo kon blijven staan en langzaam oplossen óf een einde aan de situatie kon maken, en wel metéén!

'Lozada! Heb je genoeg lef om een confrontatie met me aan te gaan? Of zullen we dit dwaze spelletje voortzetten en verstoppertje blijven spelen?'

Na een korte stilte hoorde hij een stem aan de andere kant van de muur. 'Threadgill?'

Het wás Lozada niet. Lozada had zijn stem verfijnd tot een laag gebrom. Deze stem had het nasale accent van een geboren Texaan. 'Vertel me wie je bent.'

De man kwam achter de muur vandaan en stelde zich in de deuropening op. Wick richtte het pistool op zijn hoofd. Toby Robbins stak zijn handen op. 'Ho, cowboy.'

Wick liet zich niet door Toby's nonchalante houding misleiden. Hij zou niet de eerste politieman zijn die dat met zijn leven had moeten bekopen. 'Waarom sluip je hier rond in het donker?'

'Ik zou jou hetzelfde kunnen vragen. Maar aangezien jij degene bent die een vuurwapen heeft, zal ik graag als eerste antwoord geven. Als je dat ding een andere kant op richt.'

'Pas als ik hoor waarom je in Rennies stal bent.'

'Ik was het een en ander aan het controleren.'

'Je zult iets beters moeten verzinnen.'

'Ik hoorde dat een van haar paarden een lelijke haal van een lynx heeft gekregen.'

'Van wie weet je dat?'

'Van de jachtopziener. Ik ben hier gekomen om te kijken of ik de dierenarts moet bellen.'

'Op dit uur van de nacht?'

Toby Robbins keek naar de oostelijke horizon, waar de hemel roze kleurde. 'Het is bijna lunchtijd.'

Wick wierp een blik op het hek. Dat was dicht en op slot. Er stond geen voertuig achter. 'Hoe ben je hier gekomen?'

'Te voet.'

Wick keek naar de voeten van de man. Hij droeg gymschoenen in plaats van cowboylaarzen.

Robbins klopte op de linkerhelft van zijn borst. 'De cardioloog raadt minstens zes kilometer per dag aan. Dat is ongeveer van ons huis naar dat van Rennie en weer terug. Ik hou ervan om de kilometers achter de rug te hebben voor het te warm wordt.'

Schoorvoetend liet Wick het pistool zakken en stopte het in zijn broeksband. Tenminste, dat zou hij hebben gedaan als zijn broek dicht had gezeten. Snel maakte hij met zijn ene hand zijn gulp dicht. 'Weet je, Robbins, eigenlijk zou ik je moeten neerschieten omdat je zo dom bent geweest. Waarom heb je niet eerst geroepen? Of het licht aangedaan?'

'De lichtschakelaar is in de gereedschapskast. Die zit op slot. Rennie bewaart een reservesleutel boven de deur. Ik was hem aan het zoeken toen ik jou hoorde. Wist niet dat jij het was. Dacht dat het misschien een andere lynx was.'

Wick nam de oudere man wantrouwig op. Hij had niet het idee dat Robbins loog, maar de man vertelde ook niet de hele waarheid. 'Rennie zei tegen me dat ze een ontsmettend middel op de schram had gedaan. Ze dacht dat het over een paar dagen wel zou zijn genezen. Als ze had gedacht dat het paard een dierenarts nodig had, zou ze er eentje hebben gebeld.'

'Het kan geen kwaad om te horen wat een ander ervan vindt.'

Robbins draaide zich om en ging weer de stal binnen. Ondanks zijn blote voeten volgde Wick. Zolang hij op het middenpad bleef, zou hem niets overkomen. Rennies stal was zo schoon als een operatiekamer.

Robbins liep rechtstreeks naar de gereedschapskast, streek over de bovenkant van de deurpost, haalde een sleutel tevoorschijn en deed de kastdeur open. Toen stak hij zijn hand erin. Even later ging het licht boven hun hoofd aan.

Zonder aandacht aan Wick te schenken, liep hij een box binnen en sprak zachtjes tegen de merrie terwijl hij achter haar ging staan. Hij hurkte neer om de schram op het achterbeen van het paard beter te kunnen bekijken.

Toen hij klaar was, verliet hij de box. Hij liep om Wick heen, alsof deze een levenloos voorwerp was, en ging naar de kast. Na het licht uit en de kastdeur op slot te hebben gedaan, legde hij de sleutel weer op de plek waar hij hem had gevonden.

Wick volgde hem. Toen ze buiten waren gekomen zei hij: 'Die merrie met haar schram was niet je enige reden om vanmorgen hier te komen, is het niet?'

De oudere man bleef staan en draaide zich om. Hij wierp Wick een vernietigende blik toe. Daarna liep hij naar het hek van de kraal en leunde ertegen. Hij bleef heel lang zo staan, met de rug naar Wick toe, en concentreerde zich op de zonsopgang. Ten slotte viste hij een zakje tabak en vloeitjes uit de zak van zijn geruite overhemd, dat witte paarlemoeren drukknopen had in plaats van gewone knopen.

'Roken?' vroeg hij aan Wick terwijl hij een blik over zijn brede schouder wierp.

'Graag.'

27

Robbins haalde een plukje tabak uit het katoenen zakje en legde het op een vloeitje. Daarna gaf hij het voorzichtig aan Wick, die het papiertje met de tabak bedekte, de rand met zijn tong bevochtigde en er een sigaret van rolde.

Robbins keek vol belangstelling toe. Wick had het gevoel dat hij in de achting van de veehouder was gestegen omdat hij wist hoe hij een sigaret moest rollen. In de ogen van de oudere man was hij voor de test geslaagd.

Wick dankte in stilte de middelbare-schoolvriend die hem had geleerd hoe hij een stickie moest rollen. Nadat Joe erachter was gekomen en hem een pak slaag had gegeven, had Wick besloten dat roken slecht voor zijn gezondheid was.

Robbins rolde zijn eigen sigaret. Hij streek een lucifer aan en gaf eerst Wick vuur en toen zichzelf. Hun blikken ontmoetten elkaar boven de brandende lucifer. 'Is dit ook een advies van je cardioloog?'

Robbins inhaleerde diep. 'Zeg het niet tegen mijn vrouw!'

Het was verdomd zware tabak. Wicks lippen, tong en keel deden er pijn van, maar hij rookte stug door, alsof hij nooit iets anders deed. 'Je was niet verbaasd me hier te zien.'

'De jachtopziener zei tegen me dat Rennie gezelschap had. Ik nam aan dat jij het was.'

'Waarom?'

Robbins haalde zijn schouders op en concentreerde zich op zijn sigaret.

'Je bent vanmorgen alleen maar gekomen om te kijken of alles in orde is met Rennie. Klopt dat?' vroeg Wick.

'Zoiets, ja.'

'Waarom denk je dat ik haar kwaad zou doen?'

De oudere man staarde in de verte alvorens zijn scherpe blik weer op Wick te vestigen. 'Misschien niet met opzet.'

Wick maakte zich boos over de onuitgesproken suggestie van de man. 'Rennie is een volwassen vrouw. Ze heeft geen bewaker nodig. Ze kan heel goed op zichzelf passen.'

'Ze is kwetsbaar.'

Wick lachte, waardoor hij haast stikte in de rook. Dat ding kon hem gestolen worden! Hij drukte de sigaret uit op een hekpaal. 'Kwetsbaar is nou niet bepaald een woord dat ik met Rennie Newton in verband zou brengen.'

'Dat toont dan je onwetendheid!'

'Luister, Robbins, je kent me totaal niet. Je weet volstrekt níets van me. Dus hou op een overhaast oordeel over me te vellen, oké? Niet dat ik...'

'Ik heb haar vader gekend.'

De bruuske onderbreking bracht Wick tot zwijgen. Robbins wierp hem een blik toe die zei 'hou je mond en luister'. Wick krabbelde terug.

Robbins zei: 'Voor ik de ranch van mijn ouders erfde, woonde ik in Dalton en werkte af en toe voor T. Dan. Hij was een gemene schoft.'

'Zo lijkt iedereen erover te denken.'

'Hij kon een charmeur zijn. Hij hield nooit op met glimlachen, en deed altijd of je zijn beste vriend was. Overdreven vriendelijk en joviaal. Maar vergis je niet, hij was altijd uit op zijn eigenbelang.'

'We kennen allemaal wel dat soort mensen.'

Robbins schudde zijn hoofd. 'Niet zoals T. Dan. Hij was een klasse apart.' Hij nam nog een laatste, gretige trek van zijn sigaret. Daarna liet hij hem op de grond vallen en trapte hem uit met de punt van zijn schoen. De gymschoenen leken misplaatst bij zijn cowboykleren, bij hem. John Wayne met Nikes.

Hij draaide zich om naar de kraal en leunde met zijn onderarmen op het hek. Wick hoopte dat er licht op Rennies geheimen zou worden geworpen. Hij ging naast Robbins staan en nam eenzelfde houding aan. Robbins negeerde hem tot hij weer begon te praten.

'Rennie was een gelukkig meisje, wat een wonder is met een vader als T. Dan.'

'En hoe zit het met haar moeder?'

'Dat was een aardige vrouw. Ze deed veel liefdadigheidswerk, was actief in de kerk. Met Kerstmis gaf ze altijd een groot feest. Ze versierde het huis prachtig, en een kerstman deelde snoep uit aan de kinderen. Dat soort dingen. Ze zorgde ervoor dat alles gladjes verliep in het huis van T. Dan, maar ze kende haar plaats. Ze bemoeide zich niet met zijn leven.'

Wick snapte het. 'Maar je zei dat Rennie gelukkig was.'

Robbins schonk hem een van zijn zeldzame glimlachjes. 'Ik en Corinne hadden altijd een beetje medelijden met haar. Ze deed zo haar best om het iedereen naar de zin te maken. Mager als een lat. Vlasblond. Ogen groter dan de rest van haar gezicht.'

Dat zijn ze nog steeds, dacht Wick.

'Zeer intelligent. Beleefd en goedgemanierd. Daar had haar moeder voor gezorgd. En voor ze naar de basisschool ging kon ze al paardrijden als de beste.' Robbins zweeg even. Toen zei hij: 'De pest was dat ze stapelgek op haar vader was. Ze wilde zo graag dat hij aandacht aan haar besteedde. Alles wat ze deed, deed ze om de aandacht en de goedkeuring van T. Dan te krijgen.'

Hij klemde zijn handen ineen. In het zwakke ochtendlicht keek hij aandachtig naar de eeltige, ruwe huid op de knokkels van zijn duimen. Wick zag dat een van zijn duimnagels helemaal donker was door een recente kneuzing. Waarschijnlijk zou hij de nagel verliezen.

'Iedereen in Dalton wist dat T. Dan vreemdging. Zelfs voor zijn vrouw was het geen geheim. Ik denk dat ze zich er al vroeg in hun huwelijk mee had verzoend dat hij achter de vrouwen aan zat. Ze droeg het met waardigheid, zou je kunnen zeggen. Ze negeerde de roddelpraatjes zo goed mogelijk. Deed haar best om de schijn op te houden.

Maar Rennie was nog maar een kind. Ze begreep niet hoe het zou móeten zijn tussen een liefhebbende man en vrouw. Ze wist niet beter, want het huwelijk van haar ouders was altijd zo geweest. Ze waren vriendelijk voor elkaar. Rennie was niet oud genoeg om zich te realiseren dat de intimiteit ontbrak.'

Hij keek Wick aan, en Wick wist dat hij zich ervan wilde verzekeren dat hij nog steeds luisterde. Robbins naderde de clou van het verhaal.

'Rennie was een jaar of twaalf, denk ik. Een moeilijke tijd voor een meisje, als mijn vrouw een autoriteit op dat gebied is, en dat lijkt ze te zijn. Hoe dan ook, op een middag ging Rennie naar T. Dans kantoor om hem te verrassen. Maar zíj werd verrast.'

'Er was een vrouw bij hem.'

'Onder hem, op de sofa in zijn kantoor. Rennies pianolerares.' Hij zweeg even en keek recht in de nieuwe zon. 'Dat was het einde van de gelukkige jeugd. Rennie was geen kind meer.'

Crystal, de serveerster in Dalton, had Wick verteld dat Rennie door het dolle heen was geraakt rond de tijd dat haar figuur vrouwelijke welvingen begon te krijgen. Haar ontluikende seksualiteit was niet de oorzaak van haar persoonlijkheidsverandering in de puberteit, maar de ontdekking van haar vaders overspel.

Het opstandige gedrag was volstrekt begrijpelijk. Waarschijnlijk had Mrs. Newton moeder-dochtergesprekken over seks en normen met Rennie gevoerd. Rennie had haar vader betrapt toen hij de principes die haar moeder haar probeerde bij te brengen met voeten trad. De ervaring was natuurlijk ontgoochelend geweest, vooral omdat ze haar vader aanbad.

De gebeurtenis had ook als katalysator gewerkt. Het feit dat ze als tiener met Jan en alleman naar bed ging, was een passende straf geweest voor haar vader, die vrouwen versierde, en voor haar moeder, die dat door de vingers zag. Het onschuldige meisje had haar vader op heterdaad betrapt met haar pianolerares, en werd, als gevolg daarvan, de stadsslet.

Alsof Robbins Wicks gedachtegang volgde, zei hij: 'Tegenwoordig noemen ze dat "je gevoel volgen". Dat weet ik van Corinne. Ik denk dat ze de term op de tv heeft gehoord. Hoe ze het ook noemen, Rennie veranderde plotseling. Er was geen land meer met haar te bezeilen. Haar cijfers kelderden. De volgende paar jaar was ze compleet onhandelbaar. Geen enkele straf leek effect te hebben. Ze daagde leraren uit, iedereen die ook maar een beetje gezag had. T. Dan en zijn vrouw trokken voorrechten in, maar dat hielp niets.'

'Haar vader gaf haar een rode Mustang cabriolet,' zei Wick. 'Dat noem ik een kind gemengde signalen geven.'

'Waarschijnlijk chanteerde ze hem om die auto te krijgen. Rennie wist dat ze de grootste macht had en maakte daar gebruik van. T. Dan verloor zijn ouderlijk gezag op het moment dat ze hem met haar pianolerares zag neuken. Het ging snel bergafwaarts met haar.'

'Tot haar zestiende.'

Robbins keek hem aan. 'Wat weet je van Collier?'

'Niet veel. Ik weet dat Rennie een dodelijk schot op hem loste. Ze is nooit van moord beschuldigd. De zaak is zelfs niet als misdrijf onderzocht. Alles is onder het tapijt geveegd.'

'T. Dan,' zei Robbins, alsof alleen de naam al de verklaring samenvatte.

'Ik kan niet zeggen dat ik medelijden met Raymond Collier heb,' zei Wick. 'Wat voor schoft heeft een verhouding met een zestienjarig meisje dat duidelijk liefhebbende ouders, strenge tucht en professionele hulp nodig heeft?

'Veroordeel hem niet te snel. Als Rennie haar zinnen op een man had gezet, was het heel moeilijk om haar te weerstaan.'

Wick keek Robbins scherp aan, die zijn hoofd schudde. 'Nee, ik niet. Ik vermaande haar altijd. Ik wilde haar uitfoeteren, een beetje gezond verstand bijbrengen, níet met haar vrijen. In tegenstelling tot Raymond Collier.'

'Wat was hij voor man?'

'Ik kende hem niet goed, maar de meeste mensen leken hem sympathiek te vinden. Hij was een talentvolle zakenman. Daarom associeerde T. Dan zich met hem voor een belangrijke vastgoedtransactie. Maar Collier had één zwak punt.'

'Vrouwen.'

'Geen vrouwen. Eentje maar. Rennie,' zei de oudere man grimmig. 'Ze was een obsessie voor hem. Zoals James Mason in die film.'

'*Lolita*.'

'Precies. Ik denk dat ze wist wat Colliers gevoelens voor haar waren. Ze voelde het, vrouwen kunnen dat. Ze...'

'Waarom ben ík niet uitgenodigd voor deze vergadering?'

Wick en Robbins draaiden zich gelijktijdig om. Rennie kwam door de tuin naar hen toe. Haar haar was nog nat van de douche. Blijkbaar had ze zich gehaast om zich aan te kleden en zich bij hen te voegen. 'Ik zag jullie van achter het slaapkamerraam. Jullie hebben lang staan smoezen.' Haar blik viel op het pistool dat Wick in zijn broeksband had gestopt.

'Ik had hem bijna neergeschoten.' Wick probeerde overtuigend te glimlachen, maar zijn gedachten waren nog steeds bij alles wat Robbins hem had verteld.

Robbins gaf Rennie een van zijn typische, laconieke verklaringen voor de reden van zijn aanwezigheid. 'Ik hoorde dat je die lynx met één schot door het hart hebt gedood. De mensen hier die vee hebben verloren zullen je dankbaar zijn.'

'Vind je dat ik de dierenarts had moeten bellen om naar Spats te kijken?'

'Nee,' antwoordde Robbins. 'Je had gelijk. De schram is niet diep, en hij is schoon. Hij zal snel dicht zijn.'

Ze richtte haar blik op Wick en toen weer op Robbins. 'Ik ga voor een paar dagen weg. Wil jij de paarden verzorgen tot ik terug ben?'

De oudere man aarzelde. Lang genoeg om het op te merken. Ten slotte zei hij: 'Graag. Kan ik je in geval van nood op het nummer in Fort Worth bereiken?'

'In Galveston,' zei Wick. 'Ik heb daar een huis. Ik zal het nummer voor je opschrijven.' Rennie scheen daar niet al te blij mee te zijn.

'Ik ga even kijken hoe het met Spats gaat,' zei ze. 'Waarschijnlijk zal ze nóg een dag in haar box moeten blijven, maar de anderen breng ik naar de kraal.'

'En ik zal ze vanavond terugbrengen naar de stal,' zei Robbins tegen haar.

Ze liep naar de open staldeur. Toen keek ze achterom, alsof ze verwachtte dat Robbins haar volgde.

'Ik kom eraan,' zei hij. 'Ik wacht even op dat telefoonnummer.'

'Je kunt me altijd via mijn zaktelefoon bereiken.'

'Het kan geen kwaad om twee nummers te hebben. Voor alle zekerheid.'

Ze leek zich af te vragen of ze hen weer alleen zou laten, maar toen draaide ze zich om en ging de stal binnen. Wick keek naar Robbins, maar hij was er niet zeker van of hij nog meer wilde horen over Rennies fatale poging om Raymond Collier te verleiden. 'Heb je er nog iets aan toe te voegen?'

'Ja,' zei Robbins. 'Er is nóg iets dat je moet weten. Misschien is het niet van belang voor je, maar ik hoop van wel.'

Toen hij weifelde, haalde Wick zijn schouders op.

Robbins keek achterom naar de stal. Daarna zei hij zacht: 'Na die kwestie met Collier ging Rennie niet op de oude voet verder. Ze was heel anders dan daarvoor.'

Wick gaf geen commentaar en wachtte tot Robbins was uitgesproken.

'Je hebt gelijk, Threadgill, ik weet absoluut níets van je, maar ik weet wél dat je moeilijkheden betekent. Ik lees de krant. Ik kijk tv. Het staat me niet zo aan dat je om Rennie heen hangt.'

'Jammer dan. Je hebt er geen stem in.'

'Vooral nu die Lozada erbij betrokken is.'

'Ik hang hier rond vanwege hém.'

'Is dat de enige reden?' Zijn ogen boorden zich in die van Wick. 'Ik en Corinne passen al heel lang op Rennie. We zijn niet van plan daar nu mee te stoppen.' Hij boog zich naar Wick toe. 'Je hebt een groot pistool en een grote mond, maar je bent dommer dan deze hekstijl als je niet snapt wat ik zeg.'

'Ik zou het snappen als je er geen doekjes omwond.'

'Goed. Rennie heeft hard gewerkt om te komen waar ze is in haar carrière. Ik heb haar risico's op een paard zien nemen waar ervaren cowboys en stuntrijders zich niet aan zouden wagen. Ze vliegt naar de andere kant van de wereld, gaat naar gebieden waar oorlog is en waar Joost mag weten wat voor epidemieën zijn, en ze toont nooit een spoor van angst.

Maar,' zei hij terwijl hij nog dichter bij Wick ging staan, 'ik heb haar nooit in het gezelschap van een man gezien. En ze laat nooit een man in haar huis overnachten.' Hij nam Wicks blote borst op en keek nadrukkelijk naar de gulp die Wick haastig had dichtgeknoopt. 'Ik hoop dat je fatsoenlijk genoeg, mán genoeg, bent om die verantwoordelijkheid aan te kunnen.'

Toen Rennie was teruggekeerd van de kraal en het huis binnenkwam, stond Wick voor het koffiezetapparaat dat hij had aangezet. Zijn borst en zijn voeten waren bloot. Hij droeg alleen een spijkerbroek. Zijn pistool lag op het aanrecht naast de koffiemachine. Allemaal verwarrende zaken die niet pasten in haar veilige, vertrouwde keuken.

'Is er iets aan de hand met het koffiezetapparaat?'

Hij schudde geërgerd zijn hoofd. 'Ik heb zo'n zin in koffie, dat ik de druppels tel.'

'Ik heb er ook trek in.' Ze haalde twee mokken uit de kast.

'Gaat het goed met Spats?' vroeg hij.

'Het is precies zoals Toby zei.'

'Toby heeft de pest aan me.'

Ze gaf hem een mok. 'Doe niet zo mal.'

'Ik dóe niet mal. En mijn gevoelens zijn niet gekwetst. Ik stel alleen een feit vast. Is hij naar huis gegaan?'

'Hij is net vertrokken.'

Het laatste beetje koffie gorgelde in de koffiepot. Wick schonk haar mok vol en waarschuwde: 'Het is politiekoffie. Sterk.'

'Dat drinken dokters ook.' Ze nam een slokje en stak haar duim naar hem op.

'Robbins neemt de zorg voor jou heel serieus. Hij waarschuwde me dat ik met mijn vuile poten van je af moest blijven.'

'Dat heeft hij niet gezegd. Ik weet het zeker.'

'Niet met zoveel woorden.'

Ze nam nog een paar slokken van haar koffie. Toen zette ze haar mok op het aanrecht. 'Draai je om en laat me naar je wond kijken.'

Hij draaide zich om, legde zijn handen op de rand van het aanrecht

283

en leunde voorover. 'Mij kun je niet voor de gek houden. Je wilt alleen maar naar mijn billen kijken.'

'Die heb ik al gezien.'

'En?'

'Ik ken betere.'

'Dat kwetst nou wél mijn gevoelens!'

Het menselijke lichaam had weinig raadsels voor Rennie. Ze had het bekeken, bestudeerd, en het in elke toestand, afmeting, kleur en vorm gezien. Maar gisteren, toen ze Wick languit op haar bed zag liggen, had zijn lichaam indruk op haar gemaakt. En niet uit medisch oogpunt. Zijn romp was lang en mager, zijn ledematen goed geproportioneerd. Ze had nog nooit een lichaam gezien dat haar zo aantrok als het zijne, en ze had geworsteld om haar professionele afstandelijkheid te bewaren wanneer ze het aanraakte.

Ze verwijderde het oude verband en onderzocht de wond voorzichtig. 'Pijnlijk?'

'Alleen als je eraan zit. Het begint te jeuken.'

'Een teken dat het geneest. Een medisch wonder gezien je gebrek aan bedrust.'

'Wanneer haal je de hechtingen eruit?'

'Over een paar dagen. Blijf waar je bent en drink je koffie op. Ik kan het net zo goed nu schoonmaken, nu je je voor de verandering eens níet beweegt.'

'Geen injecties meer,' riep hij tegen haar toen ze de keuken verliet.

Ze haalde de benodigde spullen op. Toen ze terugkeerde, zag ze tot haar verbazing dat hij nog steeds op zijn plaats stond. Dat zei ze ook tegen hem.

'Bevel van de dokter.'

'Ja, maar ik kan niet geloven dat je het opvolgt. Je bent nou niet bepaald een ideale patiënt, Mr. Threadgill.'

'Waarom nemen Toby en Corinne Robbins zo'n beschermende houding aan ten opzichte van jou?'

'Ze kennen me al vanaf mijn prille jeugd.'

'Dat geldt voor veel mensen in Dalton. Ik zie niemand anders die voortdurend in je buurt is en die saters zoals ik afweert.'

'Ik denk niet dat Toby Robbins weet wat een sater is.'

'Maar jij weet dat wél, hè Rennie?'

'Je bént geen wellusteling.'

'Was Raymond Collier er eentje?'

Hij provoceerde haar, in een poging haar aan het praten te krijgen. Ze was niet klaar om erover te spreken. Ze betwijfelde of ze ooit klaar zou zijn om er met Wick over te praten. Waar zou ze moeten beginnen? Met de dag waarop ze haar vaders overspel ontdekt had? Kon ze Wick duidelijk maken hoe schokkend het was geweest om de hypocrisie te beseffen waarmee ze had geleefd en die ze stom genoeg had geaccepteerd?

Of zou ze met Raymond beginnen? Dat hij altijd achter haar aan zat. Dat hij zijn begerige blik constant op haar had gericht als ze zich te midden van een groep mensen bevonden, zijn vrouw inbegrepen. Dat ze van zijn kalfsogen en zijn vochtige handen had gewalgd voor ze zich realiseerde dat ze zijn obsessie kon gebruiken om haar vader te straffen. Nee, daarover kon ze niet met Wick praten.

'Ziezo,' zei ze terwijl ze de wond opnieuw verbond. 'Klaar is Kees, en deze keer heb je redelijk meegewerkt.'

Voor ze weg kon lopen, pakte hij haar handen vast en trok ze naar voren rond zijn lichaam, zodat ze dicht tegen hem aan stond.

'Wat doe je nou, Wick?'

'Wie was je ideale patiënt?'

Ze deed de vraag met een luchtig lachje af, iets dat niet makkelijk was met haar borsten platgedrukt tegen zijn rug, haar handen uitgespreid over het krulhaar op zijn borst, en haar schaamstreek die warm werd door het contact met zijn billen.

Hij had haar handen met de zijne bedekt en hield ze gevangen. Zijn vel – niet zijn huid, maar zijn vel – was warm en vitaal tegen haar handpalmen. Onder haar linkerhand kon ze zijn hart horen kloppen. Voor iemand die gewend was dagelijks naar het kloppen van harten te luisteren, had het ritme van het zijne een merkwaardige uitwerking op haar. Het maakte dat haar eigen hart sneller klopte tegen zijn sterke rugspieren.

'Moeten we ons niet klaarmaken om te vertrekken, Wick? Ik dacht dat je zo'n haast had om weg te komen.'

'Je ideale patiënt. Ik wil alles over hem of haar horen. En tot die tijd blijven we hier staan. Je weet dat ik koppig genoeg ben om het te menen.' Om zijn woorden te benadrukken trok hij haar armen nog dichter om zich heen. In overgave legde ze haar voorhoofd in de holte tussen zijn schouderbladen. Maar het was veel te aangenaam, veel te prettig. Daarom tilde ze haar hoofd al na een paar seconden op.

'Het was een zíj. Een vrouw van vierendertig. Ze was slachtoffer van

285

de aanval op het World Trade Center. Op de elfde september was ik in Philadelphia om een conferentie bij te wonen. Ik reed meteen naar New York en arriveerde laat in de avond.

Ze was een van de weinigen die levend uit het puin was gehaald, maar haar letsels waren ernstig en talrijk. Ik werkte aan haar inwendige verwondingen. Een specialist amputeerde haar been. Gedurende vierentwintig uur wisten we niet eens hoe ze heette. Ze had geen persoonsbewijs bij zich en ze was niet helder genoeg om ons te vertellen wie ze was. Maar onbewust wist ze dat ze werd geholpen. Telkens wanneer ik haar hand vastpakte, in een poging haar te laten weten dat ze veilig was en dat er iemand voor haar zorgde, gaf ze een kneepje in mijn hand.

Ten slotte was ze voldoende bij bewustzijn om ons haar naam te vertellen, die we aan een familie konden koppelen. Een van de duizenden families die wanhopig op zoek waren naar informatie. Ze was afkomstig uit Ohio en was op zakenreis geweest. Haar man en drie kinderen hadden een emotionele hereniging met haar in het ziekenhuis. Halverwege keek ze me aan. Haar ogen spraken met zoveel welsprekendheid, dat ze niets hoefde te zeggen.'

Op een bepaald moment tijdens haar verhaal had ze haar wang tegen Wicks rug gelegd. Hij streelde de rug van haar handen die nog steeds op zijn borst rustten. 'Je redde haar leven, Rennie.'

'Nee,' zei ze met hese stem, 'dat kon ik niet. Ze stierf twee dagen later. Ze wist dat ze zou sterven. We hadden haar verteld dat het twijfelachtig was of ze zo'n aanzienlijke schade zou kunnen overleven. Ze bedankte me omdat ik haar leven zo lang had gerekt dat ze haar familie kon zien. Ze wilde afscheid van hen nemen. Er was wilskracht en heel veel moed voor nodig om zo lang te leven. Haar liefde voor hen was sterker dan haar pijn. Dus toen je me vroeg wie mijn ideale patiënt was, moest ik meteen aan háár denken.'

Het was een paar ogenblikken stil. Toen zei hij: 'Ik vind je fantastisch, dokter Newton. Geen wonder dat de familie Robbins zo'n hoge dunk van je heeft.'

Ze herkende de vraag die in zijn opmerking besloten lag. Hij wilde weten hoe haar relatie met Toby en Corinne was, en dit was zijn omslachtige manier om dat te vragen. Wat voor kwaad kon het het hem te vertellen? Waarschijnlijk wist hij het al. Misschien had Toby het hem verteld tijdens hun lange gesprek bij het hek van de kraal, en wilde Wick háár versie horen.

Toen ze haar voorhoofd deze keer tussen zijn schouderbladen legde, hield ze het zo. 'Na Raymond Collier schreven mijn ouders me in bij een kostschool in Dallas. Tijdens mijn eerste kerst daar gingen ze naar Europa. Mijn moeder wilde niet gaan, tenminste dat beweerde ze. Maar T. Dan was niet voor rede vatbaar. Als onderdeel van mijn straf voor de last die ik had veroorzaakt, moest ik op school blijven en de feestdag in mijn eentje vieren.

Op de een of andere manier kwamen Toby en Corinne daarachter. Ze verschenen op kerstmorgen. Ze hadden hun kinderen bij zich, snoep en cadeautjes, en ze probeerden me gelukkig te maken. Sindsdien zien ze toe op mijn geluk. Als Toby overdreven beschermend overkomt, komt dat, denk ik, omdat hij me nog steeds beschouwt als een eenzaam, verlaten meisje op kerstmorgen.'

'Wat is er die dag in je vaders werkkamer gebeurd, Rennie?'

Ze tilde haar hoofd op en trok haar handen terug, onder de zijne vandaan. 'Als we naar Galveston willen, moeten we nú weg!'

Hij draaide zich om en pakte haar schouders vast. 'Wat gebeurde er, Rennie?'

'Wesley zal mij de schuld geven als we op ons laten wachten,' was haar enige antwoord.

'Verkrachtte hij je? Probeerde hij dat?'

Boos om zijn vasthoudendheid sloeg ze zijn handen weg. 'God, je geeft nooit op!'

'Deed hij dat?'

'Dat is toch wat mijn vader aan de politie vertelde?'

'Ja. En ik weet niet veel van T. Dan Newton, maar liegen zou wel de kleinste van zijn zonden zijn. Hij zou tegen de politie liegen met een grote glimlach op zijn gezicht. Waarom schoot je op Raymond Collier?'

'Dat doet er toch niet toe?'

'Het doet ertoe omdat ik het wil weten, verdomme! Het doet ertoe omdat jij zo verrekte vastbesloten bent het geheim te bewaren dat door je vaders geld is begraven. En het doet ertoe omdat ik al twee dagen een stijve heb waar ik niets aan kan doen. Niet zonder dat jij me ervan beschuldigt dat ik je toetakel en zonder dat je buurman Toby me met de dood bedreigt.'

Hij had haar, emotioneel en letterlijk in een hoek gedreven – ze zat klem tussen twee kasten die haaks op elkaar stonden. Ze vocht zich eruit.

'Raymond heeft me nooit gedwongen iets te doen. Die middag niet

287

en nooit. Als je een fabel over een verkrachtingspoging wilt verzinnen omdat het je op de een of andere manier een beter gevoel over me geeft, mij best! Maar de werkelijkheid was anders.

Toen ik veertien was werden Raymond en T. Dan zakenpartners. Het ging om een vastgoedtransactie. Raymond begon vaak langs te komen en bracht veel tijd met ons door. Ik wist wat voor impact ik op hem had. Ik pestte hem genadeloos. Onder het mom van een hartelijke oudere man greep hij elke kans aan om me aan te raken. Ik moedigde het aan en lachte er later om. Hij had een... een naakt verlangen dat ik dolkomisch vond.' Ze zweeg even om adem te halen. 'Vind je me nog steeds "fantastisch", Wick? Wacht maar. Er is nog meer.'

'Hou op, Rennie.'

'O nee, je wilde het weten. Je wilde verlichting voor je erectie. Nou dit zal wel een goede remedie zijn! Twee jaar lang kwelde ik die arme man. Toen, ongeveer een week voor die ellendige dag, had ik ruzie met mijn vader. Ik weet niet meer wat ik had gedaan, maar hij nam mijn autosleutels mee en gaf me een maand huisarrest.

Dus zette ik het hem betaald door met zijn zakenpartner te slapen. Dat klopt, Wick. Ik belde Raymond op vanuit een motel en zei tegen hem dat hij me, als hij me wilde, kon hebben, maar dat hij dan meteen moest komen, dat ik op hem zat te wachten.'

Ze veegde tranen van schaamte van haar warme wangen, maar het was te laat om te stoppen. De woorden bleven uit haar mond stromen. 'Raymond kwam naar het motel en ik ging met hem naar bed. Net zoals met al die anderen. Alles wat je over Rennie Newton hebt gehoord is waar. Waarschijnlijk heb je nog geen fractie gehoord van wat er te vertellen is. Ooit, als er geen moordenaar in mijn nek loopt te hijgen, zullen wij samen een fles wijn soldaat maken en dan zal ik je alles over mijn seksuele escapades vertellen. Het zal net zo zijn als het vertellen van spookverhalen, alleen beter.

Maar dit is het enige verhaal waarvan je dolgraag het fijne wilt weten, naar het schijnt. En terecht, omdat dat het ergste is wat ik ooit heb gedaan. Papa strafte me, maar ik zette het hem betaald, nietwaar? En hoe!'

28

Wesley was opgelucht geweest toen hij hoorde dat zij en Wick de nacht veilig waren doorgekomen en dat Lozada zich niet had laten zien. Sinds ze de ranch hadden verlaten had Wesley Wick om de dertig minuten gebeld, hoewel Wick hem verzekerd had het onmiddellijk te zullen melden als ze Lozada tijdens de lange rit naar Galveston in het oog zouden krijgen.

Wick had per se zijn pick-up willen nemen, en hij had per se achter het stuur willen zitten. Als passagier zou het een moeilijke en uitputtende tocht voor hem zijn. Het besturen van de wagen zou hem nóg gespannener en vermoeider maken, maar ze had er niet met hem over zitten bekvechten.

Ze hulden zich alletwee in stilzwijgen.

Sinds hun laatste gesprek was de sfeer tussen hen zo gespannen geworden, dat één boos woord zou kunnen maken dat de boel knapte, als een overbelast elastiekje. Wick was er weer een om zijn pols gaan dragen.

Rennie staarde ongeïnteresseerd naar het voorbijvliegende landschap, toen Wicks zaktelefoon voor de zoveelste keer ging. 'Mijn God, Oren, hou er even mee op,' zei hij.

'Doe de rechercheur de zeer hartelijke groeten van me,' zei Rennie snaaks.

'Ja?'

Rennie voelde onmiddellijk de verandering in Wick. Ze keek opzij en zag dat zijn vrije hand het stuur omklemde en dat zijn lippen een dunne, rechte lijn vormden.

Maar zijn stem was buitengewoon vriendelijk. 'Hé, die Ricky Roy. Lang geleden dat ik je gezien heb. De laatste keer dat we samen in een ruimte waren heb ik je niet écht gezien, hè?'

Alleen al bij de wetenschap dat Lozada aan de andere kant van de lijn was, kreeg Rennie koude rillingen. De angst die ze die avond in haar keuken had gevoeld lag nog vers in haar geheugen. Als hij had geraasd en getierd, zou hij haar niet zoveel angst hebben aangejaagd. Maar zijn zelfvoldaanheid was beangstigend geweest.

Wick reed de pick-up de berm in. 'Ik vind het helemaal niet leuk dat ík het je moet vertellen, Ricky Roy, maar iemand een steek in de rug geven is écht een klotestreek.' Toen de pick-up helemaal stilstond, zette Wick hem in de parkeerstand. 'Maar ik ben weer zo goed als nieuw. Jammer dat ik dat niet van Sally Horton kan zeggen. Sally Horton, hufter. Je weet wel, het meisje dat je vermoordde in de nacht waarin je mij probeerde om zeep te helpen.'

Rennie kon Lozada's innemende lach door de telefoon horen. Ze maakte haar veiligheidsgordel los, ging dicht naast Wick zitten en gebaarde hem de telefoon een eindje van zijn oor af te houden, zodat zij kon meeluisteren.

'Je gebruikt zeker nog hallucinerende pijnstillers, Threadgill,' zei Lozada. 'Ik weet niet waar je het over hebt.'

'Dan zal ik het je duidelijk maken. Je bent een laffe vrouwenmoordenaar.'

Lozada was te slim om in zo'n doorzichtige provocatie te trappen. 'Ik las dat je nauwelijks een of andere aanval had overleefd en dat je zou zijn gestorven als ze in het ziekenhuis niet zo snel hadden gehandeld.'

'Rennie Newton is een voortreffelijke chirurg.'

'Ze kan ook lekker neuken.'

Rennie reageerde alsof ze was geslagen. Ze keek naar Wick, maar ze kon alleen maar zichzelf zien, weerspiegeld in de glazen van zijn zonnebril.

'Is ze nú bij je?' vroeg Lozada.

'Anders zou je me niet bellen, nietwaar?'

'Raar, hè? Jij en ik die een vrouw delen. Hoewel,' vervolgde Lozada op poeslieve toon, 'het niet verbazingwekkend is dat Rennie zich tot ons alletwee aangetrokken voelt. Gevaar windt haar op. Zoals toen haar vriend, dokter Howell, stierf. Ze beschreef me de gewelddadige manier waarop hij was gestorven, en terwijl ze dat deed werd ze nat.'

Rennie deed een uitval naar de telefoon, maar Wick pakte haar pols vast en duwde haar hand weg. Hij schudde woedend zijn hoofd.

'Dat was pas de tweede keer dat we samen waren,' zei Lozada. 'Ze was die nacht onverzadigbaar. Zelfs ík had moeite om haar bij te houden.'

'Dat verbaast me niet,' zei Wick quasi-verveeld. 'Ik heb altijd al gedacht dat jouw moordwapens je fysieke tekortkomingen vervingen.'

'Dat was een goedkope opmerking. Zelfs jóu onwaardig.'

'Je hebt gelijk. Ik had je meteen een impotente ouwe lul moeten noemen.'

Lozada lachte. 'Het zit je echt dwars dat ik haar het eerst had, hè? Je zult je wel afvragen of je bij mij in de schaduw kunt staan. Eén keer heb ik haar laten klaarkomen door alleen maar haar tepels te likken. Kun jíj dat?'

Rennie legde haar handen op haar oren, maar toch kon ze Wick horen zeggen: 'Weet je, Ricky Roy, ik heb zo het idee dat je probeert indruk op me te maken met al die gore praatjes van je. Trouwens, wat heeft dit telefoontje voor zin?'

Rennie hoorde niet wat Lozada zei, maar Wick antwoordde luid: 'Dat klopt niet. Als je klaar bent met haar, zou je me nu niet bellen. Je bent jaloers en je kunt het niet uitstaan dat ze bij me is. Stik er maar in, klootzak.'

Hij verbrak de verbinding. Toen vloekte hij en smeet de telefoon bijna op het dashboard.

'Hij liegt,' zei Rennie bars.

Wick keek of er geen tegenliggers waren en reed daarna de weg weer op.

'Hij liegt, Wick.'

Hij bleef zwijgen.

'Hij manipuleert je, en je laat dat toe!'

Toen wendde hij zich tot haar. Ze kon voelen dat zijn ogen de hare peilden van achter de zonnebril. Maar het enige dat hij zei was: 'Maak je gordel vast.'

Hoewel het Lozada niet aanstond dat Wick Threadgill de verbinding had verbroken, grinnikte hij terwijl hij zijn zaktelefoon uitzette. Hij had bereikt wat hij wilde. Het zou alleen nóg prettiger zijn als hij het gesprek dat ze nu voerden zou horen. Hij wilde dolgraag weten of de zaadjes van twijfel die hij had geplant wortel in Threadgills hoofd hadden geschoten.

Waarschijnlijk had Rennie meegeluisterd. Ze zou alles ontkennen, en Threadgill zou moeite hebben om haar te geloven. Vooral omdat hij alles, zo niet méér, wist van wat Lozada's eigen onderzoek naar de jonge Rennie Newton aan het licht had gebracht.

In een vorig leven ben ik misschien politieman geweest, dacht hij filosofisch. Hij had absoluut het instinct van een rechercheur. Hij had zijn intuïtieve vaardigheden 180 graden gedraaid om in zijn eigen behoeften te voorzien, maar hij zou net zo'n goede speurder zijn geweest als Oren Wesley, Joe Threadgill of broertje Wick. En in tegenstelling tot hen werd hij niet beperkt door zijn geweten of door de regels van de wet.

Bijvoorbeeld: als de serveerster van het Wagon Wheel Café in Dalton niet zo behulpzaam was geweest, was hij haar misschien naar huis gevolgd en had hij haar gemarteld om antwoorden uit haar te krijgen alvorens haar om te brengen.

Maar Crystal was een rijke bron van informatie geweest. Aanvankelijk had ze het merkwaardig gevonden dat hij de tweede man in twee weken was die meer over Rennie Newton wilde weten.

'Grappig dat je vragen over haar stelt.'

Lozada had in zijn bord met vette enchilada's geprikt en achteloos gezegd: 'Hoezo?'

'Nog niet zo lang geleden was hier een andere man. Ik geloof dat het op een zondag was. Hij had haar op de universiteit leren kennen, zei hij. Hij was een spetter!' Ze had geknipoogd. 'Rennie is hem misgelopen, en jou ook, Mr. Lang, Donker en Knap.'

'Dank je. Hoe zag die andere vent eruit?'

Ze had Wick Threadgill beschreven, vanaf zijn blonde haardos tot aan zijn versleten cowboylaarzen. Toen hij tegen Crystal zei dat die droom een smeris was, was ze nijdig geworden. 'Dat maakt me woest! Ik ben heb al zijn geouwehoer voor zoete koek aangenomen!'

Hij had tegen haar gezegd dat Wick een speurneus was die werkte voor een derderangs advocaat in medische wanpraktijken. 'Zijn enige taak is het verzamelen van vuil om artsen zwart te maken.' Crystal was in het verhaal getrapt, zoals in alles wat Threadgill haar had wijsgemaakt. 'Verwijt jezelf niets, Crystal. Hij kan behoorlijk overtuigend zijn.'

'Klopt. Het zullen die grote, blauwe ogen van hem zijn geweest.' Er was een behoedzame blik in haar ogen verschenen. 'Bent u óók een soort speurneus?'

Hij had haar zijn beste glimlach geschonken. 'Ik ben freelance schrijver. Ik ben bezig met een artikel over dokter Newton. Over haar vrijwilligerswerk in arme landen.'

'Nou, als u het mij vraagt, weegt haar vrijwilligerswerk niet op tegen alles wat ze vroeger heeft uitgespookt,' had ze met gerechtvaardigd gesnuif gezegd. Het volgende halve uur had ze hem op verhalen over de verdorven Rennie Newton getrakteerd. 'Denk maar niet dat we verbaasd waren toen ze die arme ouwe Raymond doodschoot.'

O, ja, zijn reis naar Dalton gisteren was zeer nuttig en informatief geweest. Toen hij wegging, had hij zelfs een stuk chocoladeschuimtaart meegekregen, keurig ingepakt.

Weenie Sawyer had aan zijn verwachting voldaan. De bedreiging met de schorpioen had allerlei informatie opgeleverd, zoals nieuwe en nuttige feiten over Wick Threadgill, inclusief het restaurant waar hij voor het laatst zijn creditcard had gebruikt, toevallig in de stad waar Rennie Newton, volgens een ander computerbestand, geboren en getogen was.

Hij was ook te weten gekomen hoeveel onroerendgoedbelasting ze betaalde voor haar ranch in een naburig district, dat ze heel goed kon paardrijden, dat ze in haar geboorteplaats aan rodeowedstrijden in tonrijden had meegedaan. Tenminste, als ze niet voor de lol aan het neuken was.

Nu hij zich opgewonden voelde over het succes van zijn telefoongesprek met de voormalige politieman, zette hij het volume van de cd-speler in zijn bestelbusje hoger en inhaleerde diep. Hij vroeg zich af wanneer hij de eerste vleug zeelucht zou opsnuiven.

Wick draaide de sleutel om. De deur zwaaide open, met knarsende, roestige scharnieren. Hij gebaarde Rennie naar binnen te gaan. 'Veel moet je niet verwachten.'

'Het is goed.'

'Ik heb geen chirurgensalaris van zes cijfers.'

'Ik zei dat het goed was.'

'De keuken is dáár. Achter die deur bevinden zich de slaapkamer en de badkamer. Maak het je gemakkelijk en doe alsof je thuis bent.'

'Ik zou graag een douche willen nemen.'

'Ik kan je geen warm water garanderen. Schone handdoeken – áls die er zijn – liggen in het kastje in de badkamer.'

Zonder iets te zeggen liep ze de slaapkamer binnen en sloot de deur achter zich. 'Het geeft niet, hoogheid, ik zal de bagage zelf wel binnenbrengen,' mompelde hij.

Hij keerde terug naar de pick-up. Hij zorgde er angstvallig voor dat hij zich natuurlijk gedroeg en niet om zich heen keek om te zien of hij de politiemensen zag die hem moesten bewaken. Toen hij de twee koffers uit de laadbak van de pick-up hees, kromp hij ineen door de hevige pijn in zijn rug.

Rennie had tweemaal aangeboden te rijden. De eerste keer had hij het aanbod afgeslagen en haar beleefd bedankt. De tweede keer had hij tegen haar gesnauwd. Dat was na het telefoongesprek met Lozada geweest, toen hun gespannen stilte in een kil samenzijn was veranderd. De laatste drie uren van hun reis hadden er wel dertig geleken. De spanning had zijn zwakke plek gevonden en had zich erin genesteld. Telkens wanneer hij een pijnscheut voelde, vervloekte hij Lozada.

Zonder zich om de privacy van zijn gast te bekommeren, duwde hij de slaapkamerdeur open en ging naar binnen. Hij kon de waterleidingpijpen in de badkamer horen tikken. Een naakte en met schuim bedekte Rennie zou het beste zijn dat die armzalige douche ooit zou overkomen. Maar hij, Wick, zou zichzelf een dienst bewijzen door helemaal niet aan Rennie, noch naakt noch met schuim bedekt, te denken.

Hij gooide de koffers op het bed. Daarna liep hij naar het bureau en maakte de bovenste la open. Onder een wirwar van onderbroeken, de oudste en meest comfortabele die hij had, vond hij de microfoon en de oortelefoon, het zogenaamde oortje, die daar waren neergelegd. Wesley had hem verteld waar ze verstopt zouden worden. Ze vormden zijn voortdurende verbinding met het bewakingsteam.

Hij deed het oortje in en sprak in het minuscule microfoontje. 'We zijn er.'

'Tien-vier. We zien je.'

'Met wie spreek ik?'

'Peterson. Ik leid de operatie.'

'Threadgill.'

'Aangenaam.'

'Waar ben je?'

'Het is beter dat je dat niet weet,' zei Peterson. 'Ik wil je niet in de verleiding brengen om me te zoeken en ons te verraden.'

'Hé, Wick, hoe was je reis?'

'Lang. Wie ben jíj?'

'Plum.'

'Hallo. Plum, ik wist niet dat Oren een van zijn mannen hierheen had gestuurd.'

'Het politiebureau van Fort Worth en dat van Galveston werken samen wat dit betreft. Lozada is hier een verdachte in een moordzaak geweest. Hoge piet van de georganiseerde misdaad die probeerde het gokken hier legaal te maken. Sommigen zeiden dat Lozada door een kerkelijke groepering was ingehuurd.'

'Ik denk eerder een hoge piet van een georganiseerde-misdaadcon-current.'

'Dat denk ik ook,' zei Plum. 'Geen enkele kerkelijke groepering zou zich Lozada kunnen permitteren. Hoe dan ook, de moord staat hier als onopgelost te boek, dus zijn ze bereid ons te helpen.'

'Fijn dat je er bent, Plum. Godzijdank ben jíj het en niet Thigpen.'

'Lik m'n reet, Threadhill.'

'O, God,' kreunde Wick. 'Alsjeblieft niet.'

'En als je dan toch bezig bent, lik ook de lekkere reet van de dokter namens mij.'

'Anders doe ík het wel voor je,' zei een anonieme stem.

'Beesten,' zei een vrouwenstem, blijkbaar een politieagente.

Thigpen zei: 'Threadgill, laat de microfoon aanstaan. We willen alles horen.'

'Goed, dat is het,' onderbrak Peters met scherpe stem. 'Kop dicht allemaal, tenzij je iets te melden hebt.'

'Dag jongens en meisjes. Veel plezier,' zei Wick honend.

'Krijg de kolere,' hoorde hij Thigpen fluisteren.

Hij hield het oortje in, zodat hij hun waarschuwingen kon horen, maar de microfoon zette hij uit. Rennie kwam uit de badkamer, een handdoek om zich heen. Toen ze hem zag bleef ze abrupt staan. 'Ik was vergeten dat mijn koffer nog...' Hij wees naar het bed. 'O. Dank je.'

Hij had de koffer naar haar toe kunnen brengen. Dat deed hij niet. Hij had zich kunnen excuseren en de kamer verlaten. Dat deed hij niet. In plaats daarvan liet hij haar door de kamer lopen, haar koffer pakken en hem meenemen naar de badkamer. Dat deed ze met een verbazingwekkende waardigheid voor een vrouw die van top tot teen nat was, en alleen bedekt door een van zijn miezerige handdoeken.

Haar achterkant was even mooi als haar voorkant. Hij genoot er intens van, hoewel hij zich bezorgd afvroeg of hij een slankere, schonere versie van Pigpen aan het worden was.

Wick was in de keuken toen Rennie zich weer bij hem voegde. 'Wat is hier doodgegaan?'

Hij wierp haar een blik toe. 'Een geopend pak bolognese worst. Ik vond het in de onderste la van de koelkast. Walgelijk. Wil je hier eten of buitenshuis, schat?'

'Maakt me niet uit.'

'Nee, jíj moet beslissen, lieveling.'

'Goed, ik wil liever hier eten, dan hoef ik me niet op te tutten.'

'Hou je van steaks?'

'Filet mignon.'

'Natuurlijk. Ossenhaas,' zei hij terwijl hij dat toevoegde aan wat volgens haar een boodschappenlijstje was. 'Voor jou is alleen het beste goed genoeg.'

'Blijf je zo, Wick?'

Hij keek haar aan en vroeg onschuldig: 'Hoe?'

'Sarcastisch. Hatelijk. Want als dat zo is, ga ik weg. Jij, Wesley en Lozada kunnen de pot op. Ik weet niet waarom ik hierin heb toegestemd. Lozada komt waarschijnlijk niet eens opdagen.'

Wick draaide zich om en staarde door het met een zoutlaag bedekte raam. 'Je vergist je, Rennie. Hij zál komen opdagen. Ik weet niet hoe of wanneer, maar hij zal het ongetwijfeld doen. Daar kun je op rekenen.'

De donkere overtuiging waarmee hij sprak, maakte dat ze wou dat zijn sarcasme terugkeerde.

De plechtige herinnering aan de reden waarom ze daar waren maakte in elk geval een einde aan het slechte humeur dat hij sinds het telefoontje van Lozada had gehad. Hij stond erop dat ze meeging naar de supermarkt. Terwijl hij haar naar zijn pick-up bracht, zei hij: 'Geliefden die op de vlucht zijn doen alles samen: het huishouden én de boodschappen.'

Ze was blij dat hij erop had aangedrongen dat ze meeging. Het huis was somber en saai. En ze had het geen prettig idee gevonden dat ze daar alleen was, in de verwachting dat Lozada zou verschijnen en in de wetenschap dat ze constant door undercoveragenten in de gaten werd gehouden.

Zelfs toen ze naast Wick in de pick-up zat voelde ze zich bekeken. Op het moment dat ze voor een verkeerslicht stopten, zei ze: 'Ik zie niemand naar ons kijken.'

'Ze zijn er wél.'

'Kunnen ze ons horen?'

'Alleen als ik de microfoon aanzet.'

Hij had het piepkleine oortje dat hij droeg aan haar uitgelegd. 'Zeggen ze nu iets?'

'Het blauwe bestelbusje twee auto's terug heeft ons net overgedragen aan de grijze Taurus daar, die aangeeft dat hij linksaf slaat.'

Ze dwong zichzelf niet te kijken. In plaats daarvan boog ze zich voorover om een andere radiozender op te zetten.

'Uitstekend, Rennie.'

'Ik doe mijn best.' Terwijl ze weer achterover ging zitten, glimlachte ze tegen hem. Hij verraste haar door een hand uit te steken en haar wang te strelen.

'Waarom doe je dat?'

'Voor de show. Voor het geval dat de politiemensen niet de enige zijn die ons in het vizier hebben.'

Dat was een verontrustende mogelijkheid. Daarom protesteerde ze niet toen Wick een arm om haar heen sloeg en vlak bij haar bleef terwijl ze van het parkeerterrein naar de winkel liepen. Daar speelde hij de rol van de attente, liefdevolle minnaar. Hij glimlachte vaak tegen haar, gaf een speels stootje tegen haar schouder, vroeg haar mening over alles wat hij in het karretje legde, en sloofde zich voor haar uit door met drie sinaasappels te jongleren.

Ze deelden een yoghurtijsje. En toen ze in de rij bij de kassa stonden, hield hij een *Sports Illustrated* in zijn ene hand en las een artikel, terwijl zijn andere hand haar nek masseerde met de verstrooidheid van iemand die gewend was dat te doen. Als zíj naar hen gekeken had, zou ze ervan overtuigd zijn geweest dat ze twee gelukkige, verliefde mensen waren.

Toen ze naar het huis terugkeerden, was de zon aan het ondergaan. 'Ik zal de houtskool aansteken. Terwijl het vuur smeult, kunnen we naar zee gaan.'

'Ik heb er niet aan gedacht om een badpak mee te nemen.'

'Dan zul je naakt moeten zwemmen.'

Ze wierp hem een peinzende blik toe en liep naar de slaapkamer. 'Ik heb een korte broek bij me. Die zal ik aantrekken.'

Toen ze een paar minuten later weer tevoorschijn kwam, had Wick zijn spijkerbroek omgewisseld voor een flodderige, korte broek met een strakke tailleband, die zijn borst nog breder en zijn middel nog smaller deed lijken. Ze spande zich tot het uiterste in om niet naar zijn gebruinde, gespierde kuiten te kijken.

Na één blik op haar zei hij zacht maar nadrukkelijk: 'Allemachtig!'

Haar gezicht begon te gloeien. Ze had zich omgekleed in een zwart, gebreid topje met smalle bandjes en een korte broek van gebleekte denim. Door deze outfit – of misschien door Wicks reactie erop – voelde ze zich onbehaaglijker dan toen ze alleen maar een handdoek droeg.

'Laten we gaan.' Hij draaide zich om en liep naar de deur.

'Hoe zit het met die dingen?' Ze wees naar de verbindingsapparatuur die hij, samen met zijn pistool, op de salontafel had laten liggen.

'Verdomme. Bijna vergeten.'

Hij moest zijn overhemd weer aantrekken, zodat hij de microfoon aan de binnenkant van de kraag kon vastmaken en de dunne draad van het oortje kon verstoppen. Het pistool stak hij in zijn broeksband, die door de slip van zijn lange overhemd werd bedekt.

Hand in hand liepen ze naar de kust en liepen de sterke stroming van de Golf in. Het was schemerdonker. Er waren alleen een paar achterblijvers op het strand. 'Bang voor haaien?' vroeg hij.

'In zulk ondiep water?'

'Daar vinden de meeste aanvallen plaats.'

'Is de kans niet groter dat we door de bliksem worden getroffen?'

'Of door Lozada worden gedood.'

Ze trok aan zijn hand om hem te doen stilstaan. Toen hij tegenover haar stond zei ze: 'Hij loog, Wick. De dingen die hij zei zijn niet waar.'

'Sst.' Blijkbaar sprak iemand tegen hem door het oortje. Hij trok haar in zijn armen en streek met zijn neus langs haar hals. 'Schuin achter je loopt een man rond, maar draai je niet om. Blijf komedie spelen. Als er iets gebeurt, als de hel losbreekt, ren je naar de branding, Rennie. Begrepen?'

Ze knikte.

Hij boog zich achterover, maar hield zijn handen losjes om haar middel. Er sloeg een golf tegen hun benen. Hun lichamen zwaaiden heen en weer. Om in evenwicht te blijven zette Wick zijn benen verder uit elkaar, met haar voeten tussen de zijne. Hij kuste haar wang vlak onder haar oor. Zijn handen gleden naar haar heupen. Toen er opnieuw een golf tegen hun knieën sloeg, klampte ze zich instinctief aan hem vast om haar evenwicht niet te verliezen. Ze voelde de spanning in zijn biceps. Hij speelde zijn rol goed, maar hij kon onmiddellijk in actie komen.

Toen zei hij: 'Niet onze man.'

Het was vals alarm geweest, maar ze bleven in dezelfde houding staan, haar handen op zijn bovenarmen en de zijne op haar billen. Het zand onder haar voeten verschoof. Ze had het gevoel dat de grond onder haar voeten wegzakte en dat Wicks blauwe blik nog het enige vaste punt in het universum was.

'Hij loog, Wick.'

'Dat weet ik. Ik...'

'Ben je daar zeker van?'

'Heel even maar...'

'Geloofde je hem.'

'Niet echt. Goed, hij had me misschien een halve seconde tuk. Waarschijnlijk vermoedde hij dat je meeluisterde en zei hij die dingen om je in verlegenheid te brengen. Maar ook al luisterde je niet, hij wist dat zijn woorden mij op stang zouden jagen. En dat was ook zo. Hij had me te pakken en ik gedroeg me als een ezel. Dat besefte ik een seconde of negentig later, maar ik was...'

'Te stijfkoppig om het toe te geven.'

'Mag ik misschien een zin afmaken?'

'Sorry. Wat wilde je zeggen?'

'Ik wilde zeggen dat de manier waarop hij over je sprak voor mij genoeg reden is om hem te willen vermoorden. En dat...'

'Wat?'

'Dat ik je nu ga kussen en zorgen dat het lijkt of ik het meen.'

Hij boog zijn hoofd en drukte zijn mond op de hare. Zijn tong gleed makkelijk naar binnen en speelde met de hare in wat een paringsritueel leek, oeroud en wezenlijk. Een golf overviel haar onverwacht van achteren en duwde haar tegen hem aan. Onderlichamen stootten tegen elkaar.

'Allemachtig,' kreunde hij. Zijn vingers spanden zich om haar heupen en hielden haar stevig vast.

Er verspreidde zich een golf van hitte door haar schaamstreek. Het gevoel was té fijn. Daarom trok ze zich terug. 'Wick, ik kan niet...' De woorden bleven in haar keel steken. 'Ik kan niet in evenwicht blijven.'

Hij liet haar los. 'We moeten tóch ophouden.'

Maar toen ze terugliepen naar het huis, was zijn gezicht hard en strak, zijn passen waren lang en boos, en ze geloofde geen moment dat hij had willen stoppen.

29

Ze speelden zo'n doorzichtig spelletje!

Dachten die undercoversukkels dat hij ze er niet uitpikte? Ze konden net zo goed fluorescerende hesjes dragen. Het stevige wijf met haar behaarde metgezel die het zand met hun metaaldetector afzochten. En de dikke vent die op de pier zat te vissen. Zijn hoed was te nieuw en zijn techniek te gebrekkig. De drie mannen en een meisje die aan het picknicken waren deden te hard hun best om zich te amuseren. De anderen waren even gemakkelijk herkenbaar.

Lozada had hen allemaal gezien vanaf de passagiersstoel in het bestelbusje van de vrouwelijke makelaar. Ze was in de vijftig, vriendelijk en zeer welwillend. Hij had het reclamebord gezien waarop ze als de meest succesvolle makelaar in onroerend goed van Galveston Island werd aangeprezen. Hij had haar vanuit zijn auto opgebeld.

Dank zij het onderzoek van Weenie Sawyer wist hij waar Wicks huis stond. Hij had tegen de makelaar gezegd dat hij in díe buurt een lap grond wilde kopen om een strandhuis voor zijn vrouw en vier kinderen te bouwen. Hij had gevraagd om een afspraak later in de avond. Ze hadden elkaar op haar kantoor ontmoet, en daarna had ze hem in een van haar bedrijfsbusjes hierheen gereden. Het logo dat op de zijkant was geschilderd was op het hele eiland een vertrouwd gezicht. De politie zou geen aandacht aan het busje besteden.

Terwijl ze maar doorratelde over de uitstekende beleggingsmogelijkheden van huizen aan zee, ontdekte Lozada de politiemannen op het strand.

Hij deed ze af als onbetekenende amateurs en concentreerde zich op Rennie en Wick. Ze liepen door de branding. Hand in hand. Wat lief. Wat romantisch. Alles geënsceneerd om hem uit zijn tent te lokken en met een verzonnen aanklacht om de oren te slaan.

Maar wat écht stak, was dat deze gloednieuwe romance van hen geen armzalige actie van de politie was, zoals hij aanvankelijk had gedacht.

Het was écht, wérkelijkheid, en als zodanig was het een belediging. Zijn bloeddruk steeg toen hij zag dat Wick haar betastte. Zelfs vanaf deze afstand kon hij zien dat hun kus niet gespeeld was. Wat alleen maar bevestigde dat Rennie een hoer was.

Ze was al een hoer vanaf haar jeugd. Ze had haar benen gespreid voor elke boerenpummel in het gat waar ze was opgegroeid, en nu spreidde zij ze voor Wick Threadgill, dagen nadat Lozada haar zijn liefde had verklaard. Daar had hij nu heel veel spijt van. Waarom had hij zich niet eerder gerealiseerd dat ze een hoer was, hem en zijn aandacht niet waard?

Ze had hem beetgenomen. Al tijdens het proces had ze gezien dat hij zich tot haar aangetrokken voelde, en ze had spelletjes met hem gespeeld. Ze had haar koele, gereserveerde houding gebruikt om hem te tergen en zichzelf begeerlijk te maken.

Nou, hij wilde haar niet meer. Ze had laten zien dat ze verachtelijk was.

O, hij wilde nog steeds met haar vrijen. En als hij dat deed, zou hij haar pijn doen. Wanneer hij met haar klaar was, zou ze begrijpen dat niemand ongestraft met Lozada speelde. Misschien zou hij Threadgill dwingen toe te kijken. O, ja. Threadgill zou duur moeten betalen omdat hij iets had genomen wat van hem, Lozada, was.

'Mr. Smith?'

'Ja?'

'Ik vroeg of u de financiering al hebt geregeld.'

Hij was bijna vergeten dat de makelaar naast hem zat. Hij wendde zich tot haar en overwoog serieus haar een dodelijke nekslag te geven. Dan zou ze snel en pijnloos dood zijn en hij zou een beetje stoom hebben afgeblazen. Maar hij had nooit gezond verstand door spontaniteit laten overheersen. Daar was hij te gedisciplineerd voor.

Hij gaf antwoord als de aardige Mr. Smith en zei: 'Het geld zou geen probleem zijn.'

'Uitstekend.' Ze begon energiek aan de volgende fase van haar verkoopverhaaltje.

Hij zou spoedig een punt achter deze ontmoeting moeten zetten. Vanuit de veiligheid van het busje had hij alles gezien wat hij moest zien. De schemering was in diepe duisternis veranderd, zijn favoriete tijd. Hij keek uit naar de drukke nacht die voor hem lag.

'Hoe smaakte je steak?'

'Perfect.'

'Daar ben ik blij om.' Wick leunde met zijn onderarmen op de rand van de tafel en rolde zijn glas wijn tussen zijn handpalmen. 'De Merlot was een goede keus.'

'Inderdaad.'

'Dat kan ik niet van het glas zeggen.' Tot zijn verzameling slecht bij elkaar passende glazen behoorden geen wijnglazen, daarom dronken ze uit kleine limonadeglazen.

'Ik vond het niet erg.'

Hij draaide de robijnrode vloeistof rond in het glas. 'Weet je wat ik denk?'

'Nou?'

'Als dit een blind date was, zou het een flop zijn.'

'Het is moeilijk een oppervlakkig gesprek te voeren als je te kijk zit,' zei ze met een wrang glimlachje. 'Ik voel me net een goudvis in een kom.'

Ze hadden buiten op het terras gezeten terwijl de steaks en de aardappels gaar werden op de houtskool. Ze hadden wijn gedronken, zij het weinig, en naar het ruisen van de zee geluisterd.

De schommelstoel had telkens gekraakt wanneer Rennies blote voet er een zacht duwtje tegen gaf. In die korte broek leken haar benen wel veertien kilometer lang! Op haar dijen waren kleine zoutvlekjes, waar spetters zeewater waren opgedroogd. Wicks blik was er vaak heen gedwaald.

Een jonge hond was het terras opgelopen, ongetwijfeld aangetrokken door de geur van het vlees. Rennie ging op haar hurken zitten, krabde achter zijn oren en lachte de lach van een kind toen hij probeerde haar gezicht te likken. Ze speelde met hem tot zijn baasje schril floot. Hij rende gehoorzaam weg, maar ineens bleef hij staan, draaide zijn kop om en keek haar smachtend aan, alsof hij het vreselijk vond haar te moeten verlaten. Daarna verdween hij in de duisternis om zich weer bij zijn eigenaar te voegen.

Ongeveer om de vijf minuten hadden de undercovers, een voor een, contact met Peterson. Wick kon hen in zijn oortje horen. Als Lozada al op Galveston Island was, hij bleef onzichtbaar. Hij was bij geen enkel hotel, motel, of pension ingeschreven. Dat verbaasde Wick niet.

Peterson vertelde welke signalen ze moesten geven. Als het goed met jullie gaat, krab dan je neus. Stop je rechterhand in je zak. Rek je uit. Dat soort zaken. Maar het werd zo erg, dat Wick niet echt meer luisterde naar de stemmen in zijn oor. Als zich een onverwachte gebeurtenis voordeed, zou hij adequaat reageren, maar voorlopig hield hij het met bacon omwikkelde vlees in de gaten en zat hij de rest van de tijd naar Rennie te kijken.

Toen de steaks klaar waren, hadden ze de maaltijd naar binnen gebracht. Tijdens het eten had haar blote voet onder de tafel contact met zijn kuit gemaakt. Ze had zich niet verontschuldigd voor de toevallige aanraking, wat een soort vooruitgang was. Maar ze had het ook niet erkend. Ze had net gedaan of het niet was gebeurd.

Ze had een vergeelde kaars in een la gevonden en had die op een schoteltje op de tafel gezet om een romantische sfeer te scheppen en de lelijkheid van zijn keuken te helpen verdoezelen. Maar het enige dat het kaarslicht echt benadrukte en er goed deed uitzien was Rennie.

Als haar haar los hing, zoals nu, had ze de gewoonte er met haar vingers doorheen te gaan. Ze was zich daar niet van bewust. Hij wél, omdat hij het fijn vond om te zien hoe haar haren door haar vingers gleden en vervolgens over haar schouders vielen. Vloeibaar maanlicht, dacht hij. Hij vroeg zich af wanneer hij een poëet was geworden.

Het kaarslicht verdiepte de driehoekige schaduw onder aan haar keel en de gleuf tussen haar borsten.

De hele avond had hij geprobeerd de vorm te negeren die ze aan het nauwsluitende, zwarte, gebreide topje gaven, maar sommige dingen waren onverdraaglijk voor een mens. En voor hem was dit er een van.

De maaltijd was smakelijk en verzadigend geweest. Zijn maag was vol, maar er knaagde een andere honger aan hem. Het was beter geweest als hij haar niet opnieuw had gekust. Het was onnodig geweest. Overbodig. Te veel. Hun avondwandelingetje door de branding zou er zonder de kus even romantisch hebben uitgezien. Het enige resultaat ervan was dat hij hevig naar haar verlangde, met een bijna dodelijke begeerte.

Ze dronk haar wijn op en keek hem aan. 'Je zit te staren.'

'Ik probeer er genoeg van te krijgen.'

'Waarvan?'

'Van jou,' zei hij. 'Van het kijken naar jou. Omdat je, als dit voorbij is en hoe het ook afloopt, de draad van je leven weer zult oppakken en ik er geen deel aan zal hebben. Is het niet, Rennie?'

Langzaam schudde ze haar hoofd.

'Daarom zit ik te staren.'

Ze wierp haar haar naar achteren en pakte haar bestek op. Maar toen ze hem op weg naar de gootsteen passeerde, greep hij haar arm vast.

'Ontspan je, Rennie. Misschien heb je geluk en brengt Lozada me om.'

Ze trok zich los. Daarna bracht ze de borden naar de gootsteen en zette ze hard neer. 'Dat was iets afschuwelijks om te zeggen.'

'Zou het je iets kunnen schelen?'

'Natuurlijk zou het me iets kunnen schelen!'

'Goed, goed. Je houdt je bezig met het redden van levens, is het niet? Vreemd... aangezien je flirt met de dood.'

Ze lachte kort. 'Ik flirt met de dood?'

'De hele tijd. Je bent roekeloos. Je neemt onnodige risico's.'

'Waar heb je het in godsnaam over?'

'Geen alarmsysteem in je twee huizen. Ronduit stom voor een vrouw die alleen woont. Zonder zadel rijden en over hekken springen. Gevaarlijk, hoe goed je ook kunt paardrijden. Naar oorden in de wereld gaan waar het elke dag feest is voor de man met de zeis. Je flirt met hem, Rennie.'

'Je hebt te veel wijn op.'

Hij ging naast haar staan bij de gootsteen. 'Je leeft het leven niet, Rennie, je tárt het.'

'Óf je bent dronken óf je bent stapelgek.'

'Nee, ik heb gelijk. Onafhankelijke Rennie, dat ben jij. Geen vriendinnen, vrienden of vertrouwelingen. Geen sociaal verkeer. Niets, behalve die vervloekte onzichtbare muren die je optrekt wanneer iemand te dicht bij je komt.

Je houdt zelfs je patiënten op een afstand. Is dat niet de reden waarom je de voorkeur aan chirurgie gaf boven een ander specialisme? Omdat je patiënten bewusteloos zijn? Je kunt ze behandelen en genezen zonder enige emotionele betrokkenheid van jouw kant.'

Peterson vroeg in het oortje: 'Threadgill, is alles oké?'

'Hij staat erom bekend dat hij niet meer weet wat hij doet,' zei Thigpen.

'Ik wil graag horen wat hij tegen haar zegt,' zei de agente. 'Zijn houding staat me niet aan.'

Wick negeerde hen. 'Je overlaadt je paarden met liefde. Je smelt bij het zien van een puppy. Je rouwt om een wild dier dat je moest doden. Maar als je huid in contact komt met een ander mens, negeer je het of vlucht je ervoor weg.'

'Dat is niet waar.'

'O, nee?'

'Nee.'

'Bewijs het.'

Hij leunde over de tafel en blies de kaars uit, waardoor het donker werd in de keuken. Hij rukte het oortje uit zijn oor. Daarna sloeg hij een arm om haar middel en trok haar tegen zich aan.

'Wick, nee!'

'Bewijs me dat ik me vergis.' Zijn lippen zweefden boven de hare en gaven haar de kans opnieuw te protesteren. Toen ze dat niet deed, kuste hij haar. Voorzichtig opende hij haar mond. Zijn tong zocht de hare. Toen ze elkaar raakten, kuste hij haar intenser en drukte zijn onderlichaam tegen haar aan.

Ze trok zich los en wendde haar hoofd af. 'Wick...'

Hij trok een spoor van kussen over haar hals en knabbelde zacht aan haar huid. Ze priemde haar nagels in zijn schouders. 'Alsjeblieft!'

'Dat zou ik ook kunnen zeggen, Rennie.'

Hij boog zijn hoofd en kuste de welving van haar borsten boven haar halslijn.

'Nee.' Ze gaf hem een harde duw.

Wick liet zijn armen zakken. Hij deed een stap naar achteren. Ze hijgden alletwee. Hij hoorde dat Peterson hem uitschold door het oortje, dat nu op zijn borstkas bungelde.

Hij probeerde zijn woede onder controle te houden, maar zijn boosheid was door opwinding gevoed en kon nog niet worden onderdrukt. Duidelijk geïrriteerd zei hij: 'Ik snap het gewoonweg niet.'

'Wát snap je niet?'

'Waarom je nee blijft zeggen.'

'Ik heb de keuze om nee te zeggen.'

Er welde een grom van frustratie uit zijn keel op. 'Het is zo verdomde fijn, Rennie. Waarom vind jíj dat niet?'

'Ik vind het wél fijn.'

Hij dacht dat hij haar niet goed had verstaan, en reikte naar de schakelaar aan de muur om het licht aan te doen. 'Wát?'

Ze knipperde met de ogen tegen het plotselinge licht. Daarna ontmoette ze zijn verwarde blik. Met hese stem zei ze: 'Ik heb nooit gezegd dat ik het niet fijn vond.'

Hij keek haar met zoveel onbegrip aan, dat het niet eens tot hem doordrong dat er een zaktelefoon overging tot ze vroeg: 'Is dat de jouwe?'

Hij tastte naar de telefoon die aan zijn broeksband was vastgemaakt. Daarna schudde hij zijn hoofd. 'Het moet die van jou zijn.'

Ze liep weg om haar telefoon op te halen. Wick deed het oortje weer in en ving het staartje van een vernietigende veroordeling op. Hij zette de microfoon aan. 'Rustig maar, Peterson. Alles is goed met ons.'

'Wat is er aan de hand, Threadgill?'

'Niets. Een elektrisch probleempje toen we probeerden het licht aan te doen. Kortsluiting of zoiets.'

'Is alles oké?'

'Ja, ik sta op het punt de afwas te doen en Rennie is aan het tele...'

Hij brak af toen hij zich omdraaide en de uitdrukking op haar gezicht zag. 'Wacht even, jongens. Iemand heeft haar net gebeld via haar mobieltje.'

Ze hield haar zaktelefoon met beide handen vast en luisterde nog een seconde of vijftien. Toen liet ze hem langzaam zakken en verbrak de verbinding.

'Lozada?' vroeg Wick. Ze knikte. 'Verdo... wat zei hij?'

'Hij is hier.'

'Zei hij dat tegen je?'

Ze bracht haar hand naar haar keel in een onbewust gebaar van zelfbescherming. 'Dat was niet nodig. Hij liet me weten dat hij ons had gezien.'

'Hebben jullie dat verstaan, jongens?' vroeg Wick in de microfoon. Nadat dat via het oortje was bevestigd, gebaarde hij Rennie door te gaan.

'Hij zei dat ik vaker zwart moest dragen, dat het een goede kleur voor me was. Hij vroeg of jij een fatsoenlijke steak kon maken.'

'Is hij zó dichtbij?'

'Kennelijk.'

'Wat nog meer?'

Ze keek hem strak aan, met een smekende blik in haar ogen. Langzaam reikte hij naar het microfoontje en zette het uit. Later zou hij op zijn donder krijgen, maar nu maakte hij zich meer zorgen om Rennie dan om het feit dat hij de politie van Galveston had gekrenkt.

'Ze maken een hoop stampij in mijn oor, maar ze kunnen je niet horen. Vooruit. Vertel me wat hij zei.'

'Hij zei... vulgaire dingen. Over jou en mij. Ons. Samen.'

'Zoals de dingen die hij eerder vandaag zei?'

'Nog erger. Hij zei dat voor ik... voor ik...' Ze sloeg haar armen om zich heen en hield haar ellebogen vast.

'Vrij vertaald zei hij dat ik, voordat ik te verliefd op je werd, moest vragen hoe je het onderzoek naar de moord op je broer had verknald.'

306

'Ze durfde het niet letterlijk weer te geven. Ik denk dat het ontzettend grof was.'

Oren was zo moe, dat zijn oogbollen pijn deden. Hij wreef in zijn ogen terwijl hij luisterde naar Wicks verslag over het meest recente contact dat Lozada met hen had gehad.

'Hij bracht het onderzoek van de moord op Joe ter sprake en zei dat ik het had verpest. Hij probeert duidelijk een wig tussen ons te drijven, zoals eerder vandaag toen hij zei dat hij en Rennie geliefden waren.'

'En werkte het?'

'Niet in die zin, maar we zijn alletwee een beetje prikkelbaar. Ze neemt nu een douche. De tweede sinds we hier zijn. Ze is schoon, dat geef ik toe.'

'Ik ben meer geïnteresseerd in de plaats waar Lozada zich bevindt dan in de hygiëne van dokter Newton. Heeft een van die undercovers hem gezien?'

'Geen spoor.'

'Hoe kon hij zo dichtbij komen dat hij jou steaks zag klaarmaken zonder door hen gezien te worden? Een verrekijker, denk ik.'

'Of hij had zich drie meter vanaf de voordeur tot aan zijn oogbollen in het zand ingegraven. Bij Lozada is alles mogelijk. Je kunt hem nooit betrappen op een normale werkwijze. Peterson lijkt me competent genoeg, maar...'

'Je werkt niet mee.'

'Zei hij dat?'

'Neem je daar aanstoot aan?'

'Ik hou er niet van als er over me wordt geklikt alsof ik een kind ben.'

'Hou dan op je als een kind te gedragen. Hij zei dat je zelden de microfoon aan laat staan en dat je slechts de helft van de tijd het oortje in hebt.'

'Ik heb het mínstens de helft van de tijd in.'

'Vind je dit een geschikt moment voor grappen? Die mensen hebben hun leven voor jou op het spel gezet,' zei Oren nijdig. 'Vergeet niet dat als Lozada zo dicht bij je is, hij ze waarschijnlijk al heeft ontdekt.'

Oren hoorde Wick diep zuchten. 'Ik weet het, daar heb ik ook al aan gedacht. En ik ben serieus. Echt waar. Ik stel op prijs wat ze doen, en dat meen ik.'

'Het kan geen kwaad als je dat tegen hen zegt.'

'Ik zal het zo vlug mogelijk doen.'

'Het kan zijn dat Lozada ze heeft gezien en dat dat de enige reden is waarom hij niets heeft ondernomen.'

'Daar heb ik ook al aan gedacht.'

'Er is één ding dat me verbaast.'

'Eén ding maar?'

'Waarom die telefoontjes? Dit is Lozada's stijl helemaal niet. Het is niets voor hem om zich zo onvoorzichtig te gedragen. Hij heeft nog nooit een slachtoffer gewaarschuwd.'

Wick dacht even na. 'Deze keer doet hij het niet voor het geld. Het is geen klus, het is een persoonlijke aangelegenheid.'

Grace stak haar hoofd om de deur en keek Oren vragend aan. Hij gebaarde haar binnen te komen. Ze ging naast hem op de sofa zitten. Toen legde ze haar hoofd op zijn schouder. Hij bracht haar hand naar zijn lippen en drukte er een kus op. Telkens wanneer hij dacht aan wat Lozada haar had kunnen aandoen, als hij dat had gewild, stierf Oren een beetje.

'Nou, we weten in elk geval dat hij in Galveston is,' zei hij in de telefoon. 'Er is al een opsporingsbericht verspreid.'

'Ik hoop dat ze gewaarschuwd zijn om voorzichtig te werk te gaan. Op grond waarvan zal hij worden gearresteerd?'

'Aangezien hij vandaag dat telefoontje pleegde en het obsceen was, kunnen jij en dokter Newton getuigen dat hij haar stalkt. Als we hem vinden, kunnen we hem om die reden inrekenen.'

'Het is een flinterdunne beschuldiging, Oren.'

'Maar het is alles wat we hebben.'

'Goed, ik ga nu Petersons veren gladstrijken,' zei Wick. 'Over en uit.'

Na te hebben opgehangen bracht Oren Grace van de laatste ontwikkeling op de hoogte.

'Kan dokter Newton de situatie aan?'

'Wick zegt dat ze in orde is. Schoon.'

'Hij is op haar gesteld.'

'Hij is op haar uiterlijk gesteld.'

'Meer dan dat. Ik denk dat hij deze keer écht is gevallen.'

'Voor haar?' Hij snoof. 'Dat is toch niks nieuws? Wick is voor elke vrouw gevallen met wie hij het bed heeft gedeeld. Zijn liefdesverhoudingen beginnen met een erectie en eindigen met een climax.'

'En dat maakt hem uniek?' zei ze lachend. 'Het geldt voor de meeste mannen.'

'Voor mij niet.'

'Jij bent niet als de meeste mannen.'

Hij gaf haar nog een handkus. 'Ik mis de meisjes.'

'Ik ook. Ik heb ze vanmiddag gesproken. Ze amuseren zich kostelijk. Mijn moeder houdt ze wel bezig, maar ze missen hun vriendinnen en vragen altijd hoelang het nog duurt voor ze weer thuis mogen komen.'

'Voorlopig niet, Grace. Als er ook maar de geringste kans bestaat dat Lozada...'

'Ik weet het,' zei ze terwijl ze zijn borst streelde. 'En ik ben het volstrekt met je eens. Ik heb het ze ook uitgelegd.'

'Begrijpen ze het?'

'Misschien niet helemaal, maar als zíj ouders zijn, zullen ze het wél snappen. Kom, ga mee naar bed.'

'Ik kan nu niet slapen. Ik moet terug naar kantoor.'

Ze stond op en trok aan zijn arm. 'Sinds wanneer slápen we alleen maar in bed?'

'Sorry, schat. Ik ben te moe om nog iets op dat gebied te kunnen presteren.'

Ze boog zich voorover en kuste hem. 'Laat alles maar aan mij over,' zei ze met een sexy stem.

'De agente is in de keuken.'

'Zij en ik hebben een openhartig gesprek gehad. We worden alleen gestoord als er een noodgeval is.'

Het klonk allemaal verleidelijk, maar toen hij op zijn horloge keek, fronste hij zijn voorhoofd. 'Ik heb beloofd over een half uurtje terug te zijn.'

Grace stak glimlachend een hand naar hem uit. 'Hmm, ik hou van een uitdaging.'

Pas drie kwartier later keerde hij terug naar zijn kantoor in het hoofdbureau. Al had hij niet geslapen, hij voelde zich stukken beter na dertig minuten met Grace in bed te hebben doorgebracht. God, wat hield hij van die vrouw.

Voor hij het vroeg wist hij al dat er niets meer uit Galveston was vernomen. Anders zou hij zijn gebeld of opgepiept. Maar hij vroeg het tóch. 'Niets,' antwoordde een andere rechercheur. 'Maar er zit een vent op je te wachten.'

'Wat voor vent?'

'Daarginds.'

De onverzorgde, smoezelige persoon die met ingezakte schouders op de stoel in de hoek zat, kauwde op de nagel van zijn wijsvinger alsof het zijn laatste maaltijd was.

'Wat wil hij?' vroeg Oren.

'Dat wou hij niet zeggen.'

'Waarom ík?'

'Dat wou hij evenmin zeggen. Hij wilde alleen met jou praten en met niemand anders.'

Oren wierp opnieuw een blik op de man. Hij was er zeker van dat hij hem nooit eerder had gezien. Dat had hij zich ongetwijfeld herinnerd. 'Hoe heet hij?'

'Dat geloof je niet! Weenie Sawyer!'

30

Rennie steunde op een elleboog. De afgelopen dertig minuten had Wick voor het slaapkamerraam naar buiten staan kijken. Roerloos. Zijn ene arm lag op de vensterstijl vlak boven zijn hoofd. De andere hing losjes langs zijn zij. In die hand hield hij zijn pistool. Hij leunde met zijn gewicht op zijn linkervoet, om zijn rechterzij te ontzien. Zijn korte broek hing laag op zijn heupen. Het verband op zijn rug leek erg wit in de donkere kamer.

'Is er iets?' fluisterde Rennie.

Hij keek over zijn schouder. 'Nee. Sorry dat ik je heb gestoord.'

'Hoorde je...'

'Nee, niets.' Hij liep terug naar het bed en legde zijn pistool op het nachtkastje. 'De undercovers hebben zich regelmatig gemeld, maar verder is het stil geweest.'

'Geen nieuws over Lozada?'

'Geen nieuws. Ik wou dat de klootzak zich liet zien en er een eind aan maakte. Dit wachten maakt me gek!' Hij ging naast haar liggen, met zijn handen onder zijn hoofd.

'Hoe laat is het?' vroeg ze.

'Nog een uur voor het ochtendgloren. Heb je kunnen slapen?'

'Ik heb gesluimerd.'

'Ik ook zo'n beetje.'

Omwille van de microfoon die los op zijn borst hing, loog hij. Net als zij. Ze hadden de hele nacht zij aan zij gelegen, stil en gespannen. Elk van hen was zich er heel goed van bewust geweest dat de ander wakker was, maar had dat, om persoonlijke redenen, niet durven erkennen.

'Je moet wat slaap zien te krijgen, Rennie.'

'In mijn eerste jaar als co-assistent heb ik geleerd het met heel weinig slaap te doen. Als ik nu besef hoeveel patiënten ik heb behandeld terwijl ik vrijwel slapend rondliep, vliegt de angst me naar de keel.'

'Heb je altijd geweten dat je dokter wilde worden?'

'Nee. Pas in mijn tweede jaar op de universiteit besloot ik medicijnen te gaan studeren.'

'Waarom?'

'Het klinkt banaal.'

'Wilde je je medemens helpen?'

'Ik zei al dat het banaal klonk.'

'Alleen als je aan een schoonheidswedstrijd meedoet.'

Ze lachte zacht.

'Ik vind het helemaal geen banale verklaring,' vervolgde hij. 'Het is precies de reden waarom ík politieman wilde worden.'

'Ik dacht dat je in de voetstappen van je grote broer wilde treden.'

'Dat ook.'

'Je hebt een goede loopbaan gekozen, Wick.'

'Vind je dat?'

'Ik zie jou niet acht uur per dag achter een bureau zitten. Acht minúten per dag! Ik had moeten weten dat je loog toen je je voor een software-expert uitgaf.'

'Dat spijt me.'

'Je moest je werk doen.'

'Nog steeds.'

Daarmee waren ze weer terug bij Lozada. Ze ging met haar gezicht naar hem toe liggen. 'Wat denk je dat hij zal doen?'

'Wil je een eerlijk antwoord?'

'Alsjeblieft.'

'Ik heb geen flauw idee.'

'En rechercheur Wesley?'

'Oren weet het ook niet. Ik heb Lozada jarenlang bestudeerd, maar het enige dat ik met zekerheid weet is dat, als hij toeslaat, we het niet zullen zien aankomen. Het zal zijn als de steek van een van zijn schorpioenen. We zullen het niet zien aankomen.'

'Angstaanjagende gedachte.'

'Nou en of. Dát maakt hem zo goed.' Ze zwegen een tijdje. Toen draaide hij zijn hoofd om en keek haar aan. 'Heeft hij je seksueel misbruikt, Rennie?'

'Hij rukte mijn bloes open om te kijken of ik een zendertje droeg. Hij dacht...'

'Niet Lozada.' Demonstratief zette hij de microfoon uit. 'T. Dan.'

'Wat? Nee! Nooit.'

'Iemand anders?'

'Nee. Hoe kom je daarbij?'

'Wanneer meisjes in hun tienertijd met Jan en alleman het bed induiken, komt dat soms omdat ze als kind zijn misbruikt.'

Ze glimlachte droef. 'Hou op te proberen een rechtvaardiging voor mijn wandaden te vinden, Wick. Die is er niet.'

'Ik probeer ze niet te rechtvaardigen, Rennie. Net zomin als ik heb geprobeerd te rechtvaardigen waarom ik zoveel mogelijk meisjes trachtte te versieren.'

'Voor jongens zijn de regels anders.'

'Dat zou niet zo moeten zijn.'

'Nee, maar het is wél zo.'

'Niet volgens míjn reglement. Geloof me, ik ben wel de laatste om de eerste steen te werpen.' Zijn hand reikte naar de hare. 'Wat ik moeilijk kan begrijpen, is waarom je jezelf straft voor dingen die je twintig jaar geleden hebt gedaan.'

'Wat is de verjaringswet voor zelfkastijding?'

'Sorry?'

'Hoelang geleden is Joe vermoord?'

Hij liet haar hand los en sprong uit bed. 'Dat is niet hetzelfde.'

'Nee, dat klopt. Maar het is wel relevant.'

Hij zette zijn handen op zijn heupen. 'Lozada heeft je nieuwsgierig gemaakt. Is dát het? Hij waarschuwde dat voor je... hoe zei je dat ook alweer? Voordat je te verliefd op me werd, moest je...'

'Voordat je me van achteren neukte. Dát is wat hij zei.'

Hij liet zijn strijdlustige houding varen, zuchtte, en haalde zijn vingers door zijn haar. Hij ging op de rand van het bed zitten met zijn rug naar haar toe, legde zijn onderarmen op zijn knieën en boog zijn hoofd. Toen begon hij zijn voorhoofd te masseren. 'Het spijt me, Rennie. Je had daar niet naar moeten luisteren.' Hij voegde er kalm aan toe: 'En ik had het je niet moeten laten herhalen.'

'Het geeft niet. Mijn reden om naar Joe te vragen heeft niets met Lozada te maken.'

'Dat weet ik.'

'Wat is er gebeurd toen hij vermoord werd?'

Hij ademde diep in en langzaam uit. 'Aanvankelijk was ik zo geschokt, dat ik niet meer kon denken. Ik kon het niet bevatten. Joe was dood. Mijn broer was er niet meer. Voorgoed verdwenen. Hij was er mijn hele leven geweest. En plotseling was hij een lijk in het lijkenhuis

313

met een label aan zijn teen. Het leek,' – hij spreidde zijn handen, alsof hij het juiste woord probeerde te grijpen – 'onwerkelijk.'

Hij ging staan en begon langs het bed te ijsberen. 'Het drong pas echt tot me door op de begrafenis twee dagen later. Intussen werkte Oren het klokje rond, ondanks zijn verdriet, en probeerde een zaak tegen Lozada op te bouwen. Hij liet het rechercheteam elke kiezelsteen op dat parkeerterrein omkeren. Hij liet ze onder elk grassprietje in het gazon ernaast kijken, op zoek naar iets wat ook maar enigszins met Lozada in verband kon worden gebracht. Voordat Oren een huiszoekingsbevel kon krijgen of een reden had om hem voor verhoor op te pakken, had hij iets nodig, iets van bewijs, hoe klein ook, dat Lozada als de schuldige aanwees.

En toen, vlak voor de begrafenis, zei Oren tegen me dat ze eindelijk iets hadden gevonden. Een zijden draadje. Eén zijden kastanjebruin draadje, niet langer dan vijf centimeter, was op de plaats van de misdaad gevonden. Het lab had het al onderzocht en vastgesteld dat het afkomstig was van zeer dure kleren, het soort dat in deze streek alleen in de meest exclusieve winkels te koop was. Het soort dat Lozada droeg. Als ze in zijn klerenkast een kledingstuk konden vinden dat van die stof was gemaakt, zouden ze hem hebben.

De begrafenis werd door een grote massa bijgewoond. Politiemensen komen gesneuvelde collega's altijd eer bewijzen, weet je. In de kerk was niet genoeg plaats voor al die mensen. Het kerkkoor zong. Engelen hadden het niet beter kunnen doen. De grafredes waren ongelofelijk ontroerend. De dominee hield een troostrijke preek.

Maar ik hoorde er geen woord van. Ik hoorde helemaal níets. Niet de liederen, de grafredes, de preek over het eeuwige leven. Ik kon alleen maar denken aan dat bezwarende zijden draadje.'

Hij was weer naar het raam gelopen en had zijn oorspronkelijke houding aangenomen, starend naar de oceaan. 'Ik hield het vol tot en met de ceremonie bij het graf, het slotgebed, de eenentwintig saluutschoten. Grace en Oren traden als gastheer en gastvrouw op. Meer dan honderd mensen dromden samen in hun huis, dus het was niet moeilijk voor me om ongezien naar buiten te glippen. Dit was vóór Trinity Tower. Lozada woonde in een huis in de buurt van de TCU-campus. Ik stormde naar binnen, ook al was hij op dat moment thuis.

Je kunt waarschijnlijk wel raden wat er gebeurde. Ik haalde zijn hele huis overhoop. Doorwoelde als een gek zijn kleren. Keerde laden om. Doorzocht het hele huis. En weet je wat hij al die tijd deed? Lachen.

314

Hij lachte zich rot omdat hij wist dat ik bezig was elke kans te vernietigen die we hadden om hem aan te klagen voor de moord op Joe.

Toen ik het kledingstuk dat ik had gehoopt te zullen vinden, niet vond, vloog ik hem naar de keel. Dat litteken boven zijn ogen? Heeft hij aan mij te danken. Hij is er trots op omdat het zijn grootste overwinning betekent. Voor mij symboliseert het mijn dieptepunt. Ik ben er heilig van overtuigd dat ik hem zou hebben gedood als Oren niet was verschenen en me van hem had afgetrokken. Daarvoor ben ik Oren mijn dank verschuldigd, én mijn leven. En de enige reden waarom Lozada me niet vermoordde en aanspraak maakte op noodweer, is dat hij wist hoe kwellend het voor me zou zijn om hiermee te leven.'

Hij liep langzaam terug. Zijn ogen vonden de hare in het donker. 'Alle last die Lozada je heeft bezorgd heb je in wezen aan mij te danken. Als ik niet mijn zelfbeheersing en mijn gezonde verstand had verloren, zou hij nu ter dood zijn veroordeeld en dan zou jij hier niet in de rotzooi zitten.'

Grinnikend spreidde hij zijn armen om de kleine kamer te omvatten. 'En ik ook niet. Ik zou niet in een krot wonen terwijl ik mijn wonden lik en een elastiekje om mijn pols draag om paniekaanvallen af te weren, als een...'

'Mens,' onderbrak ze. 'Je hebt het zelf gezegd, Wick. Plotseling overkwam je een heleboel ellende. Alles wat je voelde, alles wat je nu voelt is menselijk.'

'Nou, soms zou ik beter minder menselijk kunnen zijn.' Hij wierp haar een flauw glimlachje toe, dat ze beantwoordde. Toen trok hij een grimas en vloekte zacht. Hij reikte naar de microfoon en zette hem aan. 'Ja, ik hoor je. God, denk je dat ik doof ben? Wat gebeurt er?' Hij luisterde even. Toen zei hij: 'Hier ook niets. Ik kom naar buiten om frisse lucht te happen. Niet op me schieten!'

Hij liep langs haar om zijn pistool en zijn mobieltje te pakken. Daarna ging hij naar de deur. 'Ik ben buiten. Als je iets hoort of ziet, roep me dan.'

Van slapen was geen sprake, dus kleedde ze zich aan. Ze was in de keuken koffie aan het zetten, toen hij weer binnenkwam. Hij liep snel, met een vastberaden uitdrukking op zijn gezicht.

'Wat is er aan de hand?'

'We vertrekken, Rennie. Nu meteen. Kleed je aan.' Toen zag hij dat ze dat al had gedaan. 'Pak je koffer. Schiet op.'

'Waar gaan we naartoe? Wat is er gebeurd?'

Hij bleef lopen, door de keuken, door de zitkamer en naar de slaapkamer, waar hij zijn spullen weer in zijn plunjezak stopte. 'Wick! Zeg het. Wat is er gaande? Heeft Lozada iets gedaan?'

'Ja. Maar niet in Galveston.'

Hij vertelde haar niets meer, omdat hij niets meer wist.

Oren had hem gebeld terwijl hij buiten zeelucht stond in te ademen, in een poging zijn hoofd en zijn geweten te zuiveren. Hij had Rennie over zijn blunder verteld, en daarna was hij met allerlei gevoelens blijven zitten.

Aan de ene kant was het louterend geweest om erover te praten. Ze kon verdomde goed luisteren. Aan de andere kant had het praten erover hem eraan herinnerd dat hij de idioot was die voor Lozada's vrijheid had gezorgd. Daar zou hij de schuld van dragen tot Lozada achter de tralies zat. Of, beter nog, dood was.

De wetenschap dat Lozada daar buiten was en de spot met zijn onvermogen dreef, gaf hem het gevoel dat hij een onbenul was. Na Orens telefoontje had hij zich machteloos gevoeld.

'We denken niet dat Lozada nog in Galveston is,' had Oren gezegd.

'Waarom niet?'

'We hebben het sterke vermoeden dat hij daar niet meer is.'

'Vanwaar die voorbereide toespraak en dat dubbelzinnige geklets? Dit is geen persconferentie. Wat is er gebeurd?'

'Kun je bij de zaktelefoon van dokter Newton?'

'Hoezo?'

'De komende paar uur kan ze de telefoon beter niet opnemen.'

'Hoezo?'

'Ik zal dit uitzoeken en dan bel ik je terug.'

'Wát uitzoeken?'

'Dat kan ik je nog niet vertellen, pas als ik het heb uitgezocht.'

'Hoezo kun je het me niet vertellen? Waar ben je?'

'Ooit gehoord van een zekere Weenie Sawyer?'

'Wie voor de duivel...'

'Ooit van hem gehoord?'

'Nee. Wie is hij?'

'Dat is nu niet belangrijk. Komt later wel. Blijf waar je bent. Hou de dokter bezig. Ga op het strand picknicken of zo. Peters zal zijn mensen paraat houden voor het geval we ons vergissen. Ik moet nu gaan, maar ik hou contact.'

'Oren...'

Hij had opgehangen, en toen Wick geprobeerd had hem terug te bellen, was het toestel in gesprek geweest. Hij had de afdeling Moordzaken gebeld en te horen gekregen dat Oren niet te bereiken was, maar dat ze wel een boodschap konden doorgeven.

Hij had met opzet tien volle seconden gewacht voordat hij naar het huis terugkeerde en Rennie waarschuwde dat ze onmiddellijk vertrokken. Picknick op het strand, aan me hoela, dacht hij. Als de politie van Fort Worth Lozada aan het insluiten was, wilde hij erbij zijn, hoewel hij Oren niet kwalijk kon nemen dat hij hem uit de buurt wilde houden tot het zaakje geregeld was.

Misschien was het niet zo slim om Rennie mee te slepen, maar stel dat Oren het mis had en dat Lozada nog steeds in Galveston was? Het was mogelijk dat Lozada hen had willen laten denken dat hij Galveston had verlaten, om Wick daarmee terug te lokken naar Fort Worth en de weg naar Rennie voor zichzelf vrij te maken. Wick had er niet genoeg vertrouwen in dat Peterson en zijn ploeg haar konden beschermen. Hij zou haar beslist niet aan Thigpen toevertrouwen. Nee, hij had geen andere keus dan haar mee terug te nemen.

Waarom had Oren voorgesteld dat hij, Wick, haar zaktelefoon in beslag nam? Aangezien Wick wist dat zijn partner een goede reden moest hebben voor zo'n vreemd verzoek, had hij het mobieltje in zijn plunjezak gestopt toen ze in de badkamer was. Ze miste het pas toen ze aan de andere kant van Houston waren en over de I-45 noordwaarts reden.

'Volgens mij had je hem bij je in de keuken,' loog hij.

'Ik vergeet de telefoon nooit mee te nemen. Hoe kan ik hem daar nou hebben laten liggen?'

'Het is te laat om terug te keren en hem op te halen.'

Ongeveer om de vijftien kilometer vroeg ze hem naar het telefoongesprek waardoor ze zo abrupt hadden moeten vertrekken. 'Heeft Wesley verder niets gezegd?'

'Nee, niets.'

'Alleen dat hij niet gelooft dat Lozada nog in Galveston is.'

'Dat zei hij, ja.'

'We weten dat Lozada gisteravond in Galveston was.'

'Misschien is hij snel op en neer gereden. Hij kan zijn vertrokken nadat hij jou had gebeld.'

'En Wesley zei verder niets?'

'Rennie, wat hij tegen me zei is niet veranderd sinds de laatste negenennegentig keren dat je het vroeg.'

'En waar gaan we nú heen?'

'Naar je ranch. Ik zal je daar afzetten. Na me ervan te hebben verzekerd dat Toby Robbins een oogje op je kan houden, ga ik naar Fort Worth om uit te vissen wat er in godsnaam gaande is.'

'Je mag me naar de ranch brengen, maar alleen omdat ik dan in mijn Jeep kan stappen om zélf naar Fort Worth te rijden.'

'Mooi niet. Je blijft waar...'

'Ik heb werk te doen.'

'Onzin! Je hebt vakantie, weet je nog?'

'Ik ga terug.'

'We kibbelen er nog weleens over als we op je ranch zijn.'

De woordenwisseling vond nooit plaats.

Toen ze, vlak voor het middaguur, bij haar ranch arriveerden, zagen ze tot hun schrik dat er diverse voertuigen, inclusief de patrouilleauto van een sheriff, achter haar hek geparkeerd stonden. Wick herkende ook de pick-up van Toby Robbins.

'Wat is er in vredesnaam aan de hand?'

'Blijf in de pick-up, Rennie.'

Natuurlijk deed ze dat niet. Voor hij haar kon tegenhouden was ze al buiten en rende naar de openstaande staldeur.

'Rennie!' Wick sprong uit de pick-up. Maar voor zijn voeten de grond raakten, ging er een messcherpe pijnscheut door zijn rug. Hij hapte even naar adem. Maar toen rende hij strompelend achter Rennie aan. Ze had te veel voorsprong op hem om haar in te halen. Hij zag haar in de stal verdwijnen.

Toen hoorde hij haar schreeuwen.

31

Ze kon zich niet herinneren dat het ooit zo hard had geregend in augustus. Het abnormaal slechte weer zou waarschijnlijk een record vestigen in de staat. Rond twee uur waren de wolken vanuit het noordwesten aan komen drijven, een onverwachte en welkome verlichting tegen de zon en de hitte. Maar het was geen voorbijgaande onweersbui geweest. Het was begonnen als een stortregen en daar was geen einde aan gekomen.

Rennie zat op een baal hooi en leunde tegen de deur van Beades lege box. Achter de open staldeur hing een grijs regengordijn. In de harde, droge aarde waren geulen ontstaan die eindigden in grote plassen regenwater. De regen had de bandensporen uitgewist van de veewagen waarmee Toby de karkassen had weggevoerd.

Karkassen. Haar mooie paarden. Al die prachtige kracht, schoonheid en gratie tot karkassen gereduceerd.

Ze liet haar tranen de vrije loop en snikte onbedaarlijk, met schokkende schouders. Haar hart was gebroken. Niet alleen door het verlies, wat enorm was, maar ook door de pure wreedheid van de daad. Ze huilde om de moedwillige verspilling van die vijf, mooie, levendige schepsels.

Ze huilde tot ze niet meer kon. Toen ze een beetje tot bedaren was gekomen bleef ze zitten, lusteloos, ogen gesloten, tranen drogend op haar wangen. Ze luisterde naar het hypnotiserende geplens van de regen op het dak.

Zijn naderende voetstappen werden overstemd door het lawaai van de regen, maar ze vóelde zijn aanwezigheid. Ze deed haar ogen open en zag hem in de deuropening van de stal staan. Het leek of hij niet eens merkte dat het goot.

Hij had zijn hulp aangeboden bij het verwijderen van de karkassen, maar hij had haar eigenlijk niet alleen willen laten. Toby had voorgesteld Corinne te bellen om te vragen of ze Rennie gezelschap wilde houden, maar Rennie had geweigerd. Ze had een tijd alleen willen zijn. Wick had dat begrepen en haar wens gerespecteerd.

Desalniettemin had hij de hulpsheriff gevraagd in de patrouillewagen bij het hek te wachten tot hij terug was. En hij had tegen Rennie gezegd dat ze in huis moest blijven, met een geweer binnen handbereik en de deur op de grendel. Maar de stal had de enige passende plek geleken om in te rouwen. Ze had een plaid van de bank gepakt en hem als bescherming tegen de regen gebruikt terwijl ze naar de stal rende. De hulpsheriff had haar niet gezien, of hij had verkozen haar met rust te laten.

Gebruikmakend van de eenzaamheid had ze getreurd om elk dier apart en ook als groep. Ze waren haar familie geweest. Ze had als kinderen van hen gehouden. En nu waren ze dood. Met opzet vernietigd.

Ze wist niet hoelang ze al alleen was in de stal, maar Wick zou het altijd te lang vinden. Hij zou boos op haar zijn omdat ze zich aan gevaar had blootgesteld door hier onbeschermd te zitten.

Hij ging de stal binnen en begon het middenpad af te lopen. Zijn natte laarzen maakten zompige geluiden. Zijn oude T-shirt plakte aan zijn huid, het zat als een mal om zijn romp. Zijn spijkerbroek was ook drijfnat en zat strak om zijn benen. Zijn druipnatte haar lag plat tegen zijn schedel.

Een eindje bij haar vandaan bleef hij staan. In tegenstelling tot wat ze had verwacht zag hij er niet boos uit, maar gekweld. Zijn ogen waren niet hard van ergernis, maar zacht van medeleven. Hij strekte zijn hand uit, greep de hare vast en trok haar overeind. Voor ze het wist lag ze in zijn armen en nam zijn mond bezit van de hare.

Ditmaal gaf ze zich eraan over. Ze gaf toe aan wat haar neiging was geweest toen hij haar de eerste keer kuste. Mond, handen, lichaam – alles reageerde. Ze streek met haar vingers door zijn natte haren en hield zijn hoofd stevig vast terwijl ze hem vurig en hongerig kuste, met een niet langer ingehouden passie.

Ze trok het plakkende T-shirt omhoog over zijn borst. Ze liet haar handen over zijn natte huid dwalen, begroef haar vingers in zijn krullende borsthaar en streelde zijn tepels. Toen boog ze haar hoofd en kuste zijn borst. Haar lippen waren licht en gretig. Terwijl hij zachtjes vloekte van verbazing en opwinding sloot zijn grote hand zich om haar kin, hief haar mond op naar de zijne en liefkoosde hem.

Ten slotte, toen ze elkaar loslieten, plukte ze aan zijn T-shirt, tot ze het, samen, uittrokken. 'Kom dicht bij me, Wick. Alsjeblieft. Wees dicht bij me.'

Hij trok haar topje over haar hoofd en vlijde haar tegen zijn blote borst. Zijn huid was nat en koel. De hare gloeide. Een erotisch contrast.

Hij begroef zijn gezicht in haar nek. Zijn armen waren om haar heen. Ze voelde de indruk van al zijn tien vingers op haar rug terwijl hij haar hard tegen zich aan drukte. Ze wurmde haar handen tussen hun lichamen. Het was moeilijk om de metalen knopen van zijn broek los te maken, omdat de natte stof stug was, maar ze ging net zolang door tot ze allemaal los waren en ze hem kon aanraken.

Zijn adem was luid in haar oor toen hij haar zacht naar achteren duwde tot ze klem zat tussen hem en de deur van de box. Ze kusten elkaar begerig terwijl hij zich om de rits van haar broek bekommerde. Hij duwde de broek naar beneden, samen met haar slipje. Daarna tilde hij haar op.

Met één stoot was hij in haar. 'Mijn God, Rennie,' hijgde hij. Hij stond op het punt zich terug te trekken.

'Nee!' Ze legde haar handen op zijn billen, trok hem dieper in haar vagina en wiegde met haar heupen tegen hem aan. Hij hijgde opnieuw haar naam en begon te bewegen. Hij voerde hen snel naar een climax, en ze kwamen gelijktijdig klaar.

Terwijl hij haar met zijn dijen steunde, legde hij haar langzaam op de plaid die ze uit het huis had meegenomen, en ging op haar liggen. Hij streek haar haren uit haar gezicht en boog zijn hoofd om haar te kussen. 'Wick...'

'Sst.'

Zijn lippen gleden zacht over haar gezicht en liefkoosden elke gelaatstrek. Ze probeerde zijn lippen te volgen, ze met de hare te vangen voor een kus. Maar ze waren ongrijpbaar. Ze gingen van oor naar ooglid naar slaap naar wang naar mond. Zijn adem was warm en zoet op haar huid toen hij haar borsten kuste.

Hij raakte haar tepel aan met zijn lippen, sabbelde er zachtjes aan en nam hem toen in zijn mond. De andere kreeg een nieuwe vorm door zijn hand, die vederlicht streelde tot de tepel stijf was en zelfs toen ging hij door met vertroetelen.

Rennie bewoog zich rusteloos onder hem. Maar toen ze naar hem reikte, hield hij haar armen boven haar hoofd en trok een spoor van kussen. Van de onderkant van haar arm naar haar pols en naar haar oksel. Toen hij haar borsten opnieuw begon te kussen, hunkerde ze ernaar om hem weer in zich te voelen.

Maar hij hield zich in. Zijn hand gleed tussen haar dijen. Hij vond haar clitoris en maakte met zijn vingertop kleine kringetjes. Het was slechts een lichte aanraking, maar de druk in haar vagina was intens.

Het werd donker om haar heen. Haar ledematen begonnen te tintelen. De spanning in haar werd groter. 'Wick...'

Zijn timing was perfect. Hij was diep in haar toen ze haar hoogtepunt bereikte. De ene golf van genot na de andere zond trillingen door haar heen, tot ze, als van een grote afstand, haar onsamenhangende kreten van ultieme bevrijding hoorde.

Toen ze ten slotte haar ogen opendeed keek Wick glimlachend op haar neer. Hij kuste zacht haar lippen en fluisterde: 'Welkom terug.'

Ze voelde dat hij nog steeds vol en hard in haar was en kneep de spieren van haar schede samen. Hij kreunde van genot. 'Nog een keer.' En toen, bijna onhoorbaar: 'God, nog een keer.'

Hij legde zijn armen, als een brug, boven haar hoofd. Zijn diepblauwe ogen hielden de hare vast terwijl hij krachtig in haar begon te stoten. Ze streelde zijn rug. Ze hield van het gevoel van zijn huid, die vitaliteit uitstraalde. Haar vingertoppen voelden de energiestromen die maakten dat hij zich onmogelijk stil kon houden, die hem tot Wick maakten.

Ze waakte ervoor niet zijn wond te strelen, omdat ze hem niet wilde afleiden van zijn genot, vooral niet met een onaangename herinnering. Ze drukte haar handpalmen tegen zijn billen, en toen hij een orgasme kreeg, klemde ze hem stevig tussen haar dijen. Ze trok zijn hoofd naast het hare en hield het daar tot zijn lichaam ontspande.

Het was gaan motregenen. Ze ontweken de plassen op weg naar het huis. 'De auto van de hulpsheriff is verdwenen,' merkte ze op.

'Toen ik jou in de stal zag huilde je, maar voor de rest ging het goed met je. Ik heb hem weggestuurd.'

'Waarom?'

'Ik wilde alleen met je zijn.'

'Had je dan verwacht dat dit zou gebeuren?'

Hij legde zijn arm om haar schouder en trok haar tegen zich aan. 'Een man mag hopen.'

De telefoon ging toen ze het huis binnenkwamen. Het was Toby Robbins die vroeg hoe het met Rennie was. Wick verzekerde hem dat ze het goed maakte. 'Nog steeds van streek, maar ze redt het wel.'

'Kan ik haar even spreken?'

Wick gaf Rennie de telefoon. 'Hallo, Toby. Het spijt me dat jíj degene moest zijn die ze vond. Het moet afschuwelijk zijn geweest.'

Eerder was ze te getraumatiseerd geweest om erover te praten. Wick kon slechts één kant van het gesprek horen, maar hij wist dat Toby haar vertelde hoe hij de paarden dood in hun boxen had aangetroffen toen hij aankwam om ze naar de kraal te brengen.

Rennie luisterde een paar minuten. Daarna zei ze: 'Ik kan je niet genoeg bedanken voor al je hulp. Nee, er is niemand gearresteerd. Ja,' zei ze kalm, 'Lozada is absoluut een verdachte.' Toen hoorde Wick haar zeggen: 'Boterhammen?'

Wick wees naar de Tupperware-doos op de tafel en fluisterde: 'Corinne heeft ze aan me meegegeven.'

'We wilden ze net gaan opeten,' zei Rennie in de hoorn. 'Bedank Corinne namens mij.'

Nadat ze had opgehangen, zei Wick: 'Ik vergat de boterhammen helemaal toen ik als een gek door het huis liep om jou te zoeken.'

'Het spijt me dat ik je heb laten schrikken.'

'Laten schrikken? Me de stuipen op het lijf gejaagd, zul je bedoelen!' Hij gebaarde dat ze op een keukenstoel moest plaatsnemen. 'Honger?'

'Nee.'

'Tóch moet je eten.'

Hij verleidde haar tot een halve boterham met ham en een glas melk. Na hun maaltijd liep hij door het huis om de deuren te controleren. 'Een afgesloten deur zal hem niet tegenhouden,' zei Rennie.

'Ik doe het alleen maar uit gewoonte. Lozada komt hier niet meer naartoe.'

'Hoe weet je dat zo zeker?'

'Criminelen keren vaak terug naar de plaats van de misdaad, hetzij om zich te verkneukelen, hetzij om te kijken of ze iets over het hoofd hebben gezien, wat dan ook. Maar, zoals je weet, Lozada is geen gewone crimineel. Hij is te slim om terug te keren naar de plek des onheils. Hij heeft gedaan wat hij hier wilde doen.'

'Me straffen omdat ik met jou mee was gegaan.'

'Ik zei al tegen je dat we het niet zouden zien aankomen als hij toesloeg.'

'Maar mijn paarden,' zei ze met overslaande stem. 'Hij wist wat me het meeste pijn zou doen, hè?'

Wick knikte. 'Hij is de dader. Als ik dacht dat hij terug zou komen, had ik jou hier niet achtergelaten met alleen een hulpsheriff bij het hek.'

'Waarom was je dan zo bang toen je me hier niet kon vinden?'

323

'Ik heb me wel vaker vergist,' zei hij somber.

Ze gingen naar boven. Hij deed de lamp op het nachtkastje aan. Het bleke schijnsel wierp diepe schaduwen op haar gezicht en benadrukte haar vermoeidheid. 'Wat zou je zeggen van een hete douche?'

'Je leest mijn gedachten.'

De douche was een tijd voor ontspannen verkenning. Hij was verrukt en verbaasd over haar gebrek aan verlegenheid en over haar meegaandheid. Ze schrok er ook niet voor terug om hém te liefkozen.

Hij vroeg haar of ze van behaarde mannenborsten hield, en ze liet hem zien hoeveel ze van de zijne hield.

Ze verontschuldigde zich omdat haar ene borst een beetje groter was dan de andere, wat hem de kans gaf om ze met zijn handen en mond te wegen en te meten.

Ze streek met haar tong over zijn scheve voortand en vertelde hem dat ze daar echt opgewonden van raakte.

Ze kusten elkaar vaak, soms plagerig terwijl ze water in elkaars gezicht spatten, soms innig en hartstochtelijk. Ze streelden elkaar met glibberige zeephanden. Eenmaal, nadat ze hadden gevrijd, knielde hij voor haar neer, duwde met zijn neus tegen haar dijen tot ze zich spreidden en prikkelde toen haar intiemste plekje met zijn tong.

Het voorspel was stimulerend en het wond hen op. Ze gingen niet verder, maar hielden elkaar heel innig vast.

Na afloop stapten ze in bed en lagen als lepeltjes in elkaar toen ze zei: 'Ze hebben in elk geval niet geleden. Lozada heeft ze niet gemarteld.'

'Probeer er niet aan te denken.' Hij duwde een handvol haar opzij en kuste haar nek.

Lozada had de paarden gedood met dezelfde doeltreffendheid, en waarschijnlijk met dezelfde afstandelijkheid, waarmee hij Sally Horton had omgebracht — een paar kogels door het hoofd. Wick hoefde zich niet af te vragen waarom Lozada hém niet zo netjes had vermoord. Hij had gewild dat Wick leed. Waarschijnlijk was hij van plan geweest hem meer dan één steek met die schroevendraaier toe te brengen en hem langzaam en met veel pijn te laten sterven.

Nu hij zo naast Rennie lag, was hij heel blij dat hij nog leefde. En hij wist dat hij alleen nog maar in leven was omdat Lozada zo onverstandig was geweest te besluiten dat alleen een langdurige executie geschikt was voor Wick Threadgill.

'Rennie?'

'Hmm?'

'Je...' Hij zocht naar een tactvolle manier om het te zeggen. 'Je was zo...'

'Ik hield je bijna tegen.'

Ze lag met haar rug naar hem toe, haar handen onder haar wang. Hij streelde haar arm. 'Mij hoor je niet klagen.' Hij gaf een kusje op haar schouder. 'Het was als een... een fantasie. Een geschenk. Alsof je nooit...'

'Sinds de tragedie met Raymond Collier heb ik met niemand gevrijd.'

Dat vermoeden had hij al, maar het haar te horen zeggen gaf nog meer betekenis aan dit moment, deze dag. Als ze hem dat vóór hun liefdesspel had verteld, zou hij verbijsterd zijn geweest. Waarschijnlijk zou hij haar niet hebben geloofd.

'Dat is een verdomd lange tijd om boete te doen, Rennie.'

'Het was geen boetedoening. Het was een bewust besluit. Ik vond dat, na wat er gebeurd was, ik het niet verdiende om een normaal en bevredigend seksleven te hebben.'

'Krankzinnig! Collier kreeg wat hem toekwam. Je was een kind!'

Ze lachte spottend. 'Met mijn staat van dienst? Natuurlijk niet. Ik kon bepaald geen kind worden genoemd.'

'Misschien een kind dat dringend behoefte had aan leiding.'

Ze haalde haar schouders op.

'Collier was de volwassene. Hij had niet het recht je lastig te vallen. Als hij een seksuele obsessie voor je had, had hij uit je buurt moeten blijven, in therapie moeten gaan of zoiets. Ook híj nam een bewust besluit, Rennie, en de gevolgen ervan waren zijn eigen schuld. Wat ook de oorzaak was dat je de trekker overhaalde...'

'Dat héb ik niet gedaan.'

Wicks hart maakte een sprongetje. 'Wát?'

'Ik héb niet op hem geschoten. Ik heb het pistool niet eens aangeraakt. Dat gebeurde pas daarna. Op het moment dat de politie al naar ons op weg was, tóen hield ik het pistool vast. Maar het maakte niets uit, omdat ze het nooit op vingerafdrukken hebben gecontroleerd. Ze hebben nooit gekeken of er kruitsporen op iemands handen zaten. Níets.'

'Wie zou dan kruitsporen op zijn handen hebben gehad, Rennie?' Toen ze niets zei, sprak hij de naam uit die in zijn hoofd galmde. 'T. Dan.'

Ze aarzelde. Toen knikte ze kort.

'Vuile schoft!' Wick ging rechtop zitten zodat hij haar aan kon kijken, maar ze hield haar hoofd op het kussen en keek recht voor zich uit. Alleen haar profiel was te zien. 'Hij schoot Collier dood en liet jou de schuld op je nemen?'

'Ik was minderjarig. T. Dan zei dat er minder gedonder van zou komen als ik bekende uit noodweer op Raymond te hebben geschoten.'

'Heeft Raymond inderdaad geprobeerd je te verkrachten?'

'Ik meed hem sinds die ene keer dat ik hem in het motel had ontmoet. Ik walgde van hem, en nog meer van mezelf. Ik weigerde met hem te praten, ook niet door de telefoon. Die middag kwam hij bij ons huis opdagen. Ik was niet blij hem te zien. Ik weet niet waarom ik hem meenam naar de werkkamer van T. Dan. Misschien wilde ik onbewust dat T. Dan ons samen betrapte. Ik weet het niet. Hoe dan ook, toen mijn vader onverwachts binnenkwam, probeerde Raymond me te kussen. Hij huilde, smeekte me hem niet af te wijzen.'

'T. Dan schoot en stelde later pas vragen, is dát het? Hij kwam binnen, interpreteerde het tafereel verkeerd, en dacht dat hij je tegen verkrachting beschermde?' Ze gaf geen antwoord. 'Rennie?'

'Nee, Wick, zijn reden om te schieten was niet om me te beschermen. Raymond was een gewiekste zakenman. Mijn vader had zich met hem geassocieerd omdat hij schrander was. Mijn vader rekende erop dat hij dank zij Raymond veel geld zou verdienen aan een vastgoedtransactie. Dus toen hij binnenkwam en zag dat Raymond zich aan me vastklemde, werd hij razend. Hij zei tegen Raymond dat hij zich belachelijk maakte door als een baby te huilen om "een kleine slet"!'

Wick ontstak in woede. 'Zei hij dat? Over zijn zestienjarige dochter?'

'Hij zei nog veel ergere dingen,' zei ze kalm. 'Toen liep hij naar zijn bureau en pakte het pistool uit de la. Nadat de rook was opgetrokken, letterlijk, lag Raymond dood op de grond.'

'Hij vermoordde hem,' zei Wick vol ongeloof. 'In koelen bloede. En hij bleef ongestraft.'

'T. Dan duwde het pistool in mijn hand en zei wat ik tegen de politie moest zeggen als ze arriveerden. Ik sputterde niet tegen omdat... omdat ik daar aanvankelijk te verbijsterd voor was. Later besefte ik dat het uiteindelijk mijn schuld was.'

'Is er nooit iemand geweest die het verhaal van T. Dan in twijfel trok? Je moeder?'

'Ze kende de waarheid niet. En zo ja, dan liet ze het niet merken. Ze heeft nooit iets betwist wat T. Dan tegen haar had gezegd. Wat er ook gebeurde, ze hield de schijn op en deed net of we een harmonieus gezin vormden.'

'Het is niet te geloven! Al die tijd heb je de schuld voor je vaders misdaad op je genomen.'

'Zíjn misdaad, Wick, maar míjn schuld. Als ik er niet was geweest, zou Raymond niet zijn gestorven. Daar denk ik elke dag van mijn leven aan.'

Wick slaakte een diepe zucht en ging weer liggen. Ze had deze last gedragen zoals hij de schuld had gedragen omdat hij Lozada aan gerechtelijke vervolging had laten ontsnappen. Ze hadden alletwee moeten lijden onder de zware gevolgen van onverantwoordelijk gedrag. Misschien zouden ze moeten leren zichzelf te vergeven. Misschien konden ze elkaar daarbij helpen.

Hij legde zijn arm om haar heen maar, anders dan voorheen, hield ze haar lichaam stijf en nestelde zich niet tegen hem aan.

'Voel je je gevleid omdat je mijn eerste minnaar bent sinds twintig jaar?'

Zacht zei hij: 'Ik zou liegen als ik zei dat dat niet zo was.'

'Nou, je zou je niet gevleid moeten voelen. Er waren zoveel anderen.'

'Het doet er niet toe, Rennie.'

Ze draaide alleen haar hoofd naar hem om. Ze zag er uiterst kwetsbaar uit. Hij dacht aan wat Toby Robbins had gezegd over haar jeugd, dat haar ogen toen groter waren dan de rest van haar gezicht.

'Is dat zo, Wick?'

Hij schudde zijn hoofd. 'Wat voor mij belangrijk is,' fluisterde hij, 'is dat je nu bij me bent. Dat je me voldoende vertrouwt om zo, op deze manier, bij me te zijn.'

Ze draaide zich helemaal om en omvatte zijn gezicht. 'Ik was bang voor je. Nee, niet voor jou. Voor de gevoelens die je in me wakker riep.'

'Ik weet het.'

'Ik vocht ertegen.'

'Als een tijgerin.'

'Ik ben blij dat je het niet hebt opgegeven.' Ze raakte zijn haar aan, zijn wang, zijn kin, zijn borstkas.

Ze bleven elkaar liefkozen tot ze in slaap vielen.

Toen Wick uren later wakker werd, had hij een erectie. Rennie moest het gevoeld hebben, want haar ogen gingen een paar seconden na de zijne open. Ze keken elkaar aan.

Hij reikte naar haar hand en legde hem op zijn penis. Ze sloot haar vingers eromheen en streek met haar duim over de eikel, die vochtig was. Eén stoot van zijn knie en ze spreidde haar dijen. Hij schoof naar haar toe, legde haar dij op zijn heup en opende haar schaamlippen. Ze was nat, maar hij wist dat ze waarschijnlijk schraal was, en hield zich in. Hij kwam niet in haar.

In plaats daarvan legde hij zijn hand op de hare, die zijn penis vast-hield. Hij leidde haar en ging zo liggen, dat ze haar gevoelige plekje met zijn eikel kon strelen. Terwijl ze op die intiemste manier met elkaar ver-bonden waren, las hij in haar ogen een onmetelijk gevoel. Het was niet te geloven. De sensaties waren nieuw en verrassend, en zich inhouden was een verrukkelijke kwelling.

Hij kon het haast niet meer verdragen toen ze slechts het topje van zijn penis tussen haar schaamlippen stopte en het warm en vochtig om-hulde terwijl ze hem aftrok. Hij had niet gedacht dat het mogelijk was een nóg intenser hoogtepunt te bereiken dan ze al hadden gedeeld. Hij vergiste zich.

Hij trok haar dicht tegen zich aan en ademde de geur in van haar haar, haar huid, hun liefdesspel. Hij wou dat hij T. Dan Newton kon doden omdat hij deze mooie, getalenteerde vrouw tot twintig jaar zelf-opoffering en eenzaamheid had veroordeeld voor een misdaad die ze niet eens had gepleegd. Hij wilde haar genoeg geluk geven om al die verloren tijd in te halen. Hij wilde elke dag van de rest van hun leven bij haar zijn.

Maar eerst moesten ze Lozada overleven.

32

'Dat is hem. Herken je hem?'

Wick keek in de verhoorkamer. 'Nog nooit gezien.'

'Dat was bij mij ook zo,' zei Oren. 'Gisteravond kwam hij hier, bereid om ons belastend materiaal over Ricky Roy Lozada te geven.'

'Ik heb belastend materiaal over Ricky Roy Lozada. Mijn oudtante Betsy heeft belastend materiaal over Rick Roy Lozada. Er is al heel lang belastend materiaal over Lozada. Het probleem is dat het geen waarde heeft.'

'Rustig maar,' zei Oren. 'Ik weet dat je woest bent over de paarden van dokter Newton.'

'Nou, óf ik woest ben! Rázend!'

'Niemand kon hebben voorspeld dat hij dat zou doen.'

'Waarom was er niemand om haar huis te bewaken?'

'Het staat niet in onze stad, zelfs niet in ons district.'

'Ga nou niet zitten zeiken over rechtsbevoegdheid, Oren. Je hebt mensen van het politiekorps van Galveston bij mijn huis laten posten.'

Oren streek over zijn vermoeide gezicht. 'Oké, misschien was het een vergissing. Kan dokter Newton het een beetje aan?'

'Ze wil vandaag per se weer aan het werk. Dat houdt haar op de been, zei ze. We hebben haar ranch vanmorgen vroeg verlaten. Ik heb haar bij het ziekenhuis afgezet en ben daarna hierheen gekomen.'

'Hmm.'

Wick wierp Oren een scherpe blik toe. 'Wat is er?'

'Niets.'

'Goed, laten we eens kijken wat die sukkel ons te zeggen heeft.'

Toen hij naar de deurknop reikte greep Oren hem bij de arm. 'Wacht even! Ga niet naar binnen terwijl de stoom uit je oren komt.'

'Ik ben kalm.'

'Je bent allesbehalve kalm, Wick.'

Iedereen die op de afdeling moordzaken van de FWPD werkte, wist dat Wick Threadgill die morgen in hun midden was. Iedereen, in elk geval elke rechercheur, wist dat het snode plan van Oren Wesley om Lozada naar Galveston te lokken jammerlijk was mislukt. Terwijl Threadgill en de vrouwelijke chirurg heimelijk met elkaar flirtten op het strand, was Lozada teruggegaan en had haar prachtige paarden gedood. Daarom stond Wesley in zijn hemd en Threadgill voor paal.

Wick was zich bewust van de aandacht die hij had getrokken. Hij voelde zich minstens zo opgelaten als wanneer hij een overhemd had gedragen waarvan de achterkant was beschilderd met een schietschijf! Het was niet makkelijk voor hem geweest om het hoofdbureau binnen te gaan en de afdeling te betreden. Hij had zich thuis gevoeld en tegelijkertijd ongemakkelijk.

Sinds zijn vertrek was er weinig verloop van personeel geweest, dus kende hij veel mensen. Sommigen spraken met hem en gaven hem een hand, alsof ze oprecht blij waren hem te zien. Anderen bekeken hem achterdochtig en groetten hem flauwtjes. Wick begreep het. Een politiebureau was even verpolitiekt als elk ander ambtenarenapparaat. Iedereen was voorzichtig. Een vriendelijke begroeting van een politieman die voor onbepaalde tijd met verlof was, zou verkeerd kunnen worden geïnterpreteerd door degenen die aanbevelingen deden voor promoties.

Iemand die zich met zijn volgende promotie bezighield bracht zijn kansen niet in gevaar door met Wick Threadgill, een persona non grata, te praten.

Als om zijn achterdocht en zijn onbehaaglijke gevoel te bevestigen, leek het of iedereen op de derde verdieping met zijn bezigheden was gestopt bij het horen van zijn stemverheffing en die van Oren. Het leek of iedereen met openlijke belangstelling stond toe te kijken om te zien hoe de ruzie tussen de voormalige partners zou aflopen.

Wick schudde Orens hand van zich af. 'Ik zei dat ik kalm ben.'

'Ik wil alleen niet dat...'

'Gaan we dit doen of niet?'

Oren keek over zijn schouder naar hun aandachtige publiek. Daarna opende hij de deur van de verhoorkamer en gebaarde Wick naar binnen te gaan. Weenie Sawyer zat aan de overkant van de kleine tafel. Zijn benen waren constant in beweging. Zijn knokige knieën wipten op en neer, zo snel als de naalden van een gesynchroniseerde naaimachine. Zijn tanden knaagden aan een vingernagel.

Toen Weenie Wick zag, trok hij wit weg, wat opmerkelijk was aangezien zijn gezicht al de bleke kleur van de buik van een pad had. 'Wat doet híj hier?'

'Ken je Mr. Threadgill?' vroeg Oren vriendelijk.

Weenies ogen schoten van Wick naar Oren en weer terug. 'Ik herken hem van de foto's in de krant.'

'Mooi zo! Dan is het niet nodig jullie aan elkaar voor te stellen.' Oren ging naast Weenie zitten.

Wick nam tegenover hen plaats. Hij pakte een stoel, draaide hem om en ging er schrijlings op zitten. Hij keek de kleine man dreigend aan. 'Dus jij bent het jammerende klootzakje dat researchwerk voor Lozada heeft gedaan.'

De kleine man leek nóg kleiner te worden. Hij keek Oren aan en vroeg: 'Waarom is hij hier?'

'Hij is hier omdat ik hem heb uitgenodigd.'

'Waarom?'

'Om te horen wat je ons te vertellen hebt.'

Weenie vermande zich. Hij schoof heen en weer op zijn stoel. 'Ik... ik heb erover zitten nadenken. Het is niet zo slim van me om hier te zijn en zonder advocaat met u te praten.'

'Nou je het zegt, je hebt gelijk,' zei Oren. 'Misschien kun je er beter eentje in de arm gaan nemen. Bel ons als het gelukt is.' Hij stond op.

'Wacht, wacht!' Weenie keek nerveus van de een naar de ander. 'Als ik een advocaat heb, geldt de deal dan nog steeds?'

Wick vloog bijna overeind. 'Deal?' Hij keek Oren aan. 'Heb je een deal met deze stomkop gesloten?'

'Denk erom, Wick, je bent hier alleen omdat je beloofd hebt je nergens mee te bemoeien.'

'Nou, jíj beloofde dat we door deze hufter Lozada konden pakken.'

'Dat is ook zo, volgens mij. Maar niet zonder...'

'Een deal,' zei Wick kokend van woede. 'Wat heb je hem aangeboden?'

'Volledige immuniteit tegen gerechtelijke vervolging.'

Hij vloekte zacht. 'Flauwekul. Dát is het!'

'Heb jíj dan een idee?'

Wick wierp een minachtende blik op Weenie. 'Deze vis is een beetje te groot om terug te gooien. Waarom paneren we hem niet in maïsmeel en frituren hem?'

Er parelden zweetdruppels op Weenies gezicht. Hij keek Oren verwilderd aan. 'Hij is stapelgek! Dat zegt iedereen. Lozada zegt het ook. Lozada zegt dat hij kierewiet is geworden toen zijn broer stierf.'

Wick vloog op Weenie af, pakte hem in zijn nekvel, trok hem uit zijn stoel, duwde hem tegen de muur en tilde hem op. De kleine man piepte als een muis die in de val zit.

'Mijn broer stíerf niet.'

'Wick, ben je gek geworden? Laat hem los!'

'Hij werd vermóórd, miezerige kleine klootzak.'

'Wick, ik waarschuw je.'

'Vermoord door je vriend Lozada.'

Weenies gezicht was rood aangelopen. Zijn voeten dansten nutteloos boven de grond, een centimeter of vijf. Hij keek Oren met grote angstogen aan. De rechercheur greep Wicks arm vast en begon eraan te rukken.

'Wick, straks vermoord je hem nog. Laat los,' siste hij. Hij probeerde Wicks vingers los te trekken van Weenies nek. Toen dat niet lukte, toen Weenies ogen begonnen uit te puilen, ramde Oren zijn elleboog in Wicks ribbenkast.

Wick hapte naar adem. Onmiddellijk liet hij Weenie los, die zich op de vloer liet zakken. Wick vloekte en hield zijn zere rechterzij vast terwijl hij dubbelsloeg.

Oren hijgde. 'Het spijt me dat ik je pijn moest doen, maar, verdomme, je leert het nooit, hè?'

Weenie bleef op de grond zitten jammeren, maar hun aandacht was op elkaar gericht, niet op hém.

Ten slotte rechtte Wick zijn rug. Hij hijgde van inspanning. 'Als je dat nog één keer doet, zal ik...'

'Hou je kop en luister eens voor de verandering, Wick. Lúister!' Oren haalde een paar keer diep adem om kalmer te worden. 'Je hebt nog steeds problemen met het kanaliseren van je woede.'

Wick lachte. 'Het kanaliseren van mijn woede? Waar heb je dát gehoord? Bij *Oprah*?'

Oren begon tegen hem te schreeuwen. 'Heeft je woede je blind gemaakt voor het feit dat je dezelfde fout maakt als vroeger? Als je wilt dat Lozada opnieuw aan gerechtelijke vervolging ontsnapt, moet je vooral zo doorgaan.'

Thigpen opende de deur en keek voorzichtig naar binnen. 'Alles goed?'

'Dat gaat je geen donder aan!' brulde Wick.

Oren zei dat alles prima was.

'Wat mankeert hem?' De rechercheur keek naar Weenie, die nog steeds op de vloer zat te jengelen en zijn neus aan zijn mouw afveegde.

'Niets.'

Thigpen haalde twijfelend zijn schouders op. Toen trok hij de deur weer dicht.

Wick ging verder alsof er geen onderbreking was geweest. 'Ik ben opvliegend, dat geef ik toe. Wat jíj weigert toe te geven is dat je, wat Lozada betreft, geen ballen hebt, Oren!'

'Over ballen gesproken, de jouwe zullen wel erg blauw zijn.'

Wicks ogen schoten vuur. Zijn handen balden zich tot vuisten.

'Wat bedoel je daarmee?'

'Niets.'

'Nee. O, nee. We kennen elkaar veel te goed voor toespelingen. Kom op, zeg wat je op je hart hebt!'

'Goed. Je slaapt met een verdachte. Waar of niet?'

'Als je zinspeelt op Rennie Newton, ja. Dat is waar. En ik geniet van elke seconde. Maar ze is geen verdachte.'

'Ik heb haar niet geschrapt als verdachte voor de moord op dokter Howell. Ben je dat vergeten?'

'Het was Lozada.'

'Die door haar kan zijn ingehuurd.'

'Dat is niet gebeurd.'

'Heeft ze weleens iets gezegd over het kaartje dat ze in haar nachtkastje bewaarde?'

'Het kaartje? Dat heb ík gevonden, weet je nog?'

'Goed, goed. Het hoorde bij de rozen die Lozada haar gaf.'

Wick spreidde zijn armen en haalde zijn schouders op. 'Wat bedoel je nou precies?'

'Ik ben nieuwsgierig, dat is alles. Waarom verscheurde ze het kaartje niet toen ze ontdekte dat die rozen van Lozada afkomstig waren? Waarom gooide ze het niet weg of vernietigde het, zoals met de bloemen is gebeurd.'

'Ze bewaarde het als bewijs.'

'Of als aandenken. Toen ik het als bewijsstuk had afgewezen, nam ze het weer mee. Voor zover ik weet heeft ze het nog steeds.'

Wick dacht daar even over na. Toen schudde hij heftig zijn hoofd. 'Ze veracht Lozada. Ze krijgt de kriebels van hem.'

'Ja, dat zei ze. Zeg eens, Wick, ben je haar gaan geloven vóórdat of nádat ze je suf heeft geneukt?'

Wick deed een stap naar voren. 'Ik heb je al een keer gewaarschuwd,

Oren. Nu zeg ik het voor de laatste keer. Als je je ooit weer mijn vriend wilt noemen, als je ooit mijn broer je vriend noemde, maak je dergelijke opmerkingen over Rennie nooit meer, begrepen?'

Oren krabbelde niet terug. 'Grappig dat je de naam van Joe noemt, want als hij hier was, zou hij hetzelfde tegen je zeggen. Hij zou de eerste zijn om tegen je te zeggen dat je over de schreef gaat. Als politieman kún je geen verhouding met een verdachte hebben.'

'Ze ís geen verdachte,' herhaalde Wick luid. 'Ze is een slachtoffer.'

'Weet je dat zeker? Je schijnt te zijn vergeten dat ze een man heeft doodgeschoten.'

'Dat hééft ze niet gedaan.'

'Wat?' riep Oren uit.

'Ze hééft Raymond Collier niet doodgeschoten. Dat deed haar vader. Zij nam de schuld op zich.'

'Waarom?'

'Omdat T. Dan dat van haar vroeg.'

Oren brulde van het lachen. 'Geloof je dat?' Hij lachte opnieuw. 'Ze vertelt je een sentimenteel verhaal dat niemand kan bevestigen, en jij gelooft haar?'

'Inderdaad.'

'En toen ze je dat vertelde, fluisterde ze toen in je oor of was ze je aan het pijpen?'

Wick stortte zich op Oren. Ze vielen beiden op de grond. Weenie gilde. Wick deelde een paar klappen uit, maar hij had nog lang niet zijn kracht terug en Oren was altijd de zwaarste en sterkste van de twee geweest. Hij vocht als een gek zonder eerbied voor Wicks letsel.

Toen hij Wick enigszins in bedwang had, knielde hij neer, nam zijn dienstpistool uit zijn schouderholster en richtte het op Wick. Wicks ogen waren verblind door tranen van pijn, maar hij kon de ziel van Orens pistool duidelijk genoeg zien.

Enkele andere rechercheurs hadden de herrie gehoord en stormden de kamer binnen. 'Verdwijn!' beval Oren. 'Alles is onder controle.'

'Wat is er gebeurd?'

'Een klein misverstand. Het blijft op deze afdeling, begrepen?' Toen niemand iets zei, schreeuwde hij: 'Begrepen?'

Er werd instemmend gemompeld.

Oren wees met zijn pistool. 'Sta op, Wick.'

'Dit is niet te geloven. Je richtte een wapen op me, verdomme!'

'Schiet op. Kom overeind. Misschien is het een goed idee je voor een tijdje in de cel te zetten. Om af te koelen.' Oren keek naar de deur. 'Thigpen, heb je een paar handboeien?'

'Vergeet het maar,' bromde Wick. Hij kwam plotseling overeind en gaf een kopstoot in Orens maag. Hij hoorde het geschuifel van voeten achter zich, en wist dat de andere politiemannen zich haastten om Oren te helpen. Maar Wick was sneller dan zij. Het lukte hem Oren achteruit te duwen, tegen de muur. Hij legde een onderarm over zijn keel terwijl hij met zijn andere hand het pistool uit Orens hand probeerde te trekken.

'Neem terug wat je over Rennie zei.'

Oren vocht even hard als hij.

De andere politiemannen probeerden Wick naar achteren te trekken, maar hij was sterker. De adrenaline gaf hem kracht. 'Neem het terug!' Zijn schreeuw weerkaatste tegen de muren van de kleine kamer.

Maar hij was niet zo luid als het pistoolschot. Dat was oorverdovend.

33

Weenie had in zijn broek geplast. De ultieme vernedering. De nachtmerrie van zijn tweede schooljaar was teruggekeerd om zijn wrede bijnaam te bekrachtigen. Er was slechts één verandering – vandaag had
niemand de donkere plek op de voorkant van zijn broek opgemerkt. Ze
hadden het te druk gehad met hun pogingen de chaos in de hand te
houden.

Na het pistoolschot was de hel losgebroken, en daardoor was Weenie
erin geslaagd te ontsnappen. Het had zijn voordelen om klein van ge-
stalte en onopvallend te zijn. In de nasleep van de schietpartij was hij
wel de laatste geweest aan wie aandacht was geschonken.

Toen hij kans had gezien om uit de verhoorkamer weg te glippen,
had hij de brandtrap genomen in plaats van de lift. Pas toen hij buiten
het gebouw was, had hij beseft dat hij in zijn broek had geplast.

Wat had hem bezield op het moment dat hij besloot naar Fort Worth
te gaan? Dallas had een slechtere reputatie, maar Fort Worth was een
stuk barbaarser. De mensen daar dachten dat ze nog in het wilde
Westen leefden. Hij had met moeite dertien jaar van hun gesubsidieer-
de basisschoolsysteem overleefd. Hij had zo verstandig moeten zijn om
niet meer terug te keren naar dat met testosteron overspoelde gebied.

Op weg naar huis – de afstand van vijfenveertig kilometer tussen de
twee steden had nooit zo groot geleken – had hij de hele tijd verwacht
dat een stoet politiewagens met loeiende sirenes achter hem aan zou
komen.

Maar de politie van Fort Worth had veel grotere problemen aan zijn
hoofd dan één vermiste biechteling-in-de-dop die bij zijn positieven
was gekomen. Een bloedende politieman was een belangrijke gebeurtenis, vooral omdat hij bloedde door toedoen van een andere politieman.
Waarschijnlijk zou niemand in die kamer zich herinneren dat Weenie
Sawyer getuige van de schietpartij was geweest.

Desondanks nam hij geen risico. Eigenlijk had hij allang moeten verkassen. Hij zou een andere woning gaan zoeken. Het enige dat hij nodig had was zijn sofa, zijn tv en zijn bed, en voldoende elektriciteit voor zijn computerinstallatie. Als hij verhuisde zou hij geen doorstuuradres achterlaten.

Intussen leek een vakantie naar een Mexicaans oord met een tropisch klimaat hem een goed idee. Acapulco. Cancun. Een plaats waar hij meer zonnebrandcrème nodig had dan *pesos*. Hij zou naar het vliegveld, DFW Airport, gaan en net zo lang zoeken tot hij een vlucht had gevonden naar een plek waar niemand hem kende en waar hij van rust en vrede kon genieten tot de lucht weer was opgeklaard.

Met trillende handen maakte hij zijn voordeur open en ging snel zijn slaapkamer binnen. Hij tastte onder het bed naar zijn koffer, die onder een dikke laag stof zat. Hij legde de koffer op het bed en deed het deksel omhoog. Toen draaide hij zich om naar zijn smalle kast.

Hij slaakte een kreet van schrik.

'Hallo, Weenie.' Lozada leunde tegen de muur, met gekruiste armen en enkels. Hij zag er zeer ontspannen uit. En dodelijk. Bij het zien van de natte plek op Weenies broek, begon hij te grijnzen. 'Heb ik je laten schrikken?'

'H... hallo Lozada. Hoe is het? Ik wilde net...'

'Je koffer pakken.' Hij wees naar de koffer. 'Ga je ergens heen? Maar ja, je bent al ergens geweest, is het niet, Weenie?'

'Ergens geweest? Nee.' Hij deed zijn uiterste best om niet met zijn tanden te klapperen.

'Ik probeer je al anderhalve dag aan de lijn te krijgen.'

'O, ik was, eh... mijn telefoon doet het niet.'

Langzaam liep Lozada naar het gammele tafeltje naast Weenies bed. Hij tilde de hoorn van de telefoon op. De kiestoon zoemde luid.

'Allemachtig. Hij doet het weer,' bromde Weenie.

Lozada legde de hoorn terug en ging vlak voor Weenie staan. 'Ik maakte me zorgen om je, Weenie. Je verlaat zelden je miserabele onderkomen. Waar ben je geweest?'

Weenie moest zijn hals uitstrekken om Lozada aan te kunnen kijken. Wat hij zag stond hem niet aan. 'Hé... het spijt me dat ik er niet was. Heb je me ergens voor nodig?'

Lozada streek met zijn wijsvinger over Weenies haargrens. 'Je zweet, Weenie.'

'Eh, luister, wat je ook van me wilt, ik doe het gratis. Voor nop. Omdat ik hier niet was toen...'

337

'Je hebt in je broek geplast, Weenie. Wat maakte je zo nerveus dat je de controle over je blaas verloor?'

Lozada haalde een stiletto uit zijn zak. Met een snelle polsbeweging en een dodelijke klik opende hij het mes en hield het vlak voor Weenies gezicht. De kleine man gilde van angst.

'Vertel me waardoor je zo geschokt bent.' Lozada begon zijn nagels schoon te maken met het mes. 'Ik zou het afschuwelijk vinden om het van iemand anders te horen. Als je informatie voor me achterhoudt, zou ik erg teleurgesteld zijn.'

Weenie dacht na. Eigenlijk moest hij kiezen tussen leven of dood. Zijn leven stelde niet veel voor, maar het was altijd beter dan het alternatief. 'D... die Threadgill?'

'Wat is er met hem?'

'Hij schoot op hoe-heet-ie-ook-al-weer? De zwarte. Wesley.'

Lozada's ogen vernauwden zich tot spleetjes van wantrouwen.

Weenies hoofd danste op en neer op zijn schriele nek. 'Echt waar. Hij schoot op hem. Ik heb het gezien. Ik was erbij.'

'Waar?'

'Op het politiebureau in Fort Worth. Het hoofdbureau in de binnenstad. Ze hadden me opgepakt om me te ondervragen,' loog hij. 'Maar maak je geen zorgen. Ik heb ze niets verteld. Echt waar, Lozada. Ze probeerden me op diverse manieren aan het praten te krijgen, maar...'

'Laat maar. Je zei dat Threadgill op Wesley schoot. Dat geloof ik niet.'

'Ik zweer het,' zei Weenie met schelle stem. 'Eerst viel Threadgill mij aan. Hij wurgde me bijna en het zou hem zijn gelukt als Wesley hem niet van me had afgetrokken. Toen kregen ze ruzie over die dokter.'

Hij gaf een bijna woordelijk verslag van de woordenwisseling. 'Wesley zei een paar dingen over haar die Threadgill niet lekker zaten. Hij viel Wesley aan. Wesley trok zijn pistool en dreigde Threadgill op te sluiten tot hij was afgekoeld. Threadgill trok zich er niets van aan en ging Wesley opnieuw te lijf. Ze waren om het pistool aan het vechten toen het afging.'

Politiemannen stormden naar binnen. Ze probeerden allemaal uit te zoeken wat er was gebeurd. Wesley zat onder het bloed. Threadgill sloeg op tilt en schreeuwde: "Nee, nee, God, nee!" Dat soort dingen. Hij probeerde in de buurt van Wesley te komen, maar de anderen hielden hem tegen.' Weenie zweeg even en duwde zijn bril omhoog.

'Ik geloof niet dat Threadgill van plan is geweest om te schieten. Het was een ongeluk. Maar vóór het schot hadden de andere politiemannen hen knallende ruzie horen maken, dus dachten ze dat het opzet was. Threadgill sloeg wild om zich heen. Er waren een paar mannen nodig om hem in de handboeien te slaan en de kamer uit te slepen.'

'Is Wesley dood?'

'Dat weet ik niet. Ik ben naar buiten geslopen voor de ambulance er was, maar iemand had een zakdoek in de wond gepropt en het zag er niet best uit. Hij was in zijn buik geschoten, hoorde ik iemand zeggen.'

Lozada deed een stap naar achteren. Weenie ontspande zich toen Lozada het lemmet van het mes dichtklapte. Maar Lozada's blik activeerde nog steeds zijn zweetklieren.

'Een schietpartij in het hoofdbureau van politie is groot nieuws, Weenie. Hoe komt het dat de journaals er niets over hebben gezegd?'

'Daar hadden ze het over. Zelfs tijdens al dat tumult bleef iedereen zeggen: "Dit blijft binnen de afdeling, begrepen? Binnen de afdeling. Het is een zaak van de afdeling." Ze willen het geheimhouden. Logisch. Smeris schiet smeris neer. Ze willen niet dat het algemeen bekend wordt. Waarschijnlijk zullen ze tegen de mensen van het ziekenhuis zeggen dat Wesleys pistool per ongeluk was afgegaan toen hij het schoonmaakte. Of iets dergelijks.'

Weenie knakte nerveus met zijn knokkels. Hij vroeg zich af hoe laat het laatste vliegtuig naar Mexico vertrok. Had je een paspoort nodig om Mexico binnen te komen of was een rijbewijs ook goed?

'Heeft ze mijn kaartje bewaard?'

'Hè?'

Geërgerd knipte Lozada met zijn vingers vlak voor Weenies gezicht, alsof hij hem wakker wilde maken. Daarna herhaalde hij de vraag.

'O ja, het kaartje dat je met een bos rozen naar die vrouw had gestuurd. Wesley denkt dat ze gek op je is. Daar werd Threadgill pisnijdig om. Wesley zei dat ze hem als een viool bespeelde. Niet met die woorden, maar...'

'Masturbeer je?'

'Sorry?'

Voor Weenie het wist hingen zijn geslachtsdelen over het vlijmscherpe lemmet van Lozada's mes. 'Masturbeer je?'

'Wat bedoel je?' krijste Weenie.

'Misschien mis je hem niet voor de seks, maar je zult als een vrouw pissen als je me niet vertelt hoe het komt dat je door Wesley en Threadgill in een verhoorkamer werd ondervraagd.'

Weenie stond op zijn tenen en probeerde zijn evenwicht te bewaren. Als hij wankelde, zou hij een eunuch zijn. Dan zou hij zijn fantasieën over een beminnelijke senorita nooit kunnen waarmaken. 'Ik was bang om problemen te krijgen.'

'En daarom liep je over.'

'Nee, ik zweer het bij God.'

'Er ís geen God.' Lozada bracht het lemmet nog een centimeter omhoog. Weenie gilde. 'Er is alleen Lozada en de wetten van de fysica. Als ik je ballen afsnijd, Weenie, zullen ze als knikkers naar beneden vallen.'

'Ik ben erheen gegaan om te kijken wat voor deal ik kon maken,' snikte hij. 'Voor het geval ze ooit een link tussen jou en mij zouden leggen. Maar toen begon Wesley zich druk te maken over een telefoongesprek dat jij met dokter Newton had gevoerd. Ze dachten dat je in Galveston was.'

'Dat was ik ook.'

'Toen kreeg hij het bericht dat haar paarden dood waren geschoten. Kilometers bij Galveston vandaan. Ze waren allemaal verbijsterd. Wesley kwakte me in een cel en vergat me, denk ik. Tot vanmorgen. Toen liet hij me een douche nemen, gaf me een ontbijt, zette me in die kamer neer en zei dat ik moest wachten.

Toen hij terugkwam, was Threadgill bij hem. Ik zei tegen hen dat ik me bedacht had, dat ik een advocaat wilde hebben. De rest weet je. Ik zweer dat ik hun niets heb verteld.' Hij stond nu te blèren als een baby, maar hij kon er niets aan doen.

Lozada trok het mes terug. 'De enige reden waarom ik je niet dood, is omdat ik niet weet hoe ik je computers en alle gegevens die erin zijn opgeslagen moet vernietigen.'

Weenie veegde zijn neus af aan de rug van zijn hand. 'Hè?'

'Doe het, Weenie,' zei Lozada zacht.

Weenie verkrampte. 'Wil je dat ik mijn computers vernietig?' Lozada had net zo goed een moeder kunnen vragen haar kind te wurgen. Weenie had zich erop voorbereid om voor een poosje afscheid van zijn computers te nemen, maar ze vernietigen ging zijn voorstellingsvermogen te boven. Dat kon hij absoluut niet.

Lozada's hand bewoog zich nauwelijks, maar Weenie voelde een lichte ruk aan zijn kruis en een plotselinge luchtstroom. Toen hij naar beneden keek, zag hij dat de voorkant van zijn broek was opengereten. De punt van het mes was op een plek vlak onder zijn kruis gericht. Het lemmet glom boosaardig.

'Aan het werk, Weenie, anders is je voorhuid aan de beurt.' Weenie was besneden, maar nu leek dat een vrij onbelangrijk detail.

Zodra Rennie op de begane grond van het ziekenhuis uit de lift stapte, hoorde ze haar naam.

Grace Wesley kwam door de draaideur de hal binnen. Rennie probeerde de lift voor haar vast te houden, maar de deuren waren al dicht en de lift ging al naar boven.

Grace rende naar Rennie toe. 'Zeg alsjeblieft dat hij niet dood is.'

'Nee, hij is nog in leven.' Grace wankelde op haar benen. Als Rennie er niet was geweest om haar te ondersteunen, zou Grace misschien in elkaar zijn gezakt. 'Zijn toestand is nog steeds kritiek, maar ze denken dat je man het zal halen.'

Grace sloeg een hand voor haar mond om een snik van opluchting te onderdrukken. 'God zij dank, God zij dank. Weet je het zeker?'

'Ik heb ze zojuist gesproken toen ze je man de operatiekamer uit reden.'

Grace wreef in haar ogen. 'Ik was zo bang dat als ik hier aankwam...' Ze kon de afschuwelijke gedachte niet hardop uitspreken.

Rennie pakte haar hand en hield hem stevig vast. 'Ik heb gehoord dat je naar Tennessee bent gegaan om je dochters op te zoeken.'

'In Nashville werd ik opgewacht door een politieagente die me vertelde wat er gebeurd was. Ik heb het vliegveld niet eens verlaten, maar ben met het eerste het beste vliegtuig teruggevlogen. Orens baas stond me op DFW op te wachten, en hij heeft me meteen hierheen gebracht.' Ze zweeg even. 'Zei je "ze"?'

'Wat?'

'Je zei "ze" denken dat Oren het zal halen.'

'Ik doelde op het operatieteam.'

'Ik dacht dat jij...'

'Ik mocht niet eens toekijken, laat staan opereren. Gezien de omstandigheden zou dat ook niet goed zijn geweest. Maar hij was in handen van een uitstekend team.'

'Ik zou om jou hebben verzocht.'

'Bedankt.' Rennie was diep ontroerd. Ze wendde haar hoofd af en drukte opnieuw op de liftknop.

'Is het waar, Rennie? Heeft Wick dit gedaan?'

Rennie boog somber haar hoofd en knikte.

Grace zei: 'Dat zeiden ze tegen me, maar ik dacht dat er sprake was van een vergissing. Ik kan het me niet voorstellen.'

341

'Ik ook niet. Het... is onbegrijpelijk. Wat kan hem ertoe hebben gebracht om dit te doen? Ze hebben samen zoveel doorgemaakt, zijn zulke goede vrienden geweest. Wick draagt je man op handen.' Haar hoofd was nog steeds gebogen, en ze wreef in haar ogen. 'Rechercheur Wesley is op intensive care en Wick in de gevangenis.'

'Hij is verliefd op je.'

Rennies hoofd ging met een ruk omhoog.

'Echt waar.' Grace hield Rennies verbaasde blik vast tot er een lift arriveerde en de deuren opengingen. 'Ik moet gaan.'

'Ja, natuurlijk.'

Grace stapte snel in de lift. Rennie wachtte tot de deuren dicht waren voor ze zich omdraaide om te vertrekken. De onverwachte regen van gisteren was een herinnering. Het was bloedheet op het parkeerterrein van de artsen. Ze zou het nooit meer oversteken zonder aan Lee Howell te denken. Zijn moord was rampzalig geweest, maar deze tragische reeks van gebeurtenissen was echt begonnen toen ze de uitspraak van de jury bekend had gemaakt. 'We achten de verdachte niet schuldig.'

Haar huis was donker toen ze aankwam. Zoals altijd reed ze haar Jeep de garage in en ging het huis door de keukendeur binnen. Ze liep rechtstreeks naar de koelkast en pakte een fles water. Ze bleef bij de gootsteen staan tot ze hem helemaal leeg had gedronken.

Ze liep door haar zitkamer, door de donkere gang naar haar slaapkamer. Ze deed de lamp op het nachtkastje aan en kleedde zich uit. In haar ondergoed liep ze de badkamer in. Toen draaide ze de douchekranen open, koos een geurige gel uit en nam een lange douche.

Gehuld in haar favoriete en meest comfortabele badjas liep ze terug naar de keuken, waar ze een glas wijn voor zichzelf inschonk. Ze nam het mee naar de zitkamer en ging op haar lievelingsplekje in de hoek van de sofa zitten.

Ze nipte van haar wijn terwijl ze terugdacht aan de nacht waarin ze hier in slaap was gevallen en later door het ziekenhuis was opgeroepen. De patiënt had een gevaarlijke steekwond in zijn rug gehad.

Wick. Ze had hem zoveel leed berokkend. Wesley ook. Hij en zijn hele gezin. En nu.... God, nu.

Ze leunde achterover in de kussens en sloot haar ogen. Tranen biggelden over haar wangen. Ze hadden allemaal geleden vanwege haar en die vervloekte juryuitspraak.

Ze zat daar lange tijd, met haar hoofd achterover en haar ogen dicht. Zo vond hij haar.

Of, beter gezegd, zo was ze toen ze rechtop ging zitten, zich omdraaide en zei: 'Hallo, Lozada.' Hij stond achter de sofa, vlakbij, en keek op haar neer.

'Ik verwachtte je al.'

Hij glimlachte tevreden. 'O ja, Rennie?'

Toen ze hem haar naam hoorde zeggen en zijn reptielenglimlach zag, moest ze bijna overgeven. Ze zette het glas wijn op de salontafel, stond op en liep om de sofa naar hem toe. 'Ik wist dat je zou komen nadat je had gehoord wat er met Oren Wesley was gebeurd.'

'Je vriendje kan zijn kalmte niet bewaren. Een onfortuinlijke karaktertrek. Het was slechts een kwestie van tijd voor hij zichzelf vernietigde. Wesley?' Hij haalde zijn schouders op. 'Zijn probleem is dat hij de verkeerde vrienden kiest.'

'Hoe ben je erachter gekomen? Het is niet op het journaal geweest. Er waren zulke strenge veiligheidsmaatregelen in het ziekenhuis, dat alleen een handjevol personeelsleden Wesleys identiteit kenden en van de aard van zijn verwonding op de hoogte waren. Je hebt vast een informant binnen de FWPD. Wie heeft het je verteld?'

'Een klein vogeltje,' fluisterde hij. 'Een laf klein vogeltje. Aanvankelijk geloofde ik het niet, maar ik heb gecontroleerd of het trieste verhaal klopt. Helaas, het is waar.'

Hij reikte naar een losgeraakte haarlok. Ze dwong zichzelf niet terug te deinzen, maar hij moest haar afkeer hebben gevoeld, want hij glimlachte weer die reptielenglimlach. 'Je ziet er mooi uit vanavond.'

'Ik zie er helemaal niet mooi uit. Ik ben moe. Moe van alles.'

'Je reis zal wel afmattend zijn geweest.'

'Hoe heb je het gedaan?'

'Wat, liefje?'

'Hoe is het je gelukt om de afstand van Galveston naar mijn ranch zo snel af te leggen dat je er vóór het aanbreken van de dag arriveerde?'

'Ik heb al eerder tegen je gezegd dat ik geen vakgeheimen onthul, Rennie. Anders zou ik spoedig werkloos zijn.'

'Het was een kunststuk.'

'Ik heb geen vleugels, mocht je dat denken.' Toen haar handpalm zijn wang raakte, leek het of er een voetzoeker ontplofte.

'Dat is voor het doden van mijn paarden.'

Niet langer lachend of glimlachend greep hij haar pols zo ruw vast, dat ze een kreet van pijn slaakte. Hij draaide haar snel om en hield haar hand tussen haar schouderbladen. Zijn adem was warm tegen haar oor. 'Ik zou je nu meteen moeten doden vanwege die klap.'

'Je gaat me tóch doden, nietwaar?'

'Ik kan je onmogelijk laten leven, Rennie! Je hebt het alleen jezelf te verwijten. Je had me moeten toestaan je te koesteren zoals ik dat wilde. Maar je gaf er de voorkeur aan je ruw te laten behandelen door die lompe cowboy, die ex-politieman.' Hij trok haar dichter tegen zich aan en duwde haar hand nog verder omhoog. 'Na zo'n belediging zit er niets anders voor me op dan jullie beiden te vermoorden. Ik vind het alleen jammer dat hij in de gevangenis zit en dus niet kan toekijken terwijl je sterft. Maar ja, een mens kan niet alles hebben.'

De pijn was hevig, maar ze stribbelde niet tegen. Ze gaf zelfs geen kik. 'Ze hadden je jaren geleden moeten opsluiten, Lozada. Niet omdat je een moordenaar bent, maar omdat je aan waandenkbeelden lijdt. Snap je het niet? Ook als Wick Threadgill niet bestond zou ik je niet in mijn buurt willen hebben. Je bent een griezel.'

Hij liet de stiletto openspringen en legde het over haar keel. 'Voor ik met je klaar ben zul je me smeken je niet te doden.'

'Ik zou je nooit om iets smeken. Ik zou je misschien hebben gesmeekt mijn paarden niet te doden, maar daar heb je me de kans niet voor gegeven. Toen je ze ombracht heb je, wat mij betreft, je laatste troef uitgespeeld. Ik ben over mijn angst heen, Lozada. Ik ben niet meer bang voor je.'

'O, dat betwijfel ik.' Hij liet het mes zakken en streek zacht met de platte kant van het lemmet over haar tepel.

Automatisch hield ze haar adem in.

'Zie je wel?' grinnikte hij. 'Je bent erg bang, Rennie.'

Het was waar. Ze was doodsbang, maar ze weigerde nog steeds dat te tonen. 'Ik zal me niet tegen je verzetten, Lozada. Gedurende twintig jaar is elke dag van mijn leven een bonus geweest. Ik zal je niet smeken me te laten leven. Als je daarop zit te wachten, is het zonde van je tijd.'

'Wat een moed! En daarom vind ik het afschuwelijk om je te doden, Rennie. Echt waar. Je bent een heel bijzondere vrouw. Ik hoop dat je begrijpt hoe naar ik het vind dat onze liefdesaffaire zo moet aflopen.'

'We hebben nooit een liefdesaffaire gehad, Lozada. En wat dat begrijpen betreft, ik begrijp dat je alleen de aandacht van een vrouw kunt krijgen door haar angst aan te jagen.'

Hij trok haar nóg dichter naar zich toe en wreef zijn kruis tegen haar billen. 'Voel je dat? Dát is wat de aandacht van vrouwen, van een mássa vrouwen, krijgt.'

Ze zweeg.

'Zeg eens netjes "alsjeblieft", Rennie.' Zijn tong gleed over haar hals. 'Zeg "alsjeblieft" en misschien mag je me dan pijpen voordat ik je dood.'

'O, Lo-za-da.'

Rennie voelde dat hij schrok bij het horen van Wicks lijzige stem.

'Ja, het klopt. Dit is de loop van mijn .357 in je oor. Knipper met je ogen en je bent er geweest.'

'Knipper met je ogen, alsjeblieft. Alsjeblieft, Lozada,' teemde Oren Wesley vanaf de deuropening naar de keuken. Zijn pistool was op Lozada's hoofd gericht.

'Laat het mes vallen!' beval Wick.

Lozada grinnikte en drukte de vlijmscherpe rand tegen Rennies keel. 'Ga je gang. Haal de trekker over, Threadgill. Als je haar bloed wilt zien stromen, moet je me neerschieten.'

'Dat is typisch iets voor jou, laffe klootzak. Een vrouw gebruiken om je hachje te redden. Haar van achteren aanvallen is ook een van je – wat zal ik zeggen? – onfortuinlijke karaktertrekken.

Maar als je het zo wilt, Ricky Roy, mij best,' zei hij kalm. 'Als ík schiet, schiet Oren ook. We hebben de hele dag geoefend, weet je. Sinds we die kleine scène voor je vriend Weenie opvoerden. Een vieze troep, al dat namaakbloed en zo, maar kennelijk was het wel overtuigend.

Luister, dit is wat er gaat gebeuren. Onze kogels zullen je schedel binnendringen. Orens kogel misschien een duizendste van een seconde na de mijne. Maar veel zal het niet schelen, denk jij dat ook, Oren?'

'Ik denk het ook.'

'Misschien kruisen ze elkaar nog op een gegeven moment, Ricky Roy. Maar hoe dan ook, je hersens zullen rondspatten als stront van een grote gans.'

'Op dat moment zal ze dood zijn,' zei Lozada.

'Laat haar los, Lozada.'

'Geen denken aan.'

'Wat vind jij ervan, Oren?' zei Wick. 'Ben je dit gelul zat?'

'Ik ben dit gelul zat.'

'Ik ook.' Met een klein pistool in zijn linkerhand schoot Wick in Lozada's rechterelleboog. Bot verbrijzelde. Zenuwen en bloedvaten werden afgesneden. De stiletto viel uit nutteloze vingers. Rennie liet zich op de grond vallen, zoals haar was opgedragen. Lozada draaide zich razendsnel om, bracht zijn linkerhand omhoog, stak zijn duim uit en probeerde hem in Wicks oog te steken. Wick schoot met de .357 in zijn borst.

Lozada's ogen sperden zich wijd open van verbazing. Toen zei Wick: 'Dit is voor Joe,' en vuurde nóg een keer.

Lozada viel achterover op de vloer.

Rennie kroop naar hem toe en legde onmiddellijk een vinger op zijn halsslagader.

'Zijn hart klopt nog.' Ze scheurde zijn overhemd open.

'Laat hem.'

Ze keek op naar Wick. 'Dat kan ik niet.'

Toen concentreerde ze zich weer op Lozada en startte haar pogingen om zijn leven te redden.

34

De volgende morgen verliet Rennie pas om acht uur het ziekenhuis. Wick zat in zijn pick-up op haar te wachten, met stationair draaiende motor. Hij boog opzij en maakte het portier voor haar open.

Ze hadden het zo geregeld, dat haar vertrek met Orens persconferentie samenviel, zodat de reporters bezig zouden zijn en zij er stiekem vandoor kon gaan. Toen ze wegreden van het ziekenhuis, zagen ze televisiewagens langs de straat geparkeerd staan. Een groep verslaggevers en cameralieden stonden in een kring voor de ingang van de hal.

'Wat zegt hij tegen hen?' vroeg ze.

'Dat de FWPD een succesvolle val heeft opgezet met medewerking van het personeel van Tarrant General Hospital. Een van de meest notoire criminelen van de stad, een zekere Ricky Roy Lozada, is overleden aan de schotwonden die hij opliep toen hij zich tegen zijn arrestatie verzette.'

Voor ze Lozada aan de ambulancebroeders overdroeg, had Rennie zich heldhaftig gedragen. Ze had al het mogelijke gedaan om zijn hart aan het kloppen te houden. Ze had bij hem in de ambulance gezeten, op weg naar de operatiekamer. Maar toen ze aankwamen, was hij gestorven. Wick had zijn lijk persoonlijk naar het lijkenhuis geëscorteerd.

Daarna had Rennie erop gestaan Wick te onderzoeken, ze had zelfs een CAT-scan laten maken om te kijken of er een inwendige bloeding was. Wick had tegen Oren gezegd dat hij zich niet moest inhouden, dat hij ervoor moest zorgen dat hun vechtpartij zo echt mogelijk leek. Oren had zich daaraan gehouden. Wick voelde zich net een boksbal, maar Rennies onderzoek had niets zorgwekkends aan het licht gebracht.

'Oren zal proberen je naam buiten het verhaal te houden,' zei Wick tegen haar.

'Dat stel ik op prijs.'

'Maar misschien is het onvermijdelijk, Rennie.'

'Als het onvermijdelijk is, kom ik er ook wel weer uit.'

Hun plaats van bestemming was vooraf vastgesteld. Rennie wilde niet terug naar het huis waarin Lozada was gestorven. Toen ze eenmaal op de snelweg naar het westen waren, pakte Wick haar hand. 'Ik stierf duizend doden toen hij je met dat mes bedreigde.'

'Ik was bang dat jullie door iets waren opgehouden, dat jij en Oren niet op jullie plaats zouden zijn. Toen ik thuiskwam was ik geneigd in de provisiekast te kijken en onder het bed om me ervan te verzekeren dat jullie er waren.'

'Niets had me bij je weg kunnen houden.'

'Het was een gewaagd plan, Wick.'

'Goddank werkte het.'

Hij had besloten dat hij en Rennie geen hoop voor een gezamenlijke toekomst hadden tot het probleem van Lozada was opgelost. Met andere woorden, tot hij was uitgeschakeld. En dat was het sleutelwoord geweest: uitgeschakeld. Dat woord had steeds door zijn hoofd gespeeld. Hij had vermoed dat Lozada Rennie zou benaderen, als hij dacht dat Oren en Wick waren uitgeschakeld.

'Het moeilijkste van het plan was de noodzaak om jou in gevaar te brengen.'

'Maar dat wás ik al.'

'Tot die conclusie kwam ik uiteindelijk ook. En je zou in gevaar blijven ténzij en tót ik Lozada dwong open kaart te spelen.' Gistermorgen was hij voor dag en dauw opgestaan, had Oren gebeld en hem het plan voorgelegd. Het had Oren wel aangestaan. Hij had zelf ook een paar suggesties gedaan en de boel in beweging gezet.

'Hoe heb je Oren ervan overtuigd dat ik niet de femme fatale ben die hij dacht dat ik was?' vroeg Rennie.

'Ik hoefde Oren daar niet van te overtuigen. Dat had Lozada al gedaan toen hij je paarden doodde. Eerlijk gezegd denk ik dat Oren dat allang had bedacht, maar dat hij alleen maar stijfkoppig was. Geloof me, Rennie. Als hij niet absoluut van je onschuld en zijn verkeerde oordeel overtuigd was geweest, zou hij nooit aan deze val hebben meegewerkt. Tussen haakjes, ik moet je zijn excuses aanbieden voor alle lelijke dingen die hij tegen je moest zeggen om overtuigend bij Weenie Sawyer over te komen.

Die trouwens een meevaller voor ons was. Zonder hem hadden we misschien dagen moeten wachten, ik in de gevangenis en Oren in het ziekenhuis, veinzend dat hij zwaargewond was, voordat het nieuws Lozada bereikte en hij in actie kwam.

We lieten Sawyer schaduwen. En toen onze mensen Lozada in Weenies huis in Dallas zagen, waren ze op hun qui-vive. Na het vertrek van Lozada gingen ze naar binnen en arresteerden Weenie. Hij lag op zijn bed te huilen, omdat Lozada hem had gedwongen zijn computers aan gruzelementen te slaan. Hij begon zijn medeplichtigheid al te bekennen voordat ze hem in de boeien sloegen.'

'Zullen er nog onaangename gevolgen voor je zijn?'

'Voor het doodschieten van Lozada? Nee. Oren had me in mijn vroegere ambt hersteld voordat we naar binnen gingen om Weenie te ondervragen.'

Rennie keek hem verbaasd aan. 'Dus officieel ben je weer een politieman?'

'Ik zit erover na te denken.'

'Waar moet je over nadenken?'

'Over de negatieve dingen die erbij horen.'

'Elke baan heeft negatieve kanten, Wick.'

'Een weinig bemoedigende stelregel,' zei hij met een wrange glimlach.

'Het komt neer op één vraag,' zei Rennie. Wick wierp haar een zijdelingse blik toe. 'Is je liefde voor het werk groter dan je afkeer van de negatieve dingen?'

Daar hoefde hij niet lang over na te denken. 'Ik hou van het werk.'

'Daar heb je je antwoord.'

Hij knikte peinzend. 'Nu ik eindelijk in staat ben Joe te begraven, hem écht te begraven, zal het anders zijn, denk ik.'

'Daar ben ik zeker van. Het is je roeping.' Ze lachte zacht. 'En over roeping gesproken, Grace heeft die van haar misschien gemist. Ze had aan het toneel moeten gaan en actrice moeten worden. Ze speelde haar rol uitstekend in het ziekenhuis.'

'Ik heb gehoord dat jullie het alletwee heel goed deden.'

'Ik weet niet of Lozada het al dan niet heeft gezien.'

'Dat weet ik ook niet, maar het moest er allemaal écht uitzien. Als Lozada het ziekenhuis in de gaten hield en Grace niet als een haas naar Orens bed was gerend, zou Lozada lont hebben geroken.'

Toen hij haar zag geeuwen zei hij: 'Je bent de hele nacht in touw geweest. Waarom probeer je niet te slapen tot we er zijn?'

'Hoe zit het met jou?'

'Ik heb gedut tussen alle onnodige onderzoeken door die ik van mijn dokter moest ondergaan.'

Ze sloot glimlachend haar ogen. Ze werd weer wakker toen hij de pick-up voor het hek tot stilstand bracht en uitstapte om het open te maken. Na erdoorheen te zijn gereden, parkeerde hij de wagen bij de trap aan de voorkant van het huis.

Rennie keek naar de stal. 'Daar ging ik altijd als eerste heen.'

Hij streelde haar wang. 'Probeer er niet aan te denken.'

'Ik denk er steeds aan.'

Hij klom uit de pick-up en liep eromheen om haar portier te openen, maar hij verhinderde haar uit te stappen. 'Wat is er?' vroeg ze.

'Toen ik in je slaapkamer was en wachtte om Lozada te grijpen...'

'Ja?'

'Hoorde ik dat je iets tegen hem zei wat ik vreemd vond. Je zei dat in de afgelopen twintig jaar elke dag van je leven een bonus was geweest.' Hij zette haar zonnebril af, zodat hij in haar ogen kon kijken. 'En ik vroeg me af wat je daarmee bedoelde, Rennie.' Ze boog haar hoofd, maar hij tilde haar kin op en dwong haar hem aan te kijken. 'Je hebt het verhaal niet afgemaakt, hè?'

Hij kon zien dat ze worstelde met de vraag of ze zou liegen of niet, maar zijn wil won het. Ze haalde diep adem. 'Toen T. Dan schoot?'

'Ja?'

'Richtte hij zijn wapen niet op Raymond.'

Hij staarde haar aan. Toen haar woorden tot hem waren doorgedrongen, ademde hij langzaam uit en zei: 'Mijn God.'

'Mijn vader was veel kwader op mij dan op Raymond. Raymond had geen belangstelling meer voor hun vastgoedtransactie, hij was niet scherp meer. Toen T. Dan ons samen zag en besefte dat ik de reden was van Raymonds verstrooidheid, beschouwde hij me slechts als een hindernis die uit de weg geruimd moest worden.'

Ze zweeg even en staarde wezenloos in de verte. 'Hij was mijn vader en ik was dol op hem. Hij had mijn hart gebroken met zijn ontrouw. Hij had mijn moeder, ons gezin verraden. Hij was een egoïstische schoft die alleen uit eigenbelang handelde.'

Ze lachte bitter en schudde haar hoofd. 'Maar, Wick, weet je wat echt grappig is? Of tragisch? Ik hield nog steeds van hem. Ondanks alles. Anders zou ik niet zo hard hebben geprobeerd hem boos en van streek te maken door dezelfde dingen te doen die híj deed. Ik zou zijn zakenpartner niet hebben verleid. Ik hield van hem,' herhaalde ze triest.

'Maar zijn vastgoedtransactie betekende meer voor hem dan ik. Hij zweepte zichzelf op tot het schuim op zijn lippen stond. Hij was kwaad genoeg om me te vermoorden. Dat zou hij ook hebben gedaan als Raymond niet voor me was gaan staan juist op het moment dat T. Dan schoot. Ik bedoelde het dus letterlijk toen ik tegen je zei dat Raymond niet zou zijn gestorven als ik er niet was geweest. Hij stierf terwijl hij me tegen mijn eigen vader beschermde.

Daarna was ik in shock. Ik ging akkoord met alles wat ik van T. Dan moest doen, zei alles wat ik van hem moest zeggen. Kort na het incident stuurde hij me weg. Misschien kreeg hij last van zijn geweten als hij me zag, of misschien was ik een nare herinnering aan de vastgoedtransactie die aan zijn neus voorbij was gegaan. Maar tot aan de dag dat hij stierf hebben we nooit meer over die middag gesproken.'

Wick trok haar naar zich toe. Toen ze weerstand bood zei hij: 'Geen sprake van! Je gaat je niet terugtrekken en je boetekleed aantrekken.' Hij legde haar gezicht in zijn hals en streelde haar hoofd. 'Het is twintig jaar terug gebeurd. In een ver verleden. En je hebt er duizend keer voor geboet. En T. Dan brandt in de hel. Hij kan je geen pijn meer doen, Rennie. Dat zal ik niet toestaan.'

Hij hield haar een tijdje vast alvorens haar los te laten. 'Ik ben blij dat je het hebt verteld. Het verklaart een hoop. De behoefte aan controle over alles. Het gebrek aan angst voor gevaar omdat je op je zestiende kon zijn gestorven. Ik hoop maar dat je minder roekeloos zult zijn. Ik kan niet de hele tijd achter je kont aan zitten om je te beschermen. Figuurlijk gesproken, natuurlijk.'

Ze lachte. Of snikte. Het was moeilijk te zeggen, omdat ze tranen in haar ogen had en ook glimlachte. Hij hielp haar uitstappen en samen klommen ze de trap op. Toen hij de voordeur openduwde, zei hij: 'Wat zou je zeggen van een ontbijt?'

'Lijkt me lekker.'

Hij reikte om haar heen om de deur te sluiten, en toen zat ze klem tussen de deur en hem. 'Ontbijt. Elke morgen zolang we leven.'

Ze wierp hem een droeve glimlach toe. 'Wick...'

'Wacht even. Voor je bezwaar gaat maken, moet je me laten uitspreken.' Hij legde zijn hand om haar wang. 'Ik zal je beste vriend zijn voor de rest van je leven. Ik zal mijn uiterste best doen om dat deel van je dat nog steeds pijn doet te helen. Ik zal een vurige en trouwe minnaar zijn. Ik zal de vader van je kinderen zijn. Graag! En ik zou je met mijn leven beschermen.'

'Dat heb je al gedaan.'

'Jij hebt mijn leven ook gered, Rennie. En niet alleen aan de operatietafel. Ik voelde me ellendig toen Oren naar Galveston kwam. Verlokt te worden tot een zaak waarbij een mysterieuze vrouwelijke chirurg was betrokken is het beste dat me ooit is overkomen.'

Ze glimlachte, maar haar ogen waren nog steeds vol twijfel. 'Ik denk niet dat het goed zal gaan tussen ons.'

'Nu ik erover nadenk, misschien heb je gelijk,' zuchtte hij. Zijn hand ging naar het bovenste knoopje van haar bloes en maakte het los. 'Ik heb last van woedeaanvallen en jij blijft koel als je onder druk staat. Ik ben een sloddervos, jij bent een Pietje precies. Ik ben arm, jij bent rijk.'

Toen hij die fundamentele verschillen had opgesomd, waren alle knoopjes los, evenals haar broek. Hij boog zich naar haar toe en kuste haar mondhoek. 'We passen absoluut niet bij elkaar.'

Ze tilde haar hoofd op, zodat zijn lippen haar hals konden bereiken. 'Behalve wat Grace zei.'

Hij knabbelde zacht aan haar oorlelletje. 'Wat zei Grace dan?'

Ze trok zijn hemd uit zijn broek en liet haar handen over zijn borstkas dwalen. 'Dat je verliefd op me bent.'

'Slimme Grace.'

'En? Ben je dat?'

'Ja, dat ben ik.' Haar zachte lach werd een diepe kreun toen hij haar beha loshaakte en haar borsten omvatte.

'En dan is er nog mijn werk.'

'Inderdaad.' Zijn tong liefkoosde haar tepel.

'Het is erg veeleisend.'

Hij streelde haar buik tot onder haar navel. 'Dat zal best.' Toen gleed zijn hand in haar slipje. 'We hebben alles tegen.' Ze was nat en ontvankelijk, en toen zijn vingers in haar gleden, ving hij haar mond met een vurige kus.

Een paar minuten later lag Rennie loom op hem op de sofa. De kleren die niet op tijd waren verwijderd waren vochtig, gekreukt en om hen heen gedraaid. Lange haarslierten lagen om zijn hals. Zijn ene voet stond op de vloer. Ze gloeiden en hijgden, en waar hun lichamen verenigd bleven trilde nog steeds opwinding.

'Wat zei je ook alweer?' hijgde hij.

Hij voelde haar glimlachen tegen zijn borst terwijl ze slaperig vroeg: 'Pannenkoekjes of eieren?'